דרשות און כּתבֿים

דרשות און כתבֿים

מאוצר הרב

געקליבענע כתבֿים פֿון הרבֿ יוסף דובֿ הלוי סאָלאָווייטשיק

רעדאַקטיר־קאָלעגיע

דוד שאַץ, רעדאַקטאָר

יואל ב. וואָלאָוועלסקי, געהילף־רעדאַקטאָר

ראובֿן זיגלער, פֿאָרש־דירעקטאָר

די סעריע ספֿרים *מאוצר הרב* גייט אַרויס אַ דאַנק

דער ברייטהאַרציקער שטיצע פֿון רות און אירווין שאַפּיראָ

דרשות און כּתבֿים

הרבֿ יוסף דובֿ הלוי סאָלאָווייטשיק

צוגעגרייט צום דרוק דורך

דוד־אליהו פֿישמאַן

אַרויסגעגעבן פֿאַר דער
תּורת־הרבֿ פֿונדאַציע
דורכן כּתבֿ־פֿאַרלאַג

Yiddish Drashos and Writings
Rabbi Joseph B. Soloveitchik
Edited by David E. Fishman

ISBN 978-1-60280-124-0
Printing year: 2017

Published for
THE TORAS HORAV FOUNDATION by
KTAV PUBLISHING HOUSE
527 Empire Blvd.
Brooklyn, NY 11225
www.ktav.com
orders@ktav.com
Ph: (718) 972-5449 / Fax: (718) 972-6307

Printed in the United States of America

לעילוי נשמות אבי ואמי

הרב חנוך הענעך בן ר׳ מאיר ברמן ז״ל
שׂרה דבורה בת ר׳ אריה לייב לבית האמבורג ז״ל

זיי האָבן מיר געלערנט אהבֿת־התּורה און אהבֿת־ייִדיש.
אַ דאַנק זיי האָב איך געקענט איַינזאַפּן
דעם רבֿס תּורה
און נהנה זײַן פֿון זײַנע ייִדישע דרשות און שיעורים

הרבֿ יהודה ברמן

תוכן

III. אַרטיקלען (1955–1954)

פֿאָרוואָרט

די תּורת־הרבֿ פֿונדאַציע האָט דעם זכות אַרויסצוגעבן דעם דאָזיקן ספֿר דרשות און כּתבֿים אויף ייִדיש פֿון הרבֿ יוסף דובֿ סאָלאָווייטשיק זצ״ל. אין משך פֿון לאַנגע יאָרן, איז ייִדיש געווען דאָס הויפּט־לשון אויף וועלכן דער רבֿ האָט געגעבן שיעורים און דרשות, און די פֿונדאַציע האָט געהאַלטן אַז ס'איז אונדזער חובֿ־קדוש אויפֿצוהיטן לדור־דורות זײַנע ווערטער אין זייער אָריגינעלן לשון און סטיל.

אין מײַן געדעכעניש, איז ייִדיש פֿאַרבונדן מיט צוויי פֿון די וויכטיקסטע מענטשלעכע באַציִונגען אין מײַן לעבן — די באַציִונג מיט מײַנע טאַטע־מאַמע, און מיט מײַן רבין, דעם רבֿ. איך בין אַ געבוירענער אין דוקשט, פּוילן, ניט ווײַט פֿון ווילנע, און מײַן ייִדיש שטאַמט פֿון דער היים. אין שטוב האָבן מיר גערעדט אך־ ורק ייִדיש, אויך נאָך דעם ווי מיר זײַנען אָנגעקומען אין אַמעריקע אין יאָר 1940. די מאַמע האָט זייער געוואָלט אַז איך זאָל ניט נאָר רעדן ייִדיש, נאָר אויך לייענען. האָב איך אָנגעהויבן, מיט יאָרן שפּעטער, קויפֿן אַ ייִדישע צײַטונג יעדן פֿרײַטיק, און עס לייענען אום שבת. אַזוי־אַרום איז ייִדיש געוואָרן אַן אינטעגראַלער טייל פֿון מײַן לעבן.

אָבער מײַן צווייטע באַקאַנטשאַפֿט מיט דער ייִדישער שפּראַך איז געווען אַ דאַנק דעם רבֿ, אין וועמענס מויל די דאָזיקע שפּראַך איז געווען אַ כּלי אויסצודרוקן אינטעלעקטועלע עמקות און פּאָעטישע שיינקייט. בעת מײַנע פֿריִע יאָרן ווי אַ תּלמיד אין ישיבֿה־קאָלעדזש און ישיבֿת רבינו יצחק אלחנן, האָב איך געהערט וועגן דעם באַרימטן יאָרצײַט־שיעור וואָס דער רבֿ פֿלעגט געבן אור לג׳ שבֿט, לזכר נשמת אָבֿיו, הרבֿ משה סאָלאָווייטשיק זצ״ל. איך האָב דעמאָלט געמיינט אַז איך וועל בשום אופֿן נישט קענען פֿאַרשטיין דעם יאָרצײַט־שיעור, בין איך ניט געגאַנגען. אָבער,

אײן יאָר, בין איך יענעם אָוונט אַדורכגעגאַנגען דעם קאָרידאָר פֿונעם הויפּט־בנין פֿון דער ישיבֿה, און האָב געהערט דעם רבֿס קול רעדן אינעם בית־מדרש. (ערשט שפּעטער, האָט מען אַריבערגעפֿירט דעם שיעור צו דער גרויסער לאַמפּאָרט־אוידיטאָריע, צוליבן ריזיקן עולם וואָס האָט גענומען קומען.) דער רבֿ האָט געהאַלטן בײַם צווייטן טייל פֿון דער דרשה, בײַם חלק־הדרוש. איך בין געוואָרן פֿאַרכאַפּט פֿון די ווערטער — גאָלע ייִדישע פּאָעזיע — בעת דער רבֿ האָט באַשריבן דעם אימאַזש פֿון אַ בין וואָס פֿליט פֿון בלום צו בלום, און דער באַדײַט דערפֿון פֿאַרן רעליגיעז־סענסיטיוון מענטשן.

דאָס איז געווען דאָס ערשטע מאָל וואָס איך האָב געהערט דעם רבֿ רעדן, און ס'איז געווען אַ ווענד־פּונקט אין מײַן לעבן. למעשׂה, איז דאָס געווען דער אָנהייב פֿון מײַן לאַנגיאָריקער באַציִונג מיט אים, לכתּחילה ווי זײַן תּלמיד, נאָך דעם ווי זײַן אַדוואָקאַט און ליטעראַרישער אַגענט. אָבער איך בין שטענדיק, עד סוף ימיו — און אויך ווײַטער – געבליבן זײַן תּלמיד.

עס האָט מיר טיף געריִרט בײַם האַרצן ווען איך האָב געפֿונען דעם רבֿס פּאָעטישן אימאַזש פֿון דער בין וואָס פֿליט פֿון בלום צו בלום אין אײנער פֿון די דרשות אויף ייִדיש וואָס גייען אַרײַן אין דעם איצטיקן ספֿר. דער אימאַזש האָט מיך צוריקגעפֿירט אין געדאַנק צו די יאָרצײַט־שיעורים וואָס איך האָב געהערט ווי אַ יונגערמאַן, און וואָס זײַנען מיר געבליבן אַזוי שאַרף אײַנגעקריצט אין זכּרון. לפֿי דעתּי, איז דאָס אויסהערן דעם יערלעכן יאָרצײַט־שיעור געווען די גרעסטע אינטעלעקטועלע איבערלעבונג פֿונעם לערן־יאָר. שטעלט אײַך פֿאָר, בעט איך אײַך, דאָס בילד:

ס'איז אור לג' שבֿט. מיר זיצן אין לאַמפּאָרט־אוידיטאָריע פֿון ישיבֿה אוניווערסיטעט, און וואַרטן אַז דער רבֿ זאָל אָנקומען און געבן דעם שיעור. געוויסע פֿון אונדז זיצן שוין דאָ עטלעכע שעה לאַנג, האָבנדיק געקומען פֿרי כּדי צו פֿאַרנעמען זיץ־ערטער אַזוי נאָענט ווי מעגלעך צום רבֿ. די אוידיטאָריע פֿילט זיך אָן און ווערט איבערגעפֿולט מיט מענטשן. מיט אַ מאָל , איז אַן עלעקטרישער שטראָם אַדורך דעם צימער, און דער גאַנצער עולם האָט זיך אויפֿגעשטעלט: דער רבֿ איז אָנגעקומען!

היות ווי מיר זיצן פֿון פֿאָרנט, זעען מיר אים ניט באַלד. דער רבֿ קומט אַרײַן דורך דער הינטערשטער טיר, און מוז אַדורכשפּרײַזן די גאַנצע לענג פֿון דער אוידיטאָריע ביז מיר דעזעען אים. אַלע שטייען, און מען פֿאַרשטעלט אונדזער ריאה, אָבער דאָס געפֿיל אַז ער איז דאָ דרינגט דורך דעם גאַנצן זאַל. לסוף, שיידט דער רבֿ זיך אויס פֿונעם עולם, און גייענדיק האַסטיק, מיט אַ כּתבֿ־יד אין דער האַנט, שפּאַנט ער אַרויף אויף דער בינע, זעצט זיך אַוועק בײַ אַ ליידיקן טיש און הייבט אָן דעם שיעור.

די גרויסע גײַסטיקע נסיעה הייבט זיך אָן. דער רבֿ קאָנצענטרירט זיך אויף אַ הלכה, אָדער עטלעכע הלכות, אינעם רמב"ם, און הייבט אָן שטעלן אַ ריי קשיות וועגן באַשײַמפּערלעכע שוועריקייטן אינעם רמב"ם — ד"ה, די שוועריקייטן זײַנען

באַשײַמפּערלעך נאָך דעם ווי דער רבֿ ווײַזט אָן אויף זיי מיט זײַן קלאָרער און שאַרפֿער דרך־הסברה. נאָך דעם ווי ער צעגלידערט יעדע קשיא, נעמט ער זיי אַלע אַרום אין אַ סך־הכּל, און, זײַענדיק אַ פּעדאַגאָג בחסד עליון, פֿאַרזיכערט, אַז מיר פֿאַרשטייען אַלע די שוועריקייטן וואָס ער וועט איצט פֿאַרענטפֿערן.

נאָך דער ערשטער פֿאַזע פֿונעם שיעור, אַנטוויקלט דער רבֿ אַן אייגענעם באַגריף, אַ רעיון וואָס איז דער חידוש פֿונעם שיעור. מיט דעם רעיון גייט ער אַדורך אַ ים מיט גמרות, מדרשים, ראשונים, און פּוסקים. מיר קוקן און הערן זיך צו, און אַ סך פֿון אונדז פֿאַרשרײַבן אײַליקע רשימות, און פּרובירן נאָכהאַלטן דעם רבֿס גיכע רייד בײַם צעלייגן זײַן חידוש. ער בויט אויף אַ בנין, ציגל נאָך ציגל, און איז מישבֿ אַלע מקורות וואָס זײַנען לכאורה סותר זײַן באַגריף.

נאָכן אַוועקשטעלן דעם יסוד פֿונעם בנין און מישבֿ זײַן סתּירות, קערט דער רבֿ זיך אום צו זײַנע לכתּחילהדיקע קשיות. ער חזרט איבער יעדע קשיא, און פֿאַרענטפֿערט זיי איצט מיט לײַכטקייט, איינע נאָך דער צווייטער, אָנווענדנדיק זײַן רעיון, זײַן באַגריף. עס זײַנען שוין פֿאַרבײַ מער ווי צוויי שעה, און דער קרײַז איז געשלאָסן געוואָרן. דער ערשטער חלק פֿונעם שיעור איז פֿאַרענדיקט.

דער רבֿ נעמט זיך איצט צום חלק־הדרוש, וואָס ער הייבט געווײנטלעך אָן מיט דער רעטאָרישער פֿראַגע "איר ווילט נאָך?". דער עולם ענטפֿערט אָפּ מיט אַ הילכיקן "יאָ", און דער רבֿ הייבט אָן נאָך אַ צוויי־שעהיקן מײַסטערווערק, אין אַ פּרעכטיקן פּאָעטישן ייִדיש. מיר זיצן פֿאַרכּישופֿטע, און שלינגען יעדעס וואָרט. איצט, אין דעם חלק־הדרוש פֿונעם שיעור, איז שווערער צו פֿאַרשרײַבן רשימות. מיר זײַנען אַנטציקט ניט נאָר פֿון דעם רבֿס געדאַנקען און באַגריפֿן, נאָר אויך פֿון דער שיינקייט פֿונעם לשון, דעם אויסוואַל פֿון ווערטער, די קאָמבינאַציעס פֿון פֿראַזעס. מיר זײַנען באַצוווּנגען פֿון דער גאָלער פּאָעזיע פֿון זײַנע רייד, פֿון זײַן מײַסטערדיקן כּח־הדיבור, און פֿאַרשטייט זיך, פֿון זײַן גאונות. סוף־כּל־סוף, פֿאַרענדיקט זיך דער שיעור. עס געדויערט אַ היפּשע ווײַלע ביז מיר קערן זיך אום צו דער רעאַליטעט פֿון דער וועלט, אָבער בלית־ברירה מוזן מיר דאָס טאָן.

דאָס איז געווען אַן אומפֿאַרגעסלעכע איבערלעבונג, און מיר וועלן עס טראָגן אין אונדזער געדעכעניש ביזן סוף פֿון אונדזערע טעג. מיר וועלן דערציילן אונדזערע קינדער און קינדס־קינדער וועגן דעם גרויסן זכות וואָס מיר האָבן געהאַט דאָס איבערצולעבן. אָבער מיר מוזן מודה זײַן אַז עס פֿעלן אונדז די ווערטער איבערצוגעבן דעם רגש, די שטימונג, און דאָס התרוממות־הרוח, פֿון יענע שעהען.

* * *

בעתן מעיין זײַן אין דעם ספֿר פֿון דעם רבֿס דרשות אויף ייִדיש, קענען מיר, די וואָס האָבן זוכה געווען צו לערנען מיטן רבֿ פּה־אל־פּה, הערן ווי עס קלינגט זײַן

קול. און די וואָס האָבן ניט געהאַט אַזאַ זכיה, אָבער וואָס קענען יִידיש, וועלן זיך דערנענטערן, אויף וויפֿל עס איז נאָר מעגלעך, צו דער איבערלעבונג פֿון זיצן ביַים רבֿ אין שיעור און הערן זיַינע גאונותדיקע דערקלערונגען פֿון הלכה און אגדה, דרוש און מחשבֿה.

יהודה ברמן

הקדמה

דוד־אליהו פֿישמאַן

דער איצטיקער באַנד באַשטייט פֿון כּתבֿים וואָס הרבֿ יוסף דובֿ סאָלאָווייטשיק האָט אָנגעשריבן אויף ייִדיש, און וואָס זײַנען ביז־איצט נישט אָפּגעדרוקט געוואָרן אין בוך־פֿאָרעם אין זייער אָריגינעלן לשון. דעם גרעסטן טייל פֿונעם באַנד פֿאַרנעמען דרשות און רעדעס, געשריבן אין הרבֿ סאָלאָווייטשיקס אייגענעם כּתבֿ־יד, וואָס האָבן זיך אויפֿגעהיט ביַי זײַנע קינדער. ס'רוב פֿון זיי זײַנען נאָך ניט דערשינען אין ענגלישער אָדער העברעישער איבערזעצונג. אַ קלענערער, אָבער ניט ווייניקער חשובֿער, טייל פֿונעם באַנד באַשטייט פֿון דער סעריע אַרטיקלען וואָס הרבֿ סאָלאָווייטשיק האָט אָפּגעדרוקט אין דער ניו־יאָרקער ייִדישער צײַטונג *טאָג־מאָרגן זשורנאַל* אין די יאָרן 1954–1955.

דער איצטיקער ספֿר דערגאַנצט די ווערק אויף ייִדיש וואָס הרבֿ סאָלאָווייטשיק האָט אָפּגעדרוקט בחייו: אַ *דרשה* ('פֿולער טעקסט פֿון אַ רעדע געהאַלטן אויפֿן קאָנוועגשאָן פֿון מזרחי־הפּועל המזרחי פֿון אַמעריקע, אַטלאַנטיק סיטי, כּסלו תּשכ"ב'), ניו־יאָרק, תּשכ"ב; און *פֿיר דרשות* ('פֿולער און אויטאָריזירטער טעקסט פֿון פֿיר רעדעס [...] וועגן אַקטועלע פּראָבלעמען פֿון אונדזער צײַט'), ניו־יאָרק, מכון תּל־אורות, תּשכ"ז. דער באַנד דינט ווי אַ דערמאָנונג אַז דער רבֿ (ווי מען האָט אים ברייט אָנגערופֿן) איז געווען אַ דרײַ־שפּראַכיקער מרביץ־תּורה און מחבר: אויף העברעיש, ענגליש, און ייִדיש. דערמיט קריגט דער הײַנטצײַטיקער לייענער די געלעגנהייט זיך צו באַקענען מיטן רבֿס תּורה און מחשבֿה אין זייער מקורותדיקן לשון, געשריבן אין זײַן אייגנאַרטיקן לומדיש־פֿילאָסאָפֿישן סטיל.

דרשות און כּתבֿים: די טעקסטן און זייערע קאָנטעקסטן

ווי געזאָגט, זײַנען אַלע דרשות און רעדעס וואָס ווערן דאָ אָפּגעדרוקט, טראַנסקריבירט געוואָרן פֿון כּתבֿי־יד וואָס זײַנען אָנגעשריבן אין הרבֿ סאָלאָווייטשיקס אייגענעם האַנטשריפֿט. די כּתבֿי־יד באַשטייען ניט פֿון נאָטיצן אָדער ראָשי־פּרקים, נײַערט פֿון פֿולע, גאַנצע טעקסטן, וואָס דער מחבר האָט באַוויזן איבערצולייענען, פֿאַרריכטן, און רעדאַקטירן. אין די כּתבֿ־ידן זײַנען פֿאַראַן אויסגעשטראָכענע ווערטער און שטעלן, און אַפֿילו גאַנצע אויסגעשטראָכענע זײַטן. און אויך פֿאַרקערט: דער רבֿ האָט צוגעגעבן ווערטער און שטעלן, על־פּי רובֿ צווישן די שורות אָדער אויף די גליונות פֿון די בלעטער. די דרשות און רעדעס לייענען זיך ווי שלימותדיקע ווערק. (מיט איין אויסנאַם: די לעקציע "צדקה" [תּש"ט] איז ניט דערשריבן געוואָרן ביזן סוף, און האַקט זיך איבער פּלוצעמדיק.)

צום באַדויערן, זײַנען עטלעכע כּתבֿ־ידן ניט דערגאַנגען צו אונדז בשלימות. פֿון צוויי דרשות, "פּרשת וישבֿ, תּשט"ז" און "פּרשת ויגש, תּשי"ב", פֿעלן לענגערע אָפּשניטן, גאַנצענע זײַטן. פֿאַקטיש זײַנען די פֿאַרבליבענע טעקסטן פֿון יענע צוויי דרשות אין דער בחינה פֿון פֿראַגמענטן. עטלעכע כּתבֿ־ידן האָבן זיך אויפֿגעהיט נאָר אין אַלטע זעראָקס־קאָפּיעס, און בײַם קאָפּירן, האָט מען על־פּי־טעות אָפּגעהאַקט די אונטערשטע אָדער אייבערשטע שורות פֿון געוויסע זײַטן. אַזוי איז דער פֿאַל מיט דער דרשה "יחיד וציבור" און מיט דער לעקציע "צדקה".

נישט געקוקט אויף די בלויזן אין דעם כּתבֿ־ידן־קאָרפּוס, איז דאָס איצטיקע געזעמל אַ זעלטענער און טײַערער אוצר פֿון דעם רבֿס תּורה.

מערסטע ספֿרים פֿון הרבֿ סאָלאָווייטשיקס תּורה און מחשבֿה וואָס זײַנען אַרויסגעגעבן געוואָרן זינט זײַן פּטירה זײַנען צונויפֿגעשטעלט געוואָרן אויפֿן סמך פֿון נאָטיצן פֿון צוהערער־תּלמידים, אָדער אויפֿן סמך פֿון רעקאָרדירונגען. לאַ־כּן דער איצטיקער ספֿר, וואָס באַשטייט פֿון אַ טייל פֿון הרבֿ סאָלאָווייטשיקס ליטעראַרישן עזבֿון בפֿועל ממש. די מעלות פֿון אַזוינע כּתבֿים אַנטקעגן נאָטיצן אָדער רעקאָרדירונגען זײַנען אין־לשער: ערשטנס, קען מען ניט ספֿקן אין זייער פּינקטלעכקייט. אַ צוהערער קען פֿאַרפֿעלן אַן אויסדרוק, אַ זאַץ, אָדער טעותדיק אויפֿנעמען און איבערגעבן אַ געדאַנק. אין אַ כּתבֿ־יד רעדט דער מחבר דירעקט, אומפֿאַרמיטלט. צווייטנס, איז אַ געשריבענער טעקסט דער פּועל־יוצא פֿונעם מחברס ישובֿ־הדעת. אין אים קענען ניט אַרײַנפֿאַלן קיין ספּאָנטאַנע, נישט־דורכגעטראַכטע פּליטות־פּה אָדער אומגעריכטע אָפּנויגונגען פֿון דער טעמע, ווי עס טרעפֿט זיך אָפֿט בײַ דבֿרים־שבעל־פּה.

פֿונדעסטוועגן, דאַרף מען באַוואָרענען דעם לייענער, אַז דעם רבֿס דרשות־שבעל־פּה האָבן געקענט זיך אונטערשיידן פֿון זייער פֿאַרשריבענעם נוסח, און די ערשטע האָבן אויך געקענט זײַן פֿולער און רײַכער פֿון די לעצטע. ווי עס גיבן איבער

בני־משפּחה און תּלמידים, פֿלעגט הרבֿ סאָלאָווייטשיק אָפּט, בײַם לייענען פֿונעם טעקסט, צוגעבן און אויסברייטערן די טעמע עקספּראָמפּט.

די דרשות, רעדעס, און אַרטיקלען וואָס גייען אַרײַן אינעם באַנד שטאַמען פֿונעם צײַט־אָפּשניט צווישן די יאָרן 1949 און 1958. דאָס איז געווען אַ שליסל־תּקופֿה אין דעם רבֿס אַנטוויקלונג ווי אַ מרביץ־תּורה־ברבים, ווי אַ רעליגיעזער דענקער, און ווי דער אָנערקענטער מנהיג פֿון דער מאָדערנער אָרטאָדאָקסיע. אין די פֿריִע 1950ער יאָרן, האָט הרבֿ סאָלאָווייטשיק אָנגעהויבן געבן אָפּטע עפֿנטלעכע דרשות און שיעורים מחוץ די ווענט פֿון ישיבֿה אוניווערסיטעט, אין דער "קהילת־מוריה"־שול אין מאַנהאַטאַן, און דורך זיי האָט ער משפּיע געווען אויף אַ ברייטן עולם רבנים און בעלי־בתּים. אין 1953, איז ער געוואָרן דער יושבֿ־ראש פֿון דעם ועד־ההלכה פֿון הסתּדרות הרבנים, און דערמיט פֿאָרמאַליזירט זײַן אָרט ווי דער פּוסק אחרון בײַ דער מאָדערנער אָרטאָדאָקסיע. און בעת יענע יאָרן, האָט ער אַנטוויקלט און אויסגעדריקט זײַן קוקווינקל וועגן כּלערליי ייִדישע פּראַגעס, אַרײַנגערעכנט זײַן רעליגיעזן ציוניזם.

פֿון די צען דרשות וואָס גייען אַרײַן אינעם ערשטן אָפּטייל פֿונעם באַנד, זײַנען לכל־הפּחות פֿינף, און מסתּמא אַכט, געגעבן געוואָרן אין דער "מוריה"־שול, ווו הרבֿ סאָלאָווייטשיק איז געווען מרא־דאתרא אין די 1950ער יאָרן. אין "מוריה" פֿלעגט ער אויך געבן רעגולערע דרשות אין די שבתים און ימים־טובֿים, און שיעורים אין די דינסטיק אָוונטן, וואָס האָבן צוגעצויגן אַ ריזיקן עולם. אויף טייל פֿון די כּתבֿי־יד שטייט אָנגעשריבן פֿון אויבן, נאָכן טיטל פֿון דער דרשה, "מוריה". ס'רובֿ "מוריה"־דרשות זײַנען אָפּגעגעבן צו ימים־טובֿים: ראש־השנה, חנוכּה (צוויי דרשות), פּסח, און שבֿועות (צוויי דרשות). די צוויי פּרשת־השבֿוע־דרשות פֿאַרנעמען זיך מיט סדרות פֿון דער יוסף־הצדיק־דראַמע, וישבֿ און ויגש.

דער עולם וואָס איז געקומען אויף די "מוריה" דרשות איז געווען צונויפֿגעשטעלט פֿון למדנים, רבנים, און אויך פֿון בעל־בתּישע ייִדן, און די דרשות זײַנען געצילעוועט פֿאַר אַ ווויל־לערנערישן, אָבער פֿאָרט ניט איינהײַטלעכן עולם. זײַנע דבֿרי־דרוש אויף דער ימים־טובֿים־טעמאַטיק, געבויט בעיקר אויף אַגדתא, פֿלעכטן צונויף הלכהשע, היסטאָרישע, מאָראַליסטישע, אידעאָלאָגישע, און פֿילאָסאָפֿישע טעמעס. די שפּאַנונג צווישן רעדן צו למדנים און צו בעלי־בתּים איז קענטיק, און קומט בולט צום אויסדרוק אין זײַן שבת־הגדול דרשה פֿון יאָר תּשי"ז. דאָס איז אַ קלאַסישע שבת־הגדול דרשה "בהלכה ובאַגדה", און אין דעם פֿאַל קען מען אויך צוגעבן, "בקבלה". די הלכישע, אַגדישע און קבלהשע טיילן פֿון דער דרשה געהערן צו אַנדערשדיקע מקצועות־התּורה, און ניט יעדער צוהערער האָט גרינג געקענט נאָכפֿאָלגן אַלע דרײַ חלקים. דאַקעגן, דערנענטערט זיך זײַן שבֿועות־דרשה פֿון יאָר תּשט"ו צום זשאַנער פֿון אַ מוסר־שמועס.

די ערשטע דרשה אינעם באַנד האָט הרבֿ סאָלאָווייטשיק געגעבן אין באָסטאָן, אויף דער יערלעכער סעודת־מצוה פֿון דער באָסטאָנער חבֿרה־ש״ס אין יאָר תּש״ט. הרבֿ סאָלאָווייטשיק איז געווען דער רבֿ פֿון דער דאָזיקער חבֿרה זינט זײַן אָנקומען אין באָסטאָן אין יאָר 1932, און די דרשה איז אַ מין מאַניפֿעסט פֿון תּורה־ייִדישקייט, געבויט לויטן גערעם פֿון מאמרים פֿון פּרקי־אָבֿות. געהאַלטן האָט ער די דרשה פֿאַר אַן עולם נאָענטע און אייגענע מענטשן, און אויף איין אָרט ווענדט ער זיך צו זיי ווי ״מיר חבֿרה־ש״ס ייִדן״. צום סוף פֿון דער דרשה דריקט ער אויס זײַן שטאָלץ מיט דער אַנטוויקלונג פֿון דער רמב״ם־ישיבֿה (Maimonides Day School) וואָס ער האָט מיסד געווען אין 1937, און מיט דער דערהאַלטונג פֿון תּורה־ייִדישקייט אין באָסטאָן.

די לעצטע דרשה אינעם באַנד, ״יחיד וציבור״, איז אַ יאָרצײַט־דרשה נאָך זײַן פֿאָטער, הרבֿ משה סאָלאָווייטשיק, און איז געגעבן געוואָרן אין ישיבֿת רבינו יצחק אלחנן. אין איר זעט מען באַשײַמפּערלעך דעם רבֿס ברייט־פֿאַרצווײַגטע קענטעניש און אינטערעסן: די דרשה הייבט זיך אָן מיט אַ פֿילאָסאָפֿישן פֿאָרטראָג וועגן דער פּראָבלעם פֿון יחיד און ציבור אינעם מאָדערנעם געדאַנק, פֿון דער פֿראַנצייזישער אויפֿקלערונג (אין אַכצנטן יאָרהונדערט) ביזן מאָדערנעם קאָמוניזם. נאָך דעם, באַטראַכט ער די פּראָבלעם דורך דער פּריזמע פֿון אַ מדרש אין בראשית־רבה, און דאָס לעצטע פּירט אים צו אַן לענגערער אָפּהאַנדלונג וועגן דער דעפֿיניציע פֿון חסד אינעם מורה־נבֿוכים. צום סוף, פֿירט ער נאַטירלעך אַריבער די טעמע צו דער טעאָריע פֿון דערציִונג אין יהדות און בײַ די אומות־העולם, דערמאָנענדיק די מיינונגען פֿון פּלאַטאָן און פּעסטאַלאָצין. ער פֿאַרענדיקט מיט אַ שיר־ושבֿח צו זײַן פֿאַרשטאָרבענעם פֿאָטער, ר׳ משה, וואָס האָט געקענט צונויפֿבינדן זײַנע תּלמידים אין אַ גײַסטיקן ציבור. די דרשה איז אָטעם־פֿאַרכאַפּנדיק מיט איר פֿעיקייט אָרגאַניש צונויפֿצובינדן ווײַט־פֿאַרשיידנדיקע מקורות פֿון דער ייִדישער מסורה און דער מערבֿדיקער קולטור.

אינעם צווייטן אָפּטייל פֿונעם באַנד, ״רעדעס״, ווערן געבראַכט די טעקסטן פֿון צוויי אויפֿטריטן פֿון הרבֿ סאָלאָווייטשיק פֿאַר עולמס, וועמענס צוהערער זײַנען ניט געווען נאָכפֿאָלגער פֿון זײַן אידעיִשער שיטה. די לעקציע ״צדקה״ איז, לויט פֿאַרשיידענע סימנים, משמעות געהאַלטן געוואָרן פֿאַרן באָסטאָנער אַרבעטער־רינג. (דער רבֿ דערמאָנט זײַנעם אַן אַנדערן אויפֿטריט פֿאַרן באָסטאָנער אַרבעטער־רינג אין דער ״חבֿרה ש״ס״ דרשה, און זײַנע קינדער באַשטעטיקן אַז הרבֿ סאָלאָווייטשיק האָט ניט איין מאָל גערעדט פֿאַר דער דאָזיקער אָרגאַניזאַציע.) דער תּוכן פֿון דער רעדע איז ניט אַזאַ לומדיש־פֿאַרוויקלטער ווי אין די דרשות, און אַלע מקורות פֿון חז״ל און פֿון רמב״ם ווערן תּיכּף איבערגעזעצט אויף ייִדיש דורכן רעדנער. הרבֿ סאָלאָווייטשיק פֿאַררופֿט זיך אויף באַגריפֿן און פּערזענלעכקייטן וואָס זײַנען געווען גוט־באַקאַנט

יִידיש־וועלטלעכע ייִדן פֿון מזרח־אייראָפּע: געברויך־סאָציאַליזם, פּראָדוקציע־סאָציאַליזם, חיים זשיטלאָווסקי, י.ל. פּרץ, סטעפֿאַן צווייַג אאַז״וו. אויף איין אָרט כאַראַקטעריזירט ער זייַן עולם: ״זאָגט מיר מייַנע ליבע, אַ סך צווישן אייַך זייַנען ניט רעליגיעז״. די טעמע פֿון צדקה און סאָציאַלן יושר איז געווען ווי אָנגעמאָסטן פֿאַר דעם אַרבעטער־רינג עולם. אין דער לעקציע אַנטפּלעקט זיך דער רבֿ ווי אַ לערער און בעל־מסביר, וואָס האָט פֿאַרשפּרייט תּורה צווישן ייִדן וואָס זייַנען געווען ווייַט פֿון טראַדיציאָנעלער ייִדישקייט.

די צווייטע רעדע, הרבֿ סאָלאָווייטשיקס באַגריסונג־רעדע אויפֿן באַנקעט פֿון חינוך עצמאי אין 1956, איז געווען אַ וויכטיק היסטאָריש געשעעניש: דער מנהיג פֿון מזרחי האָט גערעדט לטובֿת אַן אָרגאַניזאַציע אונטערן אַפּוטרופּסות פֿון דער אגודה; דער הויפּט־וואָרטזאָגער פֿון דער מאָדערנער אָרטאָדאָקסיע איז אויפֿגעטראָטן פֿאַר רבנים און ראשי־ישיבֿה וואָס זייַנען געווען קעגנער פֿון דער ״תּורה ומדע״ שיטה. אין דער רעדע האָט הרבֿ סאָלאָווייטשיק אויסגעדריקט זייַן דרך־ארץ און ליבשאַפֿט צו ר׳ אהרון קאָטלער, דער ערן־פּאָרזיצער פֿון חינוך עצמאי. די רעדע ברענגט אַרויס אַ דעליקאַטן באַלאַנס: פֿון דער איינער זייַט, דריקט דער רבֿ אויס זייַן סאָלידאַריטעט און שותּפֿות־געפֿיל מיטן תּורה־ייִדנטום בכלל, און פֿון דער אַנדערער זייַט ווייַזט ער אָן אויף זייַנע חילוקי־דעות מיט דער אגודה בנוגע די מיטלען וואָס מען דאַרף אָנווענדן כּדי מחזק צו זייַן ייִדישקייט אין מדינת־ישׂראל.[1]

אינעם דריטן טייל פֿונעם באַנד גייט אַרייַן אַ סעריע פֿון צען אַרטיקלען וואָס הרבֿ סאָלאָווייטשיק האָט אָפּגעדרוקט אין *טאָג־מאָרגן זשורנאַל* אין 1954–55. די דאָזיקע ייִדישע טאָג־צייַטונג, די פֿאַראייניקונג פֿונעם נאַציאָנאַלן, ציוניסטיש־אָריענטירטן *טאָג* (געגרינדעט אין 1914) מיטן רעליגיעזן *מאָרגן זשורנאַל* (געגרינדעט אין 1902), איז געווען דער הויפּט־קאָנקורענט פֿונעם *פֿאָרווערטס* אין די נאָך־מלחמהדיקע יאָרן. דער *טאָג־מאָרגן זשורנאַל* האָט אין פֿאַרבינדונג מיטן פֿערציק־יאָריקן יובֿיליי זינט דער גרינדונג פֿון *טאָג* (דער הויפּט־שותּף פֿון דער צייַטונג) פֿאַרבעטן הרבֿ סאָלאָווייטשיק זיך אַרויסצוזאָגן וועגן אַקטועלע פֿראַגעס פֿון ייִדישן לעבן אין איר יובֿיליי־נומער. אַרויסגעוואַקסן דערפֿון איז אַ לענגערע סעריע אַרטיקלען. נישט געקוקט אויף דעם צייַטונג־קאָנטעקסט, און אויף די פּובליציסטישע טיטלען (אפֿשר צוגעשריבענע דורך דער רעדאַקציע), האָט הרבֿ סאָלאָווייטשיק אָנגעשריבן אַ סעריע אַרטיקלען וואָס באַשטייט בעיקר פֿון פֿילאָסאָפֿישע און אידעאָלאָגישע עסייען. ער רופֿט זיך אָפּ אויף אַקטועלע פּראָבלעמען דורך באַלייַכטן די פֿילאָסאָפֿישע גרונט־פּרינציפּן פֿון ייִדישקייט וואָס ליגן הינטער זיי: אַחדות־הרשויות אין יהדות, עם

1. פֿאַרגלייַכט דעם נוסח פֿון דער דאָזיקער רעדע וואָס גייט אַרייַן אינעם איצטיקן באַנד מיטן געדרוקטן נוסח אין Amos Bunim, *A Fire in His Soul*, Jerusalem, Feldheim, 1989, pp. 365–373.

ישׂראל ווי אַן עדה און ווי אַ פּאָליטיש־היסטאָריש פֿאָלק, די באַציִונג פֿון ייִדישקייט צו דער נאַטור און צו דער וויסנשאַפֿט, און יחוד־השם ווי דער העכסטער ווערט פֿון יהדות. דער יאָדער פֿון די אַרטיקלען פֿאַרנעמט זיך מיט דער פֿילאָסאָפֿיע פֿון תּפֿילה, און פֿאַררופֿט זיך אויף די דעמאָלט אַקטועלע פֿראַגעס פֿון מחיצה, סידור־רעפֿאָרמען (דאָס פֿאַרפֿאַסן נײַע תּפֿילות), און מנהגי בית־הכּנסת בכלל.

דער צײַט־אָפּשניט 1949–1958 איז געווען אַ דראַמאַטישע תּקופֿה אין דער ייִדישער געשיכטע, מיטן אויפֿקום פֿון מדינת־ישׂראל. הרבֿ סאָלאָווייטשיק רופֿט זיך אָפּ אויף תּקומת־המדינה, איר באַדײַט און די אַרויסרופֿן וואָס זי פֿאַרשאַפֿט, מערערע מאָל אין די דרשות, רעדעס, און אַרטיקלען וואָס ווערן אָפּגעדרוקט אינעם באַנד.

באַזונדערש אינטערעסאַנט איז דעם רבֿס באַשרײַבונג (אין "חבֿרה־ש"ס") פֿון זײַן צוזאַמענשטויס מיט אַ חשובֿן ראש־ישיבֿה אויף אַ רבנישער אַסיפֿה אין יאָר 1949, וועגן דער אַנטשטייונג פֿון מדינת־ישׂראל. הרבֿ סאָלאָווייטשיק האָט צו זײַן בר־פּלוגתּא אויסגערופֿן: "איר מאַכט אַ טעות מײַן חשובֿער ראש־ישיבֿה. [...] ניט די גדולי־ישׂראל האָבן פֿאַרלוירן, און ניט די 'חופֿשים' האָבן געוווּנען. מנצח געווען האָט דער נצח־ישׂראל. פֿאַרלוירן האָבן די ייִדישע שׂונאים, געזיגט האָט די אייביקע נבֿואה, דער 'והיה באחרית הימים'. געזיגט האָבן ישעיהו, ירמיהו, רבי עקיבֿא, די ייִדישע אמונה אין גאולה [...] דער 'וארשתּיך לי לעולם'."

הרבֿ סאָלאָווייטשיק און ייִדיש

ייִדיש איז, פֿאַרשטייט זיך, געווען הרבֿ סאָלאָווייטשיקס מוטערשפּראַך, און אין משך פֿון יאָרצענדליקער איז זי געווען די הויפּט־שפּראַך אויף וועלכער ער האָט געגעבן זײַנע שיעורים און דרשות. אַפֿילו נאָך דעם ווי ער האָט געביטן דאָס לשון פֿון זײַנע גמרא־שיעורים אין דער ישיבֿה, און זיי אָנגעהויבן זאָגן אויף ענגליש, אין יאָר 1960, האָט ער לאַנגע יאָרן ווײַטער געזאָגט דרשות און עפּנטלעכע שיעורים (אין מוריה, די יאָרצײַט־שיעורים) אויף ייִדיש. עטלעכע פֿון הרבֿ סאָלאָווייטשיקס העברעישע ספֿרי־מחשבֿה, וואָס זײַנען אַרויס בחיו אונטער דער רעדאַקציע פֿון פּנחס פּלאי און משה קרונה, זײַנען באַזירט אויף דרשות וועלכע דער רבֿ האָט געגעבן, און די רעדאַקטאָרן האָבן געהערט, אויף ייִדיש.[2] אויך נאָכן אָפּזײַן אין אַמעריקע מער ווי דרײַסיק יאָר, פֿלעגט ער אַליין זאָגן אויף זיך, אַז ער דריקט זיך אויס צום סאַמע בעסטן און באַקוועמסטן אויף ייִדיש.

2. וועגן זײַן איבערגײַן אויף ענגליש זען Rothkoff, *The Rav: The World of Rabbi* – Aaron Rakeffet *Joseph B. Soloveitchik*, Ktav, 1999, p. 45, און די מקורות וואָס ווערן דערמאָנט אין דער הערה. צווישן די העברעישע ספֿרי־מחשבֿה וואָס זײַנען געבויט אויף זײַנע ייִדיש־שפּראַכיקע דרשות: *על התשובה: דברים שבעל־פה*, כתב וערך פינחס הכהן פלאי, ירושלים, תשלה־1974, און *ימי זיכרון*, תירגם מאידיש משה קרונה, ירושלים, תשמ"ו.

אין אַ היפּשער מאָס, איז הרבֿ סאָלאָווייטשיק געווען אַ יורש און ממשיך־דרך פֿון דער טראַדיציאָנעלער צוויי־שפּראַכיקייט בײַ מזרח־אייראָפּעיִשע רבנים: ער האָט גערעדט, געלערנט, און גדרשנט אויף ייִדיש, נאָר האָט אָפּגעדרוקט זײַנע חידושי־תּורה און שיעורים בעניני־הלכה אויף לשון־קודש. זײַנע ערשטע חידושי־תּורה האָט ער געדרוקט אינעם רבנישן זשורנאַל *הפּרדס*, און אויף די עלטערע יאָרן האָט ער פּובליקירט זײַנע *שעורים לזכר אבא מרי ז"ל* אויף לשון־קודש. אַזוי אַרום, איז ייִדיש בײַ אים געווען ראשית־כּל אַ בעל־פּה־שפּראַך, און העברעיִש איז געווען בעיקר אַ בכּתבֿ־שפּראַך. דאַקעגן האָט ער זײַנע דרשות און דברי־מחשבֿה — ליטעראַרישע זשאַנערן וואָס זײַנען געצילעוועט אויף אַ ברייטערן עולם ווי חידושי־תּורה — אָפּגעדרוקט אויף ביידע לשונות: אַמאָל אויף העברעיִש, אַ מאָל אויף ייִדיש, און אַ מאָל טאַקע אויף ביידע שפּראַכן. אַזוי למשל, האָט ער אַרויסגעגעבן *אַ דרשה* (1961) און *פֿיר דרשות* (1967) אויף ייִדיש אַ סך פֿריער ווי זייער העברעיִשע איבערזעצונג א"נ *חמש דרשות* (1974). אַזאַ מין שפּראַכיקע דיפֿערענציאַציע צווישן זשאַנערן (הלכה: אויף לשון־קודש, דרוש: אויף ייִדיש און לשון־קודש) קען מען געפֿינען בײַ פּויליש־ליטווישע רבנישע מחברים פֿון סוף 16טן יאָרהונדערט אָן.[3]

אָבער ווי אַ מאָדערנער מענטש, און ווי אַ קינד פֿון צוואַנציקסטן יאָרהונדערט, זײַנען בײַ הרבֿ סאָלאָווייטשיקן אויך צוקומען דרויסנדיקע, ניט־ייִדישע שפּראַכלים, נישט נאָר בעל־פּה נאָר אויך בכּתבֿ. זײַן דאָקטאָר־דיסערטאַציע אין בערלינער אוניווערסיטעט האָט ער, פֿאַרשטייט זיך, אָנגעשריבן אויף דײַטש. און אָנהייבנדיק אין די 1960ער יאָרן האָט ער אָפּגעדרוקט פֿילאָסאָפֿישע און אידעאָלאָגישע עסייען אויף ענגליש. אַזעלכע קלאַסישע ווערק ווי "Confrontation" (1964) און "The Lonely Man of Faith" (1965) האָט דער רבֿ אָנגעשריבן אויף ענגליש.

אַזוי־אַרום האָבן מיר צו טאָן מיט אַ דרײַ־שפּראַכיקן רבנישן מחבר, אַ זעלטנהײַט אין דער מאָדערנער ייִדישער געשיכטע. דאַכט זיך, אַז אויף קיין צווייטן פֿאַל פֿון דעם מין קען מען ניט אָנווײַזן.

הרבֿ סאָלאָווייטשיקס ייִדיש־לשון איז רײַך, בייגעוודיק, בילדעריש, און קערנדיק. מען דאַרף אַרויסטיילן דרײַ כאַראַקטעריסטישע הויפּטשטריכן פֿון זײַן שפּראַך:

(א) ער רעדט און שרײַבט אַ ליטוויש ייִדיש: אַרויסגערעדט האָט ער דאָס וואָרט תּורה /טיירע/, ניט /טוירע/, געזאָגט האָט ער גרייס (ניט גרויס), הייך (ניט הויך) אאַז"וו. אין זײַן געשריבענעם לשון פֿעלט בדרך־כּלל דער נייטראַלער גראַמאַטישער מין 'דאָס': ער שרײַבט 'דער לעבן' (ניט 'דאָס לעבן'), 'דער קינד' (ניט 'דאָס קינד'), און

3. זען מאַקס ווײַנרײַך, *געשיכטע פֿון דער ייִדישער שפּראַך*, ניו־יאָרק, 1973, קאַפּיטל 4, "אינעווייניקסטע ייִדישע צווייִשפּראַכיקייט"; חנא שמערוק, *ספרות יידיש: פרקים לתולדותיה*, תּל־אָבֿיב, 1978.

אַלע אַבסטראַקטע סובסטאַנטיוון פֿון לשון־קודש וואָס ענדיקן זיך מיט ־ות׳ זײַנען פֿעמינין: ׳די חשיבֿות׳, ׳די עקשנות׳ (אַנשטאָט ׳דאָס חשיבֿות׳, ׳דאָס עקשנות׳, ווי ס׳איז אָנגענומען אין דער כּלל־שפּראַך און אין אַנדערע דיאַלעקטן). מען געפֿינט אויך בײַ אים אַזעלכע טיפּיש ליטוויש־ייִדישע פֿאָרמעס ווי ׳האָלט האָבן׳ (אַנשטאָט ׳ליב האָבן׳), ׳קאָנען׳ (אַנשטאָט ׳קענען׳), ׳איינע מיט די אַנדערע׳ (אַנשטאָט ׳איינער מיט דעם אַנדערן׳), ׳ער וויס׳ (אַנשטאָט ׳ער ווייסט׳), אאַז״וו.

(ב) זײַן ייִדיש איז טיף־לומדיש, אַזאַ וואָס נאָר אַ רבֿ אָדער ראש־ישיבֿה וואָלט באַנוצט: אַ מאָל שאַפֿט ער מיטן געדיכטן באַנוץ פֿון לשון־קודשדיקן קאָמפּאָנענט אַ העכערן און פֿרומערן טאָן. אין אַ דרשה שרײַבט ער ״[דאָס] איז פֿון די יסודי־הדת, און אַלע חכמי־ישׂראל האָבן זיך עוסק געווען דערמיט״[4]. אַ נישט־רבנישער מחבר, און אפֿשר הרבֿ סאָלאָווייטשיק אַליין שרײַבנדיק אין *טאָג־מאָרגן זשורנאַל*, וואָלט פֿאָרמולירט דעם זעלבן זאַץ אַנדערשדיק: ״דאָס איז פֿון די פֿונדאַמענטאַלע באַגריפֿן פֿון ייִדישקייט, און אַלע אונדזערע חכמים האָבן זיך פֿאַרנומען דערמיט״. דער סטיליסטישער חילוק אין ניכּר. אַ מאָל גיסן זיך בײַ אים צונויף ייִדיש און גמרא־לשון אין איין שפּראַכיקן יש, און נאָר אַ תּלמיד־חכם קען באַשיידן דעם מיין דערפֿון: ״אויב מען איז זי מוצאי לחולין (מוֹעל), איז פּקע איר הקדש״[5].

(ג) ער שרײַבט אויפֿן לשון פֿון אַ מאָדערנעם אינטעליגענט, מיט אַ סך אינטערנאַציאָנאַלע ווערטער, ווי אויך ווערטער גענומען פֿון מאָדערנעם דײַטש. אַזאַ אויסדרוק ווי ״די מעטאָדן, פּרינציפּן און קאַטעגאָרישע פֿאָרמען פֿון דער הלכישער לאָגיק [און אירע] פֿאָרמאַלע איסטרומענטן״[6], קען מען לייענען בײַ וועלטלעך־געבילדעטע ייִדיש־סטיליסטן ווי ד״ר חיים זשיטלאָווסקי (און נישט בײַ פֿאָלקסטימלעכע שרײַבער ווי שלום־עליכם). פֿון דער אַנדערער זײַט, באַנוצט אויך הרבֿ סאָלאָווייטשיק ריין־דײַטשע ווערטער, וואָס זײַנען ניט אָנגענומען אינעם מאָדערנעם ייִדיש; ווערטער ווי ״עמפּפֿינדן״ (פֿילן, שפּירן), ״באַפֿאַסן״ (אויפֿנעמען, באַנעמען), און ״פֿלוסטערן״ (שעפּטשען). דער דאָזיקער סטיליסטישער אייגנשאַפֿט איז אַ ירושה פֿון זײַנע לערן־יאָרן און בערלין, און פֿון זײַן פֿילאָסאָפֿישער אויסשולונג.

דער סימן־מובֿהק פֿונעם רבֿס סטיל אויף ייִדיש איז דער נאַטירלעכער צונויפֿשמעלץ פֿון (ב) און (ג), פֿונעם רבניש־לומדישן ייִדיש מיטן אינטעליגענטיש־דײַטשמערישן ייִדיש. אַזאַ קאָמבינאַציע קען מען ניט געפֿינען בײַ קיין אַנדערן מחבר אויף ייִדיש. זי איז אַן אָפּשפּיגלונג פֿון זײַן לעבן אין צוויי קולטורן, די רבנישע

---

4. אין ״יחיד וציבור״.
5. פֿון ״חבֿרה ש״ס״.
6. פֿינעם אַרטיקל ״אָרטאָדאָקסישע, קאָנסערוואַטיווע, און רעפֿאָרם ייִדן אין אַמעריקע״.

און די מערבֿדיקע; זי איז די סטיליסטישע פֿאַרקערפּערונג פֿון זײַן מאָדערנער אָרטאָדאָקסיע.

ווי אַ ליטווישער ייִד וואָס האָט פֿאַבראַכט אַ טייל פֿון זײַנע יונגע יאָרן אין וואַרשע (און געווען צו גאַסט אין ווילנע), און וואָס האָט פֿאַרבראַכט אַ סך פֿון זײַנע דערוואַקסענע יאָרן אין ניו־יאָרק, איז די מאָדערנע ייִדישע ליטעראַטור און קולטור אים ניט געווען פֿרעמד. ער האָט געלייענט ייִדישע צײַטונגען (דעם *טאָג־מאָרגן זשורנאַל*), זשורנאַלן (*אידישער קעמפּער*, אַרויסגעגעבן פֿון ייִדיש־נאַציאָנאַלן אַרבעטער־פֿאַרבאַנד)[7], און ביכער. אין זײַנע ייִדישע כתבֿים דערמאָנט ער פּרצעס דערציילונג "הכנסת כלה",[8] ער ציטירט אַ טייל פֿון פּרצעס "צווישן צוויי בערג", און דערמאָנט פֿאַרבײַגייענדיק שלום־עליכמס כתרילעווקע.[9] בײַ אַן אַנדערער געלעגנהייט האָט ער איבערדערציילט פּרצעס "באָנטשע שווײַג".[10] אין איין דרשה אַטאַקירט ער שלום אַשס קריסטלעכע ראָמאַנען, און אין דער לעקציע וועגן צדקה דערמאָנט ער קריטיש חיים זשיטלאָווסקיס אַן עסיי[11].

צווישן אַלע ייִדישע שרײַבער, זײַנען די ווערק פֿון חיים גראַדע אים געווען די נאָענטסטע צום האַרצן. ער האָט אַדורכגעלייענט און האָט גוט געקענט גראַדעס גרויסווערק *צמח אַטלאַס* (1967–68), ווי אויך *דער מאַמעס שבתים* (1955), און האָט אָנגעהאַלטן מיט גראַדען אַ קאָנטאַקט דורך בריוו און באַגעגענישן.[12] בעת גראַדעס אַ וויזיט אין באָסטאָן אין 1979, האָט דער רבֿ אים באַגריסט אויף זײַנעם אַ שיעור, און געזאָגט דעם עולם, אַז גראַדע, און ניט קיין אַנדערער, האָט געדאַרפֿט באַקומען די נאָבעל־פּרעמיע.[13]

צו די וועלטלעכע ייִדישע קולטור־קרײַזן האָט דער רבֿ אַרויסגעוויזן אַ געוויסן אינטערעס אין די 1940 ער יאָרן, און האָט פּרובירט זיי דערנענטערן צו טראַדיציאָנעלער ייִדישקייט. אין 1943 איז ער, זײַענדיק דער רבֿ־הכּולל פֿון באָסטאָן, געוואָרן אַ מיטגליד פֿונעם באָסטאָנער קאָמיטעט פֿאַרן ייִדישן וויסנשאַפֿטלעכן אינסטיטוט — ייִוואָ. ער האָט עטלעכע מאָל געשאָנקען ספֿרים דער ייִוואָ־ביבליאָטעק.[14]

---

7. טעלעפֿאָנישער שמועס מיט זײַן זון, פּראָפֿעסאָר חיים סאָלאָווייטשיק, דעם 23סטן יוני, 2008.
8. אין דער לעקציע "צדקה".
9. אינעם אַרטיקל וועגן "ישיבֿהס מעדיקל קאָלעדזש".
10. זען Aaron Rakeffet – Rothkoff, *The Rav: The World of Rabbi Joseph B. Soloveitchik*, pp. 90–91.
11. אין "חנוכה, תּשי"ב" און אין "צדקה".
12. זען סאָלאָווייטשיקס בריוו צו גראַדען אָפּגעדרוקט אין Rabbi Joseph B. Soloveitchik, *Community, Covenant and Commitment: Selected Letters and Communications*, edited by Nathaniel Helfgot, Toras Horav Foundation and Ktav, 2003, pp. 335–336.
13. דער מחבר פֿון די שורות איז בײַגעווען אויף דעם דאָזיקן געשעעניש.
14. זען *ידיעות פֿון ייִוואָ*, נ' 1 (סעפּטעמבער, 1943) זז' 7,9; נ' 2 (פֿעברואַר, 1944), ז' 6; נ' 3 (יולי, 1944) ז' 5* נ' 3.

אין 1944, איז הרבֿ סאָלאָווייטשיק אויפֿגעטראָטן אין ייִוואָ מיט אַ רעפֿעראַט, און איז פֿאָרגעשטעלט געוואָרן דורכן וויסנשאַפֿטלעכן דירעקטאָר פֿון אינסטיטוט, ד"ר מאַקס ווײַנרײַך. דער מיטאַרבעטער פֿון *פֿאָרווערטס* ב. באָטוויניק האָט באַשריבן דעם רבֿס רעפֿעראַט אין ייִוואָ ווי אַ היסטאָריש געשעעניש, אַ טרעפֿונג און שלום־מאַכונג צווישן דער אַלטער, פֿרומער ייִדישקייט און וועלטלעך־סאָציאַליסטישע ייִדן.[15] דער באָסטאָנער קאָרעספּאָנדענט פֿון *פֿאָרווערטס* ל. אַרקין האָט געשריבן אַז דער פֿאַרזאַמלטער עולם, וואָס האָט מיט זיך פֿאָרגעשטעלט "די גאַנצע ייִדישע אינטעליגענץ פֿון ניו־יאָרק", איז "אַרויסגעגאַנגען באַגײַסטערט פֿון דער לעקציע. פֿאַר וואָכן לאַנג נאָך דעם האָבן אַלע ייִדישע צײַטונגען, אָן קיין שום אונטערשייד פֿון ריכטונג, געשריבן [דערוועגן]."[16]

צווישן 1944 און 1947 (און אפֿשר אויך שפּעטער) איז דער רבֿ געווען אַ מיטגליד פֿון דירעקטאָרן־ראַט פֿון ייִוואָ.[17] און ווי דערמאָנט, איז ער עטלעכע מאָל אויפֿגעטראָטן מיט לעקציעס אויף ייִדיש פֿאַרן אַרבעטער־רינג אין באָסטאָן אין די שפּעטע 1940ער יאָרן.

אַ געוויסע ראָלע אין אַנטוויקלען זײַן אינטערעס צו דער ייִדישער ליטעראַטור און קולטור האָט געשפּילט הרבֿ סאָלאָווייטשיקס פֿרוי, ד"ר טאָניע סאָלאָווייטשיק (1967–1904) [מיידלישער נאָמען: לעוויט], וואָס האָט געענדיקט דעם ווילנער ייִדישן רעאַל־גימנאַזיום, ווו ייִדיש איז געווען די לערן־שפּראַך און די ייִדישע ליטעראַטור — אַ הויפּט־לימוד.

הרבֿ סאָלאָווייטשיקס באַציִונג צו ייִדיש איז געווען כּל־ימיו אַ וואַרעמע. ער האָט זי מחשיבֿ געווען ווי אַ "תּיק" וואָס "איז זיכער הייליק, [...] אין דעם גדר פֿון תּשמישי־קדושה", און האָט דערקלערט אַז "אויפֿהאַלטן דעם 'תּיק' איז אַ גרויסער זכות!"[18]

15. ב. באָטוויניק, "אַ מאָל וואָלט דאָס ניט געקענט פּאַסירן" *פֿאָרווערטס*, ניט דאַטירט, 1944 (צײַטונג אויסשניט צוגעשיקט פֿון אַ. נ. זוראָף, ירושלים): "איך [האָב] געזען ווי אַ פֿאַרזאַמלונג פֿון [...] רעוואָלוציאָנערן, האָבן אַפּלאָדירט אַ באַרימטן רבֿ, אַן אייניקל פֿון אונדזערע אַמאָליקע פֿאַנאַטישע זיידעס, ווען ער האָט גערופֿן צוריק צו ווערן שותּפֿים אין איין סאָרט וויכטיקער ייִדישקייט. [....] אַמאָליקע יונגעלײַט און מיידלעך, וואָס האָבן פֿאַרפֿירט אַ ברוגז מיט ר' חיים בריסקער, זײַנען מיר געקומען הערן וואָס ר' חיים בריסקערס אייניקל האָט אונדז צו זאָגן. [...] ווי צווײ סימבאָלן פֿון אונדזערע ייִדישע שטורעמדיקע טעג פֿאַר די לעצטע דרײַסיק יאָר, זײַנען אָט די צווײ מענטשן [ד"ר ווײַנרײַך און הרבֿ סאָלאָווייטשיק], זייער נאָענט צו אונדז אַלעמען, געשטאַנען אויף דער פּלאַטפֿאָרמע."

16. ל. אַרקין, "אין און אַרום באָסטאָן", פֿאָרווערטס (באָסטאָנער אויסגאַבע), דעצעמבער 31, 1944, ז' 10.

17. *ידיעות פֿון ייִוואָ*, נ' 3 (יולי, 1944) ז' *4; נ' 5 (נאָוועמבער, 1944), ז' 4; נ' 7 (פֿעברואַר, 1945) ז' *6; נ' 14 (אַפּריל, 1946), ז' *6; נ' 20 (אַפּריל, 1947), ז' *7.

18. בריוו אין *טאָג־מאָרגן זשורנאַל*, דעם 24סטן פֿעברואַר, 1961. דער פֿולער טעקסט פֿון דעם בריוו ווערט געבראַכט צום סוף פֿונעם איצטיקן באַנד.

די איצטיקע אויסגאַבע

דער איצטיקער באַנד גייט אַרויס אַ דאַנק דער צוזאַמענאַרבעט פֿון אַ גרופּע איבערגע געבענעמענטשן: די דרשות און רעדעס זײַנען טראַנסקריבירט געוואָרן פֿון כּתבֿ־יד דורך ר׳ שמואל גאָלדענבערג און ר׳ הערשל שוואַרץ. מײַן ווײַניקייט האָט איבערגעקוקט אַלע טראַנסקריפּציעס און זיי פֿאַרגליכן אַנטקעגן דעם כּתבֿ־יד. שיינדל פֿאָגעלמאַן האָט וואָרטירט די אַרטיקלען און פֿינף פֿון די דרשות, און דוד ראָגאָוו ז״ל האָט זיך באַטייליקט אין דער רעדאַקטיר־אַרבעט פֿון פֿינף דרשות. (ביידע האָבן געאַרבעט אויפֿן פּערסאָנאַל פֿון ייִוואָ, וואָס האָט מיטגעהאָלפֿן דעם פּראָיעקט אין זײַנע פֿריִע סטאַדיעס.)

ד״ר עטרה טווערסקי האָט דורגעלייענט אַ פֿריִען נוסח פֿונעם באַנד און האָט געגעבן אַ היפּשע צאָל נוצלעכע עצות און אויסבעסערונגען. מיט געוויסע היסטאָרישע אינפֿאָרמאַציעס האָבן מיר געהאָלפֿן ד״ר שלמה לעווענשטיין און יונתן סאַרנאַ; מיט רעדאַקציאָנעלע עצות און אינפֿאָרמאַציע וועגן ליטווישן ייִדיש — ד״ר הירשע־דוד קאַץ. מיט אַלע קאָמפּיוטער־ענינים האָט זיך פֿאַרנומען באָריס בודיאַנסקי. אין וויל אויסדריקן מײַן אויפֿריכטיקן דאַנק צו אַלע אויבן־דערמאָנטע יחידים.

דער באַנד איז רעדאַקטירט געוואָרן לויט די ווײַטערדיקע פּרינציפּן:

1. מיר האָבן מינימאַל רעדאַקטירט הרבֿ סאָלאָווייטשיקס לשון. דאָ און דאָרט האָט מען אויסגעשטימט דעם גראַמאַטישן מין ("דער־די־דאָס"), אַרײַנגעגעבן ווערטער וואָס דער מחבר האָט על־פּי־טעות אַרויסגעלאָזן בײַם שרײַבן, און מתקן געווען גראַמאַטישע גרײַזן וואָס וואָלטן פֿאַרשאַפֿן שוועריקייטן דעם לייענער. אַחוץ אַזוינע זעלטענע פֿאַלן איז דאָס לשון אומעטום פּונקט ווי עס שטייט אין כּתבֿ־יד.
2. מיר האָבן אַרויסגעלאָזט, און ניט אָפּגעדרוקט, יענע ווערטער און פּאַראַגראַפֿן וואָס הרבֿ סאָלאָווייטשיק האָט אויסגעשטראָכן אין כּתבֿ־יד.
3. דער אויסלייג איז פֿאַרהײַנטיקט געוואָרן לויט די אויסלייג־תּקנות פֿון ייִדישן וויסנשאַפֿטלעכן אינסטיטוט — ייִוואָ. הגם דער־דאָזיקער אויסלייג־סיסטעם איז נישט באַקאַנט טייל לייענער, איז ער הײַנט אַ ברייט־אָנגענומענע נאָרמע, און עס איז ניט שווער אים אויסצולערנען. לשון־קודש־אָפּשטאַמיקע ווערטער אויף ייִדיש ווערן אויסגעלייגט אויף אַ מער טראַדיציאָנעלן אופֿן ווי עס פֿאָדערן די ייִוואָ־כּללים. (למשל: מצוה, נישט מיצווה.)

דער אויסלייג פֿון געוויסע דײַטשמערישע פֿאָרמעס איז רעווידירט געוואָרן: אַנשטאָט ערציִונג, האָבן מיר געשריבן דערציִונג; אַנשטאָט אָנהויב — אָנהייב אאַז״וו.

4. מיר האָבן זיך דערלויבט צו מאַכן נײַע פּונקטואַציע (שטעלן קאָמעס און

פּינטלען), און שאַפֿן נײַע פּאַראַגראַף־איבערברוכן. אין די אָריגינעלע כּתבֿ־ידן זײַנען פֿאַראַן זייער ווייניק פּאַראַגראַף־איבערברוכן.

5. די טראַנסקריפּציע־אַרבעט פֿון הרבֿ סאָלאָווייטשיקס שווערן כּתבֿ איז געווען אַן אומגעהײַער שווערע. דאָרט ווו מען האָט ניט געקענט דעשיפֿרירן ווערטער פֿון כּתבֿ־יד, שטייט אין טעקסט: [...], און פֿון אונטן אַ הערה, "נישט לייענעוודיק אין כּתבֿ־יד". אויב אַ וואָרט איז געווען אומקלאָר, און מען האָט זיך משער געווען וואָס עס איז, האָט מען דאָס וואָרט געשטעלט אין קאַנטיקע קלאַמערן [ ].

6. קיין מראה־מקומות זײַנען אין די כּתבֿ־ידן נישטאָ. די מראה־מקומות זײַנען צוגעגעבן געוואָרן פֿונעם רעדאַקטאָר, און זײַנען אויף זײַן אַחריות. די מראה־מקומות פֿון פּסוקים ווערן געבראַכט אין קלאַמערן: (בראשית לב, א), און פֿון מאמרי־חז"ל און דבֿרי־ראשונים — אין קאַנטיקע קלאַמערן [אבות א, א]. אין פֿאַלן ווען אַ מאמר געפֿינט זיך אויף עטלעכע ערטער אין חז"ל, האָט מען אָנגעוויזן נאָר אויף איין הויפּט־מקור. הרבֿ סאָלאָווייטשיק האָט ציטירט מאמרי־חז"ל לויטן זכּרון, אָפֿטמאָל מיט קליינע שינויים אַנטקעגן דעם מקור. ס'רובֿ אַזעלכע ציטאַטן זײַנען אויסגעשטימט געוואָרן מיטן מקור. אין פֿאַלן ווען דער חילוק צווישן דעם רבֿס ציטאַט און דעם מקור איז געווען אַ גרעסערער, האָבן מיר געלאָזט דעם מחברס ציטיר־לשון.

7. אויב דער מחבר האָט מקצר געווען בײַם ברענגען אַ מקור, ווערט דאָס אָנגעוויזן אויף צוויי אופֿנים. *וכו'* איז דער צייכן וואָס דער מחבר אַליין האָט גענוצט בײַם איבערהיפּן אַ וואָרט צי ווערטער. דרײַ פּינטעלעך /.../ הייסט אַז דער רעדאַקטאָר ווײַזט אָן אַז דער מחבר האָט איבערגעהיפּט אַ וואָרט צי ווערטער בײַם ציטירן דעם געבראַכטן מקור.

8. דער באַנד איז צוגעגרייט געוואָרן האָבנדיק אין זינען אַז ער וועט האָבן פֿאַרשיידן־מיניקע לייענער. כּדי צו פֿאַרלײַכטערן דאָס מעיין זײַן מצד געוויסע לייענערס, ווערן אַלע מאמרי־חז"ל און דבֿרי־ראשונים געגעבן אין ייִדישער איבערזעצונג אין הערות. אויב די מאמרי־חז"ל ציטירן פּסוקים, ווערן די פּסוקים געבראַכט אָדער לויט תּרגום־יהואש אָדער לויטן *חומש בית יהודה*. משניות ווערן געבראַכט לויט דער ייִדישער איבערזעצונג פֿון שׂמחה פּיעטרושקאָ (רעווידירטע אויסגאַבע, ניו־יאָרק, תּשט"ו). מדרשים פֿון מדרש רבה ווערן געבראַכט לויט דער עבֿרי־טײַטש אויסגאַבע פֿון וואַרשע, תּרע"ב (איבערגעדרוקט אין ניו־יאָרק, תּש"ו). פֿאַר די גמרות ברכות, בבא קמא און בבא מציעא, האָט מען זיך בדרך־כּלל סומך געווען אויף דער ייִדישע איבערזעצונג פֿון הרבֿ שמואל היבנער (אַרויס אין בריסל, 1952–1967). די איבערזעצונגען פֿון אַלע אַנדערע מקורות (מורה נבֿוכים, זוהר א"אַ) זײַנען דעם רעדאַקטאָרס.

9. צום סוף פֿונעם באַנד געפֿינט זיך אַ גלאָסאַר פֿון זעלטענערע לשון־קודש־אויסדרוקן, וואָס געפֿינען זיך נישט אין געוויינטלעכע העברעיִשע ווערטערביכער. מיר האָבן אויך צוגעגעבן אַ קורצן ביאָגראַפֿישן לעקסיקאָן פֿון גדולי־התּורה און אַנדערע יִידישע פּערזענלעכקייטן פֿון די לעצטע דורות וואָס ווערן דערמאָנט אינעם באַנד.

10. נעמענדיק אין באַטראַכט אַז נישט אַלע לייענערס וועלן קענען ענגליש אָדער דייַטש, ווערן די ענגלישע און דייַטשע ווערטער וואָס הרבֿ סאָלאָווייטשיק באַנוצט דעקלערט אין הערות. אויך פּערזענלעכקייטן און געשעענישן פֿון דער וועלט־געשיכטע ווערן קורץ דעפֿינירט אין די הערות.

איך וויל אויסדריקן מייַן טיפֿן דאַנק צו די אָנפֿירערס פֿון דער תּורת־הרבֿ פֿונדאַציע, ד"ר עטרה טווערסקי און הרבֿ יהודה בערמאַן, וואָס האָבן אייַנגעזען די חשיבֿות פֿון אַרויסגעבן הרבֿ סאָלאָווייטשיקס דרשות אין זייערע מקורותדיקן לשון, אויף יִידיש, און וואָס האָבן מיך אָנפֿאַרטרויט מיטן אַחריות, און מיטן זכות, פֿון דינען ווי זייער רעדאַקטאָר.

צום סוף, וויל איך דערמאָנען דעם אָנדענק פֿון מייַן לערער, און הרבֿ סאָלאָווייטשיקס איידעם, פּראָפֿעסאָר יצחק טווערסקי. הרבֿ טווערסקי ז"ל איז לאַנגע יאָרן געווען דער ליטאַוער פּראָפֿעסאָר פֿון יִידישע לימודים אין האַרוואַרד אוניווערסיטעט, ווו ער האָט מגדל געווען עטלעכע דורות תּלמידים־דאָקטאָראַנטן, בתוכם מייַן ווייניקייט.

בערך אַ יאָר פֿאַר זייַן פּטירה, האָט פּראָפֿעסאָר טווערסקי מיר אומגעריכט אָנגעקלונגען אַהיים, און געבעטן איך זאָל זיך פֿאַרנעמען מיט דער פּובליקאַציע פֿון זייַן שווערס כּתבֿ־ידן אויף יִידיש. ניט וויסנדיק אַז ער איז שוין ערנסט קראַנק, און אַז דאָס איז פֿאַקטיש אַ צוואת־שכיבֿ־מרע, האָב איך מסכּים געווען. זינט דעמאָלט איז דער פּראָיעקט אַדורך פֿאַרשיידענע גילגולים, און איז איבערגעקומען כּלערליי שוועריקייטן. בין איך גליקלעך וואָס איך קען בענטשן על־המוגמר, און וואָס איך האָבן געקענט אויספֿירן מייַן הבֿטחה, און מייַן חובֿ, צו מייַן פֿאַרשטאָרבענעם לערער.

I. דרשות

חברה־ש״ס הכּללית, מסיבה שנתית תּש״ט

בית־המדרש הגדול[1]

מורי ורבותי!

״שנו חכמים בלשון המשנה, ברוך שבחר בהם ובמשנתם. רבי מאיר אומר: כל העוסק בתורה זוכה לדברים הרבה וכו׳ נקרא רע, אהוב, אוהב את המקום, אוהב את הבריות, משׂמח את המקום וּמשׂמח את הבריות, ומלבשתו ענוה ויראה וכו׳״[2] [אבות ו, א]. מען זאָגט איבער אין נאָמען פֿון ר׳ מאיר שאַפּיראָ אַז דער פּרק ששי פֿון פּרקי־אָבֿות (אַ ברײַיתא) האָט פֿאָרמולירט דעם אידעאַל פֿון אַ תּלמיד־חכם. באמת האָבן אויך אַנדערע פֿעלקער געהאַט, להבֿדיל, אינטעלעקטועלע פּערזענלעכקייטן וואָס האָבן זיך עוסק געווען מיט דבֿרים העומדים ברומו־של־עולם. ספּעציעל די גריכן, און אויך שפּעטער די מערבֿ־אייראָפּעער, האָבן אַנטוויקלט דעם טיפּוס פֿונעם פֿילאָסאָף, און דעם אידעאַל פֿון אַ לעבן געווידמעט צו טעאָריע, צו פֿאָרשונג. וואָס איז דער אונטערשייד צווישן אונדזער אידעאַלער תּלמיד־חכם־פּערזענלעכקייט און דעם אייראָפּעיִשן פֿילאָסאָף, דיכטער, און וויסנשאַפֿטלער?

---

1. הרבֿ סאָלאָווייטשיק איז באַשטימט געוואָרן ווי דער רבֿ פֿון דער באָסטאָנער חבֿרה־ש״ס אין 1932, ווען ער האָט זיך באַזעצט אין דער שטאָט באָסטאָן. ער האָט לאַנגע יאָרן געזאָגט עפֿנטלעכע שיעורים אונטערן פּאַטראָנאַזש פֿון דער חבֿרה. די ״בית המדרש הגדול״ שול האָט זיך געפֿונען אויף קראָופֿאָרד־סטריט אין דער ראָקסבערי געגנט פֿון באָסטאָן.

2. ״די חכמים האָבן געלערנט אינעם לשון פֿון דער משנה, געלויבט איז דער וואָס האָט אויסדערוויילט זיי און זייער לערנען. ר׳ מאיר זאָגט: דער וואָס פֿאַרנעמט זיך מיט דער תּורה בלויז צוליב איר אַליין איז זוכה צו פֿיל זאַכן. [...] ער ווערט אָנגערופֿן חבֿר און געליבטער, דער ליב־האָבער פֿון גאָט, און דער ליב־האָבער פֿון מענטשן, דער דערפֿרייער פֿון גאָט און דער דערפֿרייער פֿון מענטשן, און (די תּורה) קליידט אים אָן מיט ענִיוות און מיט אָפּשײַ.״

דער גריכישער אידעאַל איז קאָנצענטרירט אַרום פֿאַרשונג אַלס אַ צוועק פֿאַר זיך. צווישן דעם פֿילאָסאָף און דער טעאָריע מעג ליגן אַ גרויסער תּהום. וויכטיק איז נאָר דער אַבסטראַקטער רעזולטאַט פֿון זײַן אַרבעט: האָט ער אַ גוט בוך אָנגעשריבן, אָדער אַ שלעכטס? האָט ער שיינע פּאָעזיע פֿאַרפֿאַסט, אָדער ניט? האָט ער גוט דעם געדאַנק מסביר געווען, אָדער שלעכט? די פּערזענלעכקייט אַליין, צי זי לעבט אין אײַנקלאַנג מיט אירע אָנשויונגען און טעאָריע, האָט קיין מאָל קיינעם ניט אינטערעסירט. צי אַריסטאָטל האָט מקיים געווען זײַן אייגענע עטיק, צי געטהע איז געווען אַ צדיק אָדער אַן אויסוואורף, צי קאַנט איז געווען אַ פּרײַסישער יונקער אָדער אַן עטישע פּערזענלעכקייט — איז קיינעמס דאגה ניט. דער עיקר איז אַז די ביכער וואָס זיי האָבן געשריבן זײַנען טיף און גוט.

בײַ ייִדן גייט דער אידעאַל פֿון משנה, מדרש, האַנט־בײַ־האַנט מיט דעם פֿון מעשׂה. אַ תּלמיד־חכם אַ רשע איז בגדר שני הפֿכים בנושׂא אחד. אויב ער איז שלעכט, איז ער אויך אינטעלעקטועל ניט גרויס. אַ גאון אַ מחלל־שבת איז קיין גאון ניט. "אַחֵר" איז געווען אלישע־בן־אַבֿויה כּל־זמן ער האָט זיך אויפֿגעפֿירט ווי אַ תּנא. כּשיצא לתּרבות רעה — איז ער געוואָרן "אַחֵר". פּשוט ער האָט אַפֿילו זײַן לערנען פֿאַרגעסן. "שנו חכמים בלשון המשנה": אויך אַנדערע חכמים זײַנען געווען פֿאָרשערס, זיי האָבן זיך באַשעפֿטיקט מיט טעאָריע, משנה, מיט אַבסטראַקטע באַגריפֿן און השקפֿות, מיט טובֿ און רע, מיט אלקות און בריאה. אָבער "ברוך שבחר בהם ובמשנתם". געלויבט איז דער וואָס האָט זיי אויסגעוויילט און אויך זייערע תּורות. אַן "בהם" טויג זייער "ובמשנתם" אויף גאָרניט. "כּל העוסק בתּורה לשמה זוכה לדברים הרבה...אהוב משׂמח את המקום ואת הבריות ומלבשתו ענוה". אַז מען לערנט תּורה דאַרף ניט נאָר דער אינטעלעקט ווערן אַנטוויקלט, ניט נאָר דער מוח שאַרף ווערן, נאָר דער גאַנצער כאַראַקטער דאַרף זיך מתקדש זײַן. די גאַנצע פּערזענלעכקייט דאַרף ווערן עטיש, גוט, און הייליק. תּורה איז ניט נאָר אַ בוך, נאָר אַ לעבנדע קראַפֿט, אַ גײַסטיקע פּאָטענץ וואָס דריקט זיך אויס אין אַ נײַער פּערזענלעכקייטס־געשטאַלט, אין עניוות, שׂמחה און קדושה.

פּרקי־אָבֿות איז ניט נאָר אַ קאָלעקציע פֿון עטישע מאמרים, נאָר אויך אַ גאַלעריע פֿון גרויסע לעבעדיקע געשטאַלטן, בילדער פֿון גיבורי־האומה, פֿון זייער לעבן, קעמפֿן און חלומען. און דער פּרק זאָגט "הם אמרו שלשה דברים: הוו מתונים בדין והעמידו תּלמידים הרבה ועשׂו סיג לתּורה"[3] [אבות א, א]. באַטײַט עס ניט נאָר דרײַ שפּריכווערטער. (דעמאָלט וואָלט דאָך די גרויסקייט פֿון די אַנשי־כּנסת־הגדולה ניט געווען אַזוי גוואַלדיק. אַנדערע האָבן אויך אַרויסגעבראַכט אַזעלכע געדאַנקען.)

3. "זיי האָבן געזאָגט דרײַ זאַכן: זײַט געלאַסן אין משפּטן, און שטעלט אויף אַ סך תּלמידים, און מאַכט אַ צוים צו דער תּורה."

נאָר דאָס איז אַ לעבנס־ און אַרבעטס־בילד פֿון די מיסטעריעזע פּערזענלעכקייטן וואָס האָבן מחזיר געווען עטרה ליושנה. ווילסטו וויסן ווער עס זײַנען געווען די אַנשי־כנסת־הגדולה? וואָס איז געווען זייער שיטה אין לעבן און זייער געשיכטלעכער וועג? איז גיב אַ קוק אויף זייער משנה!

״הם אמרו״: זיי האָבן שטענדיק געזאָגט, ניט נאָר איין מאָל באַטאָנט, נאָר כּסדר איבערגעחזרט. אָבער ניט נאָר גערעדט, נאָר אַזוי געלעבט, אַזוי פּראַקטיצירט און געאַרבעט. ״שלשה דברים״ זײַנען דרײַ גרויסע אַספּעקטן פֿון זייערע פּערזענלעכקייטן. ״הוו מתונים בדין והעמידו תלמידים הרבה ועשׂו סיג לתּורה״. זיי זײַנען געוואָרן די רביים פֿון דער כּנסת־ישׂראל. אַזוי איז אויך מיט די אַנדערע מאמרים. הוא היה אומר: שמעון הצדיק, אנטיגנוס איש סוכו, יהושע בן פּרחיה ונתאי הארבלי, שמעון בן שטח, הלל ושמאי. זייער משנה, זייער אמירה איז געווען אַ שטיק גײַסטלעכע ווירקלעכקייט.

באמת איז די געטלעכע התגלות אַ פֿאַראייניקונג פֿון מחשבֿה, רצון, מיט מעשׂה. די ערשטע דרײַ ספֿירות פֿון עולם־הנעלם זײַנען כּתר (רצון), חכמה, בינה, דעת — קאָגניטיוו־[..]אעטישע[4] התגלותן, ריין־אַבסטראַקטע, טעאָרעטישע באַגריפֿן. אָבער מיט דעם באַגנוגנט זיך דער רבונו־של־עולם ניט. טעאָריע אָן מעשׂה האָט קיין ווערט ניט. חכמה, בינה, דעת, אָן עטישער, פּראַקטישער אַנטפּלעקונג בלײַבט אַ פֿאַרבאָרגענע וועלט. און גלײַך הייבט ער זיך אָן צו אַנטפּלעקן דורך די אַבֿני־הבנין, דורך חסד, גבֿורה, תּפֿארת, נצח, הוד, יסוד, מלכות. גלײַך דערשײַנט ער אויף דער וועלט ניט נאָר אַלס אַלוויסנד, אַלס דער מקור פֿון חכמה און בינה, נאָר אַלס אַ א־ל חסד, א־ל מלא רחמים, אַלס אַ בונה־עולמות, אַלס אל־קי הצדק והמשפּט. זײַן וויסן און זײַן הנהגה זײַנען אידענטיש. די התגלות פֿון חכמה און בינה קומט צום אויסדרוק אין די י״ג מידות, אין ״ד׳, ד׳, א־ל רחום וחנון, ארך אפּים ורב חסד ואמת״ (שמות לד, ו־ז).

כּדי צו פֿאַרשטיין דעם רבונו־של־עולם איז עס נאָך ווייניק צו אָנערקענען אים אַלס בורא־עולם, אַלס דער וואָס האָט מיט זײַן חכמה אַלץ באַשאַפֿן, אַלס דער וואָס פֿירט דעם גאַנצן קאָסמישן פּראָצעס. נאָר מען מוז אויך פֿאַרשטיין אַז ער איז אַ גוטער גאָט, זײַן רצון איז עטיש, און זײַנע דרכים זײַנען חסדים! דער מענטש דאַרף זיך אויך אַזוי אויפֿפֿירן. טעאָריע מוז איבערזעצט ווערן אין האַנדלונגען, חכמה — אין פּראַקטישע ווערטן, תּורה — אין אַ שטיק רעאַליטעט. ״בהם ובמשנתם!״

די באַציִונג צווישן תּורה און ייִדן איז זייער אינטים. עס זײַנען ניטאָ קיין צוויי רשויות, צוויי עקזיסטענצן: תּורה און ישׂראל. חס־ושלום! ״קודשא בריך הוא ישׂראל ואורייתא — חד הוא!״ דער מאמר איז ניט סתּם אַ מיסטיש־פֿאַנטאַסטישע מליצה,

4. אותיות ניט לייענעוודיק אין כּתבֿ־יד.

נאָר אַ טיפֿער אמת. תּורה וווערט פּערסאָניפֿיצירט און דערשײַנט אַלס אַ רעאַל, לעבעדיק געשטאַלט, וואָס איז ניט קיין אַנדערע ווי די כּנסת־ישׂראל אַליין.

עס ווײַזט מיר אויס אַז מיר ייִדן זײַנען ניט געווען צופֿרידן צו בלײַבן נאָר אַן עם־הספֿר, דאָס פֿאָלק פֿון דעם ספֿר. דעמאָלט איז דאָס פֿאָלק איינס, און דער ספֿר עפּעס אַנדערש. דער ספֿר בלײַבט טויט, טרוקן, פּאַפּיר און טינט. צווישן דעם עַם און ספֿר הערשט נאָר דאָס סמיכות־פֿאַרהעלטעניש. מיר זײַנען געוואָרן אַנשטאָט דעם עם־הספֿר אַן עם־ספֿר, אַ פֿאָלקס־בוך. דער ספֿר און דער עַם האָבן זיך צונויפֿגעגאָסן. ממילא איז אויך דער ספֿר געוואָרן אַ שטיק לעבן, אַ נשמהדיקע רעאַליטעט, אַ פּערסאָנאַליסטישע געשטאַלט: "העומד על המת בשעת יציאת נשמתו חייב לקרוע. הא למה זה דומה? לספר תּורה שנשרף"[5] [שבת קה, ע"ב]. יעדע ייִדישע פּערזענלעכקייט איז אַ לעבעדיקע ספֿר־תּורה, און דער טויט ווערט פֿאַררעכנט אַלס שריפֿת־התּורה.

באמת האָט שוין ר׳ יוסף־בער[6] אין צווייטן טייל *בית הלוי* געווידמעט דעם געדאַנק אַ גאַנצע אָפּהאַנדלונג. ער באַנוצט זיך דאָרט מיט דעם הלכהשן אונטערשייד צווישן קדושת־דמים און קדושת־הגוף. די אָביעקטן וואָס זײַנען נאָר קדוש מיט אַ קדושת־דמים זײַנען אַן־און־פֿאַר־זיך גאָרניט הייליק. נאָך זייער נאַטור און מהות דאַרפֿן זיי באַטראַכט ווערן אַלס פּשוטע, וואָכעדיקע אָביעקטן. זיי אַליין קענען קיין מאָל ניט אַרײַן אין דער [...][7] און קענען קיין מאָל ניט דערהויבן ווערן צו דער מדרגה פֿון אַ קרבן. זיי דינען נאָר אַלס מעדיום און אינסטרומענט פֿאַר אַ גרעסערן צוועק, פֿאַר אַן אַקט פֿון הקרבֿה. דורך זיי ווערט ערשט דער קרבן מעגלעך. דאַקעגן בײַ קדושת־הגוף איז די קדושה אַן אָריגינעלע, אַן אייגענע, אור...סיק[8] און אורשפּרינגלעך. דער אָביעקט אַליין ווערט אויסגעשטעלט מיט אַ נײַער קוואַליטעט פֿון קדושה, ווײַל ער איז באַשטימט פֿאַר גאָט.

אַן ענלעכע אײַנטיילונג האָבן מיר אויך בנוגע אַן אַנדער באַגריף פֿון קדושה. בײַ דער ערשטער, תּשמישי־קדושה, איז די הייליקייט נאָר אַן איבערגעטראָגענע אייגנשאַפֿט. זי איז ניט מקורדיק און אייגנאַרטיק. די זאַך איז קדוש, ווי למשל דער נרתּיק פֿון תּפֿילין, אָדער מטפּחות של ספֿרים, ווײַל זי איז פֿאַרבונדן אויף אַ באַשטימטן אופֿן מיט קדושה. ממילא ווערט זי אַליין אויך אָנגעשטעקט מיט דער זעלבער קוואַליטעט. בײַ דער לעצטער, גופֿי־קדושה, איז די הייליקייט כאַראַקטעריסטיש,

5. "דער וואָס שטייט בײַם מת בעת ער הילכט אויס זײַן נשמה מוז רײַסן רקיעה. וואָרעם צו וואָס איז עס געגליכן? צו אַ ספֿר־תּורה וואָס ווערט פֿאַרברענט."

6. דעם מחברס עלטער־זיידער.

7. וואָרט ניט־לייענעוודיק אין כּתבֿ־יד.

8. וואָרט ניט לייענעוודיק אין כּתבֿ־יד.

מהותדיק, און פֿליסט פֿון די טיפֿעניש פֿון איר אמתער רעאַליטעט. ווען ייִדן וואָלטן געווען נאָר אַן עם־הספֿר, דאָס פֿאָלק פֿון ספֿר, אַ פֿאָלק וואָס לעבט נאָכן ספֿר, וואָלט זייער סטאַטוס געווען דער פֿון קדושת־דמים אָדער תּשמישי־קדושה. קדושת־ישׂראל וואָלט נאָר געקענט פֿאַרשטאַנען ווערן אַלס אַ סעקונדערע, טראַנספֿערירטע קדושה. ישׂראל דינט דער תּורה. ממילא איז ער דער נרתּיק פֿון די תּפֿילין, די מטפּחת פֿון דער ספֿר־תּורה, דער מעדיום דורך וועלכן ערשט אַן אמתער קודש ווערט רעאַליזירט. די באַציִונג צו דעם ספֿר רעפֿלעקטירט קדושה אויף דער כּנסת־ישׂראל. אָבער, ווי איך האָב באַטאָנט פֿריִער, די קדושה איז אַ סעקונדערע.

אויב אָבער ישׂראל ואורייתא חד, און ער איז אַן עם־ספֿר, אַ ייִד איז אַ ספֿר־תּורה, אַ לעבעדיקע, וואַרעמע, דינאַמישע און ליידנשאַפֿטלעכע תּורה — ישׂראל און די תּורה זײַנען פֿאַרשמאָלצן אין איין עקסיסטענץ — דעמאָלט דאַרף די קדושת־ישׂראל אויפֿגעהויבן ווערן צו דער מדרגה פֿון קדושת־הגוף (אָדער גופֿי־קדושה). ישׂראל איז הייליק ווײַל ער אַליין איז תּורה. זײַן נשמה, זײַן גאַנצע פּערזענלעכקייט, זײַנען די פֿאַרווירקלעכונג און פֿאַרקערפּערונג פֿון דער תּורה־אידעע. ישׂראל אַליין ווערט דער מקור פֿון קדושה, זי איז אַ טייל פֿון זײַן רעאַלער עקסיסטענץ. זײַן אייגענער "איך" איז קדושה. מען קען זי גאָרניט סעפּאַרירן פֿון דער פּערזענלעכקייט.

ווען מיר אונטערזוכן די גלײַכונג אַ ביסעלע טיפֿער, הייבן מיר ערשט אָן צו פֿאַרשטיין די צענטראַלע דואַליטעט פֿון תּורה־שבכּתבֿ און תּורה־שבעל־פּה. די אַנדערשקייט פֿון תּורה־שבכּתבֿ און תּורה־שבעל־פּה איז ניט נאָר באַזירט אויף דעם טעכנישן אונטערשייד צווישן אַ תּורה וואָס מען האָט געלערנט מתּוך הכּתב, און אַ תּורה וואָס מען האָט געלערנט אויסנווייניק, נאָר זי גרייכט פֿיל ווײַטער. תּורה־שבכּתבֿ איז אַ קאָנקרעטער ספֿר, פּאַרמעט, טינט, און אותיות. זי קען אָבער ניט צונויפֿגעגאָסן ווערן מיט דער פּערזענלעכקייט, קען ניט ווערן איינס מיטן מענטשן, זי קען זיך ניט אײַנפֿאַסן אין די טיפֿעניש פֿון זײַן עקסיסטענץ. ווײַל ווי קען טרוקענער פּאַרמעט פֿאַרוואַנדלט ווערן אין אַ גײַסטיק־פּערזענלעכער פּאָטענץ? ווי קען אַלטע טינט דורכדרינגען די מענטשלעכע נשמה, און ווי קען בכלל עפּעס ממשותדיק זיך פֿאַרוועבן מיט דער רוחניותדיקער פּערזענלעכקייט? דאָס וואָס מיר קענען טאָן, איז דערפֿילן די פֿונקציע פֿון תּשמישי־קדושה, פֿון קדושת־דמים. דורך אונדז קומט די תּורה צום אויסדרוק, דורך אונדז ווערט זי דורכגעפֿירט אין לעבן, אָבער זי איז ניט איינס מיט אונדז.

די תּורה־שבעל־פּה, אָבער, איז אַ תּורה וואָס פֿאַראוניפֿיצירט זיך מיט דער כּנסת־ישׂראל, אַ תּורה וואָס ווערט אידענטיש מיטן מענטשן, אַ תּורה מיט וועלכער דער מענטש אָטעמט און לעבט. ער פֿילט זי דורך, ער דענקט מיט איר און דריקט זיך אויס דורך איר. תּורה־שבעל־פּה גיט דעם מענטשן גליק און התּרוממות־הרוח, זי מאַכט בײַ אים, זי שטראָפֿט אים, זי טרייסט אים און איז אים אויך משׂמח. ווען

איך בין, למשל, אויפֿגערעגט, איז דאָס בעסטע מיטל פֿאַר מיר עפֿענען אַ גמרא און אָנהייבן זיך פֿאַרנעמען מיט דער סוגיא פֿון יום־טובֿ ראשון של חג שחל להיות בשבת [סוכה מא ע"ב–מג ע"א].

תּורה־שבעל־פּה איז אש שחורה עם אש לבנה [תּנחומא, בראשית א], פֿײַער געשריבן אויף אַ פֿײַערדיקער לײַדנשאַפֿטלעכער נשמה. תּורה־שבעל־פּה איז אַ שטיק נשמה. זי טרײַבט דעם מענטשן, צינדט אָן ליכט און בענקשאַפֿט נאָך אַלץ וואָס איז שיין און דערהויבן. תּורה־שבעל־פּה איז די לעבעדיקע, דינאַמישע אַמאָליקע כּנסת־ישׂראל. זי איז די תּורה ווי זי ווערט רעאַליזירט אין דער פֿיזיאָנאָמיע און האַלטונג אין אונדזער אומה. אין תּורה־שבעל־פּה איז אַ מענטש קרעאַטיוו, ער איז אָריגינעל, אייגנאַרטיק, ער איז אַ מחדש. אין תּורה־שבכּתבֿ איז אַלץ קאָנסטאַנט און באַגרענעצט. תּורה־שבכּתבֿ שרײַבט אָן אַ סופֿר אין משך פֿון אַ פּאָר יאָר. תּורה־שבעל־פּה איז אומענדלעך: "ארוכה מארץ מדה וּרחבה מני ים" (איוב יא, ט). קען אַ מענטש פֿאַרצייכענען די תּורה־שבעל־פּה?

איך האָב אַ סך מאָל באַטאָנט: די גרויסקייט פֿון דעם מענטשן איז ניט זײַן כּוח־התּפֿיסה, משׂיג צו זײַן באַשטימטע וויסנשאַפֿטלעכע טעאָריעס, נאַטור־געזעצן, אָדער פֿילאָסאָפֿישע ספּעקולאַציעס. מיר ווייסן אַז די טעמפּסטע מענטשן קענען זיך אויסלערנען גאַנצע ביכער אויסנווייניק. מיר זעען הײַנט סטודענטן מיט זייער פּשוטע קעפּ, וואָס קריגן די בעסטע מיינונגען אין די סקולס. באמת איז זייער כּוח־התּפֿיסה אַ מעכאַניזירטע קאַפּאַציטעט. דורך באַשטימטער אויסבילדונג קען מען אַנטוויקלען אַזאַ כּשרון אין יעדן נאָרמאַלן מענטשן. ניט אין דעם דריקט זיך אויס דאָס ספּעציפֿיש געטלעכע אין מענטשן, דער צלם א־לקים, דער "כּבוד והדר תּעטרהו" (תּהילים ח, ו). דאָס אייגנאַרטיקע אין דער מענטשלעכער פּערזענלעכקייט מאַניפֿעסטירט זיך אין כּוח־החידוש, אין זײַן קאָגניטיווער שעפֿערישקייט. ווען דער אינטעלעקטועלער גאון אַנטדעקט די סודות פֿון דער בריאה, ווען פּלוצעם, אין משך פֿון אַ רגע, גייט אויף אַ ליכט, עס בליצט אויף אַ נײַע אידעע, און אַלץ ווערט אַזוי פּשוט, אַזוי פֿאַרשטענדלעך.

אַזוי, דערציילט די לעגענדע, האָט ניוטאָן אַנטדעקט דעם גראַוויטאַציאָנס־געזעץ, אַזוי האָט אַרכימעד מיט טויזנטער יאָרן צוריק געפֿונען דאָס געזעץ פֿון שווימען. אַזוי האָבן וואַרשײַנלעך אַלע גרויסע וויסנשאַפֿטלערס אַנטדעקט די געהיימנישן פֿון דער נאַטור. אַ פּראָבלעם האָט וואַרשײַנלעך זיי געמאַטערט. עפּעס וואָס פֿאַר אַנדערע מענטשן איז געווען אַזוי פּשוט, האָט אויסגעזען אומפֿאַרשטענדלעך צום זשעני, צו דעם קרעאַטיוון מענטשן. ער האָט געזוכט אַ פּתרון צו דעם רעטעניש, און טאָג און נאַכט געטראַכט און געגרישטערט, און קיין זאַך ניט געקענט דערגיין. און פּלוצעם שײַנט אויף אַ גרויס ליכט, עס ווערט העל — געפֿונען דעם אמת!

איך שטעל מיר פֿאָר אַז אַבֿרהם־אָבֿינוס גרעסטע אַנטדעקונג אויף דער וועלט — דאָס געפֿינען דעם רבונו־של־עולם — איז פֿאָרגעקומען אומגעפֿער אַזוי. ער האָט פֿאַרשטאַנען אַז די אַלע פּאַגאַנישע געטער פֿאַרענטפֿערן ניט די הויפּטפֿראַגעס: וואָס איז דיווירקלעכקייט, וואָס איז דער מענטש? טעג און נעכט האָט ער אַרומגעוואַנדערט מיט זײַנע שעפּסן איבער בערג און טאָלן, געזען זריחות און שקיעות, ביימער בליִען און וועלקן, פֿאַרנאַכטן און פֿרימאָרגנס — אָבער אַלץ איז געווען אַ רעטעניש און מיסטעריעז. פּלוצעם, ליגנדיק אין אַן אויסגעשטערנטער נאַכט אויף דער לאָנקע און בלאָנדזשענדיק מיט די אויגן איבערן אויסגעשטערנטן הימל, האָט אַ בליץ געטאָן פֿאַר די אויגן: אוי, עס איז דאָך דאָ אַן אומזיכטבאַרער, אוניווערסאַלער, אַלמעכטיקער און אַלוויסנדער גאָט! און דער גאָט פֿאַרלאַנגט דאָך פֿון מענטשן חסד און יושר, צדק און משפּט. דער שלייער פֿון אומפֿאַרשטענדלעכקייט איז אַראָפּגעפֿאַלן, און דורכן אומענדלעכן קאָסמאָס האָט פּלוצעם אַ שײַן געגעבן דאָס געטלעכע ליכט, וואָס אַלץ איז אַן אָפּגלאַנץ פֿון אים.

איך שטעל מיר אויך פֿאָר משהן. פּאַשענדיק די שאָף פֿון זײַן שווער יתרו ווײַט, ווײַט אין דעם מדבר, אַרומגערינגלט פֿון פֿעלדזן, זאַמד, און דערנער, פֿאַרטיפֿט אין זײַנע געדאַנקען, שפּילנדיק זיך מיט זכרונות פֿון עבֿר: פּרעהס פּאַלאַץ, די פּרינצן מיט די פּרינצעסינס מיט וועלכע ער האָט זיך געשפּילט, לוקסוס, ברוטאַליטעט, חיהשקייט. ער דערמאָנט זיך אין דער אינערלעכער אומרו און דעם אומדערשטילטן בענקען, וואָס האָבן אים פּלוצעם אַרומגעכאַפּט, ניט וויסנדיק פֿאַר וואָס און צו וועמען און וווהין; זײַן אַרויסגנבֿענען זיך פֿון פּרעהס פּאַלאַץ און וואַנדערן איבער עגיפּטן, זוכנדיק אַן אומבאַקאַנט פֿאַר אים פּלאַץ; זײַן פּלוצעמדיקן טרעפֿן זיך מיט די עבֿרים — פֿאַראַכטע און אונטערדריקטע קנעכט. זײַן אינסטינקטיוו געפֿיל האָט אים עפּעס געצויגן צו די שמוציקע אויסלענדער וואָס זייער שפּראַך האָט ער ניט פֿאַרשטאַנען. דער אינצידענט מיטן געשלעג, איש מצרי מכה איש עברי (שמות ב, יא), זײַן אָנטעמען זיך פֿאַרן פֿרעמדן, און ניט פֿאַר זײַן אייגענעם מצרי, די מעשׂיות וואָס ער האָט זיך אָנגעהערט וועגן די עבֿרים, וועגן זייער מערקווערדיקן גאָט מיט זייער שטרעבונג צו ארץ־כּנען. אָט די אַלע געדאַנקען, בילדער, סענטימענטן, שטימונגען האָבן געבֿרויזט אין משהן.

און פּלוצעם האָט אַ בליץ געטאָן: אוי, אפֿשר בין איך דער וואָס דער אל־קי העבֿרים האָט אויסגעוויילט דורכצופֿירן זײַן פּאַראַדאָקסאַלע מיסיע? אוי, עס ווערט דאָך אַלץ קלאָר! און אויפֿהייבנדיק די אויגן האָט ער דערזען דעם ברענענדן סנה: ״והסנה בוער באש״ (שמות ג, ב).

די גרויסקייט פֿון מענטשן ליגט ניט אַזוי אין בינה, אין סיסטעמאַטישן דענקען, אין אויפֿפּאַסן טעאָריעס וואָס זײַנען שוין לאַנג אַנטוויקלט געוואָרן, אין אײַנשלינגען ביכער און אַסימילירן סיסטעמען, נאָר אין חכמה, אין דער אורשפּרינגלעכער

מקורדיקער אינטויציע, אין יצירה, וואָס איז אידענטיש מיט חכמה. בראשית ברא אל־קים: בחכמתא ברא א׳ (תרגום יונתן). אין אָריגינאַליטעט, אין אייגנטימלעכער שאַפונג, אין דעם פולן אמת, ניט נאָר אין וויסן. דער אמת דאַרף אַרויסזינגען פון מענטשן, ווי אַ קוואַל אַרויסגעשטויסן ווערן פון די תהומות פון זייַן נשמה. אין דעם ליגט פאַרבאָרגן דער סוד פון תורה־שבעל־פה. דאָס איז דער יסוד פון יצירה. תורה־שבכתב קען מען אויסלערנען אויסנווייניק, אָבער מען קען ניט ווערן קיין יוצר־עולמות אין איר. תורה־שבעל־פה, פאַרשמאָלצן מיטן מענטשן, איז שעפעריש, אָריגינעל, ווערט געפילט אינטויִטיוו. תורה איז דער קעגנזאַץ פון אימיטאַציע.

תורה־שבכתב האָט איר נוסח, איר סטיל. די ווערטער זייַנען אָפּגעציילט, פרשיות צעטיילט. דאָס וואָרט איז אַ חסר, דאָס — אַ יתר, דאָס — קרי, דאָס — אַ כתיב, די פרשה — אַ פתוחה, די — אַ סתומה. אַ קלייִנער שינוי פסלט די ספר־תורה: ״ספר תורה שחסר אות אחת, או יתר אות אחת — פסולה!״ [רמב״ם הלכות תפילין מזוזה וספר תורה י, א]. דער מענטש קען זי תופס זייַן מיט זייַן בינה, כשרון, אָבער ער קען ניט ווערן שעפעריש. תורה־שבעל־פה האָט אָבער ניט קיין באַשטימטן טעקסט, מחדש זייַן עפּעס אין איר איז די גרעסטע מדרגה. יעדער מענטש קען ווערן אַ יוצר, אַ שעפער, אַ באַנייַער פון דער תורה־וויסן. ער קען צוגעבן זייַנע אייגענע געדאַנקען און אייַנפאַלן, זייַנע אידעיִשע דערפינדונגען און דערגרייכונגען און באַרייַכערן די תורה. ער קען זי אויספוצן און דעקאָרירן, מאַכן זי שענער, טיפער און עקזאַקטער. ער קען זי סטיליזירן נאָך זייַן אייגענער פּערזענלעכקייט, וואָס איז איינציקאַרטיק און מערקווערדיק.

דער אמתער תלמיד־חכם איז קרעאַטיוו, ער אימיטירט ניט. רש״י, דער רמב״ם, דער רמב״ן, אַפילו דאָרט ווו זיי האָבן מסכים געווען אין פסק־הלכה, האָבן זיי אַנדערש פאָרמולירט דעם באַגריף. אַלע האָבן געהאַט זייער אייגנאַרטיקייט אין לערנען. רש״י לערנט אָפּ די סוגיא פון מלאכה שאינה צריכה לגופה גאַנץ אַנדערש ווי דער רמב״ן אָדער תוספות, כאָטש זיי פסקענען אַלע ווי רש״י, אַז אויף מלאכה שאינה צריכה לגופה איז מען פטור. אויך אין ענינים פון השקפת־עולם האָט יעדער ראשון אַרייַנגעבראַכט זייַן אייגענעם פּערזענלעכן סטיל. דער כוזרי טייַטשט אַ ביסל אַנדערש אָפּ דעם אונטערשייד צווישן יק־וק און א־לקים ווי דער רמב״ם. אַפילו אַז, אין תוך גענומען, שניים לדבר אחד נתכוונו. דער גאָון מיטן תניא, אַבוואָל[9] דיאַמעטריש אַנטקעגנגעזעצט אין נוסח, זייַנען כמעט אידענטיש בנוגע דעם אינהאַלט.

איך קען קיין מאָל ניט לייַדן ווען יידן בני־תורה רעדן נאָך וואָס זיי האָבן געלערנט, אָדער וואָס זיי לערנען. צי זיי נעמען עס פון צייַטונגען, אָדער סתם פון גאַס, איז ניט וויכטיק. אַ בן־תורה דאַרף זייַן אָריגינעל, אַ פרייַע פּערזענלעכקייט, אַן

9. הגם (דייַטש).

דינען בלינד אַ פּאַרטיי־פּראָגראַם אָדער אַנדערע לאָזונגען. קריטיק און חידוש זײַנען דער וואָפּן פון תּורה־שבעל־פּה.

יעדע סיטואַציע אין לעבן געפינט אַן אָפּקלאַנג אין דער תּורה. זי איז אַלאומפּאַסנד[10], אוניווערסאַל און אומדערשעפּלעך. עס דאַכט זיך אַ מאָל: ווי קען מען למשל געפינען אין דער תּורה אַן ענטפער אויף אַלע פראַגעס וועלכע מיר דאַרפן הײַנט לייזן, ווי למשל די באַציִונג צווישן ייִדן און גויים אין גלות, אונדזער שטעלונג צו דער מאָדערנער קולטור, אַ מלוכה־לעבן מיט אַלע פאַרצווײַגונגען, פראַגעס פון אינטערנאַציאָנאַלער פּאָליטיק, געזעלשאַפטלעכער אוןווירטשאַפטלעכער אָרדענונג? מיט דעם פאַרנעמט זיך גאָר די תּורה ניט. אָבער ״תּפוחי זהב במשכיות כסף״ (משלי כה, יא). ווען מען דרינגט אַרײַן טיף, טיף אין איר מהות און השקפת־עולם, געפינט מען נײַע אַספּעקטן און ווײַטע גרויסע האָריזאָנטן, וואָס זײַנען כּולל אַלץ. עס איז אַ קוואַל וואָס הערט ניט אויף צו פליסן. ער שעפּט זיך קיין מאָל ניט אויס.

״מהיכן נטל משה קרני ההוד? רבי יהודה אמר: כשמשה כתב את התורה נשתייר בקולמוס קימעא והעבירו על ראשו, ומשם נעשו לו קרני ההוד״[11] [תנחומא, כי תשא, כ]. באמת איז די פראַגע מערקווערדיק. אין פּסוק שטייט דאָך ווי אַזוי האָט משה געקראָגן די קרני ההוד: ״ויהי ברדת משה מהר סיני ושני לוחות אבנים ביד משה ברדתו מן ההר ומשה לא ידע כי קרן אור פניו בדברו אתו״ (שמות לד, כט). משהס פּנים האָט אָנגעהויבן שטראַלן, ווײַל גאָט האָט מיט אים גערעדט, און פון דעם געטלעכן ליכט האָט זיך געשאַפן אַן אָפּגלאַנץ אויף משהן. צוליב וואָס דאַרפן חז״ל געבן אַנדערע דערקלערונגען? אָבער באמת, וואָס חז״ל האָבן ניט פאַרשטאַנען אין פּסוק איז ניט דער מקור פון די ליכטשטראַלן, נאָר דער צײַטפּונקט. משה האָט דאָך מיט דעם רבונו־של־עולם גערעדט אַ סך מאָל בײַ מתּן־תּורה, ווען משה איז אויך געווען אויבן באַרג פערציק טעג. ווי מיר האָבן עס נעכטן געלייענט אין דער סדרה: ״ויעל משה אל ההר ויכס הענן את ההר וישכן כבוד ד׳ על הר סיני ויכסהו הענן ששת ימים וכו׳. ויבא משה בתוך הענן ויעל אל ההר יהי משה בהר ארבעים יום וארבעים לילה״ (שמות כד, טו–יח).

פאַר וואָס האָט זײַן געזיכט ניט אָנגעהויבן שטראַלן תּיכף נאָכן ערשטן קבלת־התּורה? פאַר וואָס איז דאָס אויסלײַכטן פון זײַן געזיכט ערשט געקומען מיט די צווייטע לוחות? עפּעס איז דאָך, וואַרשײַנלעך, געשען בײַ דעם צווייטן מתּן־תּורה וואָס דער ערשטער האָט ניט געהאַט! וואָס איז דאָס? דערויף ענטפערט ר׳ יהודה

---

10. אַלץ־אַרומנעמיק (דײַטש)

11. ״פון וואַנעט האָט משה גענומען זײַנע שטראַלן פון גלאַנץ? ר׳ יהודה זאָגט: ווען משה האָט געשריבן די תּורה, איז געבליבן אַ ביסל טינט אין זײַן פעדער. האָט ער עס געפירט איבער זײַן קאָפּ, און פון דעם האָבן זיך אים באַוויזן די שטראַלן פון גלאַנץ.״

ב"ר נחמן: דער אופֿן פֿון שרײַבן איז געווען אַנדערש! שבֿועות־צײַט, ווען משה האָט געשריבן די תּורה, איז קיין טינט אין פֿעדער ניט געבליבן. מיטן אויפֿשרײַבן פֿון לעצטן אות אין דער תּורה, האָט משה אויסגעשעפּט דעם לעצטן טראָפּן טינט. בײַ דעם צווייטן מאָל שרײַבן די תּורה איז געבליבן אַ ביסל טינט אויפֿן שפּיץ פֿון קולמוס. משה האָט שוין געהאַט פֿאַרענדיקט דעם לעצטן אות און די פֿעדער איז אָבער נאָס געבליבן. וואָס טוט מען מיט דער טינט? האָט משה אַ וויש געטאָן די פֿעדער אָן זײַנע האָר — און פּלוצעם האָט דאָס געזיכט אָנגעהויבן שטראַלן. דאָס שטיין פּערציק טעג און פּערציק נעכט פֿאַר גאָט, דאָס שרײַבן די גאַנצע תּורה, האָט ניט רעפֿלעקטירט קיין שום ליכט אויף משהן. נאָר דער טראָפּן טינט וואָס די האָר האָבן אײַנגעזאַפּט איז געוואָרן דער קוואַל פֿון ליכט. וואָס מיינט עס?

יע, מורי ורבותי, חז"ל האָבן אויפֿגעטאָן אַ מערקווערדיקע זאַך. נעמלעך, די אײַנטיילונג אין תּורה־שבכּתבֿ און תּורה־שבעל־פּה איז ערשט דורכגעפֿירט געוואָרן נאָכן עגל. בײַ דעם ערשטן מתּן־תּורה האָט דער רבונו־של־עולם אַלץ געגעבן בכּתבֿ. אויפֿן פּסוק אין עקבֿ: "ויתן ד' אלי את שני לוחות־האבנים כּתבים באצבע א־לקים, ועליהם כּכל הדברים אשר דבר ד' עמכם בהר מתּוך האש ביום הקהל" (דבֿרים ט, י), זאָגט רבי יהודה ב"ר נחמן, דער זעלבער וואָס האָט געזאָגט דעם מאמר פֿריִער "נשתּייר בקולמוס קימעא": "אמר, 'ועליהם כּכל הדברים', וכתיב 'כּל המצוה אשר אנכי' (דברים ח, א), כּל — כּכל, דברים — הדברים, מצוה — המצוה. מקרא, משנה, הלכות, תּלמוד, תּוספתּא, ואגדות, אפילו מה שתּלמיד ותיק עתיד לומר לפני רבו נאמרו למשה בסיני"[12] [ויקרא רבה, פּרשה כב]. אַלץ איז געווען פֿאַרשריבן, אַלץ איז געווען תּורה־שבכּתבֿ. באמת שטייט אויך אין משפּטים: "ויבא משה ויספּר לעם את כּל דברי ד' ואת כּל המשפּטים, ויען כּל העם קול אחד ויאמרו: כּל הדברים אשר דבר ד' נעשה. ויכתב משה את כּל דברי ד'" (שמות כד, ג–ד). אַלץ וואָס דער רבונו־של־עולם האָט געזאָגט איז פֿאַרשריבן געוואָרן.

ערשט שפּעטער, אין כּי תּשׂא, שטייט: "ויאמר ד' אל משה כּתב לך את הדברים האלה, כּי על־פּי הדברים האלה כּרתּי אתּך ברית ואת ישׂראל" (שמות לד, כז). דער פּסוק איז געדרשנט געוואָרן דורך חז"ל אַלס דער מקור פֿון תּורה־שבעל־פּה. "אמר ר"י, לא כּרת הקדוש ברוך הוא ברית עם ישׂראל אלא בשביל דברים שבעל פּה, שנאמר 'כּי על פּי הדברים האלה כּרתּי אתּך ברית ואת ישׂראל'"[13] [גיטין ס, ע"ב]. רש"י אַליין

12. "עס ווערט געזאָגט 'און אויף זיי איז געווען אַזוי ווי (כּכל) אַלע ווערטער' (דבֿרים ט, י), און עס שטייט 'אַלע (כּל) געבאָטן וואָס איך געביט דיר הײַנט' (דבֿרים ח, א). עס האָט געקענט שטיין 'כּל', און עס שטייט 'כּכל'. עס האָט געקענט שטיין 'דבֿרים' און עס שטייט 'הדבֿרים', עס האָט געקענט שטיין 'מצוה' און עס שטייט 'המצוה'. דאָס ווײַזט אונדז אַז תּורה, נבֿיאים, כּתובֿים, משנה, גמרא, תּוספֿתּא, אגדות, און אפֿילו וואָס אַ תּלמיד וועט זאָגן פֿאַר זײַן רבין — דאָס אַלץ האָט גאָט געזאָגט צו משהן אויפֿן באַרג סיני."

13. "ר"י האָט געזאָגט, הקדוש־ברוך־הוא האָט געשלאָסן זײַן בונד מיט ישׂראל נאָר צוליב די ווערטער שבעל־

זאָגט: ״׳את הדברים האלה׳, ואי אתה רשאי לכתב תורה שבעל פה.״ דאָס וואָרט ״כל״ שטייט ניט ביי דעם צווייטן מתן־תורה. חז״ל האָבן אַזוי אָפּגעטייטשט דעם פסוק: ״ויאמר ד׳ אל משה, כתב לך את הדברים האלה״: פאַרשרייַב נאָר די ווערטער, ד״ה דעם טעקסט פון תורה־שבכתב, כי על־פי הדברים האלה, די רייד דאַרפן דינען אַלס מקור, אַלס קוואַל פון אַ צווייטער תורה. (פּי אין העברעיִש באַצייכנט אויך אורשפּרונג, ׳על פי ד׳ ביד משה׳.) זיי בילדן נאָר דעם וואָרצל פון דער תורה. ערשט פון זיי וועט זיך אַ גרויסע תורה־שבעל־פה פונאַנדערבילדן.

פאַר וואָס עפּעס האָט דער רבונו־של־עולם געענדערט דעם גאַנצן אַספּעקט פון תורה און האָט דעם גרעסטן טייל פאַרוואַנדלט אין אַ תורה־שבעל־פה? ווייל דער חטא־העגל האָט געוויזן אַז אַ תורה־שבכתב, וואָס ווערט אַרויפגעצוווּנגען אויף אַ גרויסער עדה פון מענטשן, קען קיין קיום ניט האָבן. אויב מען וויל נאָר אַז די תורה זאָל בלייַבן אַ ספר־התורה, אַ בוך ווו אַלץ איז פאַרשריבן, אָבער וואָס איז קיין מאָל ניט אַבסאָרבירט געוואָרן דורכן מענטשן, קיין מאָל ניט געוואָרן איינס מיט זייַן מהות, וואָס גיט דעם ייִדן ניט קיין חיות און לעבנס־אינהאַלט, וועלכע פולסירט ניט אין זייַנע אָדערן, און קלאַפּט ניט אין איין ריטעם מיט זייַן האַרצן, דעמאָלט מוז מען זיך ריכטן אויף אַ סך עגל־אינצידענטן. דעמאָלט קען דאָס זעלבע פאָלק, וואָס איז פריִער געווען אַזוי באַגייַסטערט פאַר דער תורה, וואָס האָט געזאָגט ׳נעשה ונשמע׳ און געזען ומראה כבוד ד׳ כאש אוכלת בראש ההר (שמות כד, יז), שרייַען ׳אלה אלהיך ישראל׳ און טאַנצן אַ ווילדן טענצל אַרום דעם קאַלב. מתן־תורה איז ניט קיין קורצער פראָצעס, וואָס קען דורכגעפירט ווערן אין פערציק טעג, און פאַרטיק! מתן־תורה הייסט ניט געבן אַ ספר־תורה, נאָר געבן דעם פאָלק אַ נייַע נשמה, אַ נייַע פערזענלעכקייט, אַ נייַע וועלט־השקפה, אַ נייַע לייַדנשאַפט, אָנגיסן אים מיט אייביקן פייַער, מאַכן אים פאַר אַ וועלט־שטורמער און אייביקן זוכער, שענקען אים אַ נייַעם עטישן באַוווסטזייַן. אָבער דאָס קען ניט געגעבן ווערן מיט איין מאָל. דאָס איז אַן אייביקע אויפגאַבע פון דער כנסת־ישראל.

פאַר דעם צוועק קען מען נאָר אויסוויילן איין מענטשן און אים פאַרוואַנדלען אין אַ תורה־פערזענלעכקייט. פון אים מעג די געטלעכקייט אַרויסשייַנען, פון אים זאָל דאָס תורה־ליכט אַרויסשטראַלן. אים דאַרף געגעבן ווערן אַ תורה ניט בכתב, נאָר בעל־פה, געשריבן ווערן ניט אויף שטיינער און פאַרמעט, נאָר אויף אַ גרויסן גייַסט און הייליקער נשמה. אים דאַרף זיך גאָט מתגלה זייַן ניט נאָר אַלס א־לקים, וואָס גיט אַ באַפעל, ווי דאָס ערשטע מאָל אין סיני, נאָר אַלס אינטימער חבר. אים דאַרף מען אַנטדעקן די געטלעכע מידות, מיט אים דאַרף זיך גאָט מתחבר זייַן און אויסזאָגן ווי

פה, ווי עס שטייט געשריבן, ׳וואָרעם לויט [על־פי] די דאָזיקע ווערטער האָב איך געשלאָסן אַ בונד מיט דיר און מיט ישראל׳ (שמות לד, כז)״.

אַ תּורה־פּערזענלעכקייט דאַרף אויסזען. ער דאַרף גאָט [...][14] און דעם סוד פֿון ׳ד׳, ד׳ א־ל רחום וחנון, ארך אפּים ורב חסד ואמת׳ (שמות לד,ו). אויף זײַן קאָפּ דאַרף זײַן האַנט אַרויפֿגעלייגט ווערן, זאָל ער די נאָענטקייט פֿון גאָט דערפֿילן, זײַן אָטעם דערשפּירן. זאָל ער אַלץ אײַנזאַפּן אין זיך, אַלץ אַבסאָרבירן, און זאָל נאָך דעם אַלץ דורך זײַן געזיכט אַרויסשטראַלן.

וואָס האָט אייגנטלעך אַרויסגעשטראַלט? די געטלעכקייט, וואָס איז געווען אַזוי אינטים מיט אים, דער אָפּגלאַנץ פֿון אַ פּערזענלעכקייט וואָס איז געוואָרן איינס מיט דער תּורה, דער ד׳ ד׳ א־ל רחום וחנון, די תּורה־שבעל־פּה, דער סוביעקט און די דינאַמישע קרעאַטיווע תּורה וואָס קען קיין מאָל ניט פֿאַרשריבן ווערן. זי איז צו איידל, צו אצילותדיק, צו אַבסטראַקט, צו גײַסטיק, כּדי נתפּס צו ווערן אין קאָנקרעטע אותיות. זי קען מען אינטויִטיוו פֿילן, זי קען זיך צונויפֿגיסן מיט דער מענטשלעכער נשמה, אָנפֿילן זי מיט פּראַכט און געגועים. מיט איין וואָרט, אַרויסגעגלאַנצט האָט אַ קרעאַטיווע דינאַמישע פּערזענלעכקייט וואָס וועט נאָך אַנטדעקן נײַע וועלטן אין דער תּורה — די טראָפּנס טינט וואָס זײַנען געבליבן אין פֿעדער נאָכן ענדיקן די תּורה־שבכתבֿ, און וואָס משה האָט זיי אין דער פּערזענלעכקייט אײַנגעזאַפּט.

בײַם ערשטן מתּן־תּורה האָט גאָט ישׂראל אַ פּשוטן ספֿר געגעבן. בײַם צווייטן, אַ לעבעדיקע תּורה־פּערזענלעכקייט: משה. ניט די אותיות און ניט דער פּאַרמעט פֿון דעם ספֿר־הברית וואָס משה האָט אַראָפּגעבראַכט על־הכּתבֿ זײַנען געווען די הויפּטזאַך, נאָר משהס פּערזענלעכקייט אַליין, זײַן נשמה, זײַן כאַראַקטער, זײַן פּנים, זײַן הנהגה, זײַן לעבן. מיט איין וואָרט: די תּורה־שבעל־פּה וואָס האָט אויסגעשטראַלט פֿון משהס געשטאַלט, איז געווען די נײַע מתּנה וואָס דער רבונו־של־עולם האָט מיטן גרויסן ׳סלחתּי׳ דער כּנסת־ישׂראל געגעבן.

״אמר רבי יוסי בר׳ חנניא: לא נִתּנה תּורה אלא למשה לזרעו, שנאמר ׳כּתב לך, פּסל לך׳״ [נדרים לח, ע״א]. די תּורה צום צווייטן מאָל איז נאָר געגעבן געוואָרן משהן און זײַנע קינדער, ווײַל עס שטייט געשריבן ׳כּתבֿ לך, פּסל לך׳. אַלץ פֿאַר דיר. ״משה נהג בה טובת־עין וּנתנה לישׂראל״ [דאָרטן]. משה איז געווען גוט, און האָט עס איבערגעגעבן דער כּנסת־ישׂראל. די ערשטע תּורה — אַ פּשוטער בוך, די ערשטע לוחות — האַרטע שטיינער, זײַנען געגעבן געוואָרן דעם גאַנצן כּלל־ישׂראל. אַלע יידן — כּהנים, לוויים, ישׂראלים, דער ערבֿ־רבֿ זײַנען בײַם הר סיני געשטאַנען און גאָטס שטימע געהערט. אַ ספֿר קענען אַלע מקבל זײַן. די צווייטע לוחות, דער צווייטער ספֿר־הברית, אַ תּורה־שבעל־פּה, אַ תּורה־נשמה, אַ תּורה־האַרץ, אַ תּורה־געפֿיל, תּורה־געגועים, תּורה־חלומות, תּורה־וויזיעס, אַ תּורה־פּערזענלעכקייט קען שוין זעקס הונדערט טויזנט יידן ניט געגעבן ווערן מיט אַ מאָל. משהן אַליין האָט

14. וואָרט ניט לייענעוודיק אין כּתבֿ־יד.

גאָט אויסגעקליבן. אין אים האָט ער אַלץ רעאַליזירט. אויף זײַן קאָפּ האָט ער זײַן האַנט אַרויפֿגעלייגט און האָט זײַן פּערזענלעכקייט אין אַ לעבעדיקער ספֿר־תּורה פֿאַרוואַנדלט. ניטאָ קיין תּורה חוץ משהן, ניטאָ קיין לוחות חוץ משהס אײַזערנע הענט.

מסורה איז ניט סתּם לערנען, נאָר משה אַליין וואַנדלט דורך אומצאָליקע דורות, ווערט פּערסאָניפֿיצירט אין די גבורי־האומה. יעדער דור סימבאָליזירט משהן, שטייענדיק אין דער מערה מיט דעם רבונו־של־עולמס האַנט אויף זײַנע אויגן. ״משה קבל תּורה מסיני ומסרה ליהושע, ויהושע לזקנים, וזקנים לנביאים, ונביאים לאנשי כּנסת הגדולה״ [אבות א, א]. משה האָט מקבל געווען די תּורה און זיך מתחבר געווען מיט איר. ער האָט די תּורה מוסר געווען צו יהושען און צוזאַמען מיט דער תּורה איז אַ שטיק משה איבערגעפֿלאַנצט געוואָרן אין זײַן תּלמיד. משה איז זיך מתגלה דורך יהושען. ״ויאמר ד׳ אל משה קח לך את יהושע בן־נון, איש אשר רוח בו, וסמכת את ידך עליו וכו׳ ונתת מהודך עליו וכו׳״ (במדבר כז, יח–כ). ניט נאָר זאָלסטו טעאָרעטיש יהושען איבערגעבן דײַן וויסן, נאָר פּשוט לייג אַרויף די האַנט אויף אים, וסמכת את ידך עליו, די זעלבע האַנט וואָס האָט די לוחות צוזאַמען מיט מיר געהאַלטן אין דעם פֿײַער פֿון די שריפֿט־פֿאָרשונגען. זאָל ער דײַן תּורה־פּולס פֿילן, ונתת מהודך עליו, שענק אים אַ פּאָר שטראַלן פֿון דײַנע קרני־האור, עפּעס פֿון דעם ביסל טינט וואָס דײַנע האָר האָבן אײַנגעזאַפּט. גיב אים אַ טייל פֿון זיך. אַנדערש איז קיין מסירת תּורה־שבעל־פּה ניט מעגלעך. און אַזוי איז די משה־געשטאַלט זיך מתגלגל פֿון דור צו דור. פֿון רבי עקיבאַן האָט משה אַרויסגערעדט, פֿון רמב״ם — משה, פֿון גאון — משה, און אַזוי ווײַטער. אונדז גיט מען איבער אַ תּורה־פּערזענלעכקייט, ניט סתּם אַ בוך. בהם ובמשנתם!

II

עס איז דאָ אַן אונטערשייד צווישן קדושת־דמים און קדושת־הגוף, וואָס איז זייער כאַראַקטעריסטיש, און באַטײַט זייער פֿיל אין דער ייִדישער געשיכטע.

דער אונטערשייד צווישן קדושת־דמים און קדושת־הגוף איז זייער כאַראַקטעריסטיש. קדושת־דמים האָט פּדיון — ״ונתן הכּסף וקם לו״ [ברכות מז ע״ב, א״אַ]. און אויב מען איז זי מוציא לחולין (מועל), איז פּקע איר הקדש. קדושת־הגוף האָט קיין מאָל קיין פּדיון ניט און אויך מעילה איז ניט מפקע דעם הקדש.

אין דעם דין ליגט באַהאַלטן אַ טיפֿער פּסיכאָלאָגיש־פֿילאָסאָפֿישער אמת. אויב די קדושה פֿון אַ זאַך איז ניט אָריגינעל, פֿליסט ניט פֿון די טיפֿענישן פֿון אור מהות, דעמאָלט קען די קדושה פֿאַרשווינדן אונטער באַשטימטע אומשטענדן, ד״ה ווען די פֿאַרבינדונג צווישן דער זאַך און דעם מקור פֿון קדושה — וואָס געפֿינט זיך מחוץ איר עקסיסטענץ — ווערט איבערגעריסן. ווען, למשל, זי הערט אויף דינען אַלס

מיטל פֿאַר אַ הייליקער מטרה (פּדיון), אָדער ווען מען פֿאַרשוועכט און מען שענדט די קדושה. כּל־זמן דער אָביעקט דערפֿילט זײַן אויפֿגאַבע אַלס מעדיום, אָדער עפּעס העכערס, איז ער אויסגעפֿילט מיט קדושה־אינהאַלט. אין דעם מאָמענט וואָס ער הערט אויף צו שפּילן די ראָלע פֿון תּשמישי־קודש, פֿאַרמינדעט[15] די הייליקייט.

אויב אָבער די קדושה איז ניט קיין דערוואָרבענע, נאָר אַ נאַטירלעכע, אַן עצמותדיקע, וואָס קוועלט פֿון אַ מיסטעריעזן אור־מקור, פֿון דער רעאַליטעט, דאַן קען זי קיין מאָל ניט פֿאַרניכטעט ווערן. זי איז גאַנץ אומאָפּהענגיק פֿון די תּנאים אין וועלכע דער אָביעקט געפֿינט זיך, אָדער וואָס פֿאַר אַ פֿונקציע ער דערפֿילט אין דעם מאָמענט. קיין פֿאַרשווענדונג פֿון דער קדושה, אָדער פֿאַרשוועכונג, קען ניט עלימינירן די אינערלעכע קוואַליטעט פֿון דעם אָביעקט. כּל־זמן דער אָביעקט עקסיסטירט, איז אויך פֿאַראַן קדושה. די גלײַכונג פֿון קדושה און עקסיסטענץ קען ניט בטל ווערן. ממילא קען קיין שום פּדיון ניט אויסלייזן די קדושה, און קיין שענדלעכער אַקט קען זי ניט מאַכן פֿולשטענדיק פֿאַרשווינדן.

פּונקט ווי די פֿיזיק האָט פֿאָרמולירט אַ געזעץ אַז שטאָף און ענערגיע קענען בשום־אופֿן ניט פֿאַרניכטעט ווערן — מען קען זיי פֿאַרוואַנדלען אין פֿאַרשיידענע פֿאָרמען און מאַניפֿעסטאַציעס, אָבער פֿולשטענדיק עלימינירן איז אַן אוממעגלעכקייט — אַזוי זאָגט אויך די הלכה, אַז קדושת־הגוף איז אומצעשטערבאַר. זי בלײַבט אין עקסיסטענץ. געוויינטלעך קענען אויך פֿאַרענדערונגען פֿאָרקומען אין איר, אָבער זי פֿאַרשווינדט ניט. ממילא מוזן מיר אָנערקענען, אַז די אידענטיפֿיצירונג פֿון קדושת־ישׂראל מיט קדושת־גוף איז די צענטראַל־אַקס אַרום וועלכער די גאַנצע ייִדישע געשיכטס־פֿילאָסאָפֿיע דאַרף זיך דרייען. אָן דער פֿאַרשטענדעניש וועגן דעם מהות פֿון קדושת־ישׂראל קען מען בכלל די ייִדישע געשיכטלעכע עקסיסטענץ נישט באַגרײַפֿן.

מיר שטייען הײַנט אין אַ [....][16] וואָס פֿאַר אונדזערע אויגן זײַנען פֿאָרגעקומען וווּנדער, סײַ אויפֿן פּאָליטישן און סײַ אויפֿן מיליטערישן פֿראָנט. אַלע רעדן הײַנט וועגן נסים וועלכע זײַנען ענלעך צו די פֿון דעם אַלטן "על הנסים". אָבער, ווי איך האָב געענוי באַהאַנדלט פֿאַראַכטאָגן זונטיק בײַם אַרבעטער־רינג פֿאָרום, רעדן אַלע אונדזערע פּאָליטישע פֿירער וועגן די וווּנדער וואָס זײַנען געשען די לעצטע 1־9 חדשים. זיי פֿאַרגעסן אָבער דערבײַ דעם וווּנדער איבער אַלע וווּנדער, די אומפֿאַרשטענדלעכסטע, איבערנאַטירלעכסטע, און פּאַראַדאָקסאַלסטע דערשײַנונג אין דער מענטשלעכער געשיכטע: דעם וווּנדער פֿון כּמעט אַ נײַנצן־הונדערט־יאָריקן וואַרטן פֿון דער כּנסת־ישׂראל אויף גאולה; דעם וווּנדער פֿון נײַנצן הונדערט תּשעה־

15. ווערט פֿאַרמינערט (דײַטש).

16. וואָרט ניט לייענעוודיק אין כּתבֿ־יד.

באָבֿס מיטן "נחם ד׳ א־לקינו את אבלי ציון ואת אבלי ירושלים"; דעם ווּנדער פֿון בענקען און לעכצן נאָך אַ וויסט זאַמדיק לאַנד; דעם ווּנדער פֿון דער עקסיסטענץ פֿון אַ כּנסת־ישׂראל וואָס האָט זיך עקשנותדיק ניט געוואָלט אויסמישן מיט די אומות־העולם, פֿאַרביסן, האַלב משוגע, ממשיך געווען אַן עקסיסטענץ אונטער די שרעקלעכסטע אומשטאַנדן; דעם ווּנדער פֿון ניט קענען מיט גוואַלד פֿאַרניכטן די אייגנאַרטיקייט און טיפֿישקייט פֿון דער כּנסת־ישׂראל טראָץ אַלע שמד און שלעפּן אין קירכע, און כאַפּן קליינע קינדער, און חנפֿענען זיך צו ייִדן, באַנוצנדיק אַלערליי מיטלען כּדי צו געווינען זיי פֿאַרן קריסטנטום אָדער פֿאַרן איסלאַם; דעם ווּנדער פֿון רבי עקיבֿא וחבריו, מסעי נוסעי הצלבֿ, קדושי נעמיראָוו און אַזוי ווײַטער. עפּעס מיסטעריעז איז דאָ אין ייִדישן פֿאָלק, וואָס לאָזט זיך ניט פֿאַרניכטן, וואָס איז אומצעשטערבאַר.

דאָס איז אייגנטלעך דער ווּנדער פֿון קדושת־הגוף, וואָס האָט ניט קיין פּדיון און ניט קיין מעילה. מען קען ניט משחד זײַן די כּנסת־ישׂראל אַלס אַזעלכע זי זאָל פֿאַרקויפֿן איר קדושה, אַפֿילו פֿאַר דעם העכסטן פּרײַז. דאָס געזעץ "נתן הכּסף וקם לו" איז ניט חל אויף דער ייִדישער עקסיסטענץ. אויך איז מעילה ווירקונגסלאָז. מיט גוואַלד און ברוטאַליטעט האָט מען אויך אונדז ניט אָפּגעשמדט. פּריצים, אויסוווּרפֿן, חיות בצורת־אדם, האָבן געריסן שטיקער פֿון אונדזער בית־המקדש, פֿון אונדזער כּנסת־ישׂראל, אָבער ולא חללוהו. זיי האָבן די קדושה ניט געקענט פֿאַרשוועכן. "על הר ציון ששמם שועלים הלכו בו. אתה ד׳ לעולם תּשב כּסאך לדור ודור" (איכה ה, יח–יט). אונדזער פּאָליטישע רעאַליטעט איז געווען וויסט און פֿינצטער, פֿוקסן האָבן שפּאַצירט דאָרט אַרום. אָבער פֿונדעסטוועגן "אתה ד׳ לעולם תּשב כּסאך לדור ודור". אונדזער גײַסטיקע רעאַליטעט איז געבליבן אין [....][17], די קדושה איז ניט פֿאַרשווּנדן. פֿאַרקערט, וואָס מער מען האָט אונדז געיאָגט, אַלץ מער האָבן מיר אונדזער קדושת־הגוף פֿאַרטיפֿט, אַלץ מער האָבן מיר אונדז מיט איר אידענטיפֿיצירט.

"מדוע שובבה העם הזה, ירושלים משובה נצחת, החזיקו בתּרמית, מאנו לשוב. הקשבתּי ואשמע, לא כּן ידברו, אין איש נחם על רעתו לאמר: מה עשׂיתי כּולה שב במרוצתם כּסוס שוטף במלחמה" (ירמיה ח, ו–ז). דער פּשוטער פּשט איז דאָך: פֿאַר וואָס איז דאָס פֿאָלק פֿאַרווילדעוועט געוואָרן אויף שטענדיק? "משובה נצחת" הייסט "שטענדיקע זינד", פֿון נצח. קומען חז״ל און טײַטשן אַנדערש: "אמר רב: תּשובה נצחת השיבה כּנסת ישׂראל לנביא" [סנהדרין קה, ע״א]. ער האָט איבערגעזעצט "משובה נצחת" — "אַן איבערצײַגנדער אַרגומענט". פֿאַר וואָס האָט דאָס פֿאָלק געגעבן אַן איבערצײַגנדע תּשובֿה?

17. וואָרט ניט לייענעוודיק אין כּתבֿ־יד.

"אמר להן נביא לישראל: חזרו בתשובה. אבותיכם שחטאו היכן הם? אמרו להן: ונביאיכם שלא חטאו היכן הם? שנאמר 'אבותיכם איה הם, והנביאים הלעולם יחיו?' (זכריה א, ו). אמר להן: אבותיכם חזרו והודו, שנאמר 'אך דברי וחקי אשר צויתי את עבדי הנביאים הלא השיגו אבותיכם וישובו ויאמרו, כאשר זמם ד' צבאות לעשות לנו כדרכינו וכמעללינו, כן עשה אתנו' (זכריה א, ו). שמואל אמר — אַן אַנדערע תּשובֿה האָבן זיי געגעבן דעם נבֿיא — באו עשרה בני אדם וישבו לפניו (פֿאַרן נבֿיא). אמר להן: חזרו בתשובה. אמרו לו: עבד שמכרו רבו, ואשה שגרשה בעלה, כלום יש לזה על זה כלום? אמר לו הקב"ה לנביא לך אמור להם, 'אי זה ספר כריתות אמכם אשר שלחתיה או מי מנושי אשר מכרתי אתכם לו? הן בעונותיכם נמכרתם ובפשעיכם שלחה אמכם' (ישעיה נ, א)"[18] [סנהדרין קה, ע"א].

רבֿ האָט וואַרשײַנלעך געלערנט די ייִדן דעם המשך פֿון די פּסוקים אין זכריה: "ואמרת אליהם כה אמר ד' צבאות, שובו אלי נאום ד' צבאות, ואשוב עליכם אמר ד' צבאות. אל תהיו כאבותיכם, אשר קראו אליהם הנביאים הראשונים לאמר, כה אמר ד' צבאות שובו נא מדרכיכם הרעים ומעלליכם הרעים ולא שמעו ולא הקשיבו אלי נאום ד'. אבותיכם איה הם, והנביאים הלעולם יחיו? אך דברי וחקי אשר צויתי את עבדי הנביאים הלא השיגו אבותיכם וישובו ויאמרו כאשר זמם ד' צבאות לעשות לנו כדרכינו וכמעללינו כן עשה אתנו" (זכריה א, ג–ז). דער נבֿיא קומט צו ייִדן און זאָגט: טוט תּשובֿה, שובֿו אלי ואשובֿ אליכם! אַלס בײַשפּיל גיט ער זיי די טראַגעדיע מיט זייערע עלטערן, וואָס האָבן ניט געפֿאָלגט די אַמאָליקע נבֿיאים ישעיהו, ירמיהו, יחזקאל. וואָס איז געוואָרן פֿון זיי? און ער רופֿט אויס: "אל תהיו כאבותיכם אשר קראו אליהם הנביאים הראשונים ולא שמעו ולא הקשיבו אלי, נאום ד'. אבותיכם איה הם?" וואָס איז געוואָרן פֿון דער שטאָלצער אַריסטאָקראַטיע פֿון שומרון, וועמען עמוס האָט געשטראָפֿט? וואָס איז געוואָרן מיט די רײַכע לײַט פֿון ירושלים, וועמען

18. "רבֿ האָט געזאָגט: מיט אַ נצחונדיקן ענטפֿער האָט די כּנסת־ישׂראל געענטפֿערט דעם נבֿיא. דער נבֿיא האָט געזאָגט צו ישׂראל: טוט תּשובֿה! אײַערע עלטערן וואָס האָבן געזינדיקט, ווו זײַנען זיי? האָבן זיי [ישׂראל] געזאָגט: און אײַערע נבֿיאים, וואָס האָבן ניט געזינדיקט, ווו זײַנען זיי? ווי עס שטייט אין פּסוק, 'אײַערע עלטערן, ווו זײַנען זיי, און די נבֿיאים, לעבן זיי דען אייביק?' (זכריה א, ה). האָט ער, דער נבֿיא, זיי געזאָגט: אײַערע עלטערן האָבן תּשובֿה געטאָן און זיך מודה געווען, ווי עס שטייט אין פּסוק, 'אָבער מײַנע ווערטער און מײַנע משפּטים וואָס איך האָב אָנגעזאָגט מײַנע קנעכט די נבֿיאים, פֿאַרוואָר זיי זײַנען אָנגעקומען אײַערע עלטערן, און זיי האָבן תּשובֿה געטאָן, און האָבן געזאָגט: אַזוי ווי גאָט פֿון צבֿאות האָט געטראַכט צו טאָן צו אונדז, לויט אונדזערע וועגן און לויט אונדזערע מעשׂים, אַזוי האָט ער מיט אונדז געטאָן' (זכריה א, ו). שמואל האָט געזאָגט: צען מענטשן זײַנען געקומען און זײַנען געזעסן פֿאַר אים, פֿאַרן נבֿיא. האָט ער זיי געזאָגט: טוט תּשובֿה! האָבן זיי אים געזאָגט: אַ קנעכט, וואָס זײַן אייגנטימער האָט אים פֿאַרקויפֿט, אָ פֿרוי וואָס איר מאַן האָט זי אָפּגעגט, צי קענען זיי (דער אייגנטימער און דער מאַן) דען האָבן עפּעס תּבֿיעות? האָט הקדוש־ברוך־הוא דעמאָלט געזאָגט צום נבֿיא: גיי און זאָג זיי, 'ווו איז דער גט פֿון אײַער מוטער, אַז איך האָב זי אַוועקגעשיקט? אָדער ווער איז פֿון מײַנע מאָנער וואָס איך האָב אײַך פֿאַרקויפֿט צו אים? זעט, איבער אײַערע זינד זײַט איר פֿאַרקויפֿט געוואָרן, און איבער אײַערע פֿאַרברעכן איז אײַער מוטער אַוועקגעשיקט געוואָרן' (ישעיה נ,א)".

ישעיהו האָט געמוסרט? וואָס איז געוואָרן מיט די ביוראָקראַטן פֿון מלכות־יהודה, ווענען ירמיהו האָט באַקעמפֿט? פֿאַרניכטעט, אָפּגעווישט, קיין זכר ניט געבליבן.

האָבן איִם די ייִדן אַ פֿרעג געטאָן: ״והנבֿיאים הלעולם יחיו?״ און וואָס איז געוואָרן מיט די נבֿיאים? זענען זיי ניט אונטערגעגאַנגען צוזאַמען מיטן גאַנצן פֿאָלק, אין דעם החרש והמסגר?[19] זײַנען די סנהדרין און די כּהנים ניט אויסגעמאָרדעט געוואָרן? פֿאַר וואָס ווײַזסטו עפּעס אָן אויף די חטאים? פֿאַר וואָס פֿאַרגעסטו וועגן די צדיקים וועלכע זענען פֿאַרטיליקט געוואָרן צוזאַמען מיט זיי?

די זעלבע פֿראַגן פֿרעגן מענטשן הײַנט. בשעת היטלער האָט אָנגעהויבן רודפֿן די אַסימילירטע דײַטשע יהודים, האָבן מיר געזאָגט אַז דאָס איז אַן עונש פֿאַר אַ סך עבֿירות וואָס זיי זײַנען באַגאַנגען קעגן דעם כּלל־ישׂראל, פֿאַרן אויסמעקן ציון וירושלים פֿון די סידורים, פֿאַרן אָפּזאָגן זיך פֿון די מזרח־אייראָפּעיִשע ייִדן. אָבער וואָס קענען מיר זאָגן וועגן דער פֿאַרניכטונג פֿון אַ האַלבן מיליאָן ייִדן אין וואַרשעווער געטאָ, צווישן זיי צדיקי עליון, קדושים און תּלמידי־חכמים? וואָס קענען מיר זאָגן וועגן די חבֿלי־מות, וועלכע עס זײַנען דורכגעגאַנגען קהילות־קדושות אין גאַליציע, אונגאַרן, ליטע, און פּוילן? וואָס קענען מיר זאָגן וועגן דער מאַרטירערשאַפֿט פֿון דעם שענסטן און בעסטן טייל פֿון ייִדישן פֿאָלק? מיר קענען אויך פֿרעגן די פֿראַגע: ׳והנבֿיאים הלעולם יחיו׳? די חסידים און אַנשי־מעשׂה, וואָס זײַנען אויך ניט ניצול געוואָרן פֿון דעם גזר־דין? איז ירמיהו ניט אַוועק אין גלות גלײַך מיט אַלעמען, מיט אַלע עובֿדי־עבֿודה־זרה? אָבער ניט נאָר וועגן דער קעגנוואַרט קענען מיר פֿרעגן די שאלה ׳והנבֿיאים הלעולם יחיו׳, נאָר בנוגע אונדזער גאַנצער מאַרטיראָלאָגיע, פֿון עשׂרה־הרוגי־מלכות אָן. זײַנען ניט די גרעסטע מענטשן בײַ ייִדן אומגעקומען על־קידוש־השם? אַוודאי איז עס אַ תּשובֿה נצחת, אַ שטאַרקער אַרגומענט. אויב מיר פֿרעגן אַסימילאַנטן, אַטעיִסטן, רשעים, ׳אבותינו שחטאו היכן הן?׳, וועלן זיי אײַך וואַרפֿן אין פּנים אַרײַן ׳והנבֿיאים הלעולם יחיו?׳. ״הכל כאשר לכל. מקרה אחד לצדיק ולרשע לטוב ולטהור ולטמא ולזובח ולאשר איננו זובח (קהלת ט, ב)!״

וואָס איז באמת דער תּירוץ אויף דער פֿראַגע? עס איז דאָ אַן ענטפֿער. סײַ אַסימילאַנטן און רשעים און סײַ גדולי־ישׂראל זײַנען פֿאַרפֿײַניקט געוואָרן דורך די נאַציס ימח־שמם. סײַ רבי עקיבֿא און סײַ פּפּוס זײַנען געשטאָרבן אַ מאַרטירער־טויט. סײַ ירמיהו, און סײַ די נבֿיאי־השקר זײַנען געיאָגט געוואָרן דורך די באַבילאָניער אין גלות און שקלאַפֿערײַ. אָבער עס איז דאָ אַן אונטערשייד, וואָס איז [...][20] אַלץ און איז וויכטיקער פֿון אַלץ. בשעת נבוכדנצאר האָט געטריבן די נבֿיאי־השקר מיטן רוט, האָבן זיי פֿאַרלוירן אַלעס: זייער פֿרײַהייט, רײַכטום, לעבן, און זייער עתיד

19. זען גיטין פּח, ע״א, סנהדרין לח,ע״א.

20. ווערטער ניט לייענעוודיק אין כּתבֿ־ד.

און אידעאָלאָגיע. בשעת ער האָט זיך איזדיעקעוועט איבער ירמיהון, האָט דער נבֿיא־אמת אינדיווידועל פֿאַרלוירן דעם קאַמף מיטן באַבילאָנישן טיראַן, אָבער היסטאָריש האָט געוווּנען ירמיהו. אַלץ וואָס ער האָט געזאָגט איז מקוים געוואָרן: עטלעכע צענדליק יאָרן שפּעטער איז בבֿל געפֿאַלן, און פֿיר און צוואַנציק הונדערט יאָר שפּעטער, ווען פֿון גאַנץ בבֿל איז שוין קיין זכר ניטאָ, פֿלאַנצט ירמיהוס פֿאָלק כּרמים און פּרדסים אויף די זעלבע פּלעצער ווו ער האָט נבֿואה געזאָגט "עוד אבנך ונבנית בתולת ישראל, עוד תּעדי תּפּיך ויצאת במחול משחקים. עוד תּטעי כּרמים בהרי שומרון נטעו נוטעים וחללו" (ירמיה לא, ג–ד). די נבֿיאי־השקר האָט באמת נבוכדנצאר באַזיגט, פֿון זיי איז קיין שריד־ופּליט ניט געבליבן. קיינער ווייס ניט וועד זיי זײַנען געווען, און וואָס זיי האָבן געוואָלט. ירמיהון האָט ער ניט באַזיגט. אויפֿן היסטאָרישן, אייביקן נבֿיא האָט ער די האַנט ניט געקענט אַרויפֿלייגן. דער ירמיהו לעבט נאָך הײַנט, און זײַנע אייביקע ווערטן האָט אַ פֿאָלק טויזנטער יאָרן מיט אַ ווײַטן לאַנד געהאַט פֿאַרבונדן און צוריק צו מלכות־ישׂראל געפֿירט.

אמת, ביידע — רבי עקיבֿא און פּפּוס — זײַנען אומגעקומען דורך די רוימער. אָבער פּפּוס איז טאַקע דורך זיי פֿאַרניכטעט געוואָרן. וואָס זיי האָבן געוואָלט, האָבן זיי דערגרייכט. בנוגע פּפּוס [....][21] דערמאָרדעט אים, פֿאַרטיליקט גײַסטיק, אויסגעמעקט זײַן נאָמען פֿון מענטש לעכן זכּרון. אָבער רבי עקיבֿא! אמת, זיי האָבן אים געפּײַניקט מיט אוממענטשלעכע יסורים און געטויט, אָבער היסטאָריש האָט רבי עקיבֿא מנצח געווען קעגן רוים. זײַן תּורה ווערט נאָך הײַנט געלערנט, זײַנע תּלמידים קלײַבן זיך נאָך הײַנט, זונטיק פּרשת תּרומה, צונויף, און מען פֿײַערט דעם יום־טובֿ פֿון תּורה־שבעל־פּה. רבי עקיבֿאס תּורה, רבי עקיבֿאס געשטאַלט, זײַנען אייביק, און זײַן גײַסט — דורך אַלע פֿעריאָדן פֿון עשׂרה־הרוגי־מלכות, דורך מסע נוסעי הצלבֿ, דורך גזירות ת״ח, דורך הרוגי היטלער ימח־שמו — איז נאָך מעכטיק און לעבעדיק, און פֿירט דאָס ייִדישע פֿאָלק צום היסטאָרישן זיג. רוים האָט אין 1949 אָנערקענט ירושלים, אַנדרינוס־קיסר האָט געבויגן זײַן קאָפּ פֿאַר רבי עקיבֿאן.

משומדים און קדושי־עליון. די משומדים האָבן אַלץ פֿאַרלוירן אין די קרעמאַטאָריעס. די קדושי־עליון האָבן פֿאַרלוירן זייער לעבן, אָבער זיי זײַנען ניט אונטערגעגאַנגען: זייערע חלומות, זייערע האָפֿענונגען, זייערע אידעאַלן ווערן פֿאַרווירקלעכט. זיי האָבן באַקעמפֿט אַסימילאַציע און שמד טויזנטער יאָרן, און ענדלעך האָט דאָס ייִדישע פֿאָלק אַן אייגענע היים. אויף די קבֿרים פֿון די נבֿיאי־השקר, פֿון די פּפּוסן, האָט מען קיין קדיש ניט געזאָגט. אויף די קבֿרים פֿון ירמיהו, רבי עקיבֿא, רבי ישמעאל כּהן גדול, רבי יעקבֿ, ר׳ שמשון אָסטראָפּאָלער, ר׳ שׂמחה זעליג, ר׳ הענעך אייגעש, און ר׳ מנחם זעמבאָ זאָגט אַ גרויסע כּנסת־ישׂראל יתגדל

21. ווערטער ניט־לייענעוודיק אין כּתבֿ־יד.

ויתקדש שמיה רבא. טראָץ אַלע רדיפות און גזירות און יאָגענישן, טראָץ אַלע רציחות, אומרעכט און ברוטאַליטעטן, טראָץ דעם פאַרזוך פון אַ סך שונאים צו פאַרניכטן די כנסת־ישׂראל און כביכול פאַרטרייַבן דעם אל־קי ישׂראל פון דער וועלט, וועט זייַן היילִיקער נאָמען גרויס און שטאַרק און מעכטיק ווערן. דער א׳ ישׂראל מיט ירמיהון, מיט רבי עקיבא, מיט אַלע נביאים און קדושים, וועלן מנצח זייַן אַלץ. בעלמא דהוא עתיד לאתאחדתא ולאחיאה מתיא ולמיבני קרתא דירושלים.[22]

אבותיכם היכן הם? ווּ זייַנען זיי, אייַערע עלטערן מיט זייערע חלומות פון אַסימילאַציע, שמד, עמאַנציפּאַציע? ווּ — די האָפענונגען ״נהיה כגוים במשפחות הארצות לשרת עץ ואבן״ (יחזקאל כ, לב)? ווּ זייַנען זייערע טעאָריעס און פּראָוויזאָגונגען? איז עפּעס מקוים געוואָרן? ״והנביאים לעולם יחיו?״ יע, זיי לעבן באמת נאָך הייַנט! איר גלויבט ניט? גייט אַרויס און קוקט זיך צו צו דער קעגנוואַרט, צו די שיפן וואָס פירן טויזנטער יידן קיין ארץ־ישׂראל.

״אמר להן: אבותיכם חטאו והודו״. די אינטעליגענטע פאַררעטער פון יידישן פאָלק האָבן עס אַליין פאַרשטאַנען, אַז ״אך דברי וחקי אשר צויתי את עבדי הנביאים הלא השיגו אבותיכם״. די רייד און די לעבנס־השקפות וואָס זייַנען פאַרמולירט געוואָרן דורך די נביאים זייַנען פאַרווירקלעכט געוואָרן, אָבער אונדזערע חלומות זייַנען אַלע צערונען.

אויך פּפּוס האָט לכתחילה געמיינט אַז היסטאָריש וועט זיגן ער, און ניט רבי עקיבא. ״פּעם אחת גזרה מלכות הרשעה, שלא יעסקו ישׂראל בתורה. בא פּפּוס בן יהודה ומצאו לרבי עקיבא שהיה מקהיל קהלות ברבים ועוסק בתורה. אמר לו: עקיבא, אי אתה מתירא מפּני המלכות?״[23]. ״ביסט משוגע, בטלן?! ווי אומהיסטאָריש און פאַלש דו האַנדלסט! צי וועסטו באַזיגן די מעכטיקע רוימישע אימפּעריע און איר רייַכע קולטור?״ ״לא היו ימים מועטים עד שתפסוהו לרבי עקיבא, וחבשוהו בבית האסורים. ותפסו לפּפּוס בן יהודה וחבשוהו אצלו. אמר ליה: אשריך, רבי עקיבא, שנתפסת על דברי תורה, ואוי לו לפּפּוס, שנתפּס על דברים בטלים״[24] [ברכות סא ע״ב]. אין אָנהויב האָט ער געלאַכט פון אים, ער האָט אים אַפילו ניט גערופן ״רבי עקיבא״, נאָר פּשוט ״עקיבא״. ״דו וועסט אין דער יידישער געשיכטע ניט אַרייַן אַלס

---

22. פונעם נוסח פון קדיש וואָס מען זאָגט בייַ דער קבורה. ״געלויבט זאָל זייַן זייַן נאָמען אין דער וועלט וואָס ער וועט נאָך פאַראייניקן, אויפלעבן די טויטע, און אויפבויען די שטאָט ירושלים״.

23. ״איין מאָל האָט דאָס מלכות־רשע גוזר געווען אַז יידן זאָלן ניט לערנען תורה. איז געקומען פּפּוס בן יהודה און ער האָט געפונען רבי עקיבאן, אַז ער פאַרזאַמלט עפנטלעכע פאַרזאַמלונגען און לערנט תורה. האָט ער אים געפרעגט: עקיבא, צי האָסטו ניט מורא פאַר מלכות?״

24. ״עס זייַנען פאַרבייַ ווייניק טעג ביז מען האָט געפאַנגען רבי עקיבאן און אים אייַנגעזעצט אין תפיסה. און מען האָט געפאַנגען פּפּוס בן יהודה און אים אייַנגעזעצט בייַ אים [אין איין קאַמער]...האָט ער אים געזאָגט: ווויל איז דיר רבי עקיבא, וואָס מען האָט דיך געפאַנגען צוליב דברי־תורה. און ווי איז צו פּפּוסן, וואָס מען האָט אים געפאַנגען צוליב דברים־בטלים.״

מנהיג, אַלס וויזיאָנער, אַלס רבי פֿון פֿאָלק. דו ווּעסט בלײַבן אַ קלײנער עקיבֿאַלע, אַ פֿאַנאַטיקער, וואָס האָט זיך קעגנגעשטעלט אַ ליכטיקער קולטור און געקעמפֿט פֿאַר אַן אַלטער תּורה. איך וועל זײַן דער ייִדישער היסטאָרישער רבי, מיך וועט מען רופֿן רבֿ פּפּוס, ווײַל איך גיי מיטן שטראָם פֿון דער צײַט. איך האָלט די האַנט אויפֿן פּולס פֿון דער געשיכטע, ניט דו, עקיבֿאַ."

עטלעכע טעג שפּעטער האָט אויך פּפּוס באַמערקט דעם פֿעלער. געזיגט קעגן אים און אויך קעגן די רוימער האָט דווקא עקיבֿאַ. ער וועט פֿאַראײביקט ווערן בײַ דער כּנסת־ישׂראל, ער וועט געקרוינט ווערן אַלס דער רבי פֿון ייִדישן פֿאָלק. "אשריך רבי עקיבֿאַ — דו בלײַבסט דער רבי, ניט איך." אמר לו לפּפּוס: פּפּוס היכן הוא, ורבי עקיבא הלעולם יחיה? וואָס זאָגט מען, מורי ורבותי, אויף דער קושיא?

קומט שמואל און איז מסביר רבֿס השקפֿה.

פֿאַר וואָס טאַקע איז די כּנסת־ישׂראל בכּח אויפֿצוהאַלטן אַן אידעאַל טויזנטער יאָרן? פֿאַר וואָס קען זיך טראָגן מיט אַ ציטער אין האַרצן אַ נבֿואהשע בשורה דורות לאַנג, דורך פֿינצטערע, בלוטיקע, האָפֿענונגסלאָזע תּקופֿות? פֿאַר וואָס האָט די כּנסת־ישׂראל געפֿאָלגט ירמיהון, און ניט די נבֿיאי־השקר? מתּתיהו כּהן־גדול — אין ניט די מתיוונים? רבי עקיבֿאַן — און ניט פּפּוסן? רבֿ סעדיה גאון — און ניט די קראים? פֿאַר וואָס האָט זיך די כּנסת־ישׂראל ניט אַסימילירט מיט די אומות־העולם און איז ניט אונטערגעגאַנגען? וועלכע געהיימע קראַפֿט האָט זי פֿאַראײביקט? ווײַל די קדושת־הגוף פֿון איר קדושה און ייִדיש בלוט איז אײנס. איר קערפּער איז הייליק, איר פּערזענלעכקייט איז אַ תּורה־פּערזענלעכקייט, איר נשמה איז דאָס געטלעכע פֿײַער פֿון אש אכלה אש. ווען אַ ייִד אַנטלויפֿט פֿון זײַן קדושה, אַנטלויפֿט פֿון גאָט, אַנטלויפֿט ער פֿון זיך, און ער קען פֿון זיך ניט אַנטלויפֿן. איר ווייסט דאָך וואָס עס איז געשען מיט יונהן, ווען ער איז קיין תּרשיש געלאָפֿן. ווען אַ ייִד, אַפֿילו ווען ער מיינט אַז ער איז אַן אַטעיִסט, אַ כּופֿר־בעיקר, אַפֿילו ווען ער שרײַט אַז ער גלויבט אין קיין זאַך ניט, און קעמפֿט כּלומרשט קעגן אַלץ, קען ער זיך אַליין ניט, מאַכט ער אַ טעות אין זיך. דעמאָלט וועט זיך זײַן ייִדישקייט אויסדריקן אין עפּעס אַנדערש, וואָס ער וועט עס אויפֿפֿאַסן אַלס ניט רעליגיעזע תּורה־יהדות. אָבער פֿאַקטיש רעדט דורך אים רבי עקיבֿאַ, ירמיהו, מתּתיהו כּהן־גדול. פֿאַר וואָס? אַ ייִד קען זיך פֿון דעם רבונו־של־עולם ניט אָפּגטן, קדושת־הגוף גייט ניט אַרויס לחולין, אַפֿילו ווען עס איז פּופּציק מאָל פֿאַרשוועכט געוואָרן. קיין מעילה קען ניט וואָכעדיק מאַכן אַזאַ מין קדושה, וואָס איז מקורדיק.

אַ ייִד וואָס מיינט אַז ער איז שוין אַ גרוש פֿון דער שכינה, ער האָט איר שוין געגעבן אַ גט־פּטורין, מאַכט אַ טעות. טיף אין האַרצן בלײַבט ער הייליק, טיף אין זײַן פּערזענלעכקייט איז פֿאַרבאָרגן אַ תּורה־שבעל־פּה. ווײַט, ווײַט אין זײַן נשמה ברענט אַ ניצוץ פֿון ירמיהוס נבֿואה, פֿון ישעיהוס נחמה, פֿון רבי עקיבֿאָס תּורה, און

מתתיהו כהן־גדולס קנאות. אויף אַלע קידושין העלפֿט גט, חוץ אויף די קידושין פֿון רבונו־של־עולם מיט דער כּנסת־ישׂראל איז ניט חל קיין גירושין. פֿאַר וואָס? ווײַל דאָס איז אַ קדושת־הגוף אויף וועלכער עס איז ניטאָ קיין פּדיון. ״וארשׂתיך לי לעולם, וארשׂתיך לי בצדק ובמשפּט, בחסד וברחמים, וארשׂתיך לי באמונה, וידעת את ד׳״ (הושע ב, כא). אייביקע קידושין, און דערפֿאַר וועט אייביק די כּנסת־ישׂראל חלומען וועגן צדק ומשפּט, חסד ורחמים, און אייביק גלייבן אין יום שכּולו שבת ומנוחה לחיי עולמים.

״ושמואל אמר: באו עשׂרה בני אדם וישבו לפניו. אמר להם: חזרו בתשובה. אמרו לו: עבד שמכרו רבו, ואשה שגרשה בעלה, כּלום יש לזה על זה כּלום?״ כּלומרשט, ווי קען מען גיין צוריק? מיר זײַנען שוין אַזוי ווײַט אַוועק פֿון יהדות, אַז קיין צוריק איז שוין ניטאָ! מיר זײַנען שוין אינגאַנצן וואָכעדיק געוואָרן. צו גרויס איז געווען די מעילה, די שטענדיקע, בקדשי ד׳, וואָס מיר זײַנען באַגאַנגען בנוגע זיך אַליין. ״אמר לו הקדוש ברוך הוא לנביא: לך אמור להם, אי זה ספר כּריתות אמכם אשר שלחתיה, או מי מנושי אשר מכרתי אתכם לו. הן בעונותיכם נמכרתם ובפשעיכם שלחה אמכם!״

מיט אַ פּאָר וואָכן צוריק האָב איך געהאַט אַ צוזאַמענשטויס אויף אַ מיטינג פֿון רבנים, גדולי־תּורה, מיט אײנעם פֿון די גרעסטע ראשי־ישיבֿות דאָ אין לאַנד. אין אַן ענטפֿער אויף מײַנער אַ באַמערקונג וועגן דער פֿאַלשער און געפֿערלעכער פּאָליטיק פֿון באַשטימטע קנאים אין ירושלים, האָט ער זיך אַ שטעל געטאָן און געזאָגט: ״נאָך הרבֿ סאָלאָווייטשיקס רייד קומט אויס אַז די אַלע גדולים פֿון די לעצטע צוויי דורות, ווי ר׳ יוסף בער, ר׳ חיים בריסקער, ר׳ חיים לייב סטאַוויסקער, ר׳ יצחק אלחנן, ר׳ לייזער טעלזער, ר׳ מאיר שׂמחה דווינסקער, דער חפֿץ־חיים, האָבן אַ טעות געהאַט אין זייער פּאָליטישער שטעלונג, מיט זייער אינדיפֿערענץ צו דער שיבֿת־ציון באַוועגונג, און דווקא די חדשים, ווי פּינסקער, הערצל, וואָלפֿסאָן, טשלענאָוו, ביאַליק, די פֿרײַע חלוצים, וואָס האָבן ניט־רעליגיעזע קבֿוצות געבויט, האָבן פֿאָרויסגעזען די צוקונפֿט ריכטיק!״ די פֿראַגע דאַרף געשטעלט ווערן אָפֿן. מען דאַרף אַזעלכע געדאַנקען ניט באַהאַלטן, און מען דאַרף זיי ריכטיק באַטראַכטן. עס איז דאָך אַ מין תּשובֿה נצחת השיבֿה כּנסת־ישׂראל לנבֿיאים: ״והנביאים לעולם יחיו?״

געענטפֿערט האָב איך פֿאָלגנדעס: אין דער מענטשלעכער נאַטור הערשט אַ געזעץ פֿון קאָמפּענסאַציע. למשל, די פֿיזיאָלאָגיש־פּסיכישע פֿונקציעס אין מענטשן זײַנען פֿאַרטיילט לויט זײַנע אָרגאַנען. ער זעט מיט די אויגן, ער הערט מיט די אויערן, האָט דעם חוש־המשמוש אין זײַנע פֿינגער, און אַזוי ווײַטער. איז אויב, למשל, איין אָרגאַן ווערט, לא עליכם, קראַנק און קען ניט אויספֿירן זײַן פֿונקציע, ווערט דער מענטש קאָמפּענסירט דורך דער פֿאַרשטאַרקונג און אינטענסיווירונג פֿון די אַנדערע חושים. למשל, בײַ אַ בלינדן אַנטוויקלט זיך זייער שטאַרק דאָס געהער און דער חוש־המשמוש. ער דערפֿילט בלינדערהייט, דורך שטעלן זײַן שטעקן און

דורך עמפּפינדן[25] די קלענסטע קלאַנגען, זאַכן וואָס מיר קענען עס גאָרניט דערפילן. פאַרקערט, ביי אַ טויבן ווערט זייער אַנטוויקלט און אויסגעבילדעט דער חוש־הראיה. אויך אין גייסטיקן לעבן גילט דאָס זעלבע געזעץ פון ערזאַץ־קאָמפּענסאַציע. אַ מענטש וואָס האָט זייער אַ שטאַרקן אינטעלעקט, אַ גאוניש קאָפּ, קען אַ מאָל ליידן פון אַ מאַנגל אין ליידנשאַפטלעכע געפילן און קינסטלערישע דערלעבענישן. פאַרקערט, אַ מוזיקער, אַ מאָלער, ווערט אַ סך מאָל פעלן די פעיִקייט פון קלאָרן, לאָגישן דענקען. מיר ווייסן למשל אַז פרימיטיווע פעלקער האָבן אַ מאָל אַ בעסערן געפיל פאַר ריטעם, ווי ציוויליזירטע. סוף־כל־סוף, דער מענטש איז אַ באַגרענעצטע בריאה, ער איז ניט אומענדלעך. אַלץ האָבן, אַלע ברכות פון גאָט, און די מאַקסימאַלע אויסבילדונג פון אַלע זיינע חושים און כוחות, איז אוממעגלעך. עפּעס מוז זיך אַנטוויקלען אויפן חשבון פון אַנדערן. ״אם כסף תלוה את עמי את העני עמך״ (שמות כב, כד), זאָגן חז״ל אין מדרש:

> ״בא וראה, כל בריותיו של הקדוש־ברוך־הוא לוין זה מזה: היום לוה מן הלילה, והלילה מן היום; הלבנה לוה מן הכוכבים, והכוכבים מן הלבנה; האור לוה מן השמש, והשמש מן האור; החכמה לוה מן הבינה, והבינה מן החכמה שנאמר ׳אמר לחכמה אחותי את׳ (תהילים ז, ד). השמים לוים מן הארץ, והארץ מן השמים שנאמר ׳יפתח ד׳ לך את אוצרו הטוב את השמים׳ (דברים כח, יב).
>
> החסד לוה מן הצדקה, והצדקה מן החסד שנאמר ׳רודף צדקה וחסד׳ (משלי כא, כא). התורה לוה מן המצות, והמצות מן התורה שנאמר ׳שמור מצותי וחיה, ותורתי כאישון עיניך (משלי ז, ב)״ [תנחומא, משפטים, יב].

ביי דער גאַנצער קרעאַטור איז קיין שלימות ניטאָ. אַלע ברואים קענען ניט האָבן אַלץ, קענען ניט דערגרייכן דעם מאַקסימום. עס מוז עפּעס פעלן אין דער אויסבילדונג פון איינעם, כדי צו מאַכן פלאַץ פאַרן אַנדערן.

״איר מאַכט אַ טעות, מיין חשובער ראש־הישיבה״ האָב איך יענעם תּלמיד־חכם געענטפערט. ״ניט די גדולי־ישׂראל האָבן פאַרלוירן, און ניט די ׳חופשים׳ האָבן געוווּנען. מנצח געווען האָט דער נצח־ישׂראל. פאַרלוירן האָבן די יידישע שׂונאים. געזיגט האָט די אייביקע נבואה, דער ׳והיה באחרית הימים׳. געזיגט האָבן ישעיהו, ירמיהו, רבי עקיבא, די יידישע אמונה און גאולה, אין ביאת־המשיח, געזיגט האָט די תּורה־שבעל־פּה, די יידישע קדושת־הגוף, די אירוסין פון אומה הישׂראלית צום חתן — דעם רבונו־של־עולם, דער ׳וארשתיך לי לעולם׳.״

נאָר די קדושת־הגוף, די נשמת־ישׂראל, די נביאים זיינען געקומען צום אויסדרוק

25. אויפנעמען.

ביי די גדולי־ישׂראל אין אהבֿת־תּורה, אין עבֿודת־ד׳, אין ידיעת־התּורה, אין דערציִען דורות פֿון תּלמידי־חכמים, און יראים ושלמים, אין באַרייַכערן אונדזער גייַסטיקן אוצר מיט דער תּורה און מחשבֿה און מוסר־האָריזאָנטן, און אַ לעבן וואָס איז געווען אַ פֿאַרווירקלעכונג פֿון אַ תּורה־פּערזענלעכקייט. אין די ״חופֿשים״ האָבן די אַלע נצח־ישׂראלדיקע כּוחות זיך מאַניפֿעסטירט אין אהבֿת־הארץ, אין חלומען וועגן אַ ייִדישער מלוכה, אין האַקן שטיינער אונטער אַ הייסער ארץ־ישׂראלדיקער זון, אין טריקענען זומפּן, אין פֿלאַנצן גרינע ביימער אויף די פֿעלדזן פֿון אַ וויסט לאַנד. דאָ האָט געאַרבעט דאָס געזעץ פֿון גייַסטיקער קאָמפּענסאַציע.

ר׳ יוסף בער האָט געלעבט אַ פֿולן תּורה־לעבן אין בריסק, איינגעטונקט אין קדושה, אין ייִדישן גייַסטיקן מלכות. ער האָט אַוודאי געבענקט נאָך ארץ־ישׂראל און מלכות־ישׂראל ניט ווייניקער פֿון די בּוני הארץ, אָבער אַ מענטש קען זיך גייַסטיק ניט איבערגעבן בכל לבֿבֿו ובֿכל נפֿשו צו זיבעציק זאַכן. זייַן ענערגיע, זייַנע כּוחות פֿון יצירה, זייַנען אַבסאָרבירט געוואָרן אין אינדיווידועלער עבֿודת־ד׳. ער האָט באמת, זיצנדיק אין גלות, געלעבט אין אַ גייַסטיקער ארץ־ישׂראל. ממילא איז דער נצח־ישׂראל, דער נבֿיא אין אים, דער רבי עקיבֿא אין אים, געקומען צום אויסדרוק אין תּורה און עבֿודה.

פֿאַרקערט, דווקא ביי האַלב־אָפּגעפֿרעמדטע ייִדן, וואָס האָבן קיין תּורה־אידעאַלן ניט געהאַט, האַלב־אַסימילירטע, דערצויגן אויף פֿרעמדע קולטורן, אָן פֿאַרשטענדעניש פֿאַר ייִדישער טראַדיציאָנעלער קדושה און פּראַכט, האָט דער נצח־ישׂראל פּלוצעם דערוואַכט, אויפֿגעשטורעמט זייער גאַנצן מהות, אַריינגעגעבן דעם היסטאָרישן נבֿואה־פֿייַער. אויך אין זיי (בני אבֿרהם יצחק ויעקבֿ) האָט זיך פּלוצעם צעפֿלאַקערט דער אהי׳ אשר אהי׳. אויך צו זיי האָט זיך אַנטפּלעקט דער סוד פֿון ״והסנה בוער באש, והסנה איננו אוכל״ (שמות ג, ב). זיי האָבן פּלוצעם דערפֿילט דעם אייביקן אומרו פֿון דער כּנסת־ישׂראל, זיי האָבן פּלוצעם זיך דערזען פֿרעמד, איינזאַם, עלנט, און אָנגעהויבן בענקען געגועים צו עפּעס מיסטעריעזס, אומפֿאַרשטענדלעכס, קעגן וועלכער זיי האָבן אַליין געקעמפּט און געוואָלט אונטערדריקן. זיי האָבן פּלוצעם זיך דערפֿילט באַצויבערט דורך אַ מערקווערדיקער וויזיע, געטריבן דורך אַ געהיימער, אומבאַזיגבאַרער קראַפֿט. און סוף־כּל־סוף האָבן זיי זיך אונטערגעגעבן און די פֿאָן פֿון שיבֿת־ציון אויפֿגעהויבן.

ווער האָט געזיגט? די חופֿשיות אין די מענטשן, די אויפֿגעקלערטע אייראָפּעיִשע מענטאַליטעט, אָדער די אייביקע נבֿואה־בשורה, די אייביקע התחברות פֿון דער כּנסת־ישׂראל צום רבונו־של־עולם, די אייביקע קדושת־הגוף וואָס קען קיין מאָל ניט מחולל ווערן? וואָס האָט געזיגט אין הערצלען? דער סקעפּטיקער, דער קינסטלער, דער רעדאַקטאָר פֿון דער ווינער ״נייַער פֿרייַער פּרעסע״, דער אַפּיקורס, דער געַנוס־זוכער, דער אייראָפּעער, אָדער דער ישׂראל־סבֿא, דער אַלטער אייביקער ייִד אין

אים, דער רבי עקיבָא אין אים, דער מתתיהו בן יוחנן וואָס האָט זיך באַהאַלטן אין זײַן אונטערבאַוווּסטזײַן?

מײַן ליבער ראָש־הישיבָה, איר מאַכט אַ טעות. געזיגט האָבן די גדולי־ישׂראל פֿון משהן ביזן הײַנטיקן טאָג. רבן יוחנן בן זכאיס תּקנות זכר למקדש; רבי יוסיס "הלכה קדשה לעתיד לבא"; רבי יהודה הלויס "ציון הלא תשאלי לשלום אסיריך"; דעם רמב"נס אגרת פֿון ארץ ישׂראל, זײַן "קונטרס אבלות ישנה" וועגן תּשעה־באָבֿ; דעם מחברס שולחן־ערוך מיטן מגיד; דעם אר"יס, ר' משה קאָרדאָוועראָס, אַלקאַבעצס מיסטישע וועלט און זייער קאַמף מיטן שׂטן, זייערע באַמיִונגען משיחן פֿון די גאָלדנע קייטן צו באַפֿרײַען; סדר זרעים מיט אַלע פּירושים; קדשים מיט אַלע חידושי תּורה; די איינצלנע תּלמידי־חכמים וואָס האָבן די משנה פֿון "עשׂר קדושות ארץ ישׂראל מקודשת משאר הארצות" [כלים, פּרק א, משנה ו] אַלע שבת אין דער פֿרי געזאָגט; די שטילע תּיקון־חצותן אין די קליינע שטעטלעך אין ליטע, פּוילן, אוקראַיִנע; דער טרויער וואָס פֿלעג הערשן אויף דער ייִדישער גאַס בין־המְצָרים; די לוסטיקייט פֿון שבת נחמו; די אַש וואָס ייִדישע חתנים פֿלעגן אַרויפֿלייגן אויף זייער קאָפּ אַ האַלבע שעה פֿאַרן גיין צו דער חופּה; ר' יוסף בערס "קונטרס השמיטה"; ר' חיימס תּורה אין מצוות התּלויות בארץ; דעם חפֿץ־חייםס כּולל וואָס האָט זיך עוסק געווען מיט קדשים — אָט דער נצח־ישׂראל, וואָס האָט אַרויסגעשריִען פֿון די גדולי־ישׂראל פֿון איין זײַט, און פֿון דעם פּשוטן המון־עם פֿון דער אַנדער זײַט, האָט אָט די חופֿשים צום פּאָליטישן קאַמף געטריבן, און זיי אין אַ סך פֿאַלן געצוווּנגען אויף מסירת־נפֿש צו גיין. אַפֿילו די אַטעיִסטישע מפּ"ם בויט ארץ־ישׂראל ניט צוליב קאַרל מאַרקסן און לענינען, נאָר ווײַל זיי ווערן אומבאַוווּסטזיניק פֿאַרכּישופֿט דורך די אייביקע ישעיהו און ירמיהו. מעגן זיי שרײַען און פּראָטעסטירן קעגן דעם א־לקי ישׂראל וויפֿל זיי ווילן, זיי בויען, פֿעסטיקן, פֿאַר זײַן אייביקן אהי' אשר אהי'!

"אמר שמעון הצדיק: מימי לא אכלתי אשם נזיר טמא חוץ מאדם אחד, שבא אלי מן הדרום, יפה עינים וטוב ראי, וקווצותיו סדורות לו תּלתּלים. אמרתי לו: בני, מה ראית לשחת שער נאה זה? אמר לי: רועה הייתי לאבי בעירי והלכתי לשאוב מים מן המעין, ונסתכלתי בבבואה שלי ופחז עלי יצרי וכו' וביקש לטורדני מן העולם. אמרתי לו: ריקה! מפני מה אתה מתגאה בעולם שאינו שלך, שסופך להיות רמה ותולעה? העבודה, שאגלחך לשמים!"[26] [נזיר ד, ע"ב]

26. "געזאָגט האָט שמעון הצדיק: איך האָב קיין מאָל נישט געגעסן דעם קרבן־אשם פֿון אַ נזיר וואָס איז טמא געוואָרן, אחוץ אין איין פֿאַל. אַ מענטש איז געקומען צו מיר פֿון דרום, מיט שיינע אויגן און אַ שיינעם אויסזען, און זײַנע האָר זײַנען געווען געקרײַזלט אין לאָקן. האָב איך אים געפֿרעגט: זון מײַנער, פֿאַר וואָס האָסטו באַשלאָסן צו צעשטערן דײַנע שיינע האָר [און באַנײַען דײַן שבֿועה פֿון נזירות]? האָט ער געענטפֿערט: 'איך בין געווען אַ פּאַסטוך פֿאַר מײַן טאַטן אין מײַן היימשטאָט, און כ'בין אַ מאָל צוגעגאַנגען צום ברונעם ציִען וואַסער, האָב איך געקוקט אויף מײַן אָפּשפּיגלונג. מײַן יצר־הרע איז אויפֿגעשפּרונגען

איז עס ניט, די מעשׂהלע, די געשיכטע פֿון דער שיבֿת־ציון? אַ נזיר איז געקומען קיין ירושלים פֿון דרום, פֿון אַ געגנט אָן תּורה, אָן יראת־שמים, אָן אהבֿת־ד׳. און דער יונגער נזיר איז געווען שיין און פּראַכטפֿול, מיט פֿאַרחלומטע אויגן און מיט פּעך־שוואַרצע לאָקן. דער נזיר, דאַכט זיך אומוויסנד, ניט דערצויגן אין ירושלים אין דער סבֿיבֿה פֿון בית־המקדש, ניט דורכגעזאַפּט מיט די אידעאַלן פֿון שמעון הצדיק, קיין מאָל ניט מתאבק געווען זיך בעפּר רגלים פֿון די אַנשי־כּנסת־הגדולה, קיין מאָל אין דער עזרה ניט געווען. וואָס האָט אים קיין ירושלים געבראַכט? וואָס האָט אים געצוווּנגען אויפֿצוגעבן אַ לעבן פֿון רײַכטום, לוקסוס און געמיטלעכקײַט און קריכן אויף די הרי יהודה, קלעטערן אויף די פֿעלדזן וואָס פֿאַרצוימען דעם וועג קיין ירושלים (״ירושלים הרים סביב לה״), זיך מקדיש זײַן צו אַ שווערן לעבן פֿון נזירות, פֿון פּרישות, פֿון הונגער, פֿון דיסציפּלין, פֿון קאַמף און אַרבעט? וועלכער כּח האָט אויף דעם נזיר אַרויפֿגעצוווּנגען די מסירת־נפֿש אונטער דער הייסער זון פֿון יהודה? ער וועט דאָך פֿאַרלירן די שיינע הויט, די וווּנדערבאַרע לאָקן, די שוואַרצע פֿאַרטראַכטע אויגן! ער וועט דאָך פֿאַרעלטערט ווערן פֿאַר דער צײַט, ער וועט דאָך פֿאַרלירן זײַן יוגנט אין דער מלחמה פֿאַר דער רעאַליזאַציע פֿון אַ נזיר־חלום!

״בני, מה ראית להשחית שׂערך זה הנאה?״ די תּשובֿה איז: ״רועה הייתי לאבי בעירי״, און מיר איז געווען גוט, מיר האָט קיין זאַך ניט געפֿעלט, איך האָב זיך געפֿילט גליקלעך. איך האָב געהאַט מנוחת־הנפֿש און תּענוג־הגוף. איך פֿלעג מיך שפּילן מיט מײַנע חבֿרים, פֿלירטעווען מיט די חבֿרות, געזאַנג און לוסטיקייט האָבן מיך באַגלייט. אָבער פּלוצעם, אַ מאָל אין אַ שיינעם ליכטיקן פֿרימאָרגן, ווען די גאַנצע וועלט איז געווען באַגאָסן מיט זונענליכט און גרינס, אַלץ האָט געבליט אַרום מיר, ״והלכתי לשאוב מים מן המעין״. האָב איך זיך דערנענטערט צום קוואַל וואָס פֿלעג מיך אַלע מאָל אַזוי פֿריילעך אויפֿנעמען און אַרויסזינגען אַ מעלאָדיע פֿון האָפֿענונג און פֿרייד. און ״ונסתכלתי בבבואה שלי״, און איך האָב אַ קוק געטאָן אויף מײַן געשטאַלט: אַ שיינער יונגער פּנים, לוסטיקע לײַדנשאַפֿטלעכע אויגן, און אַ פּראַכטפֿולע שלאַנקע פֿיגור. ״פּחז עלי יצרי״, און מײַן בלוט האָט אָנגעהויבן זידן מיט תּאווה און גלוסטונג. אָבער אין דעם זעלבן מאָמענט האָב איך דערפֿילט עפּעס געהיימס, עפּעס מיסטעריעז, עפּעס איבערנאַטירלעכעס, עפּעס פֿרעמדס. אַ שטימע האָט צו מיר אָנגעהויבן רעדן: צי ביסטו טאַקע נאָר אַ יונגער, פֿרײַער, פֿריילעכער, שיינער בחור, וואָס האָט ניט קיין פֿליכטן, קיין אויפֿגאַבן, קיין וויזיעס, וועמענס איינציקער חובֿ איז נאָר דער ״שׂמח בחור בילדותיך״? אָדער אין דיר באַהאַלט זיך אַן

אין מיר [צוליב מײַן שיינקייט] און האָט מיך געוואָלט פֿאַרטרײַבן פֿון דער וועלט [מיך איבעררעדן כ׳זאָל זינדיקן]. האָב איך צו אים געזאָגט: דו נישטיקייט! פֿאַר וואָס שטאָלצירסטו זיך מיט אַ וועלט וואָס איז גאָר ניט דײַנע, בעת דײַן סוף איז ׳ווערעם און מאָדן׳! איך שווער, אַז כ׳וועל דיך אָפּגאָלן פֿאַר גאָטס וועגן.״

אייגענע געשטאַלט, אַ טויזנט־יעריקע אַלטע נשמה, וואָס בענקט און לעכצט נאָך עפּעס שענערס און פּראַקטפּולערס ווי אַ ווײַסע הויט, שוואַרצע אויגן און לאָקן, וואָס זוכט און יאָגט זיך נאָך עפּעס הייליקס, גרויס, דערהויבנס? ביסטו טאַקע דער זאָרגלאָזער בחורל, וואָס חוץ ווײַן, געזאַנג, און פֿרויען אינטערעסירט אים קיין זאַך ניט, אָדער אין דיר באַהאַלט זיך אַ נבֿיא־פּערזענלעכקייט וואָס בענקט נאָך מלכות־שמים? ביסטו טאַקע דער אַפּיקורס, דער הוליאַקע, וואָס לעבט פֿון מינוט צו מינוט, אָדער טיף אין דײַן אונטערבאַוווסטזײַן ביסטו גאָר מיט אַזאַ אַרט לעבן אומצופֿרידן, און דו זוכסט אַ גרויסן אידעאַל, העבֿודה לשמים, דאָרט געהערסטו?!

מורי ורבותי! מיר חבֿרה־ש״ס ייִדן רעפּרעזענטירן די תּורה־פּערזענלעכקייט וואָס האָט דורך אומצאָליקע דורות זיך מתגלה געווען, בײַ אייניקע באַוווסטערהייט, בײַ אַנדערע — אומבאַוווסט; בײַ אַנדערע האָט עס זיך רעאַליזירט אין קאָנקרעטע מעשׂים, בײַ אַנדערע אין זוכענישן און בענקען; בײַ אַנדערע — אין אַ געפֿיל פֿון איינזאַמקייט און עלנט, בײַ אַנדערע — אין אַ געפֿיל פֿון שׂמחה און עונג רוחני. אָבער די אָנגעהעריקייט צו אַזאַ חבֿורה איז ניט סתּם אַ כּבֿוד, נאָר וואַרפֿט אַרויף חובֿות אויף יעדן איינעם פֿון אונדז. אייגנטלעך פֿרעגט מען אונדז: וואָס האָט חבֿרה־ש״ס אויפֿגעטאָן? מילא, עס איז דאָך אַן אַלטע פֿראַגע: ״מאי אהני לן רבנן?״ [סנהדרין צט, ע״ב]. איר ווייסט דאָך אַז איך בין ניט קיין בעל־גוזמא, און אַז מען דאַרף, קען איך זאָגן אַ מאָל דעם אמת אין פּנים אַרײַן. אָבער דאָ מוז איך פֿעסטשטעלן, און עס איז אַבסאָלוט ריכטיק, אַז ווען ניט די חבֿרה־ש״ס וואָלט באָסטאָן אַבסאָלוט קיין זאַך ניט געהאַט.

וואָס אייגנטלעך האָבן מיר איצטער אין אונדזער קהילה? ערשטנס אַ ישיבֿה־קטנה.[27] איר ווייסט גאָר ניט וואָס די אינסטיטוציע טוט אויף. זי שמידט פּשוט אָט די גאָלדענע קייט פֿון מסורה פֿון תּורה־שבעל־פּה. למשל, אין עלטערע גריידס[28] לערנען די קינדער פּשוט גמרא מיט תּוספֿות און ראשונים. אַ בה״ג, אַ רבינו־תּם, אַ רמב״ן, אַ רשב״אָ, אַ רמ״אָ, אַ מחבר, זײַנען ניט סתּם קיין נעמען פֿון דער הגדה, נאָר פּשוטע חבֿרים פֿון די תּלמידים. זיי לעבן מיט אַביין און רבֿאָן, מיט רבי עקיבֿאָן און רבי יהושע בן חנניה. זיי אידענטיפֿיצירן זיך מיט די נבֿיאים און מיט די אָבֿות. אונדזערע קינדער האָבן אַ סך מער געלײַסטעט ווי אין אַ סך גרויסע ישיבֿות אין ניו־יאָרק. זיי זײַנען דורכגעדרונגען מיט אהבֿה לכל־קדשי־ישׂראל. געוויינטלעך, ניט אַלע זײַנען גלײַך אין דעם פּרט. עס ווענדט זיך אַ סך אָן דעם הויז פֿון די עלטערן, אָבער רובם ככּולם זײַנען באמת צאן קדשים. מען איז זיך מפּלפּל אין לערנען, אין מוסר היהדות.

27. געמיינט די רמב״ם־ישיבֿה (Maimonides Day School) געגרינדעט דורך הרבֿ סאָלאָוויטשיק אין 1937.

28. קלאַסן, כּיתות (ענגליש).

פֿון די קינדער וועט אויסוואַקסן אַ דור אין וועמען דער נצח־ישׂראל וועט זיך מתגלה זײַן אין זײַן פֿולער פּראַכט.

דעם דאַנק קומט דאָ אין דער ערשטער ריי די רביים, וואָס לערנען פּשוט מיט מסירת־נפֿש — אַלע גרויסע תּלמידי־חכמים, יראים און שלמים — אָבער אויך דער חבֿרה־ש"ס. ווען ניט די עטלעכע יִידן וואָס האָבן מיר מוט און קוראַזש געגעבן, ווער ווייס אויב איך וואָלט געווען בכּח צו דערגרייכן די מדרגה? מען קען אפֿשר זאָגן בנוגע חבֿרה־ש"ס דאָס וואָס רבי עקיבֿא האָט געזאָגט צו זײַנע תּלמידים בשעת רחל האָט זיך צוגערוקט צו דער קאַרעטע, און געוואָלט זיך צוטוליען צו איר געליבטן פּרינץ עקיבֿא, און מען האָט זי אַוועקגעשטופּט: "הניחו לה, שלי ושלכם — שלה!" [נדרים נ, ע"א]. ווען ניט רחל, מיט איר מסירת־נפֿש און וואַרטן, וואָלט קיין רבי עקיבֿא ניט אַרויסגעוואַקסן. ווען ניט די חבֿרה־ש"ס, גלייב איך ניט אַז מיר וואָלטן געהאַט אַזאַ וווּנדערבאַרע אינסטיטוציע אין באָסטאָן.

אָבער, מורי ורבותי, ניט אַלע פֿון אײַך זײַנען ממלא אײַער חובֿ צו דעם הייליקן מוסד. מיר דאַרפֿן האָבן געלט, און איך וואָלט וועלן אַז יעדער איינער פֿון אײַך זאָל נעמען אויף זיך היינט אָונטט כּמעט ווי אַ נדר, אַז ער זאָל דאָס יאָר געבן מער צײַט דעם בית־המדרש.

צווייטנס, האָבן מיר אין באָסטאָן אַ חבֿורה פֿון תּלמידי־חכמים, וואָס קומט זיך צונויף אַלע וואָך און לערנט בציבור, און איז זיך עוסק אין תּורה־שבעל־פּה. עס איז אויך אַ גרויסע לײַסטונג: "חברותא או למתותא" — פֿרײַנדשאַפֿט, חבֿרשאַפֿט, איז אַ פֿאַרבאַדינגונג פֿאַר יעדן מענטשן, בפֿרט נאָך פֿאַר לומדים. חוני המעגל האָט אָן דעם ניט געקענט לעבן. אָבער אויך בנוגע דעם קען מען אַ סך פֿאַרריכטן. מער ייִדן דאַרפֿן קומען, און מען דאַרף אַליין אויך מער לערנען.

דריטנס, האָבן מיר דאָ אַ גרופּע ייִדן וואָס האָבן די חוצפּה צו זאָגן אַ מאָל אַן אייגענע מיינונג און זיך ניט לאָזן אָפּגעשווענקט ווערן דורך קאָנסערוואַטיווע, האַלב־רעפֿאָרמיסטישע דעה־זאָגער. מען קען זאָגן אויף אונדז וואָס מען וויל, אָבער אונדזערע קעגנער ווייסן איין זאַך, אַז מען קען אונדז פּ[...]ן, נאָר ניט [...][29]. זאָלן זיי שרײַען און ליאַרעמען "אַחדות, שלום", מען וועט אונדז ניט אַרײַננאַרן! אונדזער פּלאַטפֿאָרמע איז אַ תּורה־שבעל־פּהדיקע, און ווער עס גלויבט אין איר ניט האָט מיט אונדז קיין שײַכות ניט. אויך בנוגע דעם דאַרפֿן חבֿרה־ש"ס־מיטגלידער שטיין אויפֿן וואַך און ניט דערלאָזן קיין חילול־הקודש, ספּעציעל אין בתּי־מדרשים, וועלכע ווערן ביסלעכווײַז פֿאַרוואַנדלט אין טעמפּלען.

דער באַגריף פֿון יהרג ואל יעבֿור איז לכתּחילה געזאָגט געוואָרן אויף דרײַ זאַכן: עבֿודה זרה, גילוי עריות, און שפּיכת דמים. אָבער בשעת הגזירה איז אַפֿילו על

29. ווערטער ניט־לייענעוודיק אין כּתבֿ־יד.

מצוה קלה יהרג ואל יעבור [סנהדרין עד, ע"א]. אַ מאָל ווערט אַ ייִדישער מנהג אַזוי הייליק ווי די מצוה פֿון אנכי ד׳ אל־קיך. יעדער דור האָט געהאַט זײַנע פּראָבלעמען, זײַן ערקתא דמסאנה, וואָס מען האָט געוואָלט בײַטן. הײַנט ליגט די הויפּט־געפֿאַר אין די בתּי־כּנסיות און בתּי־מדרשים. איך וועל מקיל זײַן אין תּערובֿות און שאלות הריאה, און אַפֿילו אין הלכות גירושין, אָבער איך וועל קיין קולא ניט מאַכן בנוגע אַ מנהג קל אין בית־המדרש. אַרום טאָן די [...], אַריבער [...][30] אַ שטיקל צײַט איז בכלל יהרג ואל יעבֿור. יעדער מנהג, אויב ער ווערט באַקעמפֿט דורך פּושעי־ישׂראל, ווערט פֿאַרוואַנדלט אין אַן עיקר אויף וועלכן מען דאַרף זיך מוסר־נפֿש זײַן.

דער עיקר מוזן מיר וויסן איין זאַך: מיר טאָרן זיך ניט באַגנוגענען מיט אונדזער פֿרומקייט אָדער לומדות. מיר מוזן זען עס איבערגעבן, פֿאַרשפּרייטן, קעמפֿן דערפֿאַר. דער הויפּט־מעדיום איז די ישיבֿה. איך האָב גרויסע פּלענער בנוגע דעם. ניט דאָ איז די צײַט צו אַנאַליזירן זיי. אָבער איך דאַרף האָבן אײַער הילף. "ויקם משה ויהושע משרתו ויעל משה אל הר האל־קים" (שמות כד,יג). זאָגט רש"י: "לא ידעתי מה טיבו של יהושע כאן"[31]. אָבער ווען גאָט האָט געזאָגט משהן: "עלה אלי ההרה והיה שם" (שמות כד, יב), האָט משה ניט פֿאַרגעסן אין יהושען, זײַן דינער, און ער האָט אים אויך געבראַכט צום באַרג. זאָל ער אויך געניסן פֿון דער פּראַכט פֿון גילוי־שכינה. משה האָט ניט געוואָלט אַליין אַרויפֿגיין אויפֿן באַרג און איבערלאָזן יהושען אין דער מחנה. אויב משה גייט, מוז יהושע מיטגיין. אויב מיר, חבֿרה־ש"ס־חבֿרים, האָבן הנאה פֿון תּורה און ייִדישער חכמה, מוזן מיט אונדז אונדזערע יהושעס מיטגיין, די תּינוקות־של־בית־רבן. ערשט דאַן "ויבא משה בתוך הענן ויעל אל ההר!" (שמות כד, יח)

30. ווערטער ניט־לייענעוודיק אין כּתבֿ־יד.

31. "איך פֿאַרשטיי ניט וואָס קומט אַהער יהושע".

ראש־השנה תשי״ח

מוריה[1], ניו־יאָרק

"כל השופרות כשרים חוץ משל פרה מפני שהוא קרן.[...] עולא אמר היינו טעמא דרבנן כדרב חסדא, דאמר רב חסדא: מפני מה אין כהן גדול נכנס בבגדי זהב לפני ולפנים לעבוד עבודה? לפי שאין קטיגור נעשה סניגור. ולא? וכו׳. והא איכא ארון וכפּרות וכּרוּב וכו׳ חוטא בל יתנאה קא אמרינן. והא איכא בגדי זהב מבחוץ? מבפנים קא אמרינן. שופר נמי מבחוץ הוא! כּיון דלזכרון הוא כבפנים דמי. והא תּנא, מפּני שהוא קרן קאמר, חדא, ועוד קאמר חדא דאין קטיגור נעשה סניגור, ועוד מפני שהוא קרן"[2] [ראש השנה, כו ע"א].

1. הרבֿ סאָלאָווייטשיק איז געווען דער מרא־דאתרא פֿון קהילת־מוריה, וואָס האָט זיך געפֿונען אויף בראָדוויי און 80סטער גאַס אין מאַנהאַטען, אין די 1950ער יאָרן. אויך אין שפּעטערדיקע יאָרן האָט ער געזאָגט וועכנטלעכע שיעורים אין "מוריה".
2. "אַלע הערנער זײַנען כשר [פֿאַר תקיעת־שופֿר] אַחוץ דעם האָרן פֿון אַ קו, ווײַל ער ווערט אָנגערופֿן 'קרן'. [...] עולא זאָגט אַז דער טעם פֿון די רבנן איז לויט ר׳ חסדאן. וואָרעם ר׳ חסדא האָט געזאָגט: 'פֿאַר וואָס גייט דער כהן־גדול נישט אַרײַן אין קדשי־קדשים טראָגנדיק גאָלדענע בגדים, צו טאָן די עבֿודה [פֿון יום־כּיפּור]? ווײַל אַ באַשולדיקער [גאָלד, וואָס דערמאָנט אינעם עגל־הזהבֿ] ווערט ניט קיין פֿאַרטיידיקער.' [און דער האָרן פֿון אַ קו דערמאָנט אויך אינעם עגל־הזהבֿ.] [...] אָבער צי איז טאַקע אַזוי? אָט האָט מען דעם אָרון־קודש, דאָס מענטעלע און די כּרובֿים [וואָס זײַנען באַדעקט מיט גאָלד]! נאָר וואָס? זאָל אַ זינדיקער מענטש זיך ניט באַפּוצן דערמיט. אָבער עס זײַנען פֿאַראַן גאָלדענע בגדים וואָס דער כהן־גדול טראָגט מחוץ [דעם קדשי־קדשים]! רעדן, רעדט זיך וועגן בפֿנים [אינעם קדשי־קדשים]. אָבער דעם שופֿר בלאָזט מען אויך מחוץ דעם קדשי־קדשים?! אַזוי ווי דער שופֿר איז אַן אָנדענק, איז עס גלײַך ווי [די עבֿודה וואָס ווערט געטאָן] בפֿנים. אָבער אָט האָט מען געלערנט [אַז מען ניצט ניט קיין האָרן פֿון אַ קו פֿאַר תּקיעת־שופֿר] ווײַל ער הייסט 'קרן'?! דאָס איז איין סיבה. אָבער מען האָט געזאָגט נאָך אַ סיבה, אַז 'אַ באַשולדיקער ווערט ניט קיין פֿאַרטיידיקער'. און אַחוץ דעם, ווײַל ער הייסט 'קרן'."

אין דער סוגיא איז פֿאַרמולירט געוואָרן דער מאָטיוו פֿון קדושת־היום פֿון ראש־השנה וואָס ווערט דעמאָנסטרירט דורך שופֿר.

דער מאָטיוו פֿון קדושת־היום פֿון שלש־רגלים איז שׂמחה. די ברכה פֿון קדושת־היום הייבט זיך אָן מיט "ותתן לנו ד׳ א׳ באהבה מועדים לשׂמחה חגים וזמנים לששון", און מיר זײַנען חותם מיט "והשיאנו ד׳ א׳ את ברכת מועדיך לחיים ולשלום לשמחה ולששון, כאשר רצית ואמרת לברכנו...מקדש ישראל והזמנים". דער מאָטיוו פֿון קדושת־היום פֿון שבת איז "מנוחה ושמחה", ווי מיר זאָגן אין דער ברכת קדושת־היום: "רצה במנוחתינו". דער מאָטיוו פֿון קדושת־היום פֿון יום־הכּיפּורים איז כּפּרה, און מיר זײַנען חותם: "מוחל וסולח לעוונותינו ולעוונות עמו בית ישראל", אָדער ווי מיר זאָגן אין אתה בחרתנו "למחילה ולסליחה ולכפרה". וואָס איז אָבער דער הויפּטמאָטיוו פֿון קדושת־היום פֿון ראש־השנה? דער ענטפֿער איז כּמעט אַ פּאַראַדאָקסאַלער: עמידה לפֿני ד׳, גילוי־שכינה דורך תּקיעת־שופֿר.

דורך תּקיעת־שופֿר געפֿינט זיך דער ייִד שטענדיק אין קדשי־קדשים, ווי דער כּהן־גדול אין בגדי־לבן. "כיון דלזכרון כבפנים דמי." דער טעמע פֿון גילוי־שכינה איז געווידמעט די ברכה פֿון שופֿרות. ווו נאָר מען הערט דעם קול השופֿר, קומט פֿאָר גילוי־שכינה. אָבער ווען מיר רעדן וועגן גילוי־שכינה, דאַרפֿן מיר שטענדיק אונטערשיידן צווישן צוויי גילוי־שכינהס: איינער — אַ חושיקער, ברעש ובֿאש, אַ היסטאָרישער, וואָס קומט פֿאָר אין אַ באַשטימטן מאָמענט און אין אַ באַשטימטן פּלאַץ, וואָס איז למעלה־מדרך־הטבֿע, וואָס קומט דורך אַן אימרותא דלעילא, ווען דער רבונו־של־עולם גייט אַראָפּ משער השמים העליונים בקולות ובֿרקים וענן כּבֿד מאוד. דער עפֿנטלעך־היסטאָרישער גילוי־שכינה איז פֿאָרגעקומען איין מאָל אין סיני: "בקולות וברקים עליהם נגלית ובקול שופר עליהם הופעת". און דאָס צווייטע מאָל, האָפֿן און גלייבן מיר, אַז זי וועט ווידער זיך איבערחזרן לימות־המשיח, ווי עס שטייט אין פּסוק: "וד׳ עליהם יראה, ויצא כברק חצו, וד׳ אל־קים בשופר יתקע והלך בסערות תימן" (זכריה ט, יד). צו דעם גילוי־שכינה וואָס ווערט אָנגעזאָגט דורך קול־שופֿר ווידמען מיר די פּסוקים פֿון דער תּורה און פֿון די נבֿיאים אין דער ברכה פֿון שופֿרות.

דער צווייטער גילוי־שכינה איז אַ צניעותדיקער, בקול דממה דקה, שוין ניט למעלה־מדרך־הטבֿע, ניט קיין עפֿנטלעך־היסטאָרישער, נאָר אַ נאַטירלעכער אינטימער גילוי־שכינה וואָס יעדער קען אים האָבן. אַ גילוי־שכינה ניט "מן החוץ" אויפֿן באַרג סיני, אין אַ דיקן וואָלקן, בלהבֿות אש, אין קולות ובֿרקים, ניט דורך סערות תּימן, נאָר "מבפּנים", אין דער נשמה פֿון יחיד. אַנדערע דאַרפֿן גאָר דערפֿון ניט וויסן. ער אַליין קען פֿילן די אָנוועזנהייט פֿון רבונו־של־עולם, זײַן נאָענטקייט, די באַרירונג פֿון זײַן האַנט. ער קען פּלוצעם איבערלעבן דאָס גליק און די מתיקות פֿון גילוי־שכינה. עס איז אַ שטילע, רויִקע, צאַרטע באַגעגעניש מיטן בורא־עולם.

"עולת תּמיד העשׂויה בהר סיני לריח ניחוח אשה לד׳": דעם זעלבן קרבן וואָס ייִדן האָבן געבראַכט בײַם הר סיני קען אַ ייִד ברענגען אַלע מאָל, ווײַל ער קען אײַנהאַלטן דעם גילוי־שכינה שטענדיק אין די טיפֿענישן פֿון דער נשמה. ראש־השנה איז דער טאָג פֿון דעם צניעותדיקן, שטילן, רויִקן גילוי־שכינה פֿון יחיד.

אויך דעם גילוי־שכינה סימבאָליזירט שופֿר. די פּסוקים פֿון תּהילים אין שופֿרות זײַנען געווידמעט דעם גילוי־שכינה וואָס יעדער ייִד קען דורכלעבן, אויב ער וויל נאָר, אום ראש־השנה. דער גילוי־שכינה וואָס קומט פֿאָר בקול דממה דקה אין דער ייִדישער פּערזענלעכקייט, "עלה אל־קים בתרועה, ד׳ בקול שופר" (תּהילים מז, ו). דער רבונו־של־עולם איז זיך פּלוצעם מתגלה דעם ייִדן מיטן קול שופֿר: "בחצוצרות וקול שופר הריעו לפני המלך ד׳. הללו א־ל בקדשו, הללוהו ברקיע עזו, הללוהו כּרוב גדלו, הללוהו בתקע שופר, הללוהו בנבל ובכנור" (תּהילים קן, א–ג). ווו עס איז דאָ דער תּקע שופֿר, שטייט דער ייִד לפֿני ד׳ בקדשו, ברקיע עזו. דערפֿאַר ציטירן מיר דעם גאַנצן קאַפּיטל, און מיר באַגנוגענען זיך ניט מיט דעם פּסוק "הללוהו בתקע שופר, הללוהו בנבל ובכנור", ווײַל דער פּסוק אַליין זאָגט גאָרניט וועגן גילוי־שכינה. נאָר מיטן מצרף זײַן אים מיטן הללו א־ל בקדשו ווערט דער מאָטיוו קלאָר.

דער געדאַנק איז ניט קיין דרוש, נאָר הלכה. ממילא ווען מיר זאָגן יום הזכּרון, יום תּרועה, מקרא קודש, מיינט עס דער יום פֿון עמידה לפֿני ד׳. כּיון דלזכּרון הוא כּבפנים דמי. יום גילוי שכינה, וואָס ווערט דעמאָנסטרירט דורך תּרועה. דער שופֿר איז דער אינסטרומענט פֿון גילוי־שכינה, פֿון ברעש ובאש וברוח, און בקול דממה דקה.

אָבער מיר דאַרפֿן פֿאַרשטיין די פֿאַרבינדונג פֿון שופֿר מיט גילוי־שכינה. פֿאַר וואָס איז דער שופֿר אויסגעקליבן געוואָרן דורכן רבונו־של־עולם ווי דער סימבאָל פֿון גילוי־שכינה, סײַ אין זײַן איבערנאַטירלעכקייט ברעש־ובאש־פֿאַרעם, און סײַ אין זײַן קול־דממה־דקה־מאַניפֿעסטאַציע?

לאָמיר זיך צוריקקערן צו דער גמרא. "מפּני מה אין כּהן גדול נכנס בבגדי זהב לפני ולפנים? חוטא בל יתנאה, אין קטיגור נעשׂה סניגור." לאָמיר די ווערטער פֿון חוטא בל יתנאה אַ ביסל טיפֿער פֿאַרשטיין.

בײַם חטא עץ־הדעת דערציילט אונדז די תּורה, אַז פֿאַרן חטא זײַנען אָדם און חוה געווען ערומים: "ויהיו שניהם ערומים האדם ואשתו, ולא יתבוששו" (בראשית ב, כה). ערשט נאָכן חטא באַמערקט די תּורה "ותפקחנה עיני שניהם וידעו כּי ערומים הם" (בראשית ג, ז). פֿון די אַלע האָפֿענונגען און פֿאַנטאַזיעס וואָס חוה האָט געהאַט ("כּי טוב העץ למאכל, וכי תאוה הוא לעינים, ונחמד העץ להשׂכּיל") האָט זיך קיין זאַך ניט אויסגעלאָזן. איין זאַך האָבן זיי יאָ דערגרייכט: זיי האָבן פֿאַרשטאַנען אַז נאַקעטקײַט איז מיאוס. און די תּורה זאָגט: "ויתפרו עלי תאנה ויעשו להם חגורות" (בראשית ג, ז). זיי האָבן זיך אויפֿגענייט קליידער. דער מדרש [בראשית רבה, פּרשה יט] טײַטשט אָפּ דאָס וואָרט חגורות, "אפילו חגורות", אַלערליי קליידער וואָס מען

ניצט. נאָכער, צום סוף פֿון דער פּרשה, שטייט "ויעש ד' אל־קים לאדם ולאשתו כתנות עור וילבשם" (בראשית ג, כא). עפּעס ווײַזט אויס, אַז דער רבונו־של־עולם איז ניט געווען צופֿרידן מיט עלי תאנה, נאָר ער האָט אויפֿגענייט פֿאַר זיי נײַע קליידער, "כתנות עור", און זיי אויך אָנגעטאָן. ער האָט זיך ניט פֿאַרלאָזן אויף אָדם און חוהן אַז זיי זאָלן זיי אַליין אָנטאָן, נאָר גאָט ב"ה אַליין האָט זיי מלביש געווען.

עפּעס רעדט דאָ די תּורה וועגן צווייערליי קליידער: 1) בגדים וואָס דער מענטש מאַכט פֿאַר זיך, "יתפּרו עלי תאנה", 2) בגדים וואָס דער בורא־עולם גרייט צו פֿאַרן אָדם און טוט זיי אָן דעם מענטשן, "ויעשׂ ד' אל־קים לאדם ולאשתו כתנות עור וילבשם". נאָכן חטא האָט דער מענטש געקראָגן צווייערליי בגדים. וואָס באַטײַטן זיי?

בעצם, ווען מיר רעדן וועגן ערום־נאַקעטקייט און בגדים, מיינען מיר ניט נאָר אויף דעם קערפּער, נאָר אויך אויף דער גײַסטיקער פּערזענלעכקייט, דער נשמה. פּונקט ווי עס איז דאָ אַ גוף ערום, אַזוי זײַנען פֿאַראַן נשמות ערומות, אָדער ווי דער זוהר רופֿט זיי "נשמתין דאזלין ערטילאין" [זוהר ג, רע"ח, ע"א]. און ווי עס זײַנען דאָ בגדים וואָס דעקן צו דעם קערפּער (כּסות יום, כּסות לילה), אַזוי זײַנען דאָ בגדי־הנפֿש וואָס וויקלען אַרום די גײַסטיקע פּערזענלעכקייט פֿון מענטשן. דער זוהר רעדט אַ סך מאָל וועגן "אינון חבושי דיקר דמתלבשא ביה נשמתה" [זען זוהר א, רכ"ד, ע"א–ע"ב].

דער ציוויליזירטער מענטש איז אַנדערש פֿון אַלע בעלי־חיים מיט דעם וואָס ער האַסט נאַקעטקייט, און דעקט צו זײַן קערפּער. אָבער ניט נאָר קען דער מענטש ניט פֿאַרטראָגן נאַקעטקייט פֿון קערפּער, און דערפֿאַר גיט ער אויס וואָס מער געלט אויף בגדים (מענער און ספּעציעל פֿרויען — "הנשים בבגדי צבעונים" [פּסחים קט, ע"א]). ער איז אויך ניט בכח צו לײַדן נאַקעטקייט פֿון דער נשמה. נשמתין דאזלין ערטילאין איז אַ פֿיל גרעסערע טראַגעדיע ווי גופין דאזלין ערטילאין. און ער וויקלט זיך אײַן אין בגדי־הנפֿש. ווען די תּורה גיט דעם דין־וחשבון וועגן אָדם און חוהן לאחר החטא, "ותפקחנה עיני שניהם וידעו כי ערומים הם", מיינט זי אונדז צו דערציילן אַז דער מענטש האָט אויסגעפֿונען נאָך דעם חטא, אַז ער איז גײַסטיק נאַקעט, אַז ער איז אַ נשמה ערטילאית. "תנינן ברזא דמתניתן מאי דכתיב: וידעו כי ערומים הם. ידיעה ידעו ממש דההוא לבושין דיקר גרע מינייהו"[3] [זוהר א, רכ"ד, ע"א]. די בגדים וועגן וועלכע די תּורה גיט איבער זײַנען ניט כּסות־הגוף, נאָר דער עיקר כּסות־הנפֿש.

צווייערליי כּסות־הנפֿש זײַנען דאָ: איין כּסות־הנפֿש וואָס דער רבונו־של־עולם באַשאַפֿט פֿאַר דעם מענטשן: "ויעש ד' אל־קים לאדם ולאשתו כתנות עור וילבשם";

3. "מיר האָבן געלערנט אינעם סוד פֿון אונדזער משנה: פֿאַרוואָס שטייט געשריבן 'זיי האָבן געוווּסט אַז זיי זײַנען נאַקעט' (בראשית ג, ז)? זיי האָבן ממש געוווּסט אַז די בגדים פֿון פּראַכט זײַנען צוגענומען געוואָרן פֿון זיי."

און אַ צווייטער כסות־הנפֿש וואָס ווערט אויפֿגעגנייט דורכן מענטשן אַליין: "ויתפרו עלי תאנה ויעשו להם חגורות".

לאָמיר זיך פֿאַרטיפֿן אין דער אידעע פֿון טאָפּלטע בגדי־הנפֿש: כּתנות עור און עלי תאנה. וואָס פֿאַר אַ מין בגדים זײַנען די כּתנות עור? מיר דאַכט זיך, די תּשובֿה איז געגעבן געוואָרן אין דער הפֿטרה וואָס מיר האָבן געלייענט פֿאַריקן שבת: "שׂשׂ אשׂישׂ בד', תּגל נפשי בא', כּי הלבישני בגדי ישע מעיל צדקה יעטני" (ישעיה סא, י). דער נבֿיא רעדט דאָך וועגן בגדי־הנפֿש. (דער גוף קען זיך דאָך ניט אײַנוויקלען אין בגדי ישע, אָדער אין אַ מעיל צדקה.) ער רופֿט זיי אָן בגדי ישע, מעיל צדקה.

וואָס זײַנען די בגדי ישע? דער נבֿיא אַליין טײַטשט אָפּ: "שׂשׂ אשׂישׂ בד', תּגל נפשי בא". ווען איינער פֿרייט זיך מיטן רבונו־של־עולם, האָט שׂמחה לפֿני ד' — דעמאָלט איז ער געקליידט אין בגדי ישע. אַ נשמה דאזלית ערטילאית איז אַ נשמה וועלכע האָט ניט דעם רבונו־של־עולם, וועלכע קען ניט צוטוליען זיך צו אים, וועלכע קען זיך ניט אָנוואַרעמען אָן דער שכינה, וועלכע האָט קיין מאָל ניט פֿאַרזוכט די פֿרייד פֿון תּגל נפשי באל־קי.

דער ערשטער בגד־הנפֿש, דער בגד ישע — איז אמונה אין בורא־עולם, אמונה אין גאָט און אין זײַן השגחה, אין זײַן מלכות, אין זײַנע הבֿטחות לעתיד־לבֿוא. דער יושבֿ בסתר עליון בצל שד־י יתלונן, דער אומר לד' מחסי ומצודתי אל־קי אבֿטח בו (תּהילים צא, א) איז אײַנגעוויקלט אין די בגדי ישע, אין דעם מעיל צדקה. אים איז וואַרעם און גוט. דער מענטש וואָס האָט ניט זוכה געווען צו דעם גליק, פֿאַר וועמען די וועלט איז נאָר אַ צופֿאַל, און ער אַליין איז אונטערגעוואָרפֿן דער אַכזריות פֿון אַ בלינדן גורל, פֿאַר וועמען עס איז ר"ל ניטאָ קיין מנהיג און שופֿט, חסד און רחמים, נאָר אַ שטרענגער נאַטור־געזעץ — איז אַ נשמה דאזלית ערטילאית, אַ נאַקעטע נשמה, וועמען עס איז קאַלט, און וועמען די אַלע עלעמענטאַרע כּוחות פֿון דער נאַטור, דער שטורעם, און דער ברד און גשם, יאָגן און טראָגן און שלאָגן.

ספּעציעל נייטיקט זיך אַ מענטש אין די בגדים, ווען ער געפֿינט זיך אין אַן עת־צרה, ווען ער פֿאַרלירט עמעצן וואָס איז אים געווען טײַער און ליב, ווען ער ווערט עלטער און די התלהבֿות־נעורים איז פֿאַרבײַ. דעמאָלט, ווען מען האָט ניט די בגדי ישע, די התקרבֿות צום רבונו־של־עולם, איז מען אַ בודד און אַ גלמוד. נאָר דער בורא־עולם קען וואַרעמען די נאַקעטע נשמה, וואָס ציטערט פֿון קעלט אין אַ פֿרעמדער וועלט. וויפֿל חום־הנפֿש שטראַלט אַרויס אַ ראש־השנהדיקער "ובכן תּן פּחדך"? וויפֿל ליכט פֿאַרשפּרייט זיך אין יום־כּיפּורדיקן "אור זרוע לצדיק"? ווען אַ ייִד פֿילט זיך ווי אַ בודד, ווי די כּנסת־ישׂראל איז עלנט, ווי מדינת־ישׂראל איז איזאָלירט — וואָס קענען מיר טאָן? אײַנהילן זיך אין די בגדי ישע.

ניט אומזיסט דערציילט דער מדרש אַז "בתּורתו של רבי מאיר מצאו כּתוב: ויעשׂ

ד׳ אל־קים לאדם ולאשתו כתנות עור — בְּאַלף״ [בראשית רבה, פרשה כ]. כּתנות אור — בגדים פֿון ליכט.

רבי מאיר האָט געהאַט צוויי רביים: אלישע בן אַבֿויהן און רבי עקיבֿאָן. ביידע האָבן דורכגעמאַכט אַ טראַגעדיע. רבי עקיבא איז געשטאָרבן אַ מאַרטירער־טויט; אלישע בן אַבֿויה, וואָס האָט פֿאַרראַטן זײַנע חבֿרים און דעם כּלל־ישׂראל, איז געשטאָרבן מיט אַ נאַטירלעכן טויט, בײַ זיך אויף דער בעט, זאַט און אונטער אַ דאַך. די רוימישע רעגירונג האָט אים געצאָלט אַ פּענסיע, ער האָט געהערט צו איר שפּיאָנאַזש־דינסט. ווער איז אַוועק פֿון דער וועלט געקליידט אין כּתנות עור, און ווער איז נפֿטר געוואָרן אַן ערום? עס ווענדט זיך ווי מען לייענט ״כּתנות עור״. אויב מען לייענט נאָך דעם כּתיבֿ, מיט אַן ״עור״, דעמאָלט איז אלישע בן אַבֿויה געשטאָרבן אָנגעטאָן אין כּתנות עור, און רבי עקיבֿא האָט די כּתנות עור ניט געהאַט. אלישע בן אַבֿויה האָט גענאָסן פֿון דער שוץ פֿון דער מעכטיקסטער אימפּעריע אויף דער וועלט — מלכות־הרשע. ער איז געווען זיכער אַז אַ קלאַפּ בײַנאַכט אין דער טיר וועט אים ניט אויפֿוועקן, און אַז רוימישע סאָטראַפּן וועלן זיך ניט אַרײַנרײַסן אין זײַן הויז און אַוועקנעמען אים פֿון זײַן פֿאַמיליע ערגעץ ווו אין אַ פֿינצטערן קעלער. ער איז געווען אײַנגעוויקלט אין כּתנות עור, וואָס האָבן אים באַשיצט קעגן הונגער, קעלט, און פֿיזישע יסורים. און אין די כּתנות עור איז ער געשטאָרבן.

רבי עקיבֿא האָט די כּתנות עור ניט געהאַט. ער איז שטענדיק געווען אויסגעשטעלט צו דער געפֿאַר פֿון אַרעסטירט ווערן דורך מלכות רומי. ער איז ניט געווען זיכער וואָס דער יום מחר וועט ברענגען. ער איז די לעצטע יאָרן געווען אַ וואַנדערער — ווו געטאָגט, ווו גענעכטיקט, אויסבאַהאַלטנדיק זיך פֿון דער מלכות־הרשע, אָן אַ דאַך און אָן פּראָטעקציע. און געשטאָרבן איז ער דאָך אָן כּתנות עור וואָס זאָלן אים פֿאַרלײַכטערן דעם טויט אויף זײַן בעט, נאָר ערגעץ ווו אין אַ פֿינצטערער מערה, ווו מען האָט זײַן פֿלייש געריסן במסרקות של ברזל. און דער תּליון האָט פֿון אים אָפּגעשפּאָט: ״שוטה שבעולם, אל־קיך זקן הוא״ [זע אוצר המדרשים, ז׳ 443].

אָבער אויב מען לייענט כּתנות עור מיט אַן אַלף, נאָכן קרי, ווי עס איז געווען פֿאַרצייכנט בתורתו של רבי מאיר, דעמאָלט האָט רבי עקיבֿא געהאַט, סײַ בײַ זײַן לעבן און סײַ בײַ זײַן פּטירה, כּתנות אור, כּתנות פֿון ליכט, די בגדי ישע. ער האָט זיך באַטייליקט אין דער פֿאַראייביקונג פֿון דער כּנסת־ישׂראל, זײַן נאָמען איז פֿאַרוואַנדלט געוואָרן אין אַ מאָטאָ פֿון ייִדישער עקשנות און קידוש־השם. דורות און דורות וועלן אַגדות דערציילן וועגן אים, און ווו נאָר דער קלאַנג פֿון תּורה־שבעל־פּה הילכט אָפּ, ווערט אויך דער נאָמען רבי עקיבֿא דערמאָנט.

זײַנס איז געווען אַ לעבן פֿון יצירה, פֿון הישג, פֿון הערויזם. אים איז געווען ליכטיק אויף דער נשמה, אויפֿן האַרצן, אַפֿילו אין דער גיא צלמות: ״ועכשיו שבא

לידי, לא אקיימנו?״[4] [ברכות סא, ע״ב]. ער איז ניט געווען קיין בודד אין לעצטן מאָמענט, ווען ער האָט געלייענט קריאַת־שמע. דער רבונו־של־עולם מיט דער כּנסת־ישׂראל זײַנען געווען מיט אים. רבי עקיבֿא איז געווען אײַנגעהילט אין כּתנות אור (מיט אַן אַלף), אין בגדי ישע.

אלישע בן אַבֿויה, וואָס האָט פֿאַרראַטן דעם רבונו־של־עולם, די כּנסת־ישׂראל, זײַנע חבֿרים און זײַנע רביים, איז אָוועק פֿון דער מסורה, און געוואָרן אַ שמשׂ בײַ רוים, איז געבליבן עלנט און פֿאַרלאָזן — אָן חבֿרים, אָן פֿרײַנט. אַרויסגעריסן מיט זײַנע וואָרצלען פֿון דער אַדמת־הקודש, איז זײַן נאָמען כּמעט אויסגעמעקט געוואָרן פֿון דער תּורה־שבעל־פּה. דער וואָס האָט געקוקט אויפֿן עבֿר און נאָר געזען אַ דיקן נעפּל, געבליקט אין עתיד און באַמערקט דעם קאַלטן פֿינצטערן קבֿר וועלכן קיינער וועט ניט באַזוכן, אָן עולם־הבא, אָן נחמה אין הבֿטחות, אָן יתגדל ויתקדש שמה רבא בעלמא דהוא עתיד לאתאחדתא — האָט זיך געזעגנט מיט דער וועלט אַ נאַקעטער, אָן די כּתנות אור, אָן די בגדי ישע, אַ גלמוד, אַ בודד. לאחר החטא האָט ער דורכגעלעבט די זעלבע טראַגעדיע ווי אָדם. ״ותקפחנה עיני שניהם וידעו כי ערומים הם״.

אָבער חוץ די בגדי ישע איז אויך דאָ אַ מעיל צדקה, וואָס איז אַ טייל פֿון די כּתנות עור, פֿון די בגדי־הנפֿש. בשעת די בגדי ישע באַצייכענען די אמונה און בטחון אין בורא־עולם, באַטײַט דער מעיל צדקה די תּורה ומצוות, וואָס דער בורא־עולם האָט געגעבן דעם מענטשן. מצוות זײַנען אויך אַ מלבוש צו דעם נפֿש. אַ מענטש אָן מצוות איז אַן ערום. חז״ל האָבן געשאַפֿן דעם אויסדרוק ״ערום מן המצוות״, נאַקעט. פּונקט ווי אמונה און בטחון זײַנען בגדי ישע, כּתנות אור, העלפֿן דעם מענטשן אין שעות־הדחק און נויט, באַלײַכטן זײַן וועג, ווײַל אָן זיי פֿילט זיך די נשמה עלנט און פֿאַרלאָזן, אין חושך — אָט אַזוי זײַנען מצוות אַ מעיל צדקה, וואָס ברענגט אַרײַן אין דער מענטשלעכער עקסיסטענץ אַ מטרה און אַ תּכלית און אַ זינען. דער ערום פֿון תּורה און מצוות איז ווי אַ חיה, נאַקעט און אַנטבלויזט אין זײַן גאַנצער ווולגאַריטעט.

דער ערשטער מעיל צדקה, די כּתנות עור, זײַנען תּורה און חכמה. די מחשבֿה פֿון מענטשן, זײַן שׂכל, קען זײַן נאַקעט און גראָב. איינער קען זײַן דער פֿעיִקסטער מענטש, אָבער אויב זײַן אינטעלעקט איז ניט אויסגעבילדעט געוואָרן, און איז ניט אָנגעפּילט מיטן ריכטיקן תּוכן, ווערן זײַנע כּוחות אויסגענוצט אויף גאָרניט, אויף נאַרישקייטן. דורך תּורה און חכמה וויקלט זיך אײַן דער שׂכל אין אַ מעיל צדקה. זי

4. די גמרא דערציילט: ״די שעה ווען מען האָט רבי עקיבֿאַן אַרויסגעפֿירט צום הרגנען איז גראָד געווען די שעה פֿון לייענען קריאַת־שמע. מען האָט געריסן זײַן פֿלייש מיט אײַזערנע קעמען, אָבער ער האָט אויף זיך מקבל געווען עול־מלכות־שמים, און געלייענט קריאַת־שמע. האָבן זײַנע תּלמידים געפֿרעגט: ׳רבי, אַזוי ווײַט?׳. האָט ער זיי געענטפֿערט: ׳מײַן גאַנץ לעבן, האָב איך זיך מצער געווען איבערן פּסוק ׳ובכל נפֿשך — אַפֿילו אויב מען נעמט בײַ דיר צו דאָס לעבן׳. האָב איך מיר געזאָגט: ווען וועל איך האָבן אַזאַ געלעגנהייט, איך זאָל עס מקיים זײַן? און איצט, אַז איך האָב אַזאַ געלעגנהײַט, זאָל איך עס ניט מקיים זײַן?״״

קריגט השקפֿות, זי אַנטוויקלט געדאַנקען, זי האָט פּראָבלעמען, זי האָט קושיות, זי זוכט ענטפֿערס. עס ווערט אָנגעצונדן אַ גרויס ליכט, און די מחשבֿה ווערט אײַנגעהילט אין כּתנות עור. הערט זיך אַ מאָל צו צו אַ שׂיחה־בטלה פֿון אומגעבילדעטע מענטשן, בפֿרט ווען זיי ווערן עלטער און הייבן אָן צו דערמאָנען זיך נאַרישע זכרונות פֿון אַמאָל, און צו שׂיחת־תּלמידי־חכמים, וועט איר מערקן, אַז בשעת יענע שטעלן אַרויס זייער נאַקעטע נשמה אין געשפּרעך־נאַקעטקייט און פּוסטקייט, ווײַט פֿון זיי איז די שׂיחת־תּלמידי־חכמים — אײַנגעוויקלט אין כּתנות אור.

מצוות מעשׂיות, חוקים ומשפּטים, זײַנען כּתנות אור, אָדער אַ מעיל צדקה פֿאַרן מענטשן. זיי זײַנען די כּתנות אור פֿאַר די פֿאַרשיידענע חיהשע אינסטינקטן פֿון מענטשן. אויב מען הילט זיי ניט אײַן אין דעם מעיל צדקה, און די כּתנות אור, זײַנען זיי זיך מגלה אין זייער מיאוסער נאַקעטקייט, ווי די אינסטינקטן פֿון דער חיה.

הלכות מאכלות אסורות זײַנען די בגדי קודש לכבֿוד ולתפֿארת פֿאַר דעם יצר־הרע און פֿאַר דער חיה אין מענטשן וואָס עסט. דורך דעם מעיל צדקה ווערט דער שטיין דערהויבן צום מזבח, צום ואכלת לפֿני ד׳. הלכות איסורי ביאה זײַנען די בגדי קודש לכבֿוד ולתפֿארת פֿאַר דעם יצר־המין, פֿאַר דעם מענטש וואָס ווערט געטריבן דורכן געשלעכטלעכן טרײַב. ווו אַנדערש קען נאָך אַ מענטש זינקען נידעריקער ווי די חיה, ווי אויף דעם געביט פֿון חיי המין? קומט די תּורה און איז אויך דעם אינסטינקט מקדש, טוט אים אָן כּתנות אור. דער מענטש, וואָס איז אַ חוטא, זאָל זיך ניט ווײַזן אין זײַן חיהשער נאַקעטקייט, נאָר דער מעיל צדקה דעקט אים צו. דער חושן־משפּט, מיט די הלכות צדק און יושר און אמת, איז דער מעיל צדקה וואָס דער בורא וויל אָנטאָן דעם יצר־ההון, דעם מענטשן וואָס איז אַקטיוו אויפֿן ווירטשאַפֿטלעכן געביט. אָן דעם מעיל צדקה איז דער מענטש אַ רויבער, אַ חיה טורפֿת. אָן דעם מעיל, דערציילט אונדז די תּורה, "ויקם קין אל הבל אחיו ויהרגהו" (בראשית ד, ח).

די בגדי ישע און דער מעיל צדקה זײַנען די כּתנות אור וואָס דער רבונו־של־עולם האָט געשענקט אָדמען, ווען ער איז פֿאַרטריבן געוואָרן פֿון גן־עדן אין אַ קאַלטער און אומפֿרײַנדלעכער וועלט. דאָס זײַנען די כּתנות אור, וואָס וואַרעמען אים און געבן אים ליכט אין אַלע צײַטן און אין אַלע מקומות. כּבֿוד־האדם ווערט דעמאָנסטרירט דורך די כּתנות אור, בגדי קודש לכבֿוד ולתפֿארת.

אינטערעסאַנט איז, אַז וואָס עלטער דער מענטש ווערט אַלץ ליכטיקער ווערן די כּתנות אור, אַלץ וואַרעמער ווערן די בגדי ישע מיטן מעיל צדקה. מען פֿילט אַז די כּתנות אור באַשטייען פֿון אַ לעבן וואָס איז געווידמעט געוואָרן קדושה און טהרה, דיבוק אין רבונו־של־עולם. דערפֿאַר האָט אַ מאָל די פּראָבלעם פֿון זקנה

גאַרניט עקסיסטירט. די זקנים האָבן גע[...][5] זייערע טעג און יאָרן מיט [...][6] ווי איינער טראָגט אַ קרוין, "עטרת זקנים". ניט אומזיסט זאָגט דער זוהר אויפֿן פּסוק "בא בימים", "זכאין אינון צדיקייא דיומיהון כלהון טמירין אינון לגביה מלכא קדישא ואיתעביד מינייהו לבושי דיקר"[7] [זוהר א, רכד ע"א]. די טעג — יעדער טאָג מיט תּפֿילה, עבֿודה, תּורה, אמונה אין בורא־עולם, בטחון, טעג מיט שבת און יום־טובֿ, מיט אַ ראש־השנהדיקן "ובכן תן פּחדך", מיט אַ יום־כּיפּורדיקן "אנא השם", "והכּהנים והעם" — די טעג זײַנען ניט פֿאַרשווּנדן. זיי זײַנען באַהאַלטן בײַם מלכּא־קדישא, וועלכער וועבט אויס פֿון זיי לבֿושי דיקר.

אָבער ווי קאָמפּליצירט איז די לאַגע פֿון אַ זקן הײַנט! דאַכט זיך, וואָס האַלט אים אונטער, דעם מאָדערנעם זקן? עשירות, כּבֿוד, אַ לוקסוס־רײַזע קיין פֿלאָרידע ווינטער, רײַזן איבער אַלע זיבן ימים? פֿונדעסטוועגן איז דאָס לעבן אַזוי אומעטיק, פּוסט, און אָן אינהאַלט. איר ווייסט פֿאַר וואָס? ווײַל, ווי דער זוהר, וועלכן איך האָב שוין ציטירט, באַמערקט: "וידעו כּי ערומים הם: ידיעה ידעי ממש דההוא לבושא דיקר דאיתעבוד ואינון יומין גרע מינייהו ולא אשתאר יומא מאינון יומין לאתלבשא ביה"[8]. ווײַל זייערע נשמות זײַנען נאַקעט. די יומין זײַנען פֿאַרשווּנדן, און די כּתנות עור, די לבֿושי דיקר, זײַנען ניט אויסגעוואַקסן געוואָרן.

ווי שיין איז, ווען אַ ייִד רעציטירט די פּסוקים פֿון דער תּפֿילה אַלע טאָג ווען ער טוט אָן דעם טלית: "ברכי נפשי את ד'. ד' אל־קי גדלת מאד, הוד והדר לבשת, עוטה אור כּשלמה, נוטה שמים כּיריעה" (תּהילים קד, א–ב). און פּונקט אַזוי ווי דער ייִד זיך אַרומוויקלען אין אור כּשלמה, און ער איז מתפּלל: "כּשם שאני מתעטף גופי בציצית, כּן תתעטף נשמתי ורמ"ח אברי ושס"ה גידי באור הציצית. וכשם שאני מתכּסה בטלית בעולם הזה, כּך אזכּה לחלוקא דרבנן ולטלית נאה לעולם הבא"[9]. דער טלית סימבאָליזירט די כּתנות אור, די בגדי ישע פֿון נפֿש.

די עלי תאנה, זעט איר, זײַנען שוין אַנדערע בגדים. דער מענטש, אַ סך מאָל, טראָגט דעם וואָס ער ווייס גאַנץ גוט אַז ער איז נאַקעט, און פֿאַרשטייט פּונקט ווי אָדם און חוה "כּי ערומים הם", ווײַל ניט אַז דער רבונו־של־עולם זאָל אים צוגרייטן

5. וואָרט ניט לייענעוודיק אין כּתבֿ־יד.

6. וואָרט ניט לייענעוודיק אין כּתבֿ־יד.

7. "ווויל איז די צדיקים. ווען זיי פֿאַרלאָזן די וועלט, ווערן זייערע טעג פֿאַרבאָרגן, די טעג דערנענטערן זיך צום הייליקן מלך, און ער וועבט אויס פֿון זיי בגדים פֿון פּראַכט."

8. "זיי האָבן ממש געוווּסט אַז די בגדים פֿון פּראַכט, געמאַכט אין יענע טעג, זײַנען צוגענומען געוואָרן פֿון זיי, און קיין טאָג איז ניט געבליבן אין וועלכן זיך צו קליידן."

9. פֿונעם לשם־ייחוד וואָס מען זאָגט בײַ אָנטאָן דעם טלית: "פּונקט ווי איך וויקל אײַן מײַן גוף אין ציצית, אַזוי זאָלסטו אײַנוויקלען מײַן נשמה מיט אירע צוויי הונדערט אַכט און פֿערציק גלידער, און דרײַ הונדערט פֿינף און זעכציק אָדערן, אינעם ליכט פֿון די ציצית. און פּונקט ווי איך באַדעק זיך מיט אַ טלית אויף דער וועלט, אַזוי זאָל איך זוכה זײַן צו אַ חלוקא דרבנן (אַ רבנישן מלבוש) און אַ טלית פֿון פּראַכט אויף יענער וועלט."

כּתנות אור. ער נייט אַליין, נאָך זײַן אייגענעם שׂכל, די בגדים, כּדי צוצודעקן מערומיו. "ויתפרו להם עלי תאנה, ויעשׂו להם חגורות." חז"ל, אין כאַראַקטעריזירן די עלי תאנה, האָבן זיך אויסגעדריקט: "עץ שאכל ממנו אדם הראשון תּאנה הי'. שבדבר שקלקלו, בו נתקנו, שנאמר 'ויתפרו עלי תאנה'"[10] [סנהדרין ע, ע"ב]. אָדם, פֿילנדיק די נאַקעטקייט פֿון זײַן נשמה נאָכן חטא, האָט ניט געזוכט נײַע קליידער, נײַע בגדים, כּתנות אור, נאָר ער האָט פֿון חטא גופֿא געוועבט בגדים. מיט דער זעלבער מענטאַליטעט מיט וועלכער ער האָט געזינדיקט האָט ער געוואָלט מתקן זײַן דעם חטא און צודעקן מערומיו.

אין וואָס איז באַשטאַנען דער חטא פֿון עץ־הדעת? עס איז דאָ אַ מערקווערדיקע שאלה וועגן צוויי מידות פֿון רבונו־של־עולם: כּבֿוד און גאוה. פֿון איין זײַט זײַנען זיי הייליקע מידות. דער רבונו־של־עולם הייסט מלך־הכּבֿוד, און גאוות איז אויך אחת ממידותיו של הקב"ה, "ד' מלך גאות לבש" (תּהילים צג, א), און, ממילא, אַ הייליקע מידה. פֿון דער אַנדערער זײַט איז כּבֿוד אַ מיאוסע מידה: "הקנאה והתּאוה והכּבוד מוציאים את האדם מן העולם" [אבות ד, כח]. און אויך גאוה איז אַן אַבשײַלעכע[11] מידה: "כּל המתגאה, אם חכם הוא חכמתו ניטלת ממנו כּאילו עובד עבודה זרה"[12], און אַזוי ווײַטער. וואָס איז די נפֿקא־מינה צווישן גאוות און גאוה און די צווייערלײַ כּבֿוד?

פּשוט. גאוות, אמתער כּבֿוד ויקר, באַצייכנט דעם רצון־האמת פֿון מענטשן, ד"ה די שטרעבונג צו זײַן דאָס וואָס ער איז, ניט אָפּצונאַרן זיך. בשעת גאוה און כּבֿוד אין נעגאַטיוון זינען באַטײַטן דעם רצון־השקר אין מענטשן, וואָס וויל זײַן עפּעס וואָס ער איז ניט, זיך מטעה צו זײַן. דער גרעסטער שקר איז ניט דער "ולא תשקרו איש בעמיתו" (ויקרא יט, יא), נאָר "ולא תשקרו איש בעצמו". בײַם עץ־הדעת האָט חוה געוואָלט ווערן עפּעס וואָס זי האָט קיין מאָל ניט געקענט דערגרייכן, "והייתם כּאל־קים יודעי טוב ורע" (בראשית ג, ה). און אויך שפּעטער, ווען דער מענטש האָט פֿאַרשטאַנען אַז דער רצון־השקר איז צוליבן זוכן עפּעס וואָס מען קען קיין מאָל ניט קריגן, און ער איז געבליבן נאַקעט — ערום — וויל ער זיך ווידער אָפּנאַרן און צודעקן זיך מיט עלי תאנה.

דער הויפּט אונטערשייד צווישן כּתנות אור און עלי תאנה באַשטייט אין דעם, וואָס בשעת די כּתנות אור פֿאַרשטעלן ניט דעם מענטשן און זאָגן ניט קיין שקר וועגן

10. "דאָס בוים פֿון וועלכן אָדם־הראשון האָט געגעסן איז געווען אַ פֿײַגנבוים. די זאַך מיט וועלכער זיי זײַנען קאַליע געוואָרן [אַ פֿײַג], דערמיט האָבן זיי זיך פֿאַרריכט, ווי עס שטייט: 'און זיי האָבן צונויפֿגענייט פֿײַגנבלעטער'".

11. אָפּשטויסנדיק, מיאוס (דײַטש).

12. משמעות אַ פּאַראַפֿראַזע פֿונעם מאמר־חז"ל אין פּסחים סו, ע"ב: "כּל המתיהר, אם חכם הוא חכמתו מסתלקת ממנו" ("ווער עס איז גאוהדיק, אויב ער איז אַ חכם, פֿאַרשווינדט זײַן חכמה.")

זײַן מהות — זיי ברענגען נאָר אַרויס דאָס ליכטיקע, שיינע, גוטע, און דערהויבענע אין אים — איז די הויפּטפונקציע פֿון עלי תאנה צו פֿאַרשטעלן אים, צו פֿאַרדעקן זײַן אמתע נשמה, און אַרויסשטעלן כלפּי־חוץ אַ פֿאַלשע פּערזענלעכקייט.

די כּתנות אור זײַנען בגדים כּלפּי־פּנים, די בגדי לבָן. די עלי תאנה זײַנען בגדים כּלפּי־חוץ — בגדי־זהבֿ. איר ווייסט אַלע גאַנץ גוט אַז ווען איינער טוט זיך אָן מיט געשמאַק, וועט ער אויסקלײַבן בגדים וואָס זאָלן אונטערשטרײַכן די שיינע שטריכן אין זײַן פּערזענלעכקייט. ווען איינער האָט ניט קיין געשמאַק, וועט ער דווקא אַרויפֿציִען אויף זיך קליידער וואָס פּאַסן ניט, וואָס פֿאַרקרימען זײַן פּערזענלעכקייט. כּתנות אור זײַנען געניית געוואָרן דורך איינעם וואָס האָט אַ סך געשמאַק (דער בורא־עולם). די עלי תאנה — דורך עמעצן וואָס האָט גאָר קיין געשמאַק ניט (אָדם און חוה).

איך וועל געבן אַ פּאָר בײַשפּילן פֿון עלי תאנה אין קאָנטראַסט צו כּתנות אור. די ערשטע עלה־תאנה, מיט וועלכער אַ מענטש פֿאַרדעקט זײַן נאַקעטקייט איז אין אַמט, אין לעבן, אין אָפּיס, מאַכט, ממשלה. אַ מאָל איז ממשלה כּתנות אור. ער אַנטוויקלט די מענטשלעכע כּוחות־הנפֿש, ווען ער איז אַ געבוירענער מנהיג און מורה־דרך, ווען ער באַזיצט מלכות אין דער פּערזענלעכקייט, און דערהייבט באמת די פּערזאָן צו ליכטיקע הייכן. און אַ מאָל זײַנען ממשלה, מלכות, נאָר עלי תאנה, וואָס דעקן צו די פּוסטקייט און נאַרישקייט און די רשעות פֿון אַ פּערזאָן. די מלכות באַשטייט נאָר אין די בגדים, אין אויסערלעכן פּאָמפּ, וועלכע פֿאַרשטעלן אַ הדיוט שבהדיוטות. (ווי מגידים זאָגן: ״המקום ימלא חסרונו״, די פּאָזיציע, דער פּלאַץ וואָס ער פֿאַרנעמט, פֿילט אויס כּלומרשט דאָס וואָס עס פֿעלט אים.)

די תּורה האָט געשילדערט ביידע טיפּן — דעם מלך וואָס טראָגט כּתנות אור, און דעם מלך וואָס איז אײַנגעהילט אין עלי תאנה.

אין דעם ניט אונטערשיידן צווישן כּתנות אור און עלי תאנה איז באַשטאַנען דער טעות פֿון די אחי־יוסף. זיי האָבן געמיינט אַז יוסף אַליין איז ניט קיין מנהיג און מלך פֿון דער נאַטור. פֿאַרקערט, ער איז אַ פּחדן און שוואַכלינג. נאָר וואָס דען? דער טאַטע האָט אים אָנגעטאָן אין אַ כּתונת פּסים, וואָס פֿאַרדעקט זײַן קליינקייט און נאַרישקייט. דערפֿאַר, ווען ער איז געקומען צו זיי אין דותן, איז די ערשטע זאַך וואָס זיי האָבן געטאָן ״ויפשיטו את יוסף את כּתנתו, את כּתנת הפּסים אשר עליו״ (בראשית לז, כג). ״לאָמיר אָקערשט אַראָפּציִען פֿון אים די עלי תאנה, די כּתונת פּסים וואָס דער טאַטע האָט אים געשאָנקען, און וואָס מאַכט אָן אײַנדרוק אַז ער איז אַ גרויסע פּערזענלעכקייט. מיר וועלן זען וויפֿל מלכות און הנהגה ער וועט דעמאָנסטרירן. מיר וועלן אָקערשט זען וואָס עס וועט זיך אויסלאָזן פֿון זײַנע חלומות בײַ די ישמעאלים און מדינים, אָן די עלי תאנה.״ אָבער יוסף, וואַרשײַנלעך, האָט געטראָגן כּתנות אור פֿון מלכות, וואָס ער האָט ניט פֿאַרלוירן אַפֿילו אין בית־הסוהר און אין פּוטיפֿרס הויז.

די פֿאַרקערפּערונג פֿון מלכותדיקער עלי תאנה איז אחשורוש. אין וואָס האָט זיך

אויסגעדריקט זײַן הנהגה, זײַן מלכות? אין "בהראותו את עושר כבוד מלכותו ואת יקר תפארת גדולתו" (אסתּר א, ד). איז דען אַ וווּנדער, אַז בשעת ער האָט געפֿרעגט המנען "מה לעשׂות באיש אשר המלך חפץ ביקרו" (אסתּר ו, ו) האָט אים המן געענטפֿערט "יביאו לבוש מלכות אשר לבש בו המלך, וסוס אשר רכב עליו המלך, ואשר נתן כתר מלכות בראשו" (אסתּר ו, ח)? כּבֿוד הייסט נאָר כּלפּי־חוץ. עס איז קיין אונטערשייד ניטאָ, ווער עס וועט טראָגן, אַבי מען וועט זען דעם כּתר־מלכות מיטן לבֿוש־מלכות.

די צווייטע עלה תאנה איז דער כּוח־הדיבור אין מענטשן. ער איז אַ גרויסער כּוח. עס איז אַן אָפּגלאַנץ פֿון צלם אל־קים, פֿון וידבר אל־קים. דער מענטש הייסט מְדַבֵּר, אין אונטערשייד פֿון די איבעריקע בעלי־חיים. אַ מאָל איז דער כּוח־הדיבור אַ כּתנות אור. ער דריקט אויס די הייליקסטע געפֿילן און מחשבֿות פֿון דער מענטשלעכער נשמה. איז עס אַ לבֿוש. די געדאַנקען זײַנען זיך מתלבש, און דורך די כּתנות אור ווערן זיי נאָך ליכטיקער און פּראַכטפֿולער. אַ טיפֿער רעיון, ריכטיק פֿאָרמולירט אין קלאָרע שיינע ווערטער, איז עטוואָס דערהויבנס.

אַ סך מאָל אָבער איז דער כּוח־הדיבור מער ניט ווי עלי תאנה, וואָס דעקן צו די אָפּוועזנהייט פֿון מחשבֿה, רגש, הרהור, רעיון. אַ מאָל איז די באַטרעפֿיקע פּערזאָן אַזוי רעטאָריש באַגאַבט, האָט אַזאַ פּה מפיק מרגליות, אַז די צוהערערס דאַכט זיך אַז ער מיינט עפּעס, אַז די ווערטער זײַנען מגלה עפּעס וואָס ער טראַכט, פֿילט. אָבער בעצם זײַנען זיי נאָר עלי תאנה און מער ניט. די מרגליות וואָס טריפֿן פֿון זײַן צונג זײַנען פּשוט שטיינער.

וואָס דאַרפֿט איר מער? אַפֿילו נבֿואה איז אַ מאָל כּתנות אור פֿאַר דעם נבֿיא. דורך דער נבֿואה, דורך דעם דבֿר ד׳, קומט צום אויסדרוק דעם נבֿיאס פּערזענלעכקייט, איר פּראַכט, איר גרויסקייט און איר הייליקייט. און אַ מאָל איז זי מער ניט ווי עלי תאנה. די ווערטער, דער דבֿר ד׳, איז מער ניט ווי אַ [...][13] בפּיו של הנבֿיא. די צונג איז מער ניט ווי אַ פֿאָנאָגראַם, וואָס חזרט מעכאַניש איבער דעם דבֿר ד׳. די נבֿואה דעקט צו אַ מיאוסע, טמאדיקע פּערזענלעכקייט. "׳ולא קם נביא עוד בישׂראל כמשה׳ (דברים לד, י): בישׂראל לא קם, אבל באומות העולם קם. ומאן הוא? בלעם בן בעור. אלא מה הפרש בין נבואותו של משה לנבואתו של בלעם? משה לא היה מדבר עמו אלא כשהוא עומד, שנאמר ׳ואתה פה עמד עמדי׳ (דברים ה, כז). ובלעם היה מדבר עמו כשהוא נופל, שנאמר ׳נופל וגלוי עינים׳ (במדבר כד, ד). משה לא היה יודע מי מדבר עמו, ובלעם היה יודע מי מדבר עמו, שנאמר ׳נאום שומע אמרי א־ל׳ (במדבר כד, טז)"[14] [ספרי דברים, שנז].

13. וואָרט ניט־לייענעוודיק אין כּתבֿ־יד.

14. "׳און עס איז איז ניט אויפֿגעשטאַנען אין ישׂראל נאָך אַזאַ נבֿיא ווי משה׳ (דברים לד, י): אין ישׂראל איז ניט אויפֿגעשטאַנען, אָבער בײַ די אומות־העולם איז יאָ אויפֿגעשטאַנען. ווער? בלעם בן בעור. נאָר וואָס איז דער חילוק צווישן משהס נבֿואה און בלעמס נבֿואה? משה האָט נאָר גערעדט מיט אים [מיטן רבונו־של־עולם]

בנוגע דעם טעקסט פֿון דער נבֿואה, די פּרעכטיקע ווערטער, דעם שוווּנג, די וויזיע פֿון אחרית־הימים — איז בלעמס נבֿואה פֿאַרגליכן געוואָרן מיט משהס. ווער האָט נאָך שענערע פּסוקים פֿאַרפֿאַסט ווי בלעם? זייַנע פּסוקים ווערן נאָך הייַנט, אין יום־הדין, ציטירט אין מלכויות: "לא הביט און ביעקב ולא ראה עמל בישראל. ד׳ אל־קים עמו ותרועת מלך בו" (במדבר כג, כא). אַ ייִד וואָס קומט אַרייַן אין בית־מדרש אַלע פֿרימאָרגן רופֿט די ערשטע זאַך אויס מיט התפּעלות, "מה טובו אוהליך יעקב משכנותיך ישראל" (במדבר כד, ה) — בלעמס פּסוק. משה האָט ניט געגעבן ייִדן אַ שענערע פּרשה פֿון נבֿואה. אָבער איין אונטערשייד איז דאָ צווישן משהן און בלעמען. בייַ משהן איז דער דבֿר ד׳ געווען אין דער בחינה פֿון כתנות אור. די נבֿואה איז פֿאַרוואַנדלט געוואָרן אין אַ טייל פֿון זייַן פּערזענלעכקייט. דער דבֿר ד׳ האָט אויסגעדריקט זייַנע אייגענע געפֿילן, מחשבֿות, און געמיט־צושטאַנד. ׳לא היה יודע מי מדבר עמו׳. אים האָט זיך אַ סך מאָל געדאַכט אַז די נבֿואה פֿליסט פֿון זייַן אייגענער נשמה. אַזוי טיף און וואַרעם האָט ער איבערגעלעבט דעם דבֿר ד׳. ער איז געווען אַן עומד.

די גאַנצע גרויסע פּערזענלעכקייט פֿון משהן האָט זיך צוזאַמענגעגאָסן מיט דער נבֿואה. ווען ער האָט געזאָגט "בצר לך ומצאוך כל הדברים האלה" (דברים ד, ל) האָט אים דאָס האַרץ געבלוטיקט איבער די ייִדישע לייַדן. ווען ער האָט געטרייסט ייִדן "ושב ד׳ א׳ את שבותך ורחמך ושב וקבצך מכל העמים אשר הפיצך ד׳ שמה" (דברים ל, ג) האָט די נשמה זיך מיטגעפֿריידט מיט די שבֿי ציון אין טויזנטער יאָרן אַרום. די נבֿואה האָט אָפּגעשפּיגלט אַ הייליקע נשמה, אַ לייַדנשאַפֿטלעך איבערגעגעבענעם רבין.

אָבער בייַ בלעמען האָבן די ווערטער קיין שייַכות ניט געהאַט מיט זייַן פּערזענלעכקייט, וואָס איז געווען קאַלט און גרויזאַם. דער דבֿר ד׳ האָט זיך ניט צונויפֿגעגאָסן מיט זייַן טמאדיקער נשמה. די נבֿואה איז מער ניט געווען ווי עלי תאנה, וואָס פֿאַרדעקן אַ מיאוסן גייַסטיקן פּרצוף. הוא היה יודע מי מדבר עמו, שנאמר ׳נאום שומע אמרי א־ל׳. בלעם האָט געוווּסט אַז די ווערטער זייַנען ניט זייַנע. ער האָט זייער אינהאַלט ניט דורכגעלעבט. ער האָט די פּראַכט און די שיינקייט ניט געפֿילט. זיי זייַנען געפֿלאָסן פֿון זייַן מויל מעכאַניש. "וישם דבר בפיו" (במדבר כג, טז), זאָגן חז״ל: נתנה, מיט גוואַלד האָט ער איבערגעגעבן דעם דבֿר ד׳ [תנחומא, בלק, סימן יג]. ער אַליין איז שטענדיק געבליבן "בלעם הקוסם", אַ נידעריקע פּערזענלעכקייט.

שטייענדיק, ווי עס שטייט אין פּסוק ׳און דו שטיי דאָ מיט מיר׳ (במדבר ה, כח), און בלעם האָט גערעדט מיט אים פֿאַלנדיק, ווי עס שטייט אין פּסוק, ׳געפֿאַלן מיט אויגן אַנטפּלעקטע׳ (במדבר כד, ד). משה האָט ניט געוווּסט ווער עס רעדט מיט אים, און בלעם האָט יאָ געוווּסט ווער עס רעדט מיט אים, ווי עס שטייט אין פּסוק ׳דער וואָס הערט גאָטס ווערטער׳ (במדבר כד, טז).״

די דריטע עלי תאנה, און זי איז די הויפּט־צרה בײַם מאָדערנעם מענטשן, איז דער מענטשן־כּח ניט צו באַשולדיקן זיך.

אויך אין צײַטן פֿון קריזיס, פֿון חטא און דורכפֿאַל קען זיך דער מענטש אײַנוויקלען אין כּתנות אור, מודה זײַן אויפֿן טעות, צוגעבן זײַן כּשלון — און דערמיט אַרויסוויַיזן זײַן גרויסקייט. און עס זײַנען דאָ מענטשן וואָס פֿאַרשטעלן זיך מיט עלי תאנה, און ווילן זיך אַליין אָפּנאַרן אַז זיי זײַנען דערפֿאָלגרײַך, און זיי האָבן קיין מאָל קיין פֿעלער ניט געמאַכט, און אַז אַלץ איז בסדר און בשלום מיט זיי. אַ ייִד דערציט קינדער און פֿאַלט דורך — וויל ער עס ניט נאָכגעבן. ער אַרבעט אָפּ אַ לעבן און זאַמלט אָן עשירות, אָבער וואָס מער ער זאַמלט, אַלץ פּוסטער ווערט אין דער נשמה. און ער וויל ניט מודה זײַן ׳ויתפּרו עלי תאנה ויעשׂו להם חגורות׳. אָדם און חוה זײַנען נאָך אַלץ אײַנגעעקשנט: זיי זײַנען ניט באַגאַנגען קיין טעות. דער מענטש איז אײַנגעוויקלט אין עלי תאנה. ער מיינט אַז ער באַהערשט די וועלט אויב זײַן עראָפּלאַן פֿליט אַ ביסל שנעלער און דערבײַ פֿאַרלירט ער זיך אַליין. דער ייִד מיינט אַז ער איז פֿרײַ און מאָדערן, בשעת טיף אין האַרצן ווייס ער אַז ער האָט פֿאַרקויפֿט די בכורה פֿאַר אַ נזיד עדשים. אָבער נישט געקוקט דערויף וואָס ער האַלט אַז ער איז איצט נישט אָרעם, בלײַבט ער אַ בודד און אַ גלמוד, נאָר ער וויקלט זיך אײַן אין עלי תאנה און וויל ניט זען דעם אמת.

עס איז דאָ אַ מערקווערדיקער פּסוק אין ספֿר שמואל: ״וילך שם אל נוית ברמה ותהי עליו גם הוא רוח א׳. וילך הלוך ויתנבא וכו׳ ויפשט גם הוא את בגדיו ויתנבא גם הוא לפני שמואל, ויפל ערום כל היום ההוא וכל הלילה. על כן יאמרו ׳הגם שאול בנביאים?׳״ (שמואל א, יט, כג–כד). וואָס מיינען די ווערטער ׳ויפשט גם הוא את בגדיו ויתנבא גם הוא לפני שמואל ויפל ערום כל היום ההוא וכל הלילה׳? כּדי צו זאָגן נבֿואה דאַרף מען זיך אויסטאָן פֿון אַלעם און ליגן נאַקעט?

דער פּסוק מיינט עפּעס אַנדערש: שאול האָט געוווּסט אַז ער פֿאַרלירט די מלוכה. דער רוח־רעה האָט דאָך אים כּסדר מבעת געווען. ער האָט געפֿילט אינטויִטיוו אַז אַלע זײַנע האָפֿענונגען און חלומות וועגן פֿאַראייביקן די מלוכה וועלן ניט מקוים ווערן. אָבער איין זאַך האָט ער ניט געקענט מודה זײַן: אַז פֿאַרלוירן די מלוכה האָט ער צוליב זײַן שולד. ״כּי מאסת את דבר ד׳, וימאסך ד׳ מהיות מלך על ישׂראל״ (שמואל א, טו, כו). ער האָט זיך אָנגעטאָן אין עלי תאנה וואָס האָבן פֿאַרשטעלט זײַן שולד־באַוווּסטזײַן, ער האָט געפּרוּווט אַרויפֿוואַרפֿן די שולד אויף דודן. שולדיק אין דעם איז דוד, ווײַל ער קאָנספּירירט קעגן אים. ווען ער זאָל נאָר קענען כאַפּן דודן און אים אויפֿהענגען, וועט אַלץ זײַן כּשורה און ער וועט בלײַבן מלך. דערפֿאַר האָט ער געהאַלטן אין איין יאָגן דודן, ווײַל דורך די רדיפֿות האָט ער געוואָלט אײַנשטילן זײַן געוויסן, באַווײַזן אַז ער קען זײַן מלך. נאָר דודס אינטריגערײַ שטערט אים. די אַלטע מעטאָדע פֿון צודעקן זיך מיט עלי תאנה. אָבער ווען ער איז געקומען צו שמואלן און

געפֿונען די להקת־נביאים, און דערפֿילט אַז ער געפֿינט זיך לפֿני ד׳, און פֿאַרן רבונו־של־עולם קען מען ניט קומען מיט עלי תאנה, מיט די בגדים מיט וועלכע דער מענטש וויל צודעקן זײַנע מומים, ממילא האָט שאול דערזען דעם אמת וואָס ער האָט שוין לאַנג געפֿילט טיף אין האַרצן. אַז ניט דוד יאָגט אים, נאָר די השגחה האָט בײַ אים צוגענומען די מלכות, און ווען ניט דוד — וועט אַן אַנדערער ווערן מלך במקומו. ער האָט פּלוצעם זיך דערוווּסט אַז ער איז אַליין שולדיק אין זײַן טראַגישן גורל, און עס איז ניט נייטיק צו פּרעטענדירן אַז ער איז נאָך מלך.

׳ויפשט גם הוא את בגדיו׳: ער האָט פֿון זיך אַראָפּגעוואָרפֿן די עלי תאנה, די פּרעטענזיעס, די אײַנרעדענישן אַז ער קען נאָך די מלוכה אײַנהאַלטן. ׳ויתנבא גם הוא׳: ער האָט בנבֿואה דערזען דעם אמת. און אַן אמתע נאַקעטע נשמה איז געלעגן פֿאַרן רבונו־של־עולם. ׳ויפל ערום כל היום ההוא וכל הלילה׳.

אינטערעסאַנט איז אַז תּקיעת־שופֿר, מיט אַלע ספֿיקות און מנהגים, איז באַזירט אויף דעם פֿאַרהאַלטן פֿון אַ מערקווערדיקער פּערזאָן — אמא דסיסרא. דער ספֿק פֿון תשר״ת, תש״ת, תר״ת, גנוחי גנח אָדער ילולי יליל, שטאַמט דערפֿון ווײַל מיר ווייסן ניט וואָס ׳יבֿבֿה׳ מיינט.[15] (דער תּרגום האָט אָפּגעטײַטשט יום תּרועה, ״יום יבבא״ [במדבר כט, א].) דאָס איינציקע אָרט אין תּנ״ך וווּ יבֿבֿה ווערט דערמאָנט איז בײַ ״אם סיסרא בעד החלון נשקפה ותיבב אם סיסרא״ (שופטים ה, כח). און מיר ווייסן ניט גענוי וואָס זי האָט געטאָן: גנוחי גנחה אָדער ילולי יללה, אָדער ביידע צוזאַמען? דערפֿאַר מאַכן מיר תשר״ת, תש״ת, תר״ת. די מאה קולות וואָס מיר בלאָזן זײַנען כּנגד מאה פּעיות דפּעא אימיה דסיסרא. וואָס מיינט עס?

אם סיסרא האָט אַ לעבן אָפּגעלעבט אַרומגעוויקלט אין עלי תאנה. זי האָט זיך געוואָלט אָפּנאַרן וועגן איר זון. טיף, טיף אין דער נשמה האָט זי געוווּסט אַז ער איז אַ רוצח, און סוף רוצח לתּליה. אַז אַזאַ רציחות מוז באַשטראָפֿט ווערן, אַז מען קען ישׂראל ניט האַלטן פֿאַרשקלאַפֿט לאַנג, און אַז דער טאָג פֿון נקמה מוז קומען שפּעטער אָדער פֿריִער. זי האָט אויך געוווּסט אַז זי איז שולדיק אין דער קאַריערע פֿון איר זון. זי האָט אים אַזוי דערצויגן, און זי איז די וואָס האָט אים [...][16]. אָבער די אַלע מחשבֿות פֿלעגט זי פֿאַרטרײַבן פֿון זיך. זי פֿלעגט פֿאַרמאַסקירן אירע געדאַנקען

15. די ראשי־תּיבֿות פֿאַר די פֿאַרשיידענע קאָמבינאַציעס פֿון קולות בײַ תּקיעת־שופֿר. תשר״ת: תּקיעה־שבֿרים־תּרועה־תּקיעה; תש״ת: תּקיעה־שבֿרים־תּקיעה; תר״ת: תּקיעה־תּרועה־תּקיעה. די גמרא אין מסכת ראש השנה, לג ע״ב–לד ע״א, באַהאַנדלט דעם ענין פֿון די פֿאַרשיידענע קולות, און קומט צום אויספֿיר: ״אתקין רבי אבהו בקסרי תקיעה, שלשה שברים, תרועה, תקיעה [...] מספקא לי אי גנוחי גנח אי ילולי יליל.״ ״רבי אבֿהו האָט מתקן געווען אין קיסריה [מען זאָל בלאָזן] אַ תּקיעה, דרײַ שבֿרימס, אַ תּרועה, און אַ תּקיעה [...] ער האָט געהאַט אַ ספֿק צי [תּרועה, יבֿבֿא] באַטײַט אַ מין קרעכצן צי אַ מין כליפּען.״

16. וואָרט ניט לייענעוודיק אין כּתבֿ־יד.

מיט עלי תאנה, פֿאַרשטיקן די שטימע פֿון געוויסן מיט די עלי תאנה, און האָט זיך איינגערעדט אַז דער יום־נקם וועט קיין מאָל ניט קומען.

אָבער דער טאָג איז ענדלעך אָנגעקומען מיט זײַן גאַנצער שרעקלעכקייט. 'בעד החלון נשקפה ותיבב אם סיסרא'. דורכן פֿענצטער האָט זי אַרויסגעקוקט. וווהין? אין גאַס אַרײַן? אין זיך, ווען פּלוצעם זײַנען פֿאַרשוווּנדן די עלי תאנה, די אַלע אילוזיעס און נאַרישע חלומות! זי האָט געזען זיך אַליין ערומה כּיום הולדה, אין איר גאַנצער [....] לעכקייט[17]. אַ מוטער וואָס האָט ניט געוואָלט דערציִען אַן אָנשטענדיקן, ערלעכן זון. זי האָט געזוכט פּאַר אים רום, קאַריערע, מאַכט, און איז געווען גרייט צו צאָלן דעם העכסטן פּרײַז פֿאַר דעם דערפֿאָלג. אַ מוטער וואָס האָט מקריבֿ געווען אַלץ כּדי צו האָבן אַ דערפֿאָלגרײַכן זון. ער האָט געהאַט דערפֿאָלג, אָבער אויף אַ ווײַלע. דער יום־נקם איז געקומען, און די אם סיסרא האָט געקלאָגט, געקרעכצט, 'בעד החלון נשקפֿה ותיבב אם סיסרא'. זי זעט איר באַנקראָט, איר דורכפֿאַל, ניטאָ מער קיין עלי תאנה. ניטאָ מער קיין אילוזיעס.

זי קוקט אַרויס בעד החלון, בעד האשנב, און זעט איר און איר זונס באַנקראָט. זי איז מודה אויפֿן אמת, און דער אמת איז זייער ביטער. 'ותיבב', זי קלאָגט, זי וויינט. עס איז דאָ אַן אונטערשייד צווישן "בֶּכי", "רחל מבכה על בניה" (ירמיה לא, יד) און "תּיבב". בכי דריקט אויס צער, אָבער ניט קיין ייִאוש. בֶּכי מאַניפֿעסטירט געבעט און תּפֿילה, אָבער ניט רעזיגנאַציע. יבָבה באַצייכנט פֿולשטענדיקן צוזאַמענבראָך. רחל וויינט, און אם סיסרא וויינט. בײַ איינער איז עס בֶּכי, און זי הערט די שטימע פֿון "מנעי עיניך מדמעה" (ירמיה לא, טז). בײַ דער אַנדערער איז עס יבָבה. זי הערט נאָר ווי אַנדערע ווילן זי נאָך אַלץ נאַרן. זי אַליין מורמלט אויך צו "חכמות שרותיה תּעננה, אף היא תשיב אמריה לה, הלא ימצאו יחלקו שלל" (שופטים ה, כט–ל): ער וועט נאָך קומען, ער וועט נאָך זיגן. אָבער זיי אַלע ווייסן גוט, אַז עס איז ניטאָ קיין האָפֿענונג. און סיסרא האָט זיך פֿאַרשפּעטיקט. "מדוע בושש רכבו לבא, מדוע אחרו פעמי מרכבותיו" (דאָרטן, כח)? ווײַל ער וועט שוין קיין מאָל ניט קומען מער.

"ובחודש השביעי באחד לחודש מקרא קודש יהיה לכם יום תּרועה יהיה לכם" (במדבר כט, א): אַ יום פֿון קול שופֿר, אַ קול פּשוט, אַ יבָבה (יום יבבא יהי לכון) וואָס פֿליסט פֿון די טיפֿענישן פֿון האַרצן. דער קול וואָס רײַסט זיך דורך די עלי תאנה וואָס מיר האָבן אויף אונדז אַרויפֿגעצויגן דורך אַלע אונדזערע פּרעטענזיעס, אין וועלכן אַ נשמה וואָס ווייסט אַז זי איז נאַקעט רופֿט דעם רבונו־של־עולם "ממעמקים קראתיך השם". "כּל השופרות כּשרים חוץ משל פרה מפּני שהוא קרן." דער קרן איז דער סימבאָל פֿון אויסערגעוויינלעכטער פּראַכט — "וקרני ראם קרניו" (דברים לג, יז) — פֿון די עלי תאנה, און דערפֿאַר קען מען דעם קרן ניט נוצן ראש־השנה. נאָר אַ שופֿר

17. ניט לייענעוודיק אין כתבֿ־יד.

מיטן קול פשוט וואָס קומט ממעמקי הלבֿ איז כשר. ״אין קטיגור נעשׂה סניגור, חוטא בל יתנאה.״ דער חוטא זאָל זיך ניט אויספּוצן אין די עלי תאנה.

איר פֿרעגט: ווי זאָל דער מענטש קומען פֿאַרן רבונו־של־עולם ראש־השנה? די תשובֿה איז פּונקט ווי שאול: ״ויפשט את בגדיו ויפּל ערום״: אַראָפּוואַרפֿן די עלי תאנה און בלײַבן שטיין פֿאַרן רבונו־של־עולם מיט אַ נאַקעטער נשמה, און בעטן אים ער זאָל זי אײַנהילן און כּתנות אור, בגדי ישע, מעיל צדקה. אַז מען איז מקיים דעם ׳יום יבבא׳ אַלע יאָר ראש־השנה, אַז מען קוקט אַרויס דורכן חלון־אשנב אַלע יאָר, אַז מען וואַרפֿט אַראָפּ די עלי תאנה און מען קומט לפֿני ד׳, דאַרף מען חס־ושלום ניט דורכמאַכן דעם ׳ותיבב׳ פֿון אמא דסיסרא.

חנוכה, תשי"ב

מוריה

"הכל במזלא תלוי אפילו ספר־תורה שבהיכל". אויך ימים־טובים האָבן זייער מזל אָדער שלימזל. שבת איז אַ שלימזל, ניט קיין מוצלח. דעם צווייטן שבת אין דעם מדבר נאָך קבלת־התורה האָבן שוין די ייִדן מבטל געווען: "ויהיו בני ישראל במדבר וימצאו איש מקושש עצים ביום השבת" (במדבר טו, לב). "בגנותם של ישראל הכתוב מדבר, שלא שמרו אלא שבת אחת"[1] [ספרי במדבר, פרשה קיג]. אויך אין ישעיהוס, ירמיהוס, און נחמיהס צײַטן איז שמירת־שבת געווען אַ פּראָבלעם. די נבֿיאים האָבן עס כּסדר דערמאָנט.

חנוכה דאַקעגן איז אַ יום־טובֿ מיט מזל, אַ מוצלח. אַלע פֿײַערן אים, אַלע זײַנען מחותּנים מיט די מכּבים און חשמונאים: האַלב־און גאַנץ־רעפֿאָרמירטע ייִדן, פֿון פֿאַרשיידענע פּאָליטישע שאַטירונגען, אַפֿילו אַטעיִסטן, אַגנאָסטיקער, און אַפֿילו אַזעלכע וואָס זײַנען שונאי־ישׂראל, זײַנען באַגײַסטערט פֿון דעם יום־טובֿ. איך געדענק אַז מיט יאָרן צוריק איז מיר אויסגעקומען פֿאַרבײַגיין דעם זאָנטאָג־טעמפּל אין יאָהאַניסשטראַסע אין בערלין[2], צו וועלכן עס האָבן געהערט די אַסימילירטע ייִדן אין דײַטשלאַנד, וואָס האָבן בפּועל־ממש פֿײַנט געהאַט דעם כּלל־ישׂראל. (אַ סך פֿון זיי האָבן געהערט צו דער דויטש־נאַציאָנאַלער פּאַרטיי, די אַזוי־גערופֿענע נאַומאַן־גרופּעס[3].) און איך האָב באַמערקט אַז דער טעמפּל איז פּראַכטפֿול

1. "דער פּסוק זאָגט שטראָפֿרייד וועגן ישׂראל, וואָס זיי האָבן נאָר געהיט איין שבת."
2. עס רעדט זיך וועגן דער Juedische Reformgemeinde אויף יאָהאַניסשטראַסע 16, געגרינדעט אין 1845, וווּ מען האָט אָפּגעהאַלטן תּפֿילות זונטיק אַנשטאָט שבת, און די ליטורגיע איז געווען אין גאַנצן אויף דײַטש. דאָס איז געווען דער ראַדיקאַלסטער רעפֿאָרם־טעמפּל אין גאַנץ אייראָפּע.
3. געמיינט דער Verband Nationaldeutscher Juden, אַן אָרגאַניזאַציע געגרינדעט אין 1920 און אָנגעפֿירט

אילומינירט און יום־טובֿדיק דעקאָרירט. איך בין געווען נײַגעריק און אַרײַנגעגאַנגען אין טעמפּל. מען האָט געפּראַוועט אַ חנוכּה־חגיגה. דער ראַבינער האָט אָנגעצונדן די מנורה, אַכט ליכטלעך מיט איין מאָל (עס איז געווען, דאַכט זיך, די דריטע נאַכט חנוכּה), און נאָכער געהאַלטן אַ "שאַרפֿע" דרשה. דער תּמצית פֿון דער "פּריידיגט" איז געווען אַז די אמתע יורשים פֿון די חשמונאים, מתּתיהו ובניו, זײַנען גאָר די דײַטש־נאַציאָנאַלע ייִדן, וואָס האָבן דאַמאָלסט אָנגעפֿירט אַ שאַרפֿן קאַמפּיין אַז מען זאָל אַרויסשיקן אַלע אָסט־יודען פֿון דײַטשלאַנד.

דעם זעלבן חנוכּה האָב איך זיך אָנגעשטויסן אויף אַן אַנדערן קוריאָז. אין דער געמיינדע־ביבליאָטעק אויף אָראַניענבורגער שטראַסע איז מיר צופֿעליק אַרײַנגעפֿאַלן אַן עקזעמפּלאַר פֿון מאָסקווער *עמעס*, די צײַטונג פֿון דער יעווסעקציע[4]. און דווקא די צײַטונג האָט אויך געהאַט פּרעטענזיעס אויף חנוכּה און די חשמונאים. מיט אותות־ומופֿתים האָט זי באַוויזן אַז חנוכּה איז דווקא אַ קאָמוניסטישער יום־טובֿ, און די ייִדישע בורזשואַזיע און קלעריקאַלע וועלט האָט קיין רעכט ניט צו פֿײַערן חנוכּה. יהודה המכּבי איז געווען דער ערשטער "יעווסעקציעניק".

באמת דאַרף איך זיך ניט פֿאַרטיפֿן אין זכרונות צו באַווײַזן אַזעלכע מיני פּאַראַדאָקסן און אַבסורדן. דאָס אַמעריקאַנער ייִדנטום איז פֿול מיט זיי. וויפֿל חנוכּה־ליכטלעך וועלן ווערן געצונדן אין די טעמפּלען מאָרגן אָוונט, פֿרײַטיק צו נאַכט נאָך קידוש, און אונטער די קלאַנגען פֿון אָרגל וועט מען זינגען "מעוז צור", אַ לויבגעזאַנג צו די חשמונאים, וואָס האָבן געקעמפֿט פֿאַר שבת. וויפֿל ענטוזיאַסטישע דרשות וועגן די מכּבים וועלן געהאַלטן ווערן בײַ טריפֿהנע באַנקעטן, און וויפֿל שבֿחים עס וועלן געזאָגט ווערן הײַנטיקס יאָר לכּבֿוד קריסטמאַס און חנוכּה, וואָס פֿאַלן אויס צוזאַמען. אַ סך וועלן זיך באַמיִען אויפֿצוצײַגן אַז מתּתיהו כּהן־גדול און דער נוצרי זײַנען געווען ענלעך: די זעלבע תּורה, די זעלבע אמונה, אַזוי, אַז עס איז כּמעט קיין אונטערשייד ניטאָ צווישן דעם חנוכּה־ליכטל און דעם קריסטמאַס־בוים. די מענטשלעכע לאָגיק קען דערגיין צו די גרעסטע אַבסורדן און פּאַראַדאָקסן, זי קען פֿאַרדרייען פֿאַקטן און עלעמענטאַרע אמתן און ציִען פֿון זיי פּונקט פֿאַרקערטע מסקנות. צײַטנווײַז געהערן אַזעלכע גײַסטיקע דענק־פּראָצעסן צו דער אַבנאָרמאַלער פּסיכאָלאָגיע און אַ מאָל צו פּסיכיאַטריע און פּסיכאָפּאַטאָלאָגיע. אין אַנדערע ווערטער, זיי זײַנען פּשוטער שגעון. אָבער איך גלייב אין איין יסוד פֿון דעם פּסיכאָאַנאַליטישן צוגאַנג צו שגעון, נעמלעך, אַז אויך משוגעת האָט אַ באַשטימטע לאָגיק. אמת, אַן אַבסורדע,

---

דורך מאַקס נאַומאַן. די אָרגאַניזאַציע איז געווען דײַטש־נאַציאָנאַליסטיש, עקסטרעם אַנטי־ציוניסטיש, און האָט געהאַלטן אַז מען דאַרף פֿאַרטרײַבן אַלע מזרח־אייראָפּעישע ייִדן וואָס וווינען אין דײַטשלאַנד.

4. די יעווסעקציע: די ייִדישע סעקציעס פֿון דער קאָמוניסטישער פּאַרטיי פֿון סאָוועטן־פֿאַרבאַנד (1918–1930), וואָס האָבן, צווישן אַנדערן, אָנגעפֿירט מיט אַנטי־רעליגיעזע קאַמפּאַניעס. דער *עמעס*: צענטראַלע סאָוועטישע צײַטונג אויף ייִדיש, אַרויס פֿון 1920 ביז 1938.

אַ צעדרייטע, אַ פֿאַלשע, אָבער דאָך אַ לאָגישע אויסרעכענונג, אַ באַשטימטן חשבון און אויסגאַנגס־פּונקט.

אויב אַלע זעען אין חנוכּה זייער אייגענעם יום־טובֿ און רעדן מיט התלהבֿות וועגן די חשמונאים, איז אַ סימן, אַז עס איז עפּעס דאָ אין דעם יום־טובֿ וואָס אַפּעלירט צו אַלעמען. מיר דערמאָנט זיך די מעשׂה מיט די צוויי חסידישע רביים, ברידער, ר׳ זושע און ר׳ אלימלך, וואָס זײַנען אונטערוועגס באַפֿאַלן געוואָרן דורך אַ באַנדע פּויערים. ר׳ זושען האָבן זיי גוט צעשלאָגן און ר׳ אלימלך האָבן זיי ניט געטשעפּעט. בײַ נאַכט אין קרעטשמע, בשעת זיי האָבן געלייענט קריאת־שמע, האָט זיך ר׳ אלימלך שטאַרק צעוויינט. האָט זיך אָנגערופֿן צו אים ר׳ זושע: ״וואָס וויינסטו, מײַן טײַערער ברודער? זאָרג ניט וועגן מיר. איך פֿיל זיך זייער גוט. די ווונד וואָס זיי האָבן געמאַכט טוט נישט שטאַרק וויי.״ ״ניין, ניט דערויף קלאָג איך״ — האָט געענטפֿערט ר׳ אלימלך — ״איך וויין אויף דעם וואָס זיי האָבן מיך אויך ניט געשלאָגן און פֿאַרוווּנדעט. דיך האָבן זיי געשלאָגן, ווײַל זיי האָבן מסתּמא דערקענט אין דיר דעם צלם־אל־קים וועלכן זיי האַסן. אין מיר, וואַרשײַנלעך, האָבן זיי דעם צלם־אל־קים ניט דערזען, ווײַל איך האָב מסתּמא אין זיך עפּעס גויִשס. דערויף וויין איך.״ אויב חנוכּה נעמט אויס בײַ די ערגסטע אַסימילירטע ייִדן, אַזעלכע וואָס האָבן איבערגעריסן כּמעט זייער לעצטע פֿאַרבינדונג מיטן כּלל־ישׂראל און זײַנען ניט בעסער ווי די יוונים פֿון יהודה המכּבּיס צײַטן, איז עס אַ סימן, אַז איין אַספּעקט פֿון חנוכּה איז ניט ספּעציפֿיש ייִדיש. עפּעס איז דאָ אין דעם יום־טובֿ עפּעס וואָס פֿאַסצינירט און פֿאַרכאַפּט דאָס אויג בײַ ייִד און גוי צו גלײַך. וואָס איז אָט דער אַלגעמיינער מאָמענט אין חנוכּה און אין די חשמונאים וואָס אַלע פֿאַרשטייען?

חנוכּה איז אַ יום־טובֿ מיט אַן אַלגעמיין מענטשלעכן הינטערגרונט. ער איז אַ יום־טובֿ פֿון פּאָליטישע נצחונות, אַ יום־טוב פֿון דעראָבערונג פֿון פּאָליטישער מאַכט. מתתיהו און זײַנע זין האָבן געהאַט דעם מוט און אויך די גבֿורה זיך אַנטקעגנצושטעלן די סירישע־גריכישע לעגיאָנען, צו באַפֿרײַען די שטאָט ירושלים און דעם בית־המקדש, און צוריק צו עטאַבלירן אַן אומאָפּהענגיקע ייִדישע מלוכה. אָט די געשיכטע פֿון דראַמאַטישער העלדישקייט אַפּעלירט צו אַלעמען, גוי און ייִד, בפֿרט נאָך ווען די מוטיקע רעוואָלוציאָנערן זײַנען געווען אַ קליינע גרופּע, כּמעט אַ גאַרילאַ־באַנדע, ניט אָרגאַניזירט און ניט גוט באַוואָפֿנט. און ניט געקוקט אויף דעם, האָבן זיי ניט מורא געהאַט צו דערקלערן קריג קעגן אַ מעכטיקן שׂונא.

אַזאַ געוואַגטע און העלדישע האַנדלונג רופֿט אַלע מאָל אַרויס ענטוזיאַזם און סימפּאַטיע. די גאַנצע וועלט האָט באַוווּנדערט וואַשינגטאָנען מיט די אַמעריקאַנער פּאַטריאָטן וואָס האָבן רעוואָלטירט קעגן דער ברוטאַלער בריטישער מאַכט. אַלע

האָבן סימפּאַטיזירט מיט גאַריבאַלדין[5] ווען ער האָט אָנגעפֿירט מיט זײַן באַפֿרײַונגס־קאַמף קעגן דער עסטרײַכישער טיראַניע, אָדער מיט די גריכישע רעוואָלוציאָנערן ווען זיי האָבן געקעמפֿט קעגן דעם טערקישן סולטאַן. מיט עטלעכע יאָר צוריק זײַנען אַפֿילו די פֿאַרביסנסטע פֿײַנט פֿון יידן געווען שטאַרק באַאײַנדרוקט פֿון דער העלדישקייט און פֿון דער מסירת־נפֿש, וואָס דער ייִדישער יישובֿ האָט אַרויסגעוויזן אין זײַן קאַמף מיט די אַראַבער. בשעת אבֿרהם האָט מיט אַ קליינער גרופּע פֿון הויזמענטשן — סך־הכּל דרײַ הונדערט אַכצן, שמונה עשׂר ושלש מאות — באַזיגט די גרויסע אַרמיי פֿון כּדרלעומר מיט זײַנע פֿאַרבינדעטע, איז מלכּי־צדק אַרויס מיט אַ גרויסן לויבגעזאַנג וועגן אבֿרהמס העלדישקייט און מוט: "ומלכּי צדק מלך שלם הוציא לחם ויין" (בראשית יד, יח). און אַפֿילו דער רשע, דער פֿאַרביסענער שׂונא — דער מלך סדום — האָט זיך ניט געקענט אָפּוואונדערן פֿון אבֿרהמס גבֿורה און איז אַרויס אים באַגעגענען: "ויצא מלך סדום לקראתו אחרי שובו מהכּות את כּדרלעומר ואת המלכים אשר אתו" (דאָרטן, פּסוק יז). ממילא האָט אַ יום־טובֿ ווי חנוכּה, וואָס איז דער געדענקטאָג פֿון אַזאַ מין נצחון, אַן אוניווערסאַלן באַטײַט און איז פֿאַרשטענדלעך צו אַלעמען. ער איז באַזירט אויף אַן אַלמענטשלעכן מאָטיוו, אויף מענטשלעכער באַוווּנדערונג פֿאַר העלדישקייט און פֿרײַהײַטס־דראַנג.

אָבער לאָמיר נאָר אַנאַליזירן אָט דעם געדאַנק, אַז באמת איז חנוכּה אַ יום־טובֿ וואָס דערציילט אונדז נאָר אַ שיינע העלדן־מעשׂה וועגן שלאַכטן וועלכע זײַנען געוווּנען געוואָרן, אָדער פּאָליטישע נצחונות וואָס מען האָט אָפּגעהאַלטן, ווי פֿאַרט אָף דזשולײַ[6] אין אַמעריקע אָדער דער פֿערצנטער יולי אין פֿראַנקרײַך. זיכער ניט! דער באַווײַז איז אַ פּשוטער. אַ פּאָליטישע געשעעניש, אַפֿילו פֿון דער גרעסטער וויכטיקייט, קען נאָר געפֿײַערט ווערן כּל־זמן דאָס פֿאָלק קוקט דערויף ווי אַ ווענדפּונקט אין דער געשיכטע, פֿון וועלכן מען האָט אָנגעהויבן ציילן אַ נײַע עפּאָכע פֿון זעלבשטענדיקייט פֿון וועלכער מען געניסט נאָך בשעת־מעשׂה, בשעת מען פֿראַוועט דעם יום־טובֿ, ווי למשל, אינדעפּענדענס־דעי[7] אין אַמעריקע. אַ פּאָליטישער נצחון פֿאַרלירט אָבער זײַן באַטײַט ווען דאָס פֿאָלק פֿאַרלירט זײַן זעלבשטענדיקײַט, און דער זיג ענדיקט זיך שפּעטער אין אַ מפּלה.

אויב חנוכּה וואָלט געווען אַ פּשוטער יום־טובֿ פֿון פּאָליטישער באַפֿרײַונג, וואָלט זײַן גאַנצער זינען אויסגעוועפּט געוואָרן מיטן חורבן־בית־המקדש און מיט גלות־אדום, און זײַן גורל וואָלט געווען פּונקט אַזאַ ווי דער גורל פֿון די אַלע ימים־טובֿים אין בית־שני וועלכע זײַנען אויסגערעכנט געוואָרן אין מגילת־תּענית, און וועגן

5. דזשוזעפּע גאַריבאַלדי (1807–1882): איטאַליענישער פּאַרטיאָט און פֿרײַהייט־קעמפֿער. ער האָט אָנגעפֿירט מיט די קאַמפֿן וואָס האָבן געפֿירט צו דער פֿאַראייניקונג פֿון איטאַליע אין די 1860ער יאָרן.

6. דער פֿערטער יולי (ענגליש).

7. זעלבשטענדיקייט־טאָג (ענגליש).

וועלכע רבי יוסי האָט זיך אַזוי שיין אויסגעדריקט אין דער ברייתא: ״הימים האלה הכתובים במגילת תענית, בזמן שבית־המקדש קיים — אסורים, מפני ששמחה היא להם. אֵין בית־המקדש קיים — מותרין, מפני שאבל הוא להם״[8] [ראש השנה יט, ע״ב]. וואָס פֿאַר אַ לאָגיק איז דאָ אין דער פֿײַערונג פֿון חנוכּה אין משך פֿון טויזנטער יאָרן פֿון גלות, מאַרטירערטום, געטאָס, פּאָגראָמען און באַליידיקונגען? און קען מען פּראַווען אַ יום־טובֿ פֿון פּאָליטישער פֿרײַהייט בשעת דער מצבֿ פֿון ייִדן איז, אין משך פֿון טויזנטער יאָרן, געווען פּונקט דער קעגנזאַץ פֿון פֿרײַהייט און זעלבשטענדיקייט? ווי קליין און נישטיק קומט אויס דער נצחון פֿון די מכּבים אין פֿאַרגלײַך מיט די גרויזאַמע פּאָליטישע מפּלות וועלכע מיר האָבן געליטן!

אויב חנוכּה ווערט נאָך הײַנט געפֿײַערט, און חז״ל האָבן אָפּגעפּסקנט: ״אף על פי שבטלה מגילת תענית, חנוכּה לא בטלה מפני פרסומא ניסא״[9] [לויט ראש־השנה יח, ע״ב], איז עס אַ סימן אַז דער יום־טובֿ, מדבֿרי סופֿרים, געהערט צו דער גרופּע ייִדישע ימים־טובֿים, מיט פּסח אין דער שפּיץ, וואָס באַזיצן אַן אייביקן ווערט וועלכן קיין פּאָליטישער חורבן אָדער מיליטערישע מפּלה קען ניט אָפּמעקן.

מען דערציילט אַז ר׳ מענדעלע קאָצקער, זײַענדיק איין מאָל בײַם סדר, האָט פֿאַרענטפֿערט די קשיא וואָס אַלע פֿרעגן: פֿאַר וואָס איז דער שולחן־ערוך מקפּיד אַז פּסח זאָל מען נעמען אַ זרוע און ביצה כּדי צו סימבאָליזירן דעם פּסח און די חגיגה, און מיר זײַנען ניט מהדר זיך נוהג זײַן ווי דעם רמב״מס שיטה, אַז מען דאַרף האָבן שני מיני בשׂר? אַ ביצה, האָט ר׳ מענדעלע דערקלערט, האָט צוויי צוועקן. ערשטנס, איז זי אַליין זייער אַ געזונטע שפּײַז. זי איז אַ מקור פֿון פּראָטעיִן און איינע פֿון די לײַכטסטע שפּײַזן צו פֿאַרדייען. אָבער חוץ איר וויכטיקן דיעטעטישן נוצן האָט די ביצה אָפּט אַ פֿיל העכערן צוועק: אין איר איז באַהאַלטן אַ צוקונפֿטיקער לעבן, זי איז דער מיסטעריעזער מקור פֿון אַ נײַער בריאה. פּסח האָט אויך דיביידע אַספּעקטן. פֿון איין זײַט איז יציאת־מצרים געווען אַ צײַטווײַליקע הצלה פֿון די ייִדן אין מצרים, אַ גוואַלדיקער נצחון איבער פּרעהן מיט זײַנע נוגשׂים און שוטרים. די באַפֿרײַונג פֿון שקלאַפֿן מעבֿדות לחרות. אָבער די הצלה איז געווען אַ צײַטווײַליקע, וועלכע איז שוין לאַנג אָפּגעווישט געוואָרן דורך ימים פֿון בלוט און טרערן, גלות און עבֿדות. אויב פּסח ווערט נאָך הײַנט געפֿײַערט און אָפּגעהיט, איז עס דערפֿאַר ווײַל אין גאולת־מצרים ליגט פֿאַרבאָרגן דער נצח־ישׂראל, זײַנע אייביקע האָפֿענונגען און זײַן לײַדנשאַפֿטלעכע אמונה, וואָס וועלן סוף־כּל־סוף פֿאַרווירקלעכט ווערן אין

8. ״די דאָזיקע טעג וואָס ווערן דערמאָנט אין מגילת־תענית, בזמן שבית־המקדש קיים טאָר מען ניט [פֿאַסטן], וואָרעם זיי זײַנען אַ שׂמחה פֿאַר זיי [ישׂראל], און ווען עס איז ניטאָ קיין בית־המקדש מעג מען [פֿאַסטן], וואָרעם זיי זײַנען טרויער [פֿאַר ישׂראל]״.

9. ״כאָטש די [יום־טובֿים וואָס זײַנען פֿאַרשריבן אין] מגילת תענית זײַנען בטל, איז חנוכּה ניט בטל ווײַל עס איז מפֿרסם אַ נס.״

דער גאולה העתידה. בשעת דער זרוע שטעלט מיט זיך פֿאָר דעם פּסח מצרים, די צײַטווײַליקע הצלה, סימבאָליזירט די ביצה דעם פּסח דורות, פּסח לעתיד, דער אייביקער באַטײַט פֿון גאולה.

אַ פּנים, אַז די גרויסקייט פֿון חנוכּה באַשטייט נישט אַזוי אין דער חשיבֿות פֿון "שעשׂה לנו נסים בימים ההם", מיט דריטהאַלבן טויזנט יאָר פֿריִער, נאָר הויפּטזאַכלעך אין דעם "ובזמן הזה", אין דעם באַטײַט פֿונעם אַלטן נס פֿאַרן הײַנט, פֿאַר דער איצטיקייט, וואָס קיין חורבן קען ניט מבֿטל זײַן אָדער פֿאַרקלענערן. דער נס, וואָס שטײַגט אַריבער פּאָליטישע נצחונות, וועלכע זײַנען מער ניט ווי צײַטווײַליקע דערגרייכונגען, איז געבליבן פֿאַראייביקט אין אונדזער געשיכטע. חנוכּה, דער יום־טובֿ פֿון פּאָליטישער פֿרײַהייט, וועלכער איז אַזוי פּאָפּולער בײַ אַלעמען, איז שוין לאַנג בטל געוואָרן מיטן חורבן־הבית ווי אַלע איבעריקע ימים־טובֿים פֿון בית שני וועלכע זײַנען אויסגערעכנט אין מגילת תּענית. אויב די הלכה האָט אויסגעקליבן חנוכּה ווי אַ מיוחס, וואָס איז נוהג סײַ בפּני הבית און סײַ שלא בפּני הבית, איז עס דער חנוכּה לדורות, וואָס פּונקט ווי פּסח דורות אַנטהאַלט דעם סוד פֿון נצח־ישׂראל.

וואָס איז חנוכּה לדורות?

בעצם מאַכן אַלע אַ טעות בנוגע דעם הינטערגרונט פֿון דעם חשמונאים־אויפֿשטאַנד. דער רעוואָלט פֿון מתּתיהו כּהן־גדול ובניו איז ניט אויסגעבראָכן צוליב פּאָליטישער אונטערדריקונג. מלכות־ישׂראל אין בית שני איז פֿון עזראן ביז מתּתיהון ניט געווען פּאָליטיש זעלבשטענדיק. לכתּחילה איז זי געווען אונטערגעוואָרפֿן פּרס, נאָכער — מצרים, שפּעטער איז זי אײַנגעשלאָסן געוואָרן אין אַלכּסנדר מוקדונס אימפּעריע, און נאָך זײַן טויט איז זי געקומען אונטער גריכיש־סירישער הערשאַפֿט. ווען עס וואָלט זיך נאָר געהאַנדלט וועגן דער פּאָליטישער סוווערעניטעט, וואָלט דער קאַמף ניט אויסגעבראָכן, ייִדן וואָלטן ווײַטער מקבל "באהבֿה" געווען די יסורים און געוואַרט אויף דער גאולה שלמה.

מיט די יוונים האָט זיך געטראָפֿן אַן אַנדער מעשׂה. זיי זײַנען אפֿשר געווען די ערשטע וואָס האָבן ניט אַזוי פֿײַנט געהאַט דעם פֿיזישן ייִדן, ווי זײַן גײַסטיקן דמות ומהות, זײַן וועלט־אָנשויונג, זײַן אייגנאַרטיקייט, זײַן אַנדערש זײַן, קורץ — זײַן תּורה. פֿאַר זיי איז המנס קלאַגע "ודתיהם שונות מכּל עם" (אסתּר ג, ח) געוואָרן דער מאָטיוו פֿון שׂנאה. ממילא האָבן זיי זיך ניט באַגנוגנט מיט פּאָליטישער אונטערדריקונג, און זיי האָבן זיך אָנגעהויבן אַרײַנמישן אין דעם אינטימסטן געביט פֿון מענטשלעכן לעבן, זײַן באַציִונג מיט גאָט, און אָנגעהויבן פֿירן זייער קאַמף אויף אַ נײַעם שטח, אויפֿן רעליגיעז־גײַסטיקן געביט. און אָט די רדיפֿות אויפֿן דת האָבן דערצאָרנט די חשמונאים און עס האָט זיך צעפֿלאַקערט דער קאַמף.

שיין האָבן די חז"ל זיך אויסגעדריקט: "מאי חנוכּה? בכ"ה בכסלו, יומי חנוכּה תּמניא

וכו' שכשנכנסו יונים להיכל טמאו כל השמנים שבהיכל"[10] [שבת כא, ע"ב]. די אורזאַך פֿון דעם גרויסן רעוואָלט איז געווען דאָס אַרייַנגיין פֿון די יוונים אין היכל, אין ייִדישן בית־המקדש, און מטמא זייַן אַלע שמנים, און אַרייַנפֿירן זייער פּאַגאַנישן קולט, און מבֿטל זייַן קדשי־ישׂראל — שבת, צניעות, טהרת־המשפּחה — און פֿאַרשווערכן קדושת־ישׂראל. די מלחמה איז געווען צוליב בית־המקדש, ניט צוליב פּאָליטישער פֿרייַהייט אַליין. די זעלבע געשיכטע ווערט דערציילט אין ועל הנסים: "כשעמדה מלכות יון הרשעה על עמך ישׂראל להשכּיחם תורתך ולהעבירם מחקי רצונך"[11]. און אויך אין רמב"ם: "בבית שני כשמלכי יון גזרו גזירות על ישׂראל ובטלו דתם ולא הניחו אותם לעסק בתורה וכו' וצר להם לישׂראל מאד..."[12] [הלכות מגילה וחנוכה ג, א]. ממילא איז דער נצחון ניט אַזוי באַשטאַנען אין פּאָליטישע דערגרייכונגען, ווי אין רעליגיעזער באַפֿרייַונג, אין טהרת־המקדש, אין אָנצינדן דעם ייִדישן נר־תּמיד: "ואז באו בניך לדביר ביתך ופינו את היכלך וטהרו את מקדשך, והדליקו נרות בחצרות קדשך"[13] ["ועל הנסים"].

אמת, אויך פּאָליטישע פֿרייַהייט האָט מען דעראָבערט. אָבער ניט דאָס איז געווען דער עיקר. די חנוכּה לשעה איז אַ פּאָליטישער יום־טובֿ, די חנוכּה לדורות איז אַ יום־טובֿ פֿון טהרת־המקדש און הדלקת־נרות. אין יענער תּקופֿה האָט זי מאַניפֿעסטירט צום ערשטן מאָל די ייִדישע היסטאָרישע געשטאַלט, דעם טיפּישן ישׂראל סבֿא, וואָס האָט נאָכער איבערגעלעבט די אוממענטשלעכע רדיפֿות און גזירות־השמד, און האָט רעאַליזירט דעם אידעאַל פֿון נצח־ישׂראל.

ווער איז ער, אָט דער ישׂראל סבֿא, געווען? גויים האָבן אים אַבסאָלוט נישט פֿאַרשטאַנען, און אָפֿט מאָל אַפּיזיכלעך[14] געמאָלן אַ פֿאַלשן בילד פֿון אים. זיי האָבן אויף אים געקוקט ווי אויף דעם אייביקן וואַנדערער, וואָס איז באַלאַסטעט מיט קינס קללה "נע ונד תהי' בארץ". אָבער אויך די מאָדערנע ייִדן, די השׂכּלה און אַפֿילו די אָנהענגער פֿון דער שיבֿת־ ציון־באַוועגונג האָבן אים נישט ריכטיק אָפּגעשאַצט, און אַ סך מאָל באַשולדיקט אים אין עוולות וועלכע ער איז קיין מאָל נישט באַגאַנגען. ווען די השׂכּלה און די ציון־באַוועגונג וואָלטן דעם ישׂראל סבֿא בעסער געקענט,

10. "וואָס איז חנוכּה? דעם פֿינף און צוואַנציקסטן כּסלו. אַכט זייַנען די טעג פֿון חנוכּה [...] ווען די גריכן זייַנען אַרייַן אין בית־המקדש, האָבן זיי מטמא געווען אַלע אייל."

11. "ווען עס איז אויפֿגעשטאַנען די רשעותדיקע גריכישע קעניגרייַך קעגן דייַן פֿאָלק ישׂראל, צו מאַכן זיי פֿאַרגעסן דייַן תּורה און פֿאַרווערן זיי דייַנע געזעצן."

12. "בעת בית־שני, ווען די גריכישע קעניגן האָבן געמאַכט גזירות קעגן פֿאָלק ישׂראל, און אָפּגעשאַפֿן זייער דת, און זיי ניט דערלאָזט זיך עוסק זייַן אין תּורה און מצוות...און דאָס פֿאָלק ישׂראל האָט זייער געליטן."

13. "און נאָך דעם זייַנען דייַנע זין אַרייַנגעקומען אין דייַן הויז, אויסגערייניקט דייַן היכל און מטהר געווען דייַן מקדש, און אָנגעצונדן ליכט אין דייַנע הייליקע הויפֿן."

14. בכּיוון (דייַטש).

וואָלטן זיי אַ סך טעותן ניט באַגאַנגען, און אונדזער פּאָליטיש־קולטורעלע לאַגע וואָלט געווען אַ סך בעסער.

ווי האָבן געקוקט, און ווי קוקן נאָך הײַנט, די מאָדערנע ייִדן, אָט די וואָס האָבן געשאַפֿן די לאָזונג ״היה יהודי באהלך ואדם בצאתך״[15], אָדער פֿאַרקערט, ״היה אדם באהלך ויהודי בצאתך״, אויף דעם אַלטמאָדישן ישׂראל סבֿא? אַנשטאָט איך זאָל דערציילן ווי עס האָט אויסגעזען ישׂראל סבֿא אין די אויגן פֿון די פֿאָרשטייער פֿון דער השׂכּלה, לאָמיר לאָזן איינעם פֿון זיי, דעם בעסטן, קליגסטן, און טיפֿסטן קאָפּ, אַליין רעדן. אחד העם, אין ״אמת מארץ ישׂראל״, געשריבן אין תּרנ״א אויפֿן וועג פֿון יפֿו קיין אַדעס, דריקט זיך אויס:

> ״מלא רעיוני עצב אחר אשר תרתי את הארץ וראיתי מה שראיתי ביפו ובמושבות. באתי ערב פסח ירושלמה, לשפוך שיחי וכעסי לפני ׳העצים והאבנים׳, שארית מחמדינו מימי קדם. ראשית דרכי היתה, כמובן, אל ׳הכותל׳. שם מצאתי רבים מאחינו יושבי ירושלים עומדים ומתפללים בקולי קולות. פניהם הדלים, תנועתיהם הזרות ומלבושיהם המשונים — הכל מתאים למראה הכותל הנורא. ואני עומד ומסתכל בהם ובכותל, ומחשבה אחת תמלא כל חדרי לבי: האבנים האלה עדים המה על חורבן ארצנו, והאנשים האלה — על חורבן עמנו. איזה משני החורבנות גדול מחברו? על איזה מהם נבכה יותר? ארץ כי תחרב, והעם עודנו מלא חיים וכח — יקומו לה זרובבל, עזרא ונחמיה ויבנוה שנית. אך *העם* כי יחרב, מי יקום לו ומאין יבוא עזרו? ולו באה בי באותה שעה רוח ר׳ יהודה הלוי ויכלתי לקונן כמוהו על שבר בת עמי, היתה קינתי מתחילה לא ׳ציון׳, כי אם ׳ישׂראל׳״.[16]

---

15. ״זײַ אַ ייִד אין שטוב און אַ מענטש אויף דער גאַס.״

16. ״אמת מארץ ישראל״, *על פרשת דרכים*, בערלין, יודישער פערלאג, 1921, ב׳ 1, זז׳ 42–43. ״מײַנע געדאַנקען זײַנען פֿול מיט טרויער נאָך דעם ווי איך בין אַרומגעפֿאָרן איבערן לאַנד, און האָב געזען דאָס וואָס איך האָב געזען אין יפֿו און אין די קאָלאָניעס. ערבֿ־פּסח בין איך אָנגעקומען אין ירושלים, כּדי אויסצוגיסן מײַנע ווערטער און מײַן כּעס אויף די ׳ביימער און שטיינער׳, דאָס רעשטל פֿון אונדזער אור־אַלטן פּראַכט. איך האָב אָנגעהויבן מײַן רײַזעניש, פֿאַרשטייט זיך, מיטן כּותל. דאָרט האָב איך געפֿונען אַ סך ייִדן, תּושבֿים פֿון ירושלים, וואָס זײַנען געשטאַנען און האָבן געדאַוונט בקולי־קולות. זייערע אָרעמע פּנימער, זייערע מאָדנע תּנועות, און זייערע משונהדיקע מלבושים — אַלץ האָט געפּאַסט צו דעם מוראדיקן כּותל. איך בין געשטאַנען און האָב געקוקט אויף זיי און אויפֿן כּותל, און איין געדאַנק האָט אָנגעפֿילט מײַן האַרץ: די דאָזיקע שטיינער זײַנען עדות צום חורבן פֿון אונדזער לאַנד, און די דאָזיקע מענטשן — צום חורבן פֿון אונדזער פֿאָלק. וועלכער פֿון די צוויי חורבנות איז גרעסער? וועלכן פֿון זיי זאָל מען מערער באַוויינען? אויב דאָס לאַנד ווערט חרובֿ, און דאָס פֿאָלק איז נאָך פֿול מיט לעבן און כּח, וועלן אויפֿקומען אַ זרובבל, אַן עזרא ונחמיה, און דאָס פֿאָלק וועט זיי נאָכגיין און וועט אויפֿבויען דאָס לאַנד אַ צווייט מאָל. אָבער אויב דאָס פֿאָלק ווערט חרובֿ, ווער וועט אויפֿקומען, און פֿון וואַנעט וועט קומען זײַן הילף? ווען אין מיר וואָלט אַרײַן אין יענער שעה דער גײַסט פֿון ר׳ יהודה־הלוי, און איך וואָלט געקענט באַוויינען, ווי ער, די בראָך פֿון מײַן פֿאָלק, וואָלט מײַן קינה זיך אָנגעהויבן ניט מיט ׳ציון׳, נאָר מיט ׳ישׂראל׳.״

צוויי יאָר שפּעטער, אין תּרנ״ג, האָט אחד העם אויף זײַן צווייטער רײַזע אין ארץ־ישׂראל ווידער באַזוכט דעם כּותל, און גיט איבער זײַן אײַנדרוק אין ״אמת מארץ ישׂראל״:

״ובחצי ליל תשעה באב עמדתי לפני ׳הכותל׳. קהל זקנים ונערים ישבו לארץ. הללו בכו על ספר הקינות, הללו פלפלו בהלכה אם מותר לישב אחוריו כלפי הכותל. למרות חפצי, זכרתי עוד הפעם את אשר הגיתי לפני שנתיים במקום הזה על דבר חורבן ציון וחורבן ישראל, וצללי אבותינו הגבורים, אשר פה, בלילה הזה הקריבו למות נפשם בעד ארצם ולאומיותם, נראו לי כאלו עוטרים אותנו מסביב ומביטים בתמהון על בני־בניהם אלה, היושבים על מצבת קבורת כבודם וספרים בידיהם...״[17]

מיר דאַכט זיך, אַז קיין צו פֿיל פּירושים דאַרפֿן זײַנע ווערטער ניט האָבן. אין ישׂראל סבֿא האָט ער, אחד העם, מיט זײַן ״שאַרפֿער אויג״ געזען די פֿאַרקריפּלונג פֿון דער געשטאַלט פֿון אַלטן יהודה המכּבי, דעם ייִדן וואָס איז פֿאַרגליווערט געוואָרן אין ספֿרים און טויטע בוכשטאַבן, דעם מה־יפֿית ייִד, די ניט־עסטעטישע געשטאַלט, דעם פּחדן, קורץ — דעם סימבאָל פֿון חורבן־ישׂראל, פּונקט ווי דער כּותל־המערבֿי איז דער סימבאָל פֿון חורבן־הארץ. רבותי, איך וויל אײַך פֿרעגן: איז אחד העם געווען גערעכט מיט זײַן היסטאָריש־פּסיכאָלאָגישן אַנאַליז? זײַנען ייִדן באמת געווען פּחדנים, מיט אַ שפֿלות־קאָמפּלעקס און האָבן קיין זאַך נישט געירשנט פֿון זייערע זיידעס, די גבורים, מתּתיהו ובֿניו?

לאָמיר די פֿראַגע באַטראַכטן אָביעקטיוו. עס גיט צווייערליי מינים פֿון שפֿלות־קאָמפּלעקסן, פֿון מינדערווערטיקייט־געפֿילן, וואָס באַהערשן דעם יחיד אָדער דעם ציבור. איין מין שפֿלות דריקט זיך אויס אין אַ געפֿיל פֿון פֿאָליטישער שוואַכקייט און אונטערטעניקייט. דער יחיד אָדער דער ציבור מאַכט אַ מאָל שלום מיטן געדאַנק אַז ער מוז זײַן אונטערטעניק, ווײַל דער קעגנער איז שטאַרקער און בעסער אָרגאַניזירט פֿון אים, און אַז אַ קאַמף קעגן דעם שונא איז נוצלאָז. דער קאָנטראַסט פֿון פֿאָליטישער שפֿלות איז פֿאָליטישע גאווה און זעלבסט־באַוווסטזײַן. עס איז אַ געפֿיל פֿון שטאָלץ

17. דאָרטן, ז׳ 53 . ״תּשעה־באָבֿ, בײַ האַלבע נאַכט, בין איך געשטאַנען בײַם כּותל. אַ געזעמל פֿון זקנים און בחורים זײַנען געזעסן אויף דער ערד. געוויסע האָבן געוויינט איבער די קינות, געוויסע האָבן זיך מפֿלפּל געווען אינעם דין צי מען מעג זיצן מיט דער פּלייצע צום כּותל. און נישט ווילנדיק, האָב איך זיך ווידער דערמאָנט אין מײַנע געדאַנקען מיט צוויי יאָר פֿריִער, אויף אָט־דעם אָרט, וועגן חורבן־ציון און חורבן־ישׂראל. און די שאָטנס פֿון אונדזערע העלדישע אור־עלטערן, וואָס האָבן דאָ, אין דער דאָזיקער נאַכט, זיך מקריבֿ געווען צום טויט פֿאַר זייער לאַנד און נאַציע, האָבן דאַכט זיך געשוועבט אַרום אונדז, און האָבן מיט פֿאַרוווּנדערונג אָנגעקוקט זייערע אור־אייניקלעך, וואָס זיצן אויף דער מצבֿה פֿון זייער ערע און האַלטן ביכער אין די הענט.״

אין מענטשן, אַ דראַנג נאָך פּאָליטישער פֿרײַהייט און פּאָליטישער זעלבסטווירדע, וואָס טאָלערירט ניט קיין שום עוולה און קיין באַליידיקונג בנוגע דעם יחיד אָדער דעם ציבור, אַפֿילו ווען די נרדפֿים זײַנען אין דער מינדערהייט און פֿיל שוואַכער פֿון דעם שׂונא. עס זײַנען דאָ שטאָלצע מענטשן, וואָס ווילן באַשיצן זייער פּאָליטישן כּבֿוד און פּאָליטישע רעכט, ווען זיי וויסן אַז זיי מוזן דעם קאַמף פֿאַרלירן. זיי קענען קיין מאָל זיך ניט פּאָליטיש מכניע זײַן פֿאַר יענעם. יעדע הכנעה ווערט אויפֿגעפּאַסט פֿון זיי ווי עבֿדות אָדער פּחדנות.

אויב מיר דיסקוטירן אחד העמס שטאַנדפּונקט אויפֿן שטח פֿון פּאָליטישער גאווה און שפֿלות, אָדער ווי די חכמי־הדרוש רופֿן עס, "חירות הגוף", מוזן מיר צוגעבן אַז ישׂראל סבֿא האָט געזוכט צו פֿאַרמײַדן פֿיזישע צוזאַמענשטויסן מיטן שׂונא ווי ווײַט מעגלעך. צו פֿיל פּאָליטישער שטאָלץ און התלהבֿות, האָט ישׂראל סבֿא געהאַלטן, קען פֿירן צו גרויסע חורבנות; אַ מאָל איז עס פּשוט זעלבסט־מערדעריש. חז"ל, למשל, האָבן זיך שטאַרק באַמיט אײַנצושטילן דעם קאַמף צווישן רוים און די קנאים אין ירושלים. ווער ווייסט ווי די ייִדישע געשיכטע וואָלט זיך אַנטוויקלט ווען רבן יוחנן בן זכאי וואָלט אויסגעפֿירט און ניט שמעון בן גיורא, אָדער יוחנן איש גוש חלבֿ?

ישׂראל סבא האָט געהאַלטן אַז פּאָליטישע מאַכט איז ניט אייביק. "כי לא לעולם חוסן" (משלי כז, כד), "גזירה עבידא דבטלא"[18] [כתובות ג, ע"ב]. אַ ביסל געדולד און אײַנגעהאַלטנקייט איז בעסער ווי אַ בלוטיקע שלאַכט. אַ מאָל מוז מען קעמפֿן ווי אבֿרהם, "וירק את חניכיו ילידי ביתו שמנה עשר ושלש מאות וירדף עד דן" (בראשית יד, יד). אָדער, ווי דער פֿאַל איז געווען איצטער אין ארץ־ישׂראל, ווען ייִדן זײַנען באַפֿאַלן געוואָרן פֿון זיבן אַראַבישע אַרמייען[19]. אָבער אַ מאָל מוז מען טאָן ווי יעקבֿ האָט געטאָן: "והוא עבר לפניהם, וישתחו ארצה שבע פעמים עד גשתו עד אחיו" (בראשית לג, ג).

אויב אחד העם האָט געמיינט צו זאָגן אַז ישׂראל סבֿא איז געווען צו עמפּינדונגסלאָז[20] בנוגע זײַנע פּאָליטישע רעכט און פּאָליטישער ווירדע, איז עס נאָך צו פֿאַרלײַדן. אפֿשר האָבן מיר אין משך פֿון הונדערטער יאָרן גלות אַרויסגעוויזן צו פֿיל פּחדנות. ר' יעקבֿ עמדין דערציילט אַז עס איז אים אַ מאָל אַ נס געטראָפֿן. וואָס איז געשען? ער איז אַרויס אין אַ שיינער פֿאַרנאַכט פֿון דער געטאָ אין פּראָג, און עס איז פֿאַרבײַגעגאַנגען לעבן אים אַ מאַנאַך וועלכער האָט אויף אים אַ שטאַרקן קוק געגעבן פֿול מיט שׂנאה, און פֿונדעסטוועגן נישט אָנגעשלאָגן. אַ נס מן־השמים.

18. "די גזירה (פֿון מלכות) וועט סוף־כּל־סוף בטל ווערן."

19. געמיינט די ישׂראלדיקע אומאָפּהענגיקייט־מלחמה אין יאָר 1948.

20. אומשפּירעוודיק (דײַטש).

אפֿשר ליגט עפּעס אין דער קריטיק. אפֿשר האָבן מיר איבערגעטריבן די מורא פֿאַרן גוי. חז״ל האָבן דאָך שוין זיך קריטיש פֿאַרהאַלטן צו יעקבֿס השתחויות פֿאַר עשׂו, און געזאָגט, אַז דערפֿאַר איז נגזר געוואָרן דער עונש גלות־ישׂראל: ״כּל המחניף לרשע סופו נופל בידו״[21] [ילקוט שמעוני, ירמיה, שח]. [...] איך האַלט אַז אָפּט בנוגע דער פֿראַגע קען מען קיין גרויסער חכם ניט זײַן: ״ואל תדין את חברך עד שתגיע למקומו״[22] [אבות ב, ד].

אויב אחד העם האָט קריטיקירט ישׂראל סבֿא אויפֿן פּאָליטישן געביט, קען איך נאָך די קריטיק פֿאַרשטיין. אָבער אחד העם האָט פֿאַרגעסן אַז חוץ פּאָליטישער גאווה און שפֿלות גיט עס אויך אַן אַנדער מין גאווה און שפֿלות: גײַסטיק־קולטורעלע גאווה און שפֿלות. אַ סך מאָל קען מען העלדיש קעמפֿן פֿאַר זײַנע פּאָליטישע רעכט, און זיך זייער חוצפּהדיק פֿאַרהאַלטן בנוגע דעם קעגנער, און פֿונדעסטוועגן טיף אין האַרצן האָבן התפּעלות און יראת־הכּבֿוד פֿאַר אים. און ערשט נאָך דעם ווי דער קאַמף איז פֿאַרענדיקט, הייבט ער ערשט אָן נאָכצואַמען[23] זײַן שונא, און וואַרפֿט זיך אים אונטער גײַסטיק.

אין דער געשיכטע האָבן מיר געהאַט אַ סך אַזעלכע פֿאַלן. רוים האָט באַזיגט גריכנלאַנד אויפֿן שלאַכטפֿעלד, אָבער די מעכטיקע רוים האָט איבערגענומען כּמעט דעם גאַנצן גריכישן קולט מיט איר קולטור. בשעת די גריכן זײַנען געווען פֿאַרשקלאַפֿט צו רוים, האָבן די רוימישע אַריסטאָקראַטן גערעדט און געשריבן דווקא גריכיש. דאָס זעלבע איז געשען שפּעטער מיט צענטראַל־אייראָפּע און פֿראַנקרײַך נאָך דעם נאַפּאָלעאָנישן קריג. מען קען אַ מאָל אַרויסווײַזן אומגעהײַערע גבֿורה און מוט אויפֿן שלאַכטפֿעלד, און פּאָליטיש אונטערזאָכן דעם קעגנער, און פֿאַרלירן דעם קאַמף אויפֿן גײַסטיק־קולטורעלן געביט.

די אגדה דערציילט [בראשית רבתי, בראשית] אַז פֿאַרן מבול זײַנען צוויי מלאכים — מחזאי ועזאל — אַראָפּ פֿון הימל כּדי צו מחזיר למוטבֿ זײַן די זינדיקע מענטשן. און דער סוף איז געווען אַז זיי האָבן זיך פֿאַרליבט אין די שיינע בנות־האָדם, אָנגעהויבן זינדיקן פּונקט ווי בשׂר־ודמס. ״ויראו בני האלהים את בנות האדם כי טובות הנה ויקחו להם נשים מכל אשר בחרו״ (בראשית ו, ב). די מעכטיקע בני־האלהים, וואָס קענען פֿיזיש באַהערשן די הילפֿלאָזע מענטשן, זײַנען געפֿאַנגען געוואָרן דורך דער שיינקייט פֿון די בנות־האָדם און פֿאַרלוירן זייער קאַמף.

פֿון דער אַנדערער זײַט זײַנען דאָ מענטשן וואָס פּאָליטיש זײַנען זיי גאָר ניט אַזוי שטאַלץ, און באַשיצן ניט צו יעדער צײַט עקשנותדיק זייערע רעכט. און טראָץ

21. ״ווער עס חנפֿעט אַ רשע וועט צום סוף אַרײַנפֿאַלן צו אים אין די הענט.״
22. ״און זאָלסט ניט משפּטן דײַן חבֿר ביז דו אַליין קומסט ניט אויף זײַן אָרט.״
23. נאָכצומאַכן (דײַטש).

דעם באַזיצן זיי גײַסטיק־קולטורעלע גאווה, און שאַצן זייערע ווערטן, אידעאַלן, און אָנשויונגען מיטן פֿולן באַוווסטזײַן פֿון זעלבסט־ווירדע און זעלבסט־ערע, און וועלן קיין מאָל נישט אויסליפֿערן זייערע גײַסטיקע אוצרות און פֿאַרקויפֿן די בכורה פֿאַר אַ נזיד־עדשים. פּאָליטישע שפּלות גייט ניט האַנט־אין־האַנט מיט גײַסטיקער שפּלות און הכנעה. דער בעסטער בײַשפּיל פֿון אַזאַ מין פּאַראַדאָקסאַלער גבֿורה איז ישׂראל סבֿא.

„וילן שם בלילה ההוא“ (בראשית לב, יד). ישׂראל סבֿא האָט געגעכטיקט אַ לאַנגע פֿינצטערע גלות־נאַכט, אין מיטל־עלטער און אין דער נײַער צײַט, אין אַלערליי געטאָס — שוצלאָז, הילפֿלאָז, רעכטלאָז, הפֿקר, פֿאַראַכטעט און עלנט. אין דער פֿרי פֿלעגט ער פֿלוסטערן[24] אַ מערקווערדיקע תּפֿילה: רבונו־של־עולם, איך מוז באַלד אַרויסגיין אין גאַס. איך מוז דאָך עפּעס פֿאַרדינען כּדי צו מפֿרנס זײַן מײַן פֿרוי און קינדער. איך ווייס דאָך אַז מײַן אויסזען וועט אויסרופֿן דאָס שימפֿוואָרט[25] „יוד“ אָדער „זשיד“ אָדער „דוירטי דזשו“, אַז אַ שטיין וועט פֿליִען מיר אין קאָפּ, אָדער אַ בייזער הונט, אָנגערייצט דורך אַ בייזן מענטשן, וועט אָנפֿאַלן אויף מיר. בעט איך דיך, ליבער גאָט, זע, אַז איך זאָל ניט אין כּעס ווערן און מײַן צונג און מײַנע ליפּן זאָלן ניט אינסטינקטיוו אַרויסזאָגן אומווערדיקע ווערטער. „אל־קי, נצור לשוני מרע ושפתי מדבר מרמה“. איך בעט דיך, רבונו־של־עולם, נאָך מער. איך זאָל מיך גאָרניט פֿילן באַליידיקט; עס זאָל מיר גאָרניט פֿאַרדריסן. „ולמקללי נפשי תדום, ונפשי כעפר לכל תהי“. זאָל זיך דער רודף שעמען, ניט איך.

און דער זעלבער ישׂראל סבֿא, אין מאָמענטן פֿון גזירות און בלבולים, פֿלעגט פּרובירן אָפּשרײַען די אכזריות פֿון זײַנע שׂונאים און אונטערדריקער פּשוט דורך שתּדלנות און תּחנונים, דורך שוחד און מתּנות: „ויקח מן הבא בידו מנחה לעשו אחיו“ (בראשית לב, יד). און באמת האָבן ייִדן דורך די מיטלען אַ סך גרויזאַמע גזירות מבֿטל געווען. דער שתּדלן פֿלעגט קומען צום פּריץ, אַ קוש טאָן אים אין האַנט און זאָגן: פּריצל, טו מיר אַ טובֿה, העלף מיר, דו ביסט דאָך אַזוי גוט און באַרעמהאַרציק. נעם צו די מתּנה. איך ווייס אַז דו זוכסט זי ניט. „ויהי לי שור וחמור צאן ועבד ושפחה ואשלחה להגיד לאדוני למצא חן בעיניך“ (בראשית לב, ו).

דאַכט זיך, אחד העם איז גערעכט: „האנשים האלה עדים המה על חורבן עמנו“. דאַכט זיך אַז די שאָטנס פֿון יהודה המכּבי און זײַנע פֿיר העלדישע ברידער לאַכן באמת אָפּ פֿון די קרומע רוקנס, ווילדע פּאות, שמוציקע קאַפּאָטעס,און מאוימדיקע העוויות און תּנועות פֿון די ירושלימדיקע שנאָרער און כּולל־ייִדן, אָדער די פּוילישע שטרײַמלעך און כאַלאַטן פֿון מיטל־עלטער. דאַכט זיך אַז ער, אחד העם, האָט טאַקע

24. שעפּטשען (דײַטש).
25. זידלוואָרט (דײַטש).

באמת דערהערט דאָס געלעכטער פֿון די חשמונאים איבער די חנוכּה־ליכטלעך, וואָס ישׂראל סבֿא, דער פּחדן, וואָס קושט עשׂון די האַנט און רופֿט אים ״אדוני״ און וויל געפֿינען חן ביי אים אין די אויגן, האָט געצונדן אין משך פֿון דורות.

אָבער וואַרט נאָר אויף איין ווײַלע. לאָמיר אונדז אַ ביסל לענגער פֿאַרווײַלן מיט ישׂראל סבֿא אין יענער לאַנגער נאַכט. וואָס פֿאַר אַ מתּנה האָט דער פּחדן ישׂראל סבֿא געשיקט עשׂון? ״ויקח מן הבא בידו מנחה לעשו אחיו״. ״הבא בידו — אבנים טובות ומרגליות״ [תנחומא, וישלח, יג]. בשעת ער האָט געוואָלט אויסנעמען ביי אדוני עשׂו האָט ער אים געשיקט אַלץ וואָס ער האָט געהאַט: אבֿנים טובות ומרגליות, ״עזים מאתים, תישים עשׂרים, רחלים מאתים, ואילים עשׂרים, גמלים מיניקות״ (בראשית לב, טו־טז), פּרים ופּרות — זײַן גאַנצן פֿאַרמעגן איז ער געווען גרייט אַוועקצוגעבן כּדי צו פֿאַרמײַדן אַ גזירה, אַ גירוש. כּדי צו באַפֿרײַען די ראשי־העדה פֿון געפֿענגעניש און אַזוי ווײַטער. אָבער חז״ל האָבן זייער שיין באַמערקט: ״מן הבא בידו — מן החולין ולא מן הקדשים״. אַלע מנחות, אַלע קרבנות, אַלע מתּנות, וועלכע ישׂראל סבֿא האָט אין יענער שרעקלעכער נאַכט געבראַכט דעם פּריץ, דעם אדוני עשׂו, זײַנען געווען מן החולין, פֿון זײַנע וואָכעדיקע נכסים, פֿון זײַנע עזים און רחלים און תּישים, אבנים טובות ומרגליות — פֿון זײַנע פּאָליטישע רעכט, פֿון זײַן באַקוועמלעכקייט און פּרנסה. כּל־זמן עשׂו האָט נאָר פֿאַרלאַנגט פֿון ישׂראל סבֿא ׳מן הבא בידו׳, עקאָנאָמישע גיטער, וואָס קענען געקויפֿט און פֿאַרקויפֿט ווערן פֿון האַנט צו האַנט, האָט ישׂראל אַרויסגעוויזן הכנעה און שפֿלות.

אָבער ווען עשׂון האָט זיך פֿאַרוואָלט אַ מנחה פֿון יעקבֿס קדשים, פֿון אינטימע הייליקטימער, פֿון זײַן קדושת־חיי־המשפּחה, פֿון זײַן שבת, פֿון זײַן כּשרות, פֿון זײַן אמונה, פֿון זײַן מסורה און קבלה; ווען עשׂו האָט פֿאַרלאַנגט אַ פּשרה בנוגע יעקבֿס תּורה און לעבנס־שטייגער, ניט פֿון הבא בידו נאָר פֿון הבא בלבו — דאַמאָלסט איז געשען אַ מערקווערדיקע טראַנספֿאָרמאַציע אין יעקבֿן. פּלוצלינג איז דער פּחדן, דער שטילער, באַשיידענער ישׂראל סבֿא געוואָרן אַ העלד, פֿול מיט מוט און עקשנות. פּלוצלינג איז דער קרומער רוקן אויסגעגליכן געוואָרן, די רחמנותדיקע אויגן האָבן אָנגעהויבן שפּריצן מיט פֿײַער און טראָציקייט, און ער, דער פּחדן, האָט אָפּגעזאָגט עשׂוס בקשה מיט חוצפּה און פֿעסטקייט.

״ויצו את הראשון לאמר כי יפגשך עשו אחי ושאלך לאמר, למי אתה ואנה תלך ולמי אלה לפניך. ואמרת לעבדך ליעקב מנחה היא שלוחה לאדני לעשו״ (בראשית לב, יח־יט). יעקבֿ פֿלעגט אָנזאָגן זײַנע שתּדלנים, וועלכע פֿלעגן אים פֿאַרטרעטן אין יענער פֿינצטערער גלות־נאַכט אין קיניגלעכע פּאַלאַצן אין דײַטשלאַנד, פּוילן, און רוסלאַנד, ״כי יפגשך עשו ושאלך לאמר, למי אתה ואנה תלך ולמי אלה לפניך״, אויב עשׂו זאָל אָנהייבן פֿאַרפֿירן מיט דיר אַ גאַנצע דעבאַטע און אָנהייבן זיך נאָכפֿרעגן וועגן דײַנע פּלענער לעתיד־לבֿא, וועגן דײַן אמונה, וועגן דײַנע האָפֿנונגען און אידעאַלן,

און וועט ווארשײַנלעך מאַכן אַ פּאָר זייער אָנציִענדע פֿאַרשלאָגן, ווי למשל "נסעה ונלכה ואלכה לנגדך" (בראשית לג, יב) — ער וועט וואַרשײַנלעך זאָגן אַז דיביידע רעליגיעס קענען זיך לײַכט פֿאַראייניקן, און מען קען צוזאַמען לעבן בשלום — זאָג אים, אַז כּל־זמן עס האַנדלט זיך וועגן חולין, וועגן געשעפֿט, וועגן פּאָליטיק, וועגן ווירטשאַפֿט, וועגן עזים ותישים, גמלים ואתונות, וועגן אבנים טובות ומרגליות, וועגן מן הבא בידו, וועגן דעם מאַטעריעלן רײַכטום, קענען מיר קאָאָפּערירן, און איך וועל ניט קאַרגן קיין עשירות כּדי בײַצושטײַערן צום לאַנד ווו איך וווין. אויב ער וויל אָט די מנחה וואָס איך שיק אים, מנחה מן הבא בידו, איז אַלץ זײַנס — מנחה היא שלוחה לאדוני לעשׂו. פּאָליטיש קען איך מאַכן פּשרות און געבן הנחות. איך קען אים אַפֿילו אַ קוש טאָן אין האַנט און אָנרופֿן אדוני עשׂו.

אָבער דאָס איז גילטיק כּל־זמן ער פֿרעגט נאָר "ולמי אלה לפניך" אויף דער מתּנה פֿון עזים מיט תּישים. אָבער אין דעם מאָמענט וואָס ער וועט פֿאַרלאַנגען מער, און ער וועט אָנהייבן בעטן ניט דעם רכוש, נאָר דעם נפֿש, ער וועט וועלן מײַן נשמה אַלס מנחה, די קדושה און טהרה פֿון מײַן משפּחה, מײַן שבת, מײַן גאָט, ער וועט פֿרעגן "למי אתה ואנה תלך" — וועמענס ביסטו אַלס גײַסטיקע פּערזענלעכקייט, אין וועלכן גאָט גלויבסטו, וועלכע ימים־טובֿים פֿײַערסטו, וואָס לערנסטו דײַנע קינדער, וואָס איז דײַן השקפֿה אויפֿן עתיד, וווּהין פֿירט דײַן לאַנגער וועג — זאָלסטו פּלוצלינג אָנפֿאַנגען ריידן אַן אַנדערע שפּראַך, אַ שפּראַך פֿון אַ שטאָלצן זיגרײַכן גיבור. דו זאָלסט אויפֿהערן אים בעטן און וועלן געפֿינען חן בײַ אים. דו זאָלסט אים ענטפֿערן שטאָלץ און שאַרף, "ואמרת לעבדך ליעקב": איך אַליין, מײַן נשמה, מײַן האַרץ, מײַנע געפֿילן, מײַנע האָפֿנונגען, און מײַן אמונה געהערן ניט דיר, נאָר יעקבֿן, ישׂראל סבֿא.

אויב דו פֿרעגסט "למי אתה ואנה תלך" איז די תּשובֿה: "לעבדך יעקב". פֿרעגסטו "ולמי אלה לפניך" איז די תּשובֿה: "לאדוני לעשׂו".

"ויצו גם את השני, גם את השלישי, גם את כּל ההולכים אחרי העדרים כּדבר הזה תדברון אל עשׂו אחי במצאכם אתו" (בראשית לב, כ). אָט אַזוי האָט יעקבֿ אָנגעזאָגט אין אַלע דורות אַלע זײַנע שתּדלנים און פּאָליטיקער. און אויב עס פֿלעגט זיך טרעפֿן, אַז אַ מאָל פֿלעגט זיך עשׂו אײַנשפּאַרן און פֿאַרלאַנגען מן הקדשים, פֿלעגט אָט דער סבֿלן, אָט דער פּחדן, אָט דער וואָס פֿלעגט דרײַ מאָל אַ טאָג זאָגן "ולמקללי נפשי תדום ונפשי כּעפֿר לכּל תּהיה", ווערן אַ קעמפֿער וואָס פֿלעגט מיט אָט דער עקשנות באַקעמפֿן עשׂון.

דער מאָדערנער ייִד איז פּונקט דער היפּוך. ווען עס קומט צו זײַנע פּאָליטישע רעכט, צו דעם הבא בידו, צו דעם ולמי אלה לפֿניך, צו די תּישים מיט עזים, צו די חולין, איז ער עַז כּנמר, פֿעסט און פֿאַרעקשנט, און מאָנט זײַנע רעכט. אָבער ווען עס האַנדלט זיך וועגן קדשים, וועגן דער עבֿודה שבלב, וועגן למי אתּה ואנה תּלך, ווײַזט ער אַרויס אַזוי פֿיל שפֿלות און הכנעה, אַז עס איז ממש צו שטוינען. דאַמאָלסט איז

ער גרייט צו פֿאַרקויפֿן אַלץ פֿאַר איין חניפֿה פֿון עשׂון. דער מאָדערנער ייִד, וואָס פֿאַרשטייט ניט, וואָרשײַנלעך, דעם ״אלוקי נצור״, מיט דער תּפֿילה ״ולמקללי נפשי תדום ונפשי כעפר לכל תהיה״, און וועט פֿאַר אַ באַמערקונג פֿון ״דוירטי דזשו״ גוט אָנברעכן די ביינער, וויל זייער און זייער געפֿינען חן בײַ עשׂון דערמיט וואָס ער גיט אים אַוועק זײַנע קדשים פֿאַר אַ מנחה. דער מאָדערנער ייִד קען אָנשרײַבן דרײַ בענדער מיט שירות־ותשבחות וועגן דעם נוצרי, זײַן מוטער, און שאול־איש־תּרשיש, וועמענס תּורות זײַנען אויסגעוווייקט אין ייִדישן בלוט, כּדי ער זאָל ווערן פּאָפּולער בײַ די גוים, אָדער פֿילײַכט אַ מאָל דעם נאָבעל־פּרײַז קריגן[26].

דער מאָדערנער ייִד מיט זײַן פֿאַרלאַנג נאָך פּאָליטישער פֿרײַהייט און גלײַכבאַרעכטיקונג שרײַבט אין אַ זשורנאַל אַז קריסטמאַס, למשל, איז אַ יום־טוב וואָס ייִדן דאַרפֿן אָפּהיטן, ווײַל דורך אים קען ער ערשט פֿאַרשטיין the meaning of giving, ד״ה די טיפֿקייט פֿון געבן צדקה. דער מאָדערנער ייִד קען שרײַבן אַז די ייִדישע אמונה איז טרוקן און טויט, ערשט אין קירך קען איינער פֿאַרשטיין די רײַכקייט פֿון רעליגיע. דער מאָדערנער ייִד, דער שטאָלצער, אויסגעפּוצטער, קולטיווירטער פּאָליטישער קעמפֿער, וואָס האָט גרויסע פֿאַרדינסטן פֿאַר דעם כּלל־ישׂראל, קען זיך פֿונדעסטוועגן ווענדן צו אַ גויִישער לאָר־סקול און בעטן אַז זי זאָל אים העלפֿן אויסאַרבעטן אַ געזעץ־סיסטעם פֿאַר מדינת־ישׂראל[27]. איר הערט, ״הצרי אין בגלעד״ (ירמיה ח, כב)? דער מאָדערנער ייִד זוכט יושר און צדק בײַ די אומות־העולם. תּורת־משה און די נבֿיאים און די חכמי חז״ל זײַנען ווייניק.

דער מאָדערנער ייִד פֿון דער אַמעריקען דזשויִש קאָמיטי חזרט איבער פּופּציק מאָל אַז ער האָט קיין שײַכות ניט מיט ארץ־ישׂראל. אַלץ וואָס ער טוט פֿאַר דעם לאַנד איז נאָר צוליב הומאַניטאַרע מאָטיוון, פּונקט ווי איינער אַרבעט פֿאַר דער רעהאַביליטאַציע פֿון גריכנלאַנד. דער מאָדערנער ייִד האָט שטאַרק מורא אַז טאָמער וועט די קאָנסטיטוציע אין ארץ־ישׂראל זײַן טעאָקראַטיש און ניט שטימען מיט די פּרינציפּן פֿון מאָנטעסקיע, וואָלטער, רוסאָ[28] און דזשעפֿערסאָן. דער מאָדערנער ייִד פֿאַרשטייט חולינדיקע גאווה, אָבער האָט קיין פֿאַרשטענדעניש ניט פֿאַר קדשים־גאווה.

איך וויל דאָ פּאַראַפֿראַזירן אחד העמס שאלה: ״ישׂראל סבא עד הוא על הכנעה פּוליטית, על עבדות גופנית. והאנשים המודרנים האלה עדים המה על הכנעה רוחנית, על עבדות הנפש. איזה משתי ההכנעות נוראה מחברה, ועל איזו מהן נבכה

26. אַן אָנווונק אויפֿן ייִדישן שרײַבער שלום אַש (1880–1957), און זײַנע דרײַ קריסטאָלאָגישע ראָמאַנען דער *מאַן פֿון נצרת* (ענגלישע איבערזעצונג: 1939, אויף ייִדיש: 1943), *דער אַפּאָסטאָל* (ענגלישע איבערזעצונג: 1943), און *מרים* (ענגלישע איבערזעצונג: 1949, אויף ייִדיש: 1951).

27. געמיינט חיים ווײַצמאַן, דער ערשטער פּרעזידענט פֿון מדינת־ישׂראל.

28. דענקער פֿון דער פֿראַנצייזישער אויפֿקלערונג אין אַכצנטן יאָרהונדערט.

ביותר?״[29]. און איך וויל ענטפֿערן מיט זײַן נוסח: ״גאות פּוליטית כי תחרב, והרוח מלא חיים וכוח — יקומו לו אנשים כעזרא ונחמיה ויגאלוהו״[30]. ישׂראל סבֿא האָט דורך די הונדערטער און טויזנטער יאָרן פֿון פֿינצטערן גלות געוואַרט אויף דער גאולה און אויפֿגעהאַלטן די אמונה אין מלך־המשיח. לעבנדיק טויזנטער תּשעה־באָבֿס, איז ער געזעסן אויף דער ערד און האָט געקלאָגט ״בליל זה יבכיון וילילו בני, בליל זה חרב בית קדשי ונשׂרפו ארמוני״, און האָט געבענקט נאָך דעם ארץ־אָבֿות, ביז וואַנעט די אתחלתּא־דגאולה איז געקומען, און ער האָט צוריקגעוווּנען אויף זײַנע חולין, זײַן פּאָליטישע פֿרײַהייט.

אמת, דער מאָדערנער ייִד פֿאַרשטייט עס ניט און אָנערקענט עס ניט. בשעת ווײַצמאַן האָט געעפֿנט די כּנסת אין ישׂראל צום ערשטן מאָל, האָט ער אויסגערעכנט אַלע לוחמים וחולמים, וואָס האָבן מיט זייער מסירת־נפֿש בײַגעשטײַערט צו דעם גרויסן נס פֿון מדינת־ישׂראל. אָנגעהויבן האָט ער מיט דער השׂכּלה־ליטעראַטור און די בילוצעס אין 1881. און פֿאַרגעסן האָט ער צו דערמאָנען אָט די אַלע דורות פֿון רבן יוחנן בן זכּאַי אָן, ביז ר׳ מענדל וויטעבסקער, וואָס האָבן געהאַלטן אין איין האָפֿן ״מחר יבנה בית המקדש״, און האָבן — ניט געקוקט אויף אַלע גזירות און רדיפֿות, און ניט געקוקט אויף דעם שפּאָט און געלעכטער וואָס איז געווען אַדרעסירט אויף זייער משיח־ראָמאַנטיק — געפֿאַסט און געטרויערט אויף חורבן־המקדש, און געחלומט וועגן בית נשׂא בראש כּל הרים.

לייענענדיק מיט אַ צײַט צוריק ווײַצמאַנס רעדע, האָב איך מיך ניט ווילנדיק דערמאָנט די מעשׂה מיט רחלען, די שיינע רײַכע טאָכטער פֿון דעם ירושלימער אַריסטאָקראַט וואָס האָט זיך פֿאַרליבט אין דעם פּאַסטעך עקיבֿא, און האָט אים אַוועקגעשיקט לערנען אויף גאַנצע פֿיר און צוואַנציק יאָר. אין צווישן איז זי אַלט און מיאוס געוואָרן. און בשעת איר מאַן, רבי עקיבֿא, איז געקומען צוריק מיט גרויס כּבֿוד און פּאַראַד אין שטעטל, האָט זי זיך אײַנגעוויקלט אין אַן אַלטער טוך און איז אַרויס מקבל־פּנים זײַן איר רבי עקיבֿא, האָבן איר די תּלמידים אָפּגעשטופּט. ״ווו קריכט זי, די אַלטע בעטלערין!״ האָט זיך רבי עקיבֿא אָפּגערופֿן: ״הניחו, הניחו לה, שלכם ושלי — שלה״ [כתובות סג, ע״א]. שטופּט זי ניט אַוועק. אַלץ געהערט איר. ווען ניט זי, ווער ווייס וואָס און ווער איך וואָלט הײַנט געווען?

אָן דעם אַלטן יעקבֿן, אָן דעם ישׂראל סבֿא, דעם פּאָליטישן פּחדן און גײַסטיקן העלד, ווער ווייס וואָס עס וואָלט געשען צו דער כּנסת־ישׂראל? פֿאַרטײַטשנדיק אחד

29. ״ישׂראל סבֿא איז אַן עדות צו פּאָליטישער הכנעה, צו פֿיזישער קנעכטשאַפֿט. און די דאָזיקע מאָדערנע מענטשן זײַנען עדות צו גײַסטיקער הכנעה, צו גײַסטיקער קנעכטשאַפֿט. וועלכע פֿון די צווי הכנעות איז די ערגערע? וועלכע פֿון זיי זאָל מען מערער באַווײַנען?״

30. ״אויב דער פּאָליטישער שטאָלץ וועט חרובֿ, און דער גײַסט איז נאָך פֿול מיט לעבן און כּח, וועלן אויפֿקומען מענטשן ווי עזרא און נחמיה און אים אויסלייזן.״

העמס לשון וויל איך זאָגן ווײַטער: ״גאוות רוחנות, חירות הנפש כּי תחרב — מי יקום לו, מאין יבא עזרו?״[31]. ווי לאַנג וועט דער מאָדערנער ייִד, וואָס האָט מורא מקול עלה נדף, און ציטערט טאָמער וועלן אים די גויים חושד זײַן אין טאָפּלטער לאָיאַליטעט, אויסהאַלטן אין גלות? שכם האָט געוואָלט ווערן יעקבֿס אײדעם און עס איז אים נישט געלונגען. אחד העמס אײדעם איז געוועזן אַ כּשערער שווייצאַרער.

אויב די שאָטנס פֿון די מכבּים לאָכן, לאַכן זיי ניט פֿון די חנוכּה־ליכטלעך פֿון ישׂראל סבֿא. זײַן חנוכּה איז אַ חנוכּה לדורות. דער חנוכּה פֿון אַ פֿאָלק וואָס ווייס, אַז כּל־זמן די קדשים ווערן אײַנגעהיט איז זײַן עקסיסטענץ געזיכערט. ״וכל שמונת ימי חנוכּה הנרות הללו קודש הם.״ און די קדושה איז געהיט געוואָרן בלילה ההוא, ״ויאבק איש עמו עד עלות השחר״ (בראשית לב, כה). די מכבּים האָבן אויך מער געקעמפּט פֿאַר קדושה, ווי פֿאַר חולין.

״וישב המלאך הדובר בי ויעירני כּאיש אשר יעוֹר משנתו. ויאמר אלי מה אתה רואה, ואמר ראיתי והנה מנורת זהב כּולה, וגלה על ראשה ושבעה נרותיה עליה, שבעה ושבעה מוצקות לנרות אשר על ראשה. ושנים זיתים עליה אחד מימין הגלה ואחד על שׂמאלה״ (זכריה ד, א–ג). דער מלאך ווײַזט זכריהון די וויזיע פֿון גאולה, דעם סימבאָל פֿון דער כּנסת־ישׂראל, די מנורה, צוריק אויף איר פּלאַץ אין היכל, צוריק אויסגעפּוצט, דעקאָרירט, צוריק אָנגעפּילט מיט שמן זית, און באַלד וועט דער ייִדישער היסטאָרישער מזל אָנהייבן לײַכטן. זכריהו זעט די דמדומי חמה, דעם זונאויפֿגאַנג פֿון דער כּנסת־ישׂראל. אָבער זכריהו פֿאַרשטייט ניט די וויזיע. ער ווייס, אַז פּאָליטיש איז ישׂראל נאָך פֿאַרשקלאַפּט צו פּרס. די שבֿי־הגולה האָבן נאָר אַ באַגרענעצטע אויטאָנאָמיע, זיי זײַנען אַרומגערינגלט פֿון אַ סך שׂונאים, אָרעם, עלנט און אײנזאַם.

וואָס באַטײַט די נבֿואה? די מנורה, דער פּאָליטישער גורל, איז נאָך ווײַט פֿון לײַכטן. ״ואען ואמר אל המלאך הדבר בי לאמר: מה אלה אדוני? ויען ויאמר אלי לאמר״ (פּסוקים ד–ה): אין בית־שני וועלן ייִדן אַנטוויקלען אַ נײַעם סאָרט גבֿורה, אַ שטאָלץ, אַ זעלבסטווערדע, אַ נײַעם געפֿיל פֿון גאוות און חשיבֿות וואָס וועט זיך נישט אויסדריקן דווקא אין העלדנטום אויפֿן פּאָליטיש־מיליטערישן געביט, אין תּחום פֿון חולין, נאָר אויפֿן רעליגיעז־גײַסטיקן געביט, אין תּחום פֿון קודש. זיי וועלן אַנטוויקלען אַזאַ פֿעסטע אמונה און אומזיגבאַרן עקשנות צו פֿאַראייביקן זיך, אַז דורך אָט דער גבֿורה וועלן זיי ווערן אַן עם־הנצח. אָט די גבֿורה איז פֿיל וויכטיקער ווי פּאָליטיש־מיליטערישע נצחונות. ״ויען ויאמר אלי, זה דבר ד׳ אל זרבבל לאמר, לא בחיל ולא בכח כּי אם ברוחי אמר ד׳ צבא־ות״ (פּסוק ו). אויב די גבֿורה איז דאָ,

---

31. ״אויב דער גײַסטיקער שטאָלץ, די גײַסטיקע פֿרײַהײַט, ווערט צעשטערט, ווער וועט אויפֿקומען, און פֿון וואַנעט וועט קומען זײַן הילף?״

וועט פּאָליטישע פּרײַהייט סוף־כּל־סוף ממילא קומען. זי קען באַזיגן די גרעסטע שוועריקייטן. "מי אתה הר הגדול לפני זרבבל למישור...תשואות חן חן לה" (פּסוק ז).

אָט די מנורה פֿון זכריה איז דער ייִדישער נר־תּמיד, די חנוכּה לדורות, וואָס מיר פּײַערן.

"'וידבר ד' אל משה לאמר, דבר אל אהרן ואמרת אליו בהעלתך את הנרות אל מול פּני המנורה יאירו שבעת הנרות' (במדבר ח, א–ב): למה נסמכה פּרשת המנורה לפּרשת הנשׂיאים? לפי שכשראה אהרן את חנוכּת הנשׂיאים חלשה אז דעתו, שלא היה עמהם בחנוכּה, לא הוא ולא שבטו. אמר לו הקדוש־ברוך־הוא: חייך, שלך גדולה משלהם, שאתה מדליק ומטיב את הנרות. קרבּנות הנשׂיאים, כּל זמן שבית־המקדש קיים הן נוהגים, אבל הנרות לעולם אל מול פּני המנורה ואינן בטלין לעולם"[32] [רש"י דאָרטן, במדבר רבה טו, ה].

דער נשׂיא, דער פּאָליטישער פֿאָרשטייער פֿון פֿאָלק, זײַן קאַמף קומט שטענדיק פֿאַר אויפֿן פּאָליטיש־סאָציאַלן שטח. ער איז שטענדיק אין דער עפֿנטלעכקייט. און דער ציבור פֿאַרשטייט גוט. דער נשׂיא איז דראַמאַטיש. יעדע באַוועגונג זײַנע ווערט באַריכטעט, יעדע מתּנה, יעדער מנחה און קרבּן ווערט געגנוי געמאָלדן. "ויהי המקריב ביום הראשון את קרבּנו נחשון בן עמינדב. וקרבּנו קערת כּסף אחת שלשים ומאה משקלה, מזרק אחד כּסף שבעים שקל בשקל הקדש...כּף אחת עשׂרה זהב מלאה קטורת" (במדבר ז, יג–יד), און אַזוי ווײַטער. ביום השני — נתנאל בן צוער, ביום השלישי — אליאב בן חלון, ביום הרביעי — אליצור בן שדיאור.

די פּאָליטישע פּירערס, די מנהיגי־העם אויפֿן געביט פֿון מלכות און ממשלה, ווערן באַשאָטן מיט כּבֿוד. זיי זײַנען אָנוועזנד בײַ יעדער חגיגה, און עס דאַכט זיך אַז זיי קומט דער יישר־כּוח פֿאַר אַלץ. דאָס פֿאָלק פֿאַרשטייט זייער גוט פּאָליטישע נצחונות. אַ קאַמף בחרבֿ ובקשת, דער קאַמף פֿון וירק את חניכיו. "חלשה דעתו של אהרן כשלא היה עמהם בחנוכּה, לא הוא ולא שבטו." ישׂראל סבֿא האַלט זיך אַ ביסל נידערגעשלאָגן, דעפּרעמירט. אָט דער שטילער, באַשיידענער, עניוותדיקער אהרן, וואָס האָט אַ סך מאָל זיך געלאָזן באַליידיקן און וואָרפֿן שטיינער, און אַ סך מאָל האָט ער זיך געבויגן פֿאַר אדוני עשׂו, האָט אָבער, ניט געקוקט אויף דעם, געהאַלטן די מנורה ברענענדיק, לײַכטנדיק, און אָפּגעהיט איר קדושה מיט מסירת־נפֿש און אומבאַגרענעצטער ליבע. און ווען ניט ער און זײַן געטרײַשאַפֿט צו קדושה און משכּן,

32. "פֿאַר וואָס שטייט די פּרשה פֿון צינדן די מנורה לעבן דער פּרשה פֿון די קרבּנות פֿון די נשׂיאים? ווען אהרן האָט געזען די חנוכּת־המזבח פֿון די נשׂיאים מיט זייערע קרבּנות, איז ער בײַ זיך שוואַך געוואָרן, וואָס ער איז ניט געווען דערבײַ, ניט ער און ניט זײַן שבֿט. האָט הקדוש־ברוך־הוא אים געזאָגט: איך שווער דיר בײַ דײַן לעבן, אַז דײַן באַנײַונג [פֿון דער מנורה] איז גרעסער פֿון זייער באַנײַונג [פֿונעם מזבח]. וואָרעם דו צינדסט אָן די ליכט און באַגיטיקסט זיי. די קרבּנות פֿון די נשׂיאים זײַנען נוהג כּל־זמן דער בית־מקדש איז קיים, אָבער די ליכט וועלן שטענדיק זײַן 'אַנטקעגן דער מנורה', און וועלן קיין מאָל ניט בטל ווערן."

ווער ווייס צי די נשׂיאים וואָלטן געקענט עפּעס אויפטאָן? ווער ווייס צי עס וואָלט געווען צו וואָס מנדבֿ זײַן קערת כּסף, מזרק אחד כּסף, כּף אחת עשׂרה זהב? פֿילײַכט וואָלט אַלץ געווען פֿאַרשפּאָרט.

אָט דער אהרן האָט זיך געפֿילט פֿאַרגעסן און מבֿויש. אים דערמאָנט מען גאָרניט, אים לויבט מען ניט, זײַן אַרבעט ווערט פֿאַרשוויגן. ״אמר לו הקדוש־ברוך־הוא: חייך שלך גדולה משלהם״: ווער ניט נתפּעל, דײַן ראָלע אין דער געשיכטע וועט קיין מאָל פֿאַרגעסן ווערן. און דער זוכר כּל הנשכּחות ווייס די ראָלע וואָס אהרן, ישׂראל סבֿא, האָט געשפּילט אין פֿאַראייביקן די כּנסת־ישׂראל. די שטילע אַרבעט פֿון אַ רחל, וואָס מען האָט געוואָלט אָפּשטופּן אין אַ זײַט. דײַן ביישטײַערונג וועט שטענדיק לײַכטן. ״חייך שאתּה מדליק את הנרות.״ דײַנע לײַסטונגען וועט קיין חורבן און קיין גלות ניט אָפּמעקן. דײַן חנוכּה איז חנוכּה לדורות, די ליכט וואָס דו האָסט אָנגעצונדן נוהגים בין בזמן שבית־המקדש קיים ובין בזמן שאין בית־המקדש קיים.

די אהרן־חנוכּה פֿײַערן מיר הײַנט. ערשט דורך אים און צוליב אים האָבן די נשׂיאים פֿון הײַנט, די נחשון בן עמינדבֿס, געקענט זיך אַזוי אויסצייכענען אין די לעצטע יאָרן — ״שלך גדול משלהם״.

חנוכּה, תּשי״ג

מוריה

די בעלי־הקבלה, און ספּעציעל חב״ד, האָבן אַ סך גערעדט וועגן דער אַנטיטעזע (שני הפּכים) פֿון עלמא דאתכּסיא און עלמא דאתגליא. געמיינט מיט דעם אויסדרוק האָבן זיי אַז דאָס בולטע, ממשותדיקע, וואָס די מענטשלעכע חושים קענען אויפֿכאַפּן, איז נאָר די לעצטע פֿאַזע פֿון אַ לאַנגן עוואָלוציאָנערן פּראָצעס וואָס איז פֿאָרגעקומען שטילערהייט, פֿאַרבאָרגן פֿון דער מענטשלעכער אויג, וועלכע קען נאָר עמפּפֿינדן[1] זאַכן וועלכע זענען אין גאַנצן פֿאַרטיק און רײַף, דעם נגלה, אָבער ניט דעם נעלם.

דער געדאַנק איז גרונטזעצלעך אַ וויסנשאַפֿטלעך־פֿילאָסאָפֿישער יסוד, אויף וועלכן אַלע עוואָלוציע־טעאָריעס באַזירן זיך, און איז אָנווענדבאַר אויף דער גאַנצער בריאה. אָבער ער איז פֿון אויסעראָרדנטלעכער חשיבֿות אויפֿן געביט פֿון געשיכטע־פֿאָרשונג און געשיכטלעכער פֿאַרשטענדעניש. אַ סך טעותן און קורצזיכטיקע השקפֿות שטאַמען פֿון דעם וואָס די מאַסע, און אַ סך מאָל אויך אינטעליגענטע מענטשן און היסטאָריקער, זעען נאָר די פֿאַרטיקע, קאָנקרעטע פֿאַזע, די עלמא דאתגליא אין דער געשיכטע, און נישט דאָס באַהאַלטענע, מיסטעריעזע, די עלמא דאתכּסיא, וואָס איז די סיבת־הסיבות פֿון אַלץ. און ממילא קריגט מען אַ קרומען בילד און אַ פֿאַלשע אָפּשאַצונג וועגן היסטאָרישע תּקופֿות, געשעענישן, און פּערזאָנען.

און אויב עס איז דאָ אַ היסטאָרישער יום־טובֿ וואָס איז מיספֿאַרשטאַנען געוואָרן דורך אַלע וואָס האָבן געשריבן איבער אים, איז עס חנוכּה. די אורזאַך פֿון דעם אַלגעמיינעם טעות איז וואָס די אייגנאַרטיקייט פֿון יום־טובֿ חנוכּה, און די עיקרים וואָס האָבן געפֿירט צו זײַן עטאַבלירונג, זײַנען נישט אַרײַן אין די כּתבֿי־הקודש, און

1. שפּירן (דײַטש).

מיר האָבן נישט קיין אָפֿיציעלן נבֿואה־נוסח וועגן זײַן הינטערגרונט און מהות. און ממילא איז ער געוואָרן אַ מין שׂדה הפֿקר שהכּל דשים בה, און זאָגן וואָס זיי ווילן. אַפֿילו יענער אַנאָנימער מחבר פֿון ספֿר החשמונאים, אַ בן פֿון יענער תּקופֿה, האָט נאָר אָנגעהויבן צו פֿאַרשטיין דעם אינהאַלט און דעם באַטײַט פֿון יום־טובֿ. אַלע זעען נאָר די עלמא דאתגליא פֿון חנוכּה, און אַלע באַוווּנדערן אים. די מעשׂה מיט העראָיִזם אויפֿן שלאַכטפֿעלד, מיט מיליטערישע נצחונות ("על התּשועות ועל המלחמות"), און אַפֿילו דעם אָפֿענעם נס מיטן פּך־השמן, פֿאַרשטייען אַלע. אָבער די עלמא דאתכּסיא — דעם מיסטעריעזן ווונדער — באַמערקט מען גאָרניט.

באמת, ווען מען זאָל באַגרענעצן דעם נס פֿון חנוכּה נאָר צו דער עלמא דאתגליא, וואָלט מען הײַנט נישט געדאַרפֿט פֿײַערן אַ יום־טובֿ. ווייניק מיליטערישע נצחונות האָבן מיר געהאַט אין אונדזער געשיכטע? און פֿונדעסטוועגן פֿײַערן מיר זיי ניט. ווײַל, באַנוצנדיק אַ פֿראַזע פֿון רמב"ם בנוגע קדושה, "קדשה לשעתּה ולא קדשה לעתיד לבא. כּיון שנלקחה הארץ מידם, בטל הכּיבוש ובטלה הקדושה"[2] [רמב"ם, הלכות בית הבחירה ו, טז]. אַ מיליטערישער נצחון, אַ פּאָליטישער געווינס, איז ניט אייביק. אַ שפּעטערדיקע מפּלה ווישט אַלץ אָפּ. און בנוגע דעם נס פֿון פּך־השמן: ווייניק נסים האָבן מיר געהאַט אין בית־המקדש? דער נר־תּמיד פֿלעגט ברענען אַ גאַנצן טאָג ביז די צײַטן פֿון שמעון הצדיק, און דאָך מאַכן מיר ניט קיין יום־טובֿ. ווײַל וואָס איז די פּעולה אַז ער האָט געברענט דורך אַ נס, אויב ער האָט זיך שפּעטער פֿאַרלאָשן? בטל הנס — בטלה שׂמחה. אויב חנוכּה איז געבליבן אַ יום־טובֿ לדורות, איז דאָך אַ סימן אַז מיר פֿרייען זיך ניט נאָר מיט דער עלמא דאתגליא בימים ההם, נאָר מיט דער עלמא דאתכּסיא בזמן הזה. און ווײַטער מוזן מיר דעם נס דאתכּסיא פֿאַרשטיין, אַניט האָט דער גאַנצער יום־טובֿ קיין זינען ניט.

אין בית־שני זײַנען שׂונאים אַרײַן אין בית־המקדש צוויי מאָל: איין מאָל — די יוונים בימי חשמונאים, "כּשנכנסו יונים להיכל", און אַ צווייטן מאָל — די רוימער, "טיטוס נכנס לבית קדשי־הקדשים" [בראשית רבה י, ז, א"א]. פֿאַר יידן איז עס אַ נאַציאָנאַלע טראַגעדיע ווען אין קדשי־קדשים אָדער אין היכל מאַרשירן אַרײַן יוונישע אָדער רוימישע סאָטראַפּן. נישט אומזיסט קלאָגט דער תּהילים (עט, א) "באו גוים בנחלתיך". אָבער דאָך איז דאָ אַ גרונטזעצלעכער אונטערשיד צווישן דער אינוואַזיע פֿון בית־המקדש דורך טיטוסן און די דורך אַנטיוכוסן.

בשעת טיטוס' לעגיאָנען האָבן דעראָבערט ירושלים און זײַנען אַרײַנגעגאַנגען אין בית־המקדש, האָבן זיי אים חרובֿ געמאַכט, פּשוט פֿאַרברענט. דער רעזולטאַט פֿון

2. "ער האָט זי מקדש געווען אויף איר צײַט, אָבער נישט אויף אייביק. אַזוי ווי דאָס לאַנד איז צוגענומען געוואָרן בײַ זיי, און דאָס אײַננעמען איז בטל געוואָרן, איז אויך די קדושה בטל געוואָרן."

רוימישן נצחון איז געווען חורבן־המקדש: ״נטל סיף וגדר את הפרוכת״[3] [אבות דרבי נתן, פרק ז]. אָט ווען די יוונים זיַינען אַרײַנגעדרונגען אין בית־המקדש האָבן זיי קיין זאַך ניט אָנגערירט, ניט אָנגעטאָן קיין שאָדן צום היכל אָדער צו דער עזרה. אַלץ איז געבליבן אין טאַקט[4]. וואָס האָבן זיי געטאָן דאָרטן? דערציילט אונדז די ברייתא אין שבת [דף כא, ע״ב]: ״כשנכנסו יונים להיכל טמאו את כל השמנים״. זיי האָבן מטמא געווען די אייל מיט וועלכע מען צינדט די מנורה. די רומאים האָבן פֿאַראורזאַכט חורבן, די יוונים — טומאת השמנים. פֿאַר וואָס האָבן די יוונים ניט חרובֿ געמאַכט אויך דעם היכל? זיַינען זיי געווען אָנשטענדיקער ווי די רוימער? חס־ושלום! כּדי צו פֿאַרשטיין די היסטאָרישע דערשײַנונג דערפֿון, באַנוצן [....] ישן[5] מאָטיוו.

די גמרא זאָגט אין מועד קטן [דף כו, ע״א]: ״אמר רב הונא: הרואה ספר תורה שנשׂרף, חייב לקרוע שתּי קריעות, אחד על הגויל ואחד על הכּתב, שנאמר ׳אחרי שׂרוף המלך את המגילה ואת הדברים׳ (ירמיה לו, כז)״[6]. דער דין איז דאָך אַ ביסל אומפֿאַרשטענדלעך. די גמרא דערציילט אין עבֿודה זרה [דף יח, ע״א] אַז בשעת מען האָט פֿאַרברענט ר׳ חנינא בן תּרדיון ״וספר תּורה עמו״, האָבן אים די תּלמידים געפֿרעגט: ״רבי, מה אתּה רואה?״ האָט ער זיי געענטפֿערט: ״גוילין נשׂרפין ואותיות פורחות״. ברענען טוען נאָר די גוילין, דער פֿאַרמעט, אָבער די אותיות ווערן ניט פֿאַרברענט. קען מען דאָך קיין אותיות ניט פֿאַרברענען. פֿאַר וואָס זשע פֿאַרלאַנגט רבֿ הונא צוויי קריעות — אחת על הגויל ואחת על הכּתבֿ?

דער תּירוץ איז פּשוט: עס ווענדט זיך ווער עס ברענט און ווער עס פֿאַרניכטעט די ספֿר־תּורה. ווערט אַ ספֿר־תּורה געברענט און געריסן און געטראָטן און געשענדט דורך די גויים, דעמאָלט ווערן פֿאַרניכטעט נאָר די גוילין, דער פֿאַרמעט, די פֿיזישע געשטאַלט פֿון דער ספֿר־תּורה. אַ גוי, ווי מעכטיק ער זאָל ניט זיַין, אַפֿילו אנדרינוס בשעתּו, האָט נאָר שליטה איבער די גוילין. די אותיות בלײַבן גאַנץ, זיי קען ער ניט פֿאַרברענען. זיי שוועבן אין דער לופֿט. פֿאַרקערט, וואָס מער גוילין ער ברענט, אַלץ מעכטיקער ווערן די אותיות, און להכעיס אים געפֿינען זיי נײַע גוילין וועלכע זיי באַדעקן מיט זייער שריפֿט. ״על כל קוץ וקוץ תּלי תּילים של הלכות״ [עירובין כא, ע״ב]. אויף יעדן דאָרן און דאָרן איז געווען בערג מיט הלכות. אויף יעדער גזירת־המלכות, אויף יעדער גזירת־השמים, נײַע בערג מיט הלכות און דינים. ווען דער רוימישער תּלין האָט געברענט רבי חנינא בן תּרדיון, האָבן די אותיות פֿון דער ספֿר־

3. ״ער האָט גענומען אַ שווערד און האָט אַראָפּגעשניטן דעם פּרוכת.״
4. גאַנץ (ענגליש).
5. ווערטער נישט לייענעוודיק אין כּתבֿ־יד.
6. ״ווער עס זעט ווי אַ ספֿר־תּורה ווערט פֿאַרברענט איז מחויבֿ צו רײַסן קריעה צוויי מאָל, איין מאָל פֿאַרן פֿאַרמעט און איין מאָל פֿאַרן שריפֿט, ווי עס שטייט אין פּסוק ׳נאָך דעם ווי דער מלך האָט פֿאַרברענט די מגילה מיט די ווערטער׳ (ירמיה לו, כז)״.

תּורה געטאַנצט אין דער לופֿטן און געבלאָזט אין פּנים אַרײַן. דאַמאָלסט האָט מען נאָר געדאַרפֿט איין מאָל קריעה רײַסן — על הגוילין ולא על הכתבֿ.

אָבער בשעת ייִדן הוליען און ברענען ספֿרי־תּורה ווי יהויקים בשעתו, דאַמאָלסט פֿאַרניכטן זיי ניט נאָר די גוילין, נאָר הויפּטזאַכלעך דעם כּתבֿ, די אותיות, דעם גײַסט, די נשמה. אַ גוי קען חרובֿ מאַכן די ווענט, אַ ייִד מאַכט טמא די נשמה.

ווי טײַטשט דער חתם־סופֿר: "'מזמור לאסף, אלקים באו גוים בנחלתך' (תהילים עט, א): מזמור לאסף? קינה לאסף מיבעי ליה! מזמור לאסף ששפך כעסו על עצים ואבנים"[7] [לויט איכה רבה ד]. אסף זינגט, ווײַל די רוימער האָבן נאָר געהאַט מאַכט איבער עצים ואבֿנים, איבער דעם בית־המקדש של מטה. פֿאַר וואָס? ווײַל 'באו גוים בנחלתך', ווײַל גויים און ניט ייִדן זײַנען אַרײַן אין היכל. וואָלטן ייִדן אַרײַן, וואָלטן זיי ניט נאָר פֿאַרניכטעט דעם בית־המקדש, נאָר אויך דעם בית־המקדש־של־מעלה, די ייִדישע נשמה, מבֿטל געווען דעם צלם־אל־קים, מטמא געווען די שכינה, פֿאַרברענט די אותיות. דעמאָלט וואָלט אסף קיין מזמור ניט געקענט זינגען. נאָר מיר ייִדן, מערסטנס, טשעפּען נישט דעם גויל, אָדער דעם בית־המקדש־של־מטה, די עצים ואבֿנים. פֿאַרקערט, די חיצוניות פֿון קדושה זײַנען זיי שטאַרק מכבד. ייִדן מאַכן ניט חרובֿ, זיי זײַנען מטמא.

[...][8]

בשעת די עלמא דאתגליא פֿון חנוכּה באַשטייט פֿון שעבוד־מלכויות און חירות, די רעטונג פֿון די גוילין מתּוך האש, דאָס פֿאַרניכטן פּאַגאַנישע סטאַטועס און געצן, אויסטרײַבן גויים פֿון בית־המקדש און ירושלים — מיינט די עלמא דאתכּסיא פֿון חנוכּה עפּעס אַנדערש. דער הויפּט־שׂונא אין דער עלמא דאתכּסיא איז טומאה, טומאת־הנפֿש, טומאת־האותיות.

די חשמונאים האָבן געקעמפּט נישט נאָר קעגן דעם שעבוד־מלכויות, נאָר אויך, און אפֿשר ספּעציעל, קעגן טומאה, פֿאַר טהרת־הנפֿש פֿון דער גאַנצער כּנסת־ישׂראל. און זיי האָבן מצליח געווען אין דעם קאַמף, פּונקט ווי אין פּאָליטישן געראַנגל. זיי האָבן דערוויזן, אַז מען קען ניט נאָר שלאָגן אַ שׂונא אויפֿן שלאַכטפֿעלד, נאָר אויך מער, ריין מאַכן די טומאת־הנפֿש פֿון אַ גרויס פֿאָלק, וואָס איז געזונקען טיף, טיף אין די אָפּגרונטן פֿון טומאה און זוהמת־הנפֿש און זוהמת־הרוח. אַ פֿאָלק קען אין אַ קורצער צײַט ווידער געבוירן ווערן, זיך באַנײַען, און זיך רייניקן. זיי האָבן באַוויזן, אַז מען קען באַווײַזן דעם ווונדער פֿון "וזרקתּי עליכם מים טהורים וטהרתּם מכּל טמאותיכם ומכּל גלוליכם אטהר אתכם" (יחזקאל לו, כה).

---

7. "'אַ מזמור פֿון אסאָף. גאָט, פֿעלקער זײַנען געקומען אין דײַן אַרב'. אַ מזמור פֿון אסאָף? עס וואָלט געדאַרפֿט שטיין 'אַ קינה פֿון אסאָף'! אַ מזמור פֿון אסאָף וואָס ער, דער רבונו־של־עולם, האָט אויסגעגאָסן זײַן כּעס אויף האָלץ און שטיינער."

8. דאָ פֿעלט אַ זײַט פֿון כּתבֿ־יד. (די פּאַגינאַציע אין כּתבֿ־יד שפּרינגט פֿון ז' 4 אויף ז' 6.)

דער נס פֿון נצחון־הטומאה האָט אַן אייביקייט־ווערט, ווײַל זײַט די חשמונאים־תּקופֿה איז דער רובֿ־מנין ורובֿ־בנין פֿון ייִדישן פֿאָלק טרײַ געבליבן אונדזער אמונה. מיר האָבן געהאַט אָפּטריניקע סעקטעס, משומדים, מומרים, אָבער דאָס פֿאָלק אַלס אַזעלכעס איז ניט טמא געוואָרן. דער נס פֿון תּשועות ומלחמות געהערט צום בימים ההם. דער נס פֿון גירוש־הטומאה איז אַ נס אויך פֿון בזמן הזה.

אָבער דעם נס דאתּכּסיא פֿון גירוש־הטומאה — דער הויפּטמאָטיוו פֿון חנוכּה — דאַרף מען בעסער פֿאַרשטיין. עס איז דאָך ניט קיין נס אין פּשוטן זינען פֿון וואָרט, ווי די נסי מצרים, אָדער דער אייבערפֿלעכלעכער נס פֿון פּך־השמן און ווי די אַנדערע נסי בית־המקדש זײַנען געווען. עפּעס ליגט דאָך דער נס דאתּכּסיא אין אַ גאַנץ אַנדערער דימענסיע, אין דער מענטשלעכער פּערזענלעכקייט. דאָס, געוויינטלעך, פֿאַרמינערט ניט זײַן פּראַכט. אדרבה, דאָס פֿאַרגרעסערט עס פּילפֿאַכיק, אָבער מען דאַרף באַגרײַפֿן ווי דער נס ווערט רעאַליזירט.

לאָמיר פּשוט אַרײַנקוקן אין חומש, וואָס פֿאַר אַ מיטלען די תּורה רעקאָמענדירט בנוגע טומאה: ״אלה הטמאים לכם בכל השרץ. כל הנוגע בהם במותם יטמא עד הערב. וכל אשר יפּול עליו מהם במותם יטמא מכל כלי עץ או בגד או עור או שק, כל כלי אשר יעשׂה מלאכה בהם במים יובא וטמא עד הערב וטהר. וכל כּלי חרשׂ אשר יפּל מהם אל תוכו, כל אשר בתוכו יטמא ואותו תשברו״ (ויקרא יא, לא–לג). די תּורה האָט דאָ אָנגעצייכנט צוויי מעטאָדן ווי צו באַהאַנדלען טומאה. בנוגע כּלי חרשׂ האָט די תּורה געגעבן די פּשוטע עצה פֿון שבֿירה: צעברעך די כּלי — און פֿאַרטיק! קיין אַנדער מיטל איז ניטאָ. און אין באַציִונג צו אַנדערע כּלים האָט די תּורה געהייסן טובֿל זײַן: ״במים יובא וטהר״. די צוויי הלכות רעפּרעזענטירן צוויי פֿאַרשיידענע צוגאַנגען צום פּראָבלעם פֿון טומאה, אויך אין פֿאַרבינדונג מיט טומאת־הנפֿש.

אַ מאָל איז שבֿירה די איינציקע ווירקזאַמע מעטאָדע ווי צו עלימינירן טומאה. אין פֿולקומער פֿאַרניכטונג, [...]טסלאָזער[9] קאַמף: ״וּבערת הרע מקרבך״ (דברים יג, ו), ״וכל כלי חרשׂ אשר יפּל מהם אל תוכו״. אויב דער שרץ איז אײַנגעוואָרצלט טיף, טיף אין דער כּלי, דער תּוך איז אָנגעזאַפּט און דורכגעדרונגען מיט טומאה, ״כל אשר בתוכו יטמא״, אַלץ איז טמא געוואָרן — שפּיל זיך ניט אַרום אין רחמנות, דערקלער אַן אומרחמנותדיקן קריג קעגן די טומאה, ממשלת־זדון און רשעות. ״ואותו תשברו!״ צעשמעטער אים.

אַ מאָל אָבער שרײַבט די תּורה פֿאָר אַן אַנדער מיטל ווי צו מנצח זײַן טומאה: טבֿילה. ווען די טומאה איז ניט פּנימיותדיק, דער שרץ ליגט ניט באַהאַלטן אין תּוך, ניט אַרײַנגעוואַקסן אין דער כּלי, נאָר ״וכל אשר יפּל עליו מהם במותם יטמא מכל כלי״. דורך אַ צופֿאַל איז די כּלי געקומען אין קאָנטאַקט מיט טומאה, האָט אָנגערירט

9. אותיות ניט לייענעוודיק אין כּתבֿ־יד.

אַ שרץ, און ממילא איז זי טמא געוואָרן, ווײַל טומאה איז אָנשטעקנדיק, איר כּוח איז התפּשטות — דאַרף די כּלי ניט פֿאַרניכטעט ווערן, חס־ושלום. דו קענסט פֿון דער טומאה פּטור ווערן אויף אַן אַנדערן אופֿן. "במים יובא וטהר". די כּלי קען געהאָלפֿן ווערן דורך טהרה.

אַ מאָל איז דער מעטאָד פֿון "בערת הרע" ניט אָנגעמבאַר. די אמתע סגולה איז העלאת הרע, מעלה זײַן די טומאה צו דער מדרגה פֿון טהרה, פֿאַרוואַנדלען רשעות אין חסד, און זוהמת־הנפֿש אין השראת־הרוח. טהרה איז שטענדיק העלאה. "עלה מטבילתו" איז דער טעכנישער טערמין פֿון טהרה. ווען אַ טמא איז זיך טובֿל און ווערט טהור, געווינט ער ניט נאָר דעם פֿריִערדיקן מצבֿ פֿון ריינקייט, נאָר אַ סך מער: ער ווערט אויך נתעלה, נתקדש, ער ווערט העכער, גרעסער, און שענער. ירידה צורך עליה היא. "ד׳, ד׳, א־ל רחום וחנון — אחד קודם החטא, ואחד לאחר החטא". דער בעל־תּשובֿה קומט צוריק ניט נאָר צום ערשטן שם־הוויה, נאָר אויך צום צווייטן שם־הוויה. דאָס ליכט וואָס ווערט רעפֿלעקטירט אויף דער בעל־תּשובֿה־פּערזענלעכקייט, איז אַ טאָפּלטע, פֿליסט פֿון צוויי שמות, צוויי מקורות. די גײַסטיקע גבֿורה פֿון שבֿירת־הרצון, כּיבוש־היצר, פֿון זעלבסט־איבערשאַפֿונג און זעלבסט־דערהייבונג גיט דער פּערזענלעכקייט פּראַכט און קראַפֿט. "׳שלום שלום לרחוק ולקרוב׳ (ישעיה נז, יט): זה שהיה קרוב לדבר עבירה ונתרחק ממנה", זאָגן די חז״ל [ברכות לד, ע״ב]. די התרחקות איז די גרעסטע דערגרייכונג פֿון מענטשן.

ווען איך קוק מיך צו אַ סך מאָל צו די מעשׂים־תּעתּועים פֿון די ראַדיקאַלן אין ארץ־ישׂראל, וואָס אַ סך מאָל פּשוט דערגרייכן זיי צום גבֿול פֿון משוגעת, טראַכט איך מיר, אַז טראָץ אַלץ זײַנען זיי יידישע נשמות, וואָס זײַנען נאָר טמא געוואָרן.

דער נס דאתּכּסיא פֿון חנוכּה, דער נס פֿון אַלע נסים, דער נס ניט נאָר פֿון בימים ההם, נאָר פֿון בזמן הזה, איז דער ווונדער ניט פֿון "ואותו תשברו", נאָר פֿון "במים יובא וטהר", פֿון "וזרקתי עליכם מים טהורים וטהרתם מכל טומאותיכם", דער ווונדער פֿון טהרת־הנפֿש, דער ווונדער פֿון [....][10] והאש (אין רמב״מס נוסח), דער ווונדער פֿון התעלות פֿון אַ פֿאָלק, וואָס איז געווען געזונקען אין תּהומות פֿון טומאה, צו די הייכן פֿון עם־קדוש. די עלמא דאתּכּסיא פֿון חנוכּה איז די פּערזענלעכע פּראַכט פֿון די חשמונאים, וואָס האָט אויך מטהר געווען דאָס פֿאָלק. די השפּעה פֿון גרויסן יחיד איבערן ציבור, דער נס פֿון "ואחר כך באו בניך", אַלע בנים — אַפֿילו די פֿריִערדיקע מומרים, "ופנו היכלך וטהרו מקדשך". די עלמא דאתּכּסיא פֿון חנוכּה — העלאת הרע, קידוש פֿון אַלע כּוחות־הנפֿש, אַפֿילו פֿון אַ נפֿש שנטמאה, און זיי מצרף זײַן אין איין געוועב פֿון קדושה, איז אפֿשר די פּראַכטפֿולסטע וויזיע אין יהדות: "וַיַּרְא א׳ את כל אשר עשׂה והנה טוב מאד" (בראשית א, לא). אויב אַלץ איז גוט, קען דאָס

10. ניט לייענעוודיקע ווערטער.

גוטע, אַפּילו ווען עס איז צופּעליק מחולל געוואָרן, שטענדיק אויסגעלייזט ווערן און געפּינען אַ התעלות.

אינטערעסאַנט, אַז אויף דעם יסוד באַרוט די פּראַקטפּולסטע וויזיע אין אונדזער געשיכטע, די וויזיע פֿון מלכות־בית־דוד און מלך־המשיח. וועגן דעם היסטאָריש־ביאָגראַפֿישן הינטערגרונט פֿון בית־דוד דערציילט אונדז די תּורה צוויי מערקווערדיקע עפּיזאָדן וועלכע זי האָט געווידמעט צוויי גאַנצע פּרשיות, און דעם דריטן — אַ גאַנץ ספֿר.

דער חומש אין וירא, באַשעפֿטיקנדיק זיך מיט דער ביאָגראַפֿיע פֿון אבֿרהם אָבֿינו, און די וווּנדער־שיינע שילדערונגען וועגן דעם פֿאָטער פֿון דער כּנסת־ישׂראל, הייבט אָן דערציילן אונדז אַן אויסטערלישע געשיכטע וועגן שתּי בנות לוט: ״ותאמר הבכירה אל הצעירה, אבינו זקן ואיש אין בארץ לבוא עלינו כדרך כל הארץ. לכה נשקה את אבינו יין ונשכבה עמו ונחיה מאבינו זרע...ותלד הבכירה בן ותקרא את שמו מואב, הוא אבי מואב עד היום. והצעירה גם היא ילדה בן ותקרא שמו בן־עמי וכו׳״ (בראשית יט, לא–לב, לז–לח). די שווידערלעכע געשיכטע, וואָס איז פֿול מיט אַזוי פֿיל מענטשלעכער פּרימיטיוויקייט, איז אַ טייל פֿון תּורת־משה און האָט די זעלבע קדושה ווי די פּרשה פֿון שמע ישׂראל.

אַ צווייטן עפּיזאָד דערציילט אונדז די תּורה אין דער פּרשה פֿון דער פֿאָריקער וואָך. אויך דאָ איז זי מפֿסיק די מעשׂה פֿון יוסף, וואָס ציט זיך אָן הפּסק פֿון וישב ביז ויגש: ״ויהי בעת ההיא וירד יהודה מאת אחיו ויט עד איש עדלמי וכו׳. ויאמר יהודה לתמר כלתו: שבי אלמנה בית אביך עד יגדל שלה וכו׳ ותלך תמר ותשב בית אביה וכו׳ ויגד לתמר לאמר: הנה חמיך עלה תמנתה לגז צאנו. ותסר בגדי אלמנותה מעליה ותכס בצעיף ותתעלף ותשב בפתח עינים וכו׳ ויראה יהודה ויחשבה לזונה כי כסתה פניה. ויט אליה אל הדרך וכו׳ ויהי כמשלש חדשים ויגד ליהודה לאמר: זנתה תמר כלתך, וגם הנה הרה לזנונים וכו׳ ויהי בעת לדתה והנה תאומים בבטנה וכו׳ והנה יצא אחיו ותאמר: מה פרצת עליך פרץ ויקרא שמו פרץ וכו׳״. (בראשית לח). ווידער אַ מאָדנע מעשׂה, מיט וועלכער די תּורה האָט זיך ניט געדאַרפֿט באַפֿאַסן[11]. עס האָט דאַכט זיך קיין שייַכות ניט מיט דער אויספֿאָרמירונג און אויסגעשטאַלטונג פֿון דער כּנסת־ישׂראל.

און טאָמער זייַנען די צוויי פּרשיות וווּלגאַרע, דערשיטערנדע עפּיזאָדן, ניט גענוג מיסטעריעז, האָבן מיר אַ מגילת־רות, וואָס מאַכט דאָס רעטעניש נאָך גרעסער און קאָמפּליצירטער. די גאַנצע מגילה איז אונדז געקומען מגלה זייַן איין אמת: ״וגם את רות המואביה וכו׳ קניתי לי לאישה להקים שם המת על נחלתו וכו׳ ויקח בועז את רות ותהי לו לאשה ויבא אליה ויתן ה׳ לה הריון ותלד בן וכו׳ ותקראנה את שמו עובד וכו׳. ואלה תולדות פרץ: פרץ הוליד את חצרון וכו׳ ושלמון הוליד את בועז,

11. זיך פֿאַרנעמען (דייַטש).

ובועז הוליד את עובד, ועובד הוליד את ישי, וישי הוליד את דוד" (רות ד, י, יג, יז–יח, כא–כב).

די תורה האָט באַטאָנט די עלמא דאתכסיא פֿון מלכות־בית־דוד, ווײַל די עלמא דאתגליא זעען אַלע, און מען דאַרף וועגן איר קיין זאַך ניט דערציילן. ווען מענטשן טראַכטן וועגן מלכות־בית־דוד שטעלן זיי זיך איר פֿאָר אין דער געשטאַלט פֿון ראָמאַנטישער פּראַכט פֿון דעם ווײַטן עבֿר, אין דער געשטאַלט פֿון אַ טראָן, אַ שרבֿיט־הזהבֿ, אַ כּתר־מלכות, "אלה שמות הגבורים אשר לדוד" (שמואל ב, כג, ח), אין דער געשטאַלט פֿון יואָבֿ — אַ גאוניאַלן פֿעלד־קאָמאַנדיר. אָבער ווען די אידעע מלכות־בית־דוד וואָלט געווען באַגרענעצט נאָר צו דער פּאָליטישער זײַט פֿון מלכות־בית־דוד, וואָלט שוין לאַנג קיין כּנסת־ישׂראל ניט געווען. ווײַל מען קען מיטן אויסערלעכן גלאַנץ פֿון עבֿר ניט לעבן. אויב מלכות־בית־דוד האָט פֿאַרקערפּערט אין זיך נצח־ישׂראל מיט זײַן אמונה אין [....][12] השמים, וואָס האָט אויפֿגעהאַלטן די כּנסת־ישׂראל פֿון אונטערגאַנג, איז עס אַ סימן אַז אויך ער האָט אַן עלמא דאתכּסיא — אַן אידעע, וואָס סימבאָליזירט באַשטימטע כּוחות־הנפֿש וועלכע דאָס ייִדישע פֿאָלק באַזיצט, און וועלכע האָבן איר אויפֿגעהאַלטן, געשיצט קעגן אונטערגאַנג.

די עלמא דאתכסיא פֿון מלכות־בית־דוד, וועלכע עקסיסטירט אַפֿילו בשעת עס איז קיין זכר ניטאָ פֿון מלכות אין פּאָליטישן זינען, שילדערט די תּורה אין די פּרשיות. אָט די כּוחות־הנפֿש, וואָס באַשטייען מייסטנס אין אומ[...]לעכן גלויבן אין "וירא א' את כל אשר עשה והנה טוב מאד" און דער כּוח פֿון וואַרטן און האָפֿן. טראָץ אַלע אַנטוישונגען און דורכפֿאַלן האָט גאָט ב"ה געקליבן אומעטום — אין טומאה און אין וווּלגאַריטעט, אין פּרימיטיווע מערות, אין שמוציקע פּתח־עינים פֿון אָריענט, ווו זונות פֿלעגן זיצן — האָט די כּוחות מעלה געווען און אויסגעוועבט פֿון זיי דעם לבֿוש־מלכות פֿון מלך־המשיח!

אַ פּאָר אַזוינע ווולגאַרע אומוויסנדע מיידלעך, בנות לוט, האָבן דאָך באַזעסן דעם כּוח פֿון קענען אָנהייבן אַלץ אויף דאָס נײַ: "ותאמר הבכירה אל הצעירה, אבינו זקן ואיש אין בארץ — לכה נשקה את אבינו יין ונחייה מאבינו זרע". זיי האָבן געמיינט אַז די גאַנצע וועלט איז חרובֿ געוואָרן, און מען דאַרף אַ נײַע וועלט שאַפֿן. וואָלטן זיי געווען געבילדעטער, אַ ביסל סאָפֿיסטיצירט, וואָלטן זיי געווען סקעפּטיש וועגן דער גאַנצער ברוטאַלער אונטערנעמונג. ווי קענען צוויי הילפֿלאָזע, איינזאַמע מיידלעך אויפֿשטעלן אַ נײַע וועלט פֿון די רויִנען אין וועלכע זי איז ערשט הײַנט אין דער פֿרי פֿונאַנדערגעפֿאַלן? ווי קען מען רעדן וועגן בנין בשעת דער חורבן איז נאָך פֿריש אין זײַן גאַנצער שרעקלעכקייט, בשעת אַלץ גליט נאָך אין פֿײַערן פֿון דעם פֿרימאָרגן, ווען דער קיטור הארץ איז כקיטור הכּבֿשן (בראשית יט, כח)? ווי קען מען

12. וואָרט ניט לייענעוודיק אין כּתבֿ־יד.

מקבל תּנחומים זײַן, אַז מיט אַ פּאָר שטונדן פֿריִער האָבן מיר פֿאַרלוירן אונדזערע טײַערסטע און בעסטע צוזאַמען מיט דער מאַמען? אָבער ווײַל זיי זײַנען געווען נאַיִוו און פּשוט און פּרימיטיוו, האָבן זיי פֿון די אַלע ספֿקות נישט געליטן, און אַ מינוט נאָכן חורבן אָנגעהויבן אַ נײַע וועלט בויען. אמת, אויף אַ שוידערלעכן אופֿן. אָבער זייער פּרימיטיווע, וווּלגאַרע כּוונה איז געווען אַ גוטע, און האָט דעמאָנסטרירט זייער מערקווערדיקן כּוח־הנפֿש, וואָס איז אַ יסוד פֿון דער אידעע פֿון מלכות־בית־דוד, פֿון נצח־ישׂראל. די אמונה אין מאָרגן [...][13] דעם הײַנט, אין מלכות־הצדק.

האָט די הלכה עס דעמאָנסטרירט סײַ אין פּריוואַטער, און סײַ אין עפֿנטלעכער [...][14]. אָט דאָ לייגט מען אַרײַן אַ פֿאָטער אָדער אַ מוטער אין קבֿר, דער טויט רויבט אַוועק דאָס טײַערסטע און דאָס בעסטע וואָס מען באַזיצט, און דאָס גאַנצע לעבן קומט אויס גרוי, זינלאָז און האָפֿנונגסלאָז. און אַ מאָמענט שפּעטער נאָך סתימת־הגולל קלינגען אויפֿן בית־הקבֿרות ווערטער פֿון נחמה: ״המקום ינחם אתכם בתוך שאר אבלי ציון וירושלים״, ״בעלמא דהוא עתיד לאתחדתא ולאחיוי מותיא ולמבֿני קרתא דירושלים״. נחמה, אמונה אין תּחית ירושלים, גלײַך נאָך מיתה!

אָט דאָ זיצט אַ ייִד תּשעה־באָבֿ אויף דער ערד און גיסט אויס זײַן האַרץ, ״זכור ה׳ מה היה לנו״, וואַרפֿט אַראָפּ פֿון זיך דעם טלית און די תּפֿילין וואָס דינען אַלס תּפֿארת־ישׂראל. רעזיגנאַציע, פֿאַרצווייפֿלונג, טרויער. און אייניקע שטונדן שפּעטער, ווען די זון הייבט זיך אָן בייגן צום מערבֿ, טוט ער אָן דעם טלית און תּפֿילין, נעמט אַרויס אַ ספֿר־תּורה און בעט זיך בײַם רבונו־של־עולם: ״שוב מחרון אפּיך, והנחם על הרעה לעמך״ (שמות לב, יב), און דערקלערט פֿײַערלעך: ״כּי אתה ד׳ באש הצתה ובֿאש אתה עתיד לבנותה. ברוך אתה ה׳ מנחם ציון ובֿונה ירושלים!״ חורבן און בנין דעם זעלבן טאָג. ״ביום שנחרב בית המקדש נולד הגואל״. ״ונחיה מאבינו זרע.״ אַניט, וואָלט די אידעע פֿון מלכות־בית־דוד ניט געקענט רעאַליזירט ווערן.

און אַ צווייטע נאַיִווע, פּשוטע פֿרוי — תּמר, אַ טאָכטער פֿון אַן עדולמער־סוחר, האָט באַוויזן דעם זעלבן כּוח פֿון וואַרטן און ניט פֿאַרלירן האָפֿענונג און האָבן בטחון ביז צו מסירת־נפֿש, אַפֿילו ווען אַלע לאָכן אויס. צוויי מענער האָט זי געהאַט, צוויי ברידער — ער און אונן. ביידע געשטאָרבן. יהודה זאָגט איר צו: ״שבי אלמנה בית אביך עד יגדל שלה בני״ (בראשית לח, יא), וואַרט אויף שלהן. זי, די אלמנה, ווייס אַליין ניט צי שלה וועט איר נעמען צי ניט. ווײַל בשעת שלה וועט אויסוואַקסן, וועט זי שוין זײַן אַלט און מיאוס, און ווער קען עס געטרויען יהודהן? זי ווייסט דאָך וואָס עס פֿלעגט הייסן אין יענע צײַטן ״שבי אלמנה בית אביך״: אָפּגעשלאָסן,

---

13. ניט לייענעוודיק וואָרט אין כּתבֿ־יד.
14. וואָרט ניט לייענעוודיק אין כּתבֿ־יד.

עלנט, איינזאַם, אָנגעטאָן אין שוואַרצן, "בגדי אלמונתה", ניט געטאָרט קומען אין געזעלשאַפֿט און געמוזט האַלטן אין איין טרויערן אויף איר פֿאַרשטאָרבענעם מאַן.

תּמר ווערט ניט מיד, זיצנדיק פֿאַרשפּאַרט "ותשב בית אביה". די יאָרן לויפֿן פֿאַרביַי, זי הייבט אָן וועלקן, עלטער ווערן. אַלע אירע חבֿרטעס האָבן שוין לאַנג חתונה געהאַט, זיַינען מאַמעס פֿון קינדער, און זי זיצט פֿאַרשפּאַרט, אַרעסטירט אין בית־אָבֿיה און וואַרט אויף שלהן. "וירבו הימים ותמת בת־שוע — אשת יהודה. וינחם יהודה ויעל על גוזי צאנו וכו׳". זי זעט, "כי ראתה, כי גדל שלה והיא לא נתנה לו לאשה" (בראשית לח, יד). זי זעט דורך איר פֿענצטער שלהן — אַ שיינער, שלאַנקער ייִנגל, בן פּורת עלי עין, ענלעך ווי זיַין אָנקל, דער שיינער יוסף, וועמען איר שווער און זיַינע ברידער האָבן פֿאַרקויפֿט קיין מצרים ווי אַ שקלאַף, און וועגן וועמענס שיינקייט עס גייען אַרום לעגענדעס צווישן די וויַיבלעך פֿון כּנען. זי זעט אַז לאָגיש קען איר חלום נישט פֿאַרווירקלעכט ווערן: וואָס דאַרף דער שיינער יונגער שלה נעמען אַ פֿאַרעלטערטע, פֿינצטערע אַלמנה ווי תּמר, און ווער ווייסט וואָס יהודה טראַכט? און שכנות און חבֿרטעס לאַכן: "תּמר, אויף וואָס וואַרטסטו? זעסט ניט אַז יהודה האָט שוין פֿאַרגעסן זיַין הבֿטחה? "ויגד לתמר: הנה חמיך עולה תמנתה לגז את צאנו" (בראשית לח, יג). ער פֿיַיערט גאָר אַ יום־טובֿ, ער לאָזט זיך ווילגיין, ער לעבט אַ טאָג, און דו האָסט נאָך בטחון אין אים?"

אָבער תּמר בליַיבט טריַי, לאָיאַל, גלייבט אין יהודה, אין איר פּשוטער און פּרימיטיווער נאַיִווקייט, אינסטינקטיוו, און זי קען פֿון יהודהן ניט אַוועק. עפּעס שיקזאַל־האַפֿטס, אומפֿאַרשטענדלעכס, פֿאַרבינדט זי מיט אים, עפּעס גרעסער וועט אַרויסקומען. און זי אַנטשליסט זיך צו באַגיין דעם פֿאַרצווייפֿלטן, משוגענעם שריט פֿון "ותשבֿ בפתח עינים". דער גורל שטופּט איר דערצו. זי ווייסט, זי איז איבערציַיגט, אַז זי וועט ענדלעך זיגן. זי מוז מנצח זיַין! דער כּוח פֿון אַבסורדער לאָיאַליטעט איז דער צווייטער יסוד פֿון עלמא דאתכּסיא פֿון מלכות־בית־דוד, פֿון דער משיחישער אידעע.

וואָס טויג מיר דער גלאַנץ פֿון עבֿר און די קדושה און פּראַכט פֿון עתיד, פֿון "אז תראי, ונהרת ופחד ורחב לבבך כּי יהפך עליך המון ים חיל גוים יבואו לך" (ישעיה ס, ה), אויב די כּנסת־ישׂראל וואָלט ניט געהאַט די תּמרס אין הונדערטער, טויזנטער, וואָס האָבן געזעסן "שבי אלמנה בית אביך עד כּי יגדל שלה", געוואַרט אונטער די שרעקלעכסטע אומשטענדן? ווען אַלץ האָט געלאַכט און געשפּאָט, און מען האָט צו איר געטענהט "הנה חמיך עולה תמנתה לגוז את צאנו". "גאָט האָט איַיך שוין לאַנג פֿאַרגעסן. זעט איר ניט, מיט וועמען איר האַלט? ער איז שוין ניט מער אין ירושלים, נאָר ערגעץ הויך, אין רוים. זיַין פֿאַרלאַנג און זיַין הבֿטחה ׳שבי אלמנה בית אביך, עד כּי יגדל שלה׳ איז שוין בטל געוואָרן." "והיא ראתה כי גדל שלה והיא לא נתנה לו

לאישה״. טויזנטער יאָרן זייַנען פֿאַרבייַ, און דער צוזאָג איז ניט רעאַליזירט געוואָרן, און די תּמרס האָבן דאָך געוואַרט.

און טויזנטער יאָרן זענען די תּמרס געזעסן תּשעה־באָבֿ אויף דער ערד און מען האָט געקלאָגט: ״בליל זה יבכיון וילילו בני, בליל זה חרב בית־מקדשי ונשׂרפו ארמוני״. טויזנטער יאָרן האָבן די תּמרס געפּליסטערט[15] אַלע אין דער פֿרי: ״אני מאמין באמונה שלמה בביאת המשיח, ואף על פּי שיתמהמה״. און עס איז טאַקע וירבו הימים, און עס דאַכט זיך ״כּי גדל שלה ולא נתנה לו לאישה״ — ״עם כּל זה אחכּה לו בכל יום שיבוא.״ דערפֿאַר קומט אָנערקענונג ניט נאָר דודן און דעם מלך־המשיח, וועלכע שטעלן מיט זיך פֿאָר די מלכות־ישׂראל דאתגליא, דעם נחל שוטף על פּתח בית־דוד, נאָר אויך — און אפֿשר דווקא — זיי, די תּמרס, וואָס האָבן מיט זייער וואַרטן מעגלעך געמאַכט דער עלמא דאתכּסיא. אָט יענע שטילע העלדן פֿון אומצאָליקע פֿינצטערע תּקופֿות, וואָס ״ותקם בעוד לילה, בטרם יכּיר איש את רעהו״ (רות ג, יד) — און געוואַרט! די שומרים לבקר, די עלמא דאתכּסיא איז אַ גרעסערער נס, ווי די עלמא דאתגליא.

״דרש רבא, מאי דכתיב ׳אז אמרתי הנה באתי במגילת ספר כתוב עלי׳ (תהילים מ, ח)? אמר דוד: אני אמרתי עתה באתי, ולא ידעתי שבמגילת ספר כתוב עלי. התם כּתיב ׳הנמצאות׳ (בראשית יט, טו), והכא כּתיב ׳מצאתי דוד עבדי בשמן קדשי משחתיו׳ (תהילים פּט, כא)״[16] [יבמות עז, ע״א]. די אמתע משיחה פֿון דוד, פֿון מלכות־בית־דוד [...] איז די [....][17] מיט עלות־השחר פֿון ייִדישער געשיכטע.

אמת טאַקע, די עלמא דאתכּסיא פֿון מלכות־בית־דוד האָט זיך אָנגעהויבן מיט פּשוטע פֿרויען, פּרימיטיוו און אומוויסנד. אָבער כּוחות־הנפֿש זייַנען אַ מאָל באַהאַלטן אונטער אַ מאַנטל פֿון ווולגאַריטעט. די ניצוצות־הקדושה טליִען אין בערג פֿון אַש און גרויקייט, און דער רבש״ע, אַז ער וועבט עפּעס גרויס אַזוי ווי מלך־המשיח, קלייַבט ער פּראַכט פֿון אומעטום, ווי אַ בין זאַמלט דעם נעקטאַר פֿון אַ סך בלומען. און דווקא אַ מאָל אין תּהומות פֿון מגושמדיקייט. אין [...]קייט[18] געפֿינען זיך אורות גנוזים. ״וימאס באהל יוסף ובשבט אפרים לא בחר וכו׳ ויבחר בדוד עבדו ויקחהו ממכלאות צאן״ (תהילים עח, סז און ע). די משיחיות האָט דער רבש״ע ניט אַנטדעקט אין די שטאָלצע קיניגלעכע בני־אפֿרים, נאָר דווקא אין דוד, וועמען ער

15. געשעפּטשעט (דייַטש).
16. ״רבא האָט געדרשנט, פֿאַר וואָס שטייט אין פּסוק ׳דעמאָלט האָב איך געזאָגט, איצט בין איך געקומען, אין דער ראָל פֿון ספֿר שטייט געשריבן אויף מיר׳ (תהילים מ, ח)? דוד האָט געזאָגט, ׳איך האָב געמיינט אַז איך בין ערשט איצט געקומען, און איך האָב ניט געוווּסט אַז אין דער ראָל פֿון ספֿר שטייט שוין געשריבן וועגן מיר. דאָרט שטייט געשריבן ׳הנמצאות׳ (בראשית יט, טו), און דאָ שטייט געשריבן ׳מצאתי׳, ׳איך האָב געפֿונען דוד מייַן קנעכט, איך האָב מיט מייַן הייליקן אייל אים געזאַלבט׳ (תהילים פּט, כא)״.
17. ווערטער ניט לייענעוודיק אין כּתבֿ־יד.
18. אומלייענעוודיק וואָרט אין כּתבֿ־יד.

האָט דערהויבן ממכלאות צאן, פֿון די פּרימיטיווע שטאַלן פֿון די רינד, פֿון אַ תּמר, אַ רות, פֿון דער פֿאַלקסמאַסע אַרויס. אליהו הנבֿיא האָט געזאָגט ר׳ יהושע בן לוי אַז משיח ״יתיב אפיתחא דקרתא ביני עניי סובלי חלאים״[19] [סנהדרין צח, ע״א]. די עלמא דאתכּסיא פֿון דער משיח־אידעע קען מען געפֿינען צווישן די בעטלערס און מצורעים, די עזובֿים פֿון דער מענטשלעכער געזעלשאַפֿט. דער נצח־ישׂראל האָט מאָדנע דרכים ווי זיך צו מאַניפֿעסטירן, און יעדער מענטש, ווי פֿאַרזונקען אין טומאה ער זאָל ניט זײַן, באַזיצט טיף, טיף אין זײַן נשמה עפּעס הייליקס, פֿון וואָס גאָט ב״ה שפּינט דעם פֿאָדעם פֿון מלכות.

און דער זעלבער נס פֿון העלאת־הרע, טהרת־הטומאה, איז פֿאָרגעקומען חנוכה! און ווי שיין דריקט זיך אויס דער אַלטער מחבר פֿון ״ועל הנסים״: ״מסרת גבורים ביד חלשים, ורבים ביד מעטים, וטמאים ביד טהורים, ורשעים ביד צדיקים, וזדים ביד עוסקי תורתך.״ פֿרעגן אַלע: מילא, מסרת גבורים ביד חלשים, ורבים ביד מעטים — איז אַ נס פֿון מיליטערישן שטאַנדפּונקט. אָבער וואָס איז די רבֿותא פֿון טמאים ביד טהורים? יע, דער נס פֿון ׳טמאים ביד טהורים׳ איז גרעסער ווי דער פֿון ׳גבורים ביד חלשים׳. דאָס איז דער נס פֿון העלאת הרע. דער טמא איז ניט פֿאַרניכטעט געוואָרן דורכן טהור, נאָר נתעלה געוואָרן און אַליין געוואָרן אַ טהור. דער רשע, דער זד, איז ניט פֿאַרטיליקט געוואָרן דורכן צדיק, נאָר נתקדש געוואָרן. ״ויקחהו ממכלאות הצאן!״

19. ״ער זיצט בײַם אַרײַנגאַנג פֿון דער שטאָט צווישן אָרעמע מצורעים.״

פּרשת וישב, תשט״ז

מוריה [פֿראַגמענט]

בנוגע חלומות געפֿינען מיר סתּירות אין חז״ל. פֿון איין זייַט, האָבן חז״ל מקדיש געווען עטלעכע בלאַט גמרא (אין ברכות) צו חלומות, און אויך געפּרוּווט פּותר חלום זייַן. ״הרואה חטים בחלום רואה שלום, שנאמר: ׳השׂם גבולך שלום חלב חטים ישׂביעך׳ (תהילים קמז, יד). הרואה שׂעורים בחלום סרו עונותיו...הרואה שורקה — יצפה למשיח...הרואה תאנה בחלום תורתו משתמרת בקרבו וכו׳״[1] [ברכות נז ע״א]. זיי האָבן אויך מתקן געווען צוויי תּפֿילות וועגן חלומות, איינע בשעת ברכת־כּהנים: ״חלום חלמתי ואינני יודע מה הוא״[2] [ברכות נה, ע״ב], און אַ צווייטע באַפּי תּלתא: ״חלמא טבא חזאי״[3] [דאָרטן].

---

1. ״ווער עס זעט ווייץ אין חלום, זעט שלום, ווי עס שטייט אין פּסוק: ׳דער וואָס גיט דייַן געמאַרק שלום, דיך זעטיקט מיט פֿעטס פֿון ווייץ׳. ווער עס זעט גערשטן אין חלום, וועלן זייַנע זינד פֿאַרשווינדן, ...ווער עס זעט אַ ווייַנשטאָק־צווייַג, זאָל ער אַרויסקוקן אויף משיחן...ווער עס זעט אַ פֿייַגנבוים אין חלום, וועט זייַן תּורה זיך האַלטן ביי אים וכו׳״

2. ״רבונו של עולם, אני שלך וחלומותי שלך, חלום חלמתי ואיני יודע מה הוא. בין שחלמתי אני לעצמי, ובין שחלמו לי חברי, ובין שחלמתי על אחרים, אם טובים הם — חזקם ואמצם כחלומותיו של יוסף [וכו׳]״.
״רבונו־של־עולם, איך בין דייַנער און מייַנע חלומות זייַנען דייַנע. אַ חלום האָט זיך מיר געחלומט און איך ווייס ניט וואָס ער באַטייַט. סיי אויב עס האָט זיך מיר געחלומט וועגן זיך, סיי אויב מייַנע חבֿרים האָט זיך געחלומט וועגן מיר, סיי אויב מיר האָט זיך געחלומט וועגן אַנדערע, אויב זיי זייַנען גוטע [חלומות] — שטאַרק זיי און באַפֿעסטיק זיי ווי די חלומות פֿון יוסף הצדיק [אאַז״וו]״.

3. ״הרואה חלום ונפשו עגומה ילך ויפתרנו בפני שלשה. יפתרנו? והאמר רב חסדא: חלמא דלא מפשר כאגרתא דלא מקריא! אלא אימא: יטיבנו בפני שלשה. ליתי תלתא ולימא להו: חלמא טבא חזאי. ולימרו ליה הנך: ׳טבא הוא, וטבא ליהוי, רחמנא לשוייה לטב. שבע זימנין לגזרו עלך מן שמיא דלהוי טבא, ויהוי טבא [וכו׳]׳״.
״ווער עס זעט אַ חלום וואָס פֿאַרשאַפֿט אים טרויער, זאָל ער אים פּותר זייַן פֿאַר דריי מענטשן. פּותר זייַן? רבֿ חסדא האָט דאָך געזאָגט: אַ נישט באַשיידטער חלום איז ווי אַ נישט געלייענטער בריוו. נאָר זאָג, ער זאָל אים אויסלייגן צום גוטן פֿאַר דריי מענטשן. זאָל ער רופֿן דריי מענטשן און זאָגן: ׳איך האָב געזען אַ גוטן

פֿון דער אַנדערער זײַט ווייסן מיר, אַז די הלכה האָט אָפּגעפּסקנט "דברי חלומות לא מעלין ולא מורידים", און מען טאָר זיך אויף זיי ניט פֿאַרלאָזן. "הרי שהיה מצטער על מעות שהניח לו אביו, ובא בעל החלום ואמר לו: כך וכך הן, במקום פלוני הן, של מעשר שני הן — זה היה מעשה, ואמרו: דברי חלומות לא מעלין ולא מורידין"[4] [סנהדרין ל, ע"א].

באמת איז קיין סתּירה צווישן די צוויי שטעלונגען ניטאָ. חז"ל האָבן געהאַלטן פֿון חלומות, אָבער האָבן בשום אופֿן ניט געגלייבט אין זיי. זייער מיינונג איז געווען, אַז אַ חלום טרעפֿט זייער ווייניק בנוגע יענעם — "החלומות שוא ידברו" — אָבער אַ חלום זאָגט אויס דעם אמת וועגן דעם בעל־החלומות אַליין. נאָך איידער די פּסיכאָלאָגיע מיט אירע קאָמפּליצירטע פּשטלעך וועגן חלומות איז געבוירן געוואָרן, האָבן חז"ל געוווּסט דעם אמת, אַז "אין מראין לו לאדם אלא מהרהורי לבו, שנאמר 'אנת מלכא, רעיונך על משכבך סליקו' (דניאל ב, כט) וכו', 'ורעיוני לבבך תנדע' (דאָרטן, ל). אמר רבא: לא מחוו ליה לאיניש לא דקלא דדהבא ולא פילא דעייל בקופא דמחטא"[5] [ברכות נה, ע"ב].

די לייַדנשאַפֿטלעכע עמאָציעס אין מענטשן, זייַנע גרויסע תּאוות אָדער פּחדים, וועגן וועלכע ער טראַכט אַ מאָל, און וועגן וועלכע ער וואַגט גאָר ניט צו דענקען, ווייַל ער האָט מורא אָדער בושה פֿאַר זייַנע אייגענע געדאַנקען און געפֿילן, און באַמיט זיך זיי צו פֿאַרשטויסן, קומען צום אויסדריק אין די "חלומותי רעיונך על משכבך סליקו". דערפֿאַר האָבן חז"ל שטאַרק געהאַלטן פֿון אַ נאַכט־חלום, ווייַל עס באַווייַזט אַז דער מענטש טראַכט בייַטאָג. ער האָט אַספּיראַציעס, האָפֿענונגען, וויזיעס, ער וויל עפּעס, ער זוכט עפּעס, און אַזוי ווייַטער. "אמר רב זעירא: כל הלן שבעת ימים בלא חלום נקרא רַע, שנאמר 'ושָׂבֵעַ ילין בל יפקד רע' (משלי יט, כג). אל תקרי שָׂבֵעַ, אלא שֶׁבַע ילין בל יפקד רע"[6] [ברכות יד, ע"א]. באמת האָבן חז"ל ניט איבערגעמאַכט דאָס

חלום'. און זיי זאָלן אים זאָגן: 'גוט איז ער, און גוט זאָל ער זייַן. זאָל דער דערבאַרעמדיקער עס מאַכן צום גוטן. זיבן מאָל זאָל מען גוזר זייַן איבער דיר פֿון הימל, אַז ער זאָל זייַן צום גוטן, און ער וועט זייַן צום גוטן' [אאַז"וו]".

4. "אויב ער האָט זיך מצער געווען איבערן געלט וואָס זייַן פֿאָטער האָט אים איבערגעלאָזט, און עס איז געקומען דער מלאך פֿון חלומות און האָט אים געזאָגט וויפֿל געלט ס'איז געווען, אויף וואָסער אָרט עס געפֿינט זיך, אַז דאָס געלט איז געווען אויף אויסצולייזן מעשׂר־שני — אָט אַזאַ מעשׂה איז אַ מאָל געשען, און זיי, די רבנים, האָבן געזאָגט: 'די ווערטער פֿון חלומות ווירקן ניט צום גוטן, און ניט צום שלעכטן'".

5. "אַ מענטשן ווייַזט מען אין חלום זייַנע אייגענע טראַכטענישן. ווי עס שטייט אין פּסוק: 'דיר, מייַן מלך, זייַנען אויף דייַן בעט אויפֿגעקומען געדאַנקען' וכו' (דניאל ב, כט), 'כּדי זאָלסט פֿאַרשטיין די געדאַנקען פֿון דייַן האַרץ' (דאָרטן, ל). רבא זאָגט, אַ ראיה צו דעם איז דאָס וואָס מען ווייַזט ניט אין חלום קיין גאָלדענעם פֿייַגנבלאַט, אָדער אַ העלפֿאַנט וואָס גייט אַדורך דורכן לעכעלע פֿון אַ נאָדל."

6. "רב זעירא האָט געזאָגט: ווער עס נעכטיקט זיבן טעג אָן אַ חלום ווערט גערופֿן רע (שלעכט), ווי עס שטייט אין פּסוק 'און מען בלייַבט זאַט, און ווערט ניט געשטראָפֿט מיט קיין בייז'. לייען ניט 'שׂבע', זאַט, נייַערט 'שבע'. זיבן [נעכט] נעכטיקט ער, און ווערט ניט געשטראָפֿט מיט קיין בייז'."

וואָרט שָׁבֵעַ און געלייענט שֶׁבַע, נאָר זיי האָבן באַטאָנט אַ גאַנץ אַנדערן געדאַנק: אויב אַ מענטש קען אַ גאַנצע וואָך אָפּשלאָפֿן און ניט זען קיין חלום, איז עס אַ שלעכטער סימן. עס איז אַ באַווייַז, אַז ער איז זעלבסט־צופֿרידן, רויִק, האָט קיין זאָרגן ניט, און אים פֿעלט קיין זאַך ניט. ער איז ניט מתפלל, ער האָפֿט ניט און ער וואַרט ניט אויף גאולה און ישועה. ער איז זאַט, פֿול, אָנגעגעסן, ווי אַ בהמה וועלכע ליגט זיך רויִק און האָט הנאה פֿון איר זאַטקייט און פֿולן מאָגן. ושָׂבֵעַ ילין: אַז אַ זאַטער נעכטיקט און שלאָפֿט געזונט, לא יראה, וועט ער קיין חלום ניט זען, ווייַל ער האָט ניט קיין מגינת־לבֿ וועלכע זאָל אַרויפֿקומען על משכבֿו, איז רַע, איז אַ סימן, אַז ער איז אַ שלעכטער, פּוסטער, וואָכעדיקער, און גרויער מענטש.

מיר יִדן זייַנען קיין מאָל ניט אַנטשלאָפֿן געוואָרן שָׂבֵעַ, זאַטערהייט. מיר יִדן זייַנען קיין מאָל ניט געווען זאַט, שטענדיק הונגעריק, שטענדיק אומצופֿרידן, שטענדיק געזוכט צו פֿאַרבעסערן, צו קלעטערן, סולם מוצבֿ ארצה וראשו מגיע השמימה. טאָמער איז געווען אַ מאָל אַ יִד וועמען עס איז געגאַנגען מאַטעריעל זייער גוט, געהאַט כל טובֿ, האָט ניט געדאגהט, און ניט געבענקט נאָך קיין זאַך, האָט מען אים שנעל אויפֿגעוועקט, און ער האָט זיך מיט שרעק אויפֿגעכאַפּט: "שלאָף ניט רויִק! חלום! אַ יִד טאָר ניט זייַן זאַט". "ויאכל בועז וישת וייטב לבו ויבא לשכב בקצה הערמה" (רות ג, ז). בועז האָט אָפּגעגעסן נאָך אַ שווערן אָבער דערפֿאָלגרייַכן טאָג אַרבעט, און פֿאַרטרונקען וויַין, און איז געווען זייער פֿריילעך און גליקלעך, ווייַל קיין זאַך האָט אים ניט געפֿעלט. און ער איז אַנטשלאָפֿן געוואָרן אָן חלומות. האָט מען אים אויפֿגעוועקט אין מיטן נאַכט, און ער האָט זיך אויפֿגעכאַפּט מיט שרעק: "ויהי בחצי הלילה ויחרד האיש וילפת". וואָס איז? רות — דער אומרויִקער יִדישער געוויסן — "שוכבת מרגלותיו". "ופרשת כנפיך על אמתך כי גואל אתה" (רות ג, ט): יעדער יִד איז אַ גואל, אַ משיח, וואָס טאָר ניט שלאָפֿן. ער מוז כּסדר חלומען, און, געוויינטלעך, דעם חלום נאָך דעם זוכן צו פֿאַרווירקלעכן. אויב איר וועט מיר פֿרעגן, וואָס איז דער כאַראַקטעריסטישער שטריך פֿון דער כּנסת־ישׂראל, וואָלט איך אייַך געענטפֿערט: "ורעב ילין — יראה", "ויהי בחצי הלילה ויחרד האיש וילפת".

ממילא, ווען מיר לייענען אין דער הייַנטיקער סדרה וועגן יוספֿן, דעם אמתן בעל־החלומות, חלומות מיט וועלכע דער רבש"ע האָט זיך פֿאַראינטערעסירט ("נראה מה יהיה חלומותיו" טייַטשן חז"ל, אַז דער אויסרוף איז געקומען פֿון רבש"ע), מוזן מיר אונדז פֿאַרטיפֿן אין יוספֿס פּערזענלעכקייט, אין זייַנע געדאַנקען און געפֿילס־וועלט, כּדי צו פֿאַרשטיין זייַנע חלומות. דאָס וואָס יוסף האָט געזען אין זייַנע טרוימען איז מער ניט געווען ווי אַ עכאָ פֿון זייַנע באַגערן און אַספּיראַציעס. ממילא, איז די פֿראַגע, נאָך וואָס האָט יוסף געשטרעבט? וואָס האָט ער געזוכט? נאָך וואָס איז ער געווען הונגעריק? ווייַל אַ זאַטער חלומט דאָך ניט — שבע ילין, בל יראה!

געוויינטלעך, די אייַנפֿאַכע תשובֿה וועלכע אַלע ביבל־קריטיקער גיבן אונדז,

איז אַז יוסף איז געווען מאַכט־הונגעריק. ער האָט געוואָלט הערשן, רעגירן, אונטערוואַרפֿן די ברידער אונטער זיך. ווי ער האָט זיך אויסגעדרוקט, "משתחוים לי" "ותשתחוינה לאלומתי" (בראשית לז, ט; לז, ז). ער האָט געוואָלט ווערן דער דיקטאַטאָר אין יעקבֿס הויז.

אָבער ווי אַלע ביבל־קריטישע טעאָריען, איז אויך די תּשובֿה אַ פֿאַלשע. ווען מען באַאָבאַכטעט[7] יוספֿס פּערזענלעכקייט, ווי ער דערשײַנט אונדז שוין שפּעטער, אין מצרים, ווען ער האָט שוין כּלומרשט פֿאַרווירקלעכט זײַנע "אַמביציעס", און געוואָרן דער מושל, מערקן מיר, אַז יוסף איז געווען דער קעגנזאַץ פֿון אַ מאַכט־מענטש, וואָס האָט האָלט געהאַט זיך באַ[....][8] איבער אַנדערע, און פֿאַרשקלאַפֿן די הילפֿלאָזע.

די תּורה דערציילט אונדז אַז יוסף האָט געוויינט, ניט איין מאָל, נאָר פֿיר מאָל. דאָס ערשטע מאָל, ווען בנימין איז געקומען צו אים: "וימהר יוסף כי נכמרו רחמיו אל אחיו ויבא החדרה ויבך" (בראשית מג, ל). בשעת ער האָט אויסגעזאָגט דעם סוד די ברידער אַז ער איז יוסף: "ויתן את קולו בבכי ויפול על צוארי בנימין אחיו ויבך... וינשק לכל אחיו ויבך עליהם" (בראשית מה, יד–טו). ווען ער האָט דערזען יעקבֿן: "ויפול על צואריו ויבך על צואריו" (בראשית מו, כט). און נאָך יעקבֿס טויט: "ויפול יוסף על פני אביו ויבך עליו וישק לו" (בראשית נ, א). פֿאַר וואָס חזרט די תּורה איבער מיט די זעלבע ווערטער, אַז יוסף האָט זיך געקושט מיט די ברודער און פֿאָטער און געוויינט, פֿאַר וואָס? וואָס איז עס נוגע הלכה־למעשׂה?

דער ענטפֿער איז פּשוט. אַ טיראַן וויינט ניט. אַ דיקטאַטאָר מיט אַ שטיינערדיק האַרץ, וואָס איז פֿאַרטיפֿט אין זיך און אין זײַן מאַכט, ווערט קיין מאָל ניט געריִרט טרעפֿנדיק זיך מיט אַלטע באַקאַנטע. ער איז ניט סענטימענטאַל, און ווייס ניט וואָס אַ טרער איז. יוסף איז ניט געווען אָן עריץ, אַ מושל, אַ פֿאַרהאַרטעוועטע פּערזענלעכקייט. פֿאַרקערט. זײַן נשמה איז געווען דאָרט, זײַן האַרץ געפֿילבאַר און וואַרעם. ער האָט קיין געפֿילן ניט געקענט אונטערדריקן, ער האָט זיי אָפֿן אַרויסגעוויזן. אַזאַ נשמה איז ניט הונגעריק נאָך מאַכט.

צווייטנס, וועלכער טיראַן בענקט נאָך אַ קליין ברודערל, וועמען ער האָט שוין ניט געזען איבער זעקס און צוואַנציק יאָר? יוסף האָט בנימינען ניט געקענט פֿאַרגעסן, ער איז געווען אָנגעפֿילט מיט ליבע צו אים.

ווי האָט ער באַהאַנדלט די ברידער? ווי אַ מושל, אָדער אויף דעם דעמאָקראַטישסטן אופֿן וואָס מען קען זיך פֿאָרשטעלן? נאָך איידער ער האָט זיך אַנטפּלעקט צו זיי, האָט ער זיי אײַנגעלאַדן צו זיך אין הויז, און געגעסן מיט זיי

7. באַמערקט, אָבסערווירט (דײַטש).
8. ניט קלאָר אין כּתבֿ־יד.

צוזאַמען בײַ איין טיש, זיך געחבֿרט און פֿאַרבראַכט מיט די אָרעמע עבֿדים פֿון ארץ כּנען, הונגעריקע פֿאַסטעכער פֿון אַ פֿרעמד לאַנד, "וישא משאת מאת פניו אליהם...וישתו וישכרו עמו" (בראשית מג, לד). און בכלל, זײַן גאַנצע הנהגה מיט זיי שפּעטער.

ניין, יוסף איז געווען דער קעגנזאַץ פֿון אַ טיראַן אָדער אַ דעספּאָט, און האָט קיין מאָל ניט געזוכט קיין מאַכט. אומזיסט האָט אים די ביבל־קריטיק באַשולדיקט אין דער מאַכט־זיכט. לײַדער, האָבן די ברידער אים אויך מיספֿאַרשטאַנען. זיי, פּונקט ווי די ביבל־קריטיקער שפּעטער, האָבן אים חושד געווען אַז ער וויל הערשן אויף זיי. "המלך תמלוך עלינו, אם משול תמשל בנו" (בראשית לז, ח) האָבן זיי אים געזאָגט נאָך אין ארץ כּנען. און אַפֿילו מיט יאָרן שפּעטער, האָבן זיי דעם חשד ניט געקענט אַרויסנעמען פֿון זייערע געדאַנקען. און נאָך יעקבֿס טויט, דערציילט דער פּסוק: "וילכו גם אחיו ויפלו לפניו ויאמרו הננו לך לעבדים" (בראשית נ, יח): דו ווילסט דאָך הערשן איבער אונדז. טו איצטער וואָס די ווילסט, און וואָס דו האָסט געחלומט אַ מאָל, אַלס זיבן־יאָריקער ייִנגל גע[...][9] פֿון חלום.

אָבער יוסף האָט זיי רויִק געענטפֿערט: "אל תיראו, כי התחת א־לקים אני, ואתם חשבתם עלי רעה" (בראשית נ, יט־כ). האָט קיין מורא ניט, איך בין ניט קיין מושל, און איך האָב קיין מאָל ניט געוואָלט זײַן אַ הערשער איבער אײַך. איר האָט מיך דאַמאָלסט ניט פֿאַרשטאַנען, און איר פֿאַרשטייט מיך איצטער אויך ניט. "אל־קים חשבה לטובה" — דער רבש"ע ווייסט וואָס מײַנע חלומות זײַנען געווען, און וואָס פֿאַר אַ האָפֿענונגען זײַנען אין זיי געקומען צום אויסדרוק, "להחיות עם רב", כּדי אויפֿצוהאַלטן אַ גרויס פֿאָלק.

יוסף האָט געזוכט די לייזונג פֿון אַ גרויסן פּראָבלעם: ווי קענען די בני־ישׂראל ווערן אַ כּנסת־ישׂראל, ווי קען מען פֿאַרזיכערן אויף שטענדיק, אַז די שבֿטים, זייערע קינדער און קינדס־קינדער, וועלן זײַן אייביק פֿאַרבונדן, נאָענט איינע צו די אַנדערע, און וועלן זיך באַטראַכטן אַלס מיטגלידער פֿון איין פֿאָלק? מילא, איצטער, האָט יוסף געטראַכט, כּל־זמן דער טאַטע לעבט, האַלט ער אויף די אַחדות פֿון דער משפּחה. ער איז דער מרכּז אַרום וועלכן מיר אַלע קאָנצענטרירן זיך. "ואלה שמות בני ישראל הבאים מצרימה, את יעקב איש וביתו באו" (שמות א, א). יעקבֿ איז געווען דער עמוד־התּיכון, אויף וועלכן די קרובֿהשאַפֿט צווישן די פֿאַרשיידענע ברידער האָט באַרוט. "מידי אביר יעקב משם רועה אבן ישראל" (בראשית מט, כד), דער יסוד פֿון אַחדות איז יעקבֿ.

אָבער דער טאַטע וועט דאָך אייביק ניט לעבן, ער וועט דאָך שטאַרבן. בּיסלעכווײַז וועלן זיך די ברידער פֿונאַדערשפּרייטן איבערן לאַנד, און אויך איבער די

9. אותיות ניט קלאָר אין כּתבֿ־יד.

שכנותדיקע לענדער. זיי וועלן חתונה האָבן און געבוירן קינדער, און די קינדער וועלן אויפֿוואַקסן ווײַט איינע פֿון די אַנדערע. וואָס וועט זיי פֿאַרבינדן צוזאַמען, ווי וועלן זיי ווערן איין פֿאָלק, אַ 'גוי אחד בארץ'? יוסף האָט אַ סך מאָל געהערט פֿון יעקבֿ וועגן דעם ברית בין הבתרים וואָס זײַן עלטער־זיידע האָט געשלאָסן מיטן בורא־עולם, און וועגן דער הבֿטחה פֿון "ואחרי כן יצאו ברכוש גדול" (בראשית טו, יד), "ויהי שם לגוי גדול". אָבער אויב מיר וועלן ניט געפֿינען די מיטל ווי פֿאַרצובאַרייטן זיך פֿאַר דער גרויסער היסטאָרישער פּראָבע, ווער ווייסט צי דער רבש"ע וועט געפֿינען פֿאַר נייטיק מקיים צו זײַן זײַן הבֿטחה.

יוסף זעט ווי זײַנע פֿאָטערס קינדער האָבן זיך פֿאַרשפּרייט, געגרינדעט באַזונדערע מדינות; אלופֿים — אלוף מגדיאל, אלוף קנז, אלוף תּימן, אלוף מבֿצר (בראשית לו, מב). ניטאָ קיין עם־עשׂו. אָט זײַנען אונדזערע גליד־שוועסטערקינדער, דעם עלטער־פֿעטערס ישמעאלס קינדער אויך צעשפּרייט, און זייערע פֿאָרשטייער — שנים עשר נשׂיאים לאומתם — האָבן צווישן זיך יעמאָלט און אויך הײַנט ניט פֿאַראייניקט, טראָץ אַלע פּאַן־אַראַבישע באַמיִונגען. יוסף האָט מורא טאָמער וועט אויך פֿון בני־יעקבֿ אַרויסקומען מער ניט ווי אַ סך אלופֿים, אָדער סתּם שנים עשר נשׂיאים, ניט אַ 'גוי אחד בארץ', ניט אַ כּנסת־ישׂראל.

ווי פֿאַרבינדט מען די שבֿטים, ווי נעמט מען זיי אַלע און מען שאַפֿט פֿון זיי איין פֿאָלק? דאָס איז געווען יוספֿס שאלה, און וועגן דער שאלה האָט ער געהאַלטן אין איין חלומען.

אַ צעשפּאָלטן און צעשפּליטערט פֿאָלק קען ניט ווערן קיין עם הנבֿחר. ישׂראל ווערט אָנגערופֿן 'כּנסת־ישׂראל' אין מדרש און אין אונדזערע אַגדה־מקורות, און 'כּנסת' באַדײַט אַ פֿאַרזאַמלונג, קאָנצענטרירונג, זיך צונויפֿקומען, נאָענטקייט, 'לך כּנוס'. און די כּנסת־אידעע איז אַ יסוד אין יהדות. ייִדן מוזן זײַן אַן עם אחד, פּונקט ווי דער רבש"ע איז אַ א־ל אחד. "אתה אחד ושמך אחד ומי כעמך ישראל גוי אחד בארץ". צווישן אונדז גערעדט, דער פּראָבלעם איז הײַנט פּונקט אַזוי אַקטועל ווי יעמאָלט. ווער עס לייענט די פּרעסע און ליטעראַטור ווייסט, אַז זיי האַלטן זיך אין איין מתבונן זײַן אין דער פֿראַגע, ווי פֿאַרווירקלעכט מען די אידעע פֿון כּנסת־ישׂראל, 'משם רועה אבן ישראל'.

יוספֿס חלומות, וועלכע האָבן זיך באַשעפֿטיקט מיט דעם פּראָבלעם, האָבן דערויף געגעבן צוויי תּשובֿות, וועלכע זײַנען ביידע וויכטיק און כאַראַקטעריזירן באמת צוויי מעטאָדן און צוויי תּקופֿות אין דער ייִדישער געשיכטע.

די ערשטע תּשובֿה איז די פּשוטסטע און פֿאַרשטענדלעכסטע: אַ פֿאָלק ווערט אויסגעשמידט און אויך אויפֿגעהאַלטן דורך נאַטירלעכע מיטלען: ווען מענטשן לעבן אין שכנות געאָגראַפֿיש, נאָענט אין איין לאַנד, און קומען כּסדר אין באַרירונג איינע מיט די אַנדערע, רעדן איין שפּראַך, און באַטייליקן זיך אין איין נאַציאָנאַלער

ווירטשאַפֿט. דער ערד־אַרבעטער, דער סוחר, דער אַרטיזאַן[10], די פֿיציכטלער[11], קאָאָרדינירן זייער טעטיקייט און זײַנען קעגנזײַטיק אָפּהענגיק. אין צײַטן פֿון קריזיס לײַדן אַלע, און אין אַ תּקופֿה פֿון שפֿע געניסן אַלע פֿון גאָטס ברכה. ווען זיי מוזן פֿאַרטיידיקן דאָס לאַנד צוזאַמען קעגן איין שונא, און דאַרפֿן כּסדר היטן אירע גרענעצן, ווערט בײַ זיי אויסגעבילדעט אַ נאַציאָנאַלער איינהײַטס־באַוווסטזײַן פֿון איין שיקזאַל און געמיינזאַמען גורל. און זיי ווערן אָנגערופֿן איין פֿאָלק — ׳גוי אחד בארץ׳ — אַ פֿאָלק פֿאַראייניקט דורך דעם לאַנד, דורך דער ווירטשאַפֿט, שפּראַך און שיקזאַל. (אַלץ — דורך דער נאַטור).

אַזאַ כּנסת האָבן יִדן מיט זיך פֿאַרגעשטעלט אין דער תּקופֿה פֿון בית־ראשון. אַלע יִדן האָבן דעמאָלט געוווינט אין ארץ־ישׂראל, געווען צוזאַמענגעוואַקסן מיט דעם לאַנד, אַלע האָבן געערדט העברעיש, געהאַט אַ מלוכה, און געווען אײַנגעגלידערט אין דער זעלבער נאַציאָנאַלער ווירטשאַפֿט. דאָס לאַנד מְדָן וְעַד באר שבֿע האָט זיי צוזאַמענגעהאַלטן.

דער בלופּרינט[12] דערפֿאַר איז שוין געווען אַנטהאַלטן אין ערשטן חלום פֿון יוסף: ״שמעו נא החלום הזה אשר חלמתי, והנה אנחנו מאלמים אלומים בתוך השדה, והנה קמה אלומתי וגם נצבה, והנה תסבינה אלומותיכם ותשתחוינה לאלומתי״ (בראשית לז, ו–ז). ברידער, אויב מיר ווילן אַ פֿאָלק זײַן, אַ גוי גדול, אַ כּנסת, פֿאַרקניפּט און פֿאַרבונדן, אויסגעגאָסן ווי די שפּעטערדיגע מנורה ״כולה מקשה אחת זהב״ (שמות כה, לו), פֿון איין שטיק, ״כפתורה ופרחיה ממנו יהיו״, מוזן מיר אַנטוויקלען אין אונדז די ליבע צום לאַנד. דאַכט זיך, וואָס זעט איר אין דער ערד, וואָס איר האָט אין חרן ניט באַמערקט? אויבן־אויף קיין זאַך ניט! אָבער פֿאַרגעסט ניט אַז אונדזער שורש געפֿינט זיך אין די זאַמדן פֿון כּנען.

אונדזער גורל ווערט אויף אייביק זײַן פֿאַרבונדן מיט דער שׂדה ווו יצחק איז געגאַנגען שפּאַצירן און די ערשטע מנחה געדאַוונט, ״ויצא יצחק לשוח בשדה״ (בראשית כד, סג). עפּעס אין דעם ריח פֿון דער שׂדה האָט יצחק די לופֿט פֿון גן־עדן געפֿילט: ״ראה ריח בני כריח שדה אשר ברכו ד׳״ (בראשית כז, כז). אין חרן האָבן מיר די לופֿט ניט געשפּירט. עפּעס איז דאָ אַ וויכטיקע קוואַליטעט אין דער שׂדה, וועלכע אַנדערע שׂדות האָבן זי ניט. די שׂדה האָט אבֿרהם געקויפֿט פֿון עפֿרון פֿאַר ״ארבע מאות שקל כסף עובר לסוחר״ (בראשית כג, טז), און האָט פֿאַרבונדן זײַן גורל מיט דער פֿעלד און מיט יעדן בוים אין איר. ״ויקם שדה עפרון אשר במכפלה אשר לפני ממרא השדה והמערה אשר בו וכל העץ אשר בשדה בכל גבולו סביב לאברהם

---

10. בעל־מלאכה (ענגליש).
11. פֿאַסטעכער (דײַטש).
12. פּלאַן, סכעמע (ענגליש).

למקנה" (בראשית כג, יז–יח). אבֿרהם האָט ליב געהאַט יעדן בוים אין דער שׂדה. ער פֿלעגט זאָרגן פֿאַר זיי, זיי זאָלן ניט אָנהייבן טריקענען, זיי באַגיסן און אַרומשניידן און איינפֿלאַנצן נײַע. "ויטע אשל בבאר שבע" (בראשית כא, לג). און די אַרבעט פֿלעגט אונדזער עלטער־זיידע טאָן מיט אַזוי פֿיל קדושה און רעליגיעזן ציטער. און אין דעם [....][13] פֿון אַ גרינעם ביימעלע פֿלעגט ער גילוי־שכינה זען, "ויקרא שם בשם ד׳ אל עולם" (דאָרטן).

עפּעס האָט אונדער זיידע געפֿילט, אַז פֿון דעם חלקת־השׂדה קען ער זיך שוין ניט אָפּרײַסן, ער איז פֿאַרקניפּט מיט איר אויף אייביק. איר געדענקט, ברידער, ווי דער טאַטע פֿלעגט בענקען אין חרן אַהיים. ווי ער האָט גלײַך קומענדיק אַהער ווידער געקויפֿט אַ "חלקת השׂדה אשר נטה שם אהלו" (בראשית לג, יט), און תּיכּף געבויט אַ מזבח. ברידער, אונדזער שיקזאַל איז טיף פֿאַרבונדן מיט דעם לאַנד. דאָ וועלן מיר אויסבויען אַן אייגענעווירטשאַפֿט, אַן אייגענע פּאָליטישע פֿאַרבינדונג. זיי וועלן אונדזער פֿאָלק פֿאַראייניקן.

און יוסף, דער בעל־החלומות, זעט וויזיאָנעריש "והנה אנחנו מאלמים אלומים בתוך השׂדה", מיר בינדן גאַרבן תּבֿואה אין פֿעלד. דאַכט זיך, אַ מלאכה, וואָס אַנדערע טוען אויך, אָבער איך פֿיל אַז מיר וועלן אַנדערש זאַמלען אונדזערע גאַרבן. ניט ווי דער פּריזי, און ניט ווי דער כּנעני, און ניט ווי אונדזער זיידע לבֿן אין חרן. דאָרטן, אַז מען שנײַדט מיט געזאַנג, ווערט דער מענטש שטאָלץ און האַרט, און מיינט אַז אַלץ געהערט אים. דאָרטן, ליגן די אלומות אָנגעוואָרפֿן איינע אויף דער אַנדערער. זיי מיינען אַז דורך די אלומות האָבן זיי אַלץ דערגרייכט, זיי זײַנען קיינעם ניט שולדיק קיין זאַך ניט, און עס געהערט צו זיי. די אלומות וועלכע [....][14]. די קוצרים שלאָפֿן געוויינטלעך בײַנאַכט נאָך דעם שניט־טאָג אַ זיסן רויִקן שלאָף, ווי בועז האָט געשלאָפֿן: "ויאכל בועז וישת וייטב לבו ויבוא לשכב בקצה הערמה" (רות ג, ז). ער ליגט, די ערמה ליגט, אָבער נאָר אויף אַ ווײַלע. פּלוצלינג וועט ער זיך אויפֿכאַפּן מיט שרעק.

"והנה קמה אלומתי וגם נצבה" — אויפֿגעשטאַנען פֿון דעם שלאָף פֿון שָׂבֵעַ ולא יראה. ווי וויכטיק דאָס לאַנד זאָל ניט זײַן, ווי צופֿרידן אַ מענטש זאָל ניט זײַן מיט זײַנע אלומות, מוז ער פֿאַרשטיין, אַז ווען גאָט ב"ה גיט עשירות, ברכה ושפֿע, פֿאַרלאַנגט ער אַז דער מענטש זאָל עפּעס שאַפֿן, באַצאָלן פֿאַר די חסדים. די אלומה פֿון מענטשן דאַרף שטענדיק זײַן אין דער בחינה "קמה וגם נצבה" (נצבה אין העברעיש הייסט דיסציפּלינירט שטיין, "סטענד עט אַטענטשאָן", געפֿינען זיך אין דער אָנוועזנהײַט פֿון אַ גרויסער פּערזענלעכקייט), גרייט צו דערפֿילן איר פֿליכט. ווײַל שטענדיק

13. ניט לייענעוודיק אין כתבֿ־יד.
14. ניט לייענעוודיק אין כתבֿ־יד.

הערט מען די שטימע פֿין ״אנכי רות אמתך, ופרשת כנפיך על אמתך״ (רות ג, ט), תּמיד זיינען דאָ נויט־באַדערפֿטיקע וועלכע מען דאַרף העלפֿן. תּמיד איז די כּנסת־ישׂראל אין נויט.

ניט אומזיסט וועט אונזער תּורה שפּעטער אָנזאָגען ״כי תקצר קצירך בשדה ושכחת עומר בשדה, לא תשוב לקחתו, לגר ליתום ולאלמנה יהיה״ (דברים כד, יט). ווען שנײַדסט און זאַמלסט אלומות און עומרים, מיין ניט אַז אַלץ איז דײַנע, ווײַל דײַן שווייס און מי האָבן דעם שפֿע צושטאַנד געבראַכט. די אלומה, דער עומר, דאַרף שטענדיג זײַן אין דער מדרגה פֿון ״קמה וגם נצבה״.

דער ״ושכחת״ איז אַ געפֿערלעכע אייגנשאַפֿט פֿון דער ״ויאכל וישת וייטב לבו ויבא לשכב בקצה הערמה״, און איז אין סתּירה צו די יסודות פֿון יהדות, וועלכע איז שטענדיק באַזירט אויף שטענדיקן געדענקען. ״וזכרת כי עבד היית בארץ מצרים״ (דברים ה, טו), תּמיד: ״קמה וגם נצבה״.

אָבער ניט נאָר מײַן אלומה וועט זיך אַזוי פֿאַרהאַלטן. אַזאַ צוגאַנג צו קאַפּיטאַל, צו עשירות, צו דערפֿאָלג דאַרף ניט נאָר זײַן די השקפֿת־עולם פֿון עטלעכע יחידים, נאָר דער קנין־העם. ״והנה תסבינה אלומותיכם ותשתחוינה לאלומתי״. די אלומות פֿון יעדן יידן, אינטיליגענט אָדער אומוויסנד, בן־תּורה אָדער עם־הארץ, וועלן זײַן געבוקט צו דער פֿילאָסאָפֿיע פֿון ״קמה וגם נצבה״, וועלכע מײַן אלומה סימבאָליזירט. ״אתם נצבים היום כולכם לפני ד׳ אלקיכם, ראשיכם שבטיכם זקניכם ושוטריכם כל איש ישראל״ (דברים כט, ט). אויב אַ מענטש שטייט פֿאַר גאָט ב״ה, מוז זײַן אלומה אויך שטיין.

די נבֿיאים האָבן געוואָלט פֿאַרווירקלעכן יוספֿס חלום אין דער תּקופֿה פֿון בית־ראשון. צוזאַמען מיט דער שפֿע פֿון לאַנד, מיט די עשירות פֿון שומרון און יהודה, האָבן זיי געוואָלט ״קמה אלומתי וגם נצבה״. אמת, זיי האָבן פֿאַרשטאַנען ווי די אַלע עלעמענטן — לאַנד, מלוכה, שפּראַך, ווירטשאַפֿט — זײַנען וויכטיק, אָבער זיי האָבן געהאַלטן אין איין טענהן אַז די אלומות זײַנען אַ ברכה פֿון גאָט, ווען זיי זענען נצבֿות, דינען אַ העכערן צוועק. איז ניט ישעיהס ״הלא זה צום אבחרהו: פּתח חרצובות רשע התר אגודות מוטה ושלח רצוצים חפשים וכל מוטה תנתקו״ (ישעיה נח, ו), איז דאָס ניט אַ באַאַרבעטונג פֿון דעם אַלטן מאָטיוו וועלכער איז ארויסגעבראַכט געוואָרן אין יוספֿס חלום? ״אלומה״ און ״גם נצבֿה״ ביידע צוזאַמען, שפֿע און עשירות, אָבער מיט אַ פֿליכט־באַוווסטזײַן.

און ניט אומזיסט האָט משה געשילדערט יוספֿן אַלס דעם ערשטן, וואָס האָט באַגריפֿן די מיסטעריעזע פֿאַרבינדונג צווישען דער כּנסת־ישׂראל און ארץ־הקודש. ״וליוסף אמר מברכת ד׳ ארצו״ (דברים לג, יג). ווו יוסף זאָל ניט האָבן זײַן, האָט ער געפֿילט אַז ארץ־כּנען איז זײַן לאַנד, ׳ארצו׳. אַפֿילו אין מצרים, פֿאַר זײַן טויט, האָט ער געבעטן די ברידער ״והעליתם את עצמותי מזה אתכם״ (שמות יג, כט). דאָרטן

איז מייַן היים. אָבער אין דעם לאַנד האָט ער געוואָלט פֿאַראייניקן דעם ״ברכות שמים מעל, ברכות תהום רובצת תחת״ (בראשית מט, כה). נצבֿה קוקט אַרויף צום היימאַט.

פֿאַר דעם אידעאַל האָבן אויך די חשמונאים געקעמפֿט, פֿאַר ״מברכת ד׳ ארצו״, פֿאַר זעלבשטענדיקייט אין ארץ־ישׂראל, און אויך אז ״מגד שמים מעל״ זאָל זיך פֿאַראייניקן מיט ״מגד תהום רובצת תחת״.

אָבער די תקופֿה האָט ניט לאַנג אָנגעהאַלטן. די עשׂרת־השבֿטים זייַנען פֿאַרטריבן געוואָרן נאָך אין די צייַטן פֿון בית־ראשון. גלות בבֿל האָט אין גאַנצן פֿאַרניכטעט דאָס לאַנד, יידן זייַנען צעשפּרייט געוואָרן אין אַלע עקן פֿון דער וועלט, פֿאַרגעסן שנעל העברעיש. מערסטע יידן זייַנען ניט געקומען צוריק מיט עזרא און נחמיהן, און די וואָס זייַנען געקומען זייַנען געווען האַלב־ אָדער אין גאַנצן אַסימילירט. זיי האָבן בשעת־מעשׂה ניט געהאַט קיין פּאָליטישע פֿרייַהייט.[15]

15. דאָ פֿאַרענדיקט זיך דער טעקסט פֿון פֿאַראַנענעם כּתבֿ־יד.

פרשת ויגש, תשי"ב

מוריה [פֿראַגמענטן]

אין וואָלאָזשינער ישיבֿה איז אַנטשטאַנען א מחלוקת צווישן ר' יוסף בער און ר' הערש־לייב[1]. עס האָט זיך געהאַנדלט, ווער עס זאָל זײַן דער הויפּט ראש־הישיבֿה. די תּלמידי הישיבֿה, צווישן זיי די גאוני־דור־העבֿר, זײַנען געווען צעטיילט אין צוויי מחנות. איינע האָט געהאַלטן מיט ר' יוסף בערן, די אַנדערע מיט ר' הערש־לייבן. עס איז געווען אַ פּלוגתּא פֿון "סיני ועוקר הרים, הי מינייהו עדיף?" [ברכות סד, ע"א]. האָבן דאַמאָלס די נאמני־הישיבֿה אײַנגעלאַדן גדולי־ישׂראל זיי זאָלן קומען און שלום מאַכן צווישן די צוויי פּאַרטייען. געקומען זײַנען: ר' יצחק אלחנן, ר' יאָסעלע סלוצקער, ר' אײַזיק חריף, און דער ווילנער שטאָט־מגיד ר' וועלוועלע. ר' יצחק אלחנן און ר' וועלוועלע האָבן געהאַלטן מיט ר' הערש־לייבן, און ר' אײַזיק חריף און ר' יאָסעלע סלוצקער — מיט ר' יוסף בערן.

די ערשטע אסיפֿה האָט געעפֿנט ר' וועלוועלע. ער איז דאָך געווען דער רעדנער. פֿאָרגעקומען איז זי פּרשת וישבֿ, געזאָגט האָט ער אומגעפֿער אַזוי: "היות איך בין אַ מגיד, וואָס דרשנט אַלע שבת וועגן דער פּרשת־השבֿוע, מוז איך מיך מודה ומתוודה זײַן, אַז פֿון בראשית ביז וישבֿ קומט מיר זייער לײַכט אָן צו דרשנען, צו אַנטוויקלען די טעמאַטיק פֿון דער סדרה. אָבער ווען איך קום צו די פּרשות וישבֿ־מקץ, ווערט די טעמע זייער קאָמפּליצירט און שווער, און אַ סך מאָל באַמי איך מיך אַרויסצודרייען פֿון דרשות די פּאָר וואָכן."

"די סדרות פֿון בראשית שילדערן אַ קאַמף צווישן אַ צדיק און אַ רשע, און איך וויים ווי פֿאָרצושטעלן ביידע צדדים. אין בראשית, למשל, איז פֿון איין זײַט דאָ אַ

1. ד"ה דער נצי"ב, ר' נפֿתּלי־צבֿי־יהודה בערלין.

צוויי־השם "מכל עץ הגן אכל תאכל, ומן העץ אשר בתוך הגן לא תאכל" (בראשית ב, טז־יז), און פֿון דער אַנדערער זײַט — א מיאוסער נחש; אין נח: "נח איש צדיק תמים", און זײַן דור, וואָס איז מלא חמס; אין לך לך: אבֿרהם און פרעה, אבֿרהם און כּדרלעומר; אין וירא: אבֿרהם און אַנשי־סדום; אין חיי שרה: אבֿרהם און עפֿרון; אין תּולדות: יעקבֿ און עשׂו; אין ויצא: יעקבֿ און לבֿן; אין וישלח: יעקבֿ און עשׂו, יעקבֿ און שכם. אין אָט די אַלע סדרות איז קיין קונץ ניט צו שילדערן דעם קאָנטראַסט צווישן דעם צדיק און דעם רשע."

"זעט איר, ווען עס קומט צו וישבֿ און מקץ, שווימט אויף אַ נײַער טיפּ מחלוקת, אַ קריג צווישן צדיקים. פֿון איין זײַט — יוסף־הצדיק, און פֿון דער אַנדער זײַט — די איבעריקע בני־יעקבֿ, שבֿטי י־ה. ווער קען זיך אַרײַנמישן אין דעם מחלוקת, אַרײַנלייגן דעם קאָפּ בין שני הרים? וואָס קען מען דרשנען און וואָס קען מען זאָגן, מה נאמר ומה נדבר? דאָס זעלבע איז ריכטיק אויך בנוגע אונדזער הײַנטיקן דין־תּורה. ווער קען זיך דאָס אונטערנעמען צו פּסקענען צווישן צוויי גדולי־הדור, און ווער קען מכריע זײַן ווער עס איז גערעכט, און ווער עס איז אומגערעכט!"[2]

באמת, ווען מיר הייבן אָן באַטראַכטן וישבֿ און מקץ, און פֿאַרגלײַכן די געשעענישן וועגן וועלכע די צוויי סדרות באַריכטן, מיט דעם סיפּור־המעשׂה אין די פֿריערדיקע סדרות, באַמערקן מיר איין גרינטלעכן אונטערשייד: אין די סדרות פֿון לך לך אָן, לייענען מיר וועגן הבֿטחות ונבֿואות בנוגע אַ [....] מיסטעריעזן עתיד, און מיר זעען ווי דער בורא־עולם לייגט ביסלעכווײַז אויס אַ פּלאַן, צייכנט אָן אַן אַרכיטעקטור, אַ בלו־פּרינט, פֿאַרן צוקונפֿטיקן פּאַלאַץ וואָס ער וויל בויען, פֿאַר דער כּנסת־ישׂראל. אָט דער בוי־פּלאַן מיט אַלע זײַנע זיג־זאַג ליניען, מיט אַלע זײַנע מיסטעריעזע פֿיגורן, האָט דער בורא־עולם געצייכנט אין משך פֿון די סדרות לך לך, וירא, חיי־שׂרה, תּולדות, ויצא, וישלח, דורך די מעשׂים און מקרים פֿון די אָבֿות. זייערע ביאָגראַפֿיעס שטעלן מיט זיך פֿאָר דעם בוי־פּלאַן פֿון דער כּנסת־ישׂראל. מעשׂה אָבֿות סימן לבנים, "צא וכבוש את הדרך לפני בניך"[3] [בראשית רבה, פּרשה מ, ו]. אין וישלח ענדיקן זיך די צייכענונגען, און פֿון וישבֿ אָן הייבט זיך אָן די בוי־אַרבעט פֿון דער ווונדערלעכער אַריכטעקטור, די פֿאַרווירקלעכונג פֿון די אַלע [....][4], נבֿואות, און פּלענער, וועלכע גאָט ב"ה האָט פֿאָרויסבאַשטימט פֿאַר דער כּנסת־ישׂראל.

גלײַך פֿון ערשטן פּסוק — "וישלחהו מעמק חברון. ויבא שכמה, וימצאהו איש תועה בשדה, וישאלהו האיש לאמר: מה תבקש" (בראשית לז, יד–טו) — מערקן מיר אַז עפּעס אַ געהיימע האַנט פֿירט יוספֿן און די ברידער אין אַזעלכע מרחקים,

2. די דאָזיקע מעשׂה־שהיה ווערט אויך איבערגעגעבן אין ב. יאושזאָהן *פֿון אונדזער אלטען אוצר*, הוצאת התלמוד, ישׂראל, 1974, ערשטער באַנד, 'בראשית', זז' 206–207.

3. "גיי און פֿלאַסטער אויס דעם וועג פֿאַר דײַנע קינדער".

4. וואָרט ניט לייענוודיק אין כּתבֿ־יד.

פֿון וועלכע זיי האָבן אַליין ניט געטראַכט. און אָט די האַנט שפּינט סודותדיקע פֿעדעם, פֿון וועלכע סוף־כּל־סוף וועט געשאַפֿן ווערן דאָס פּראַקטפֿולע געוועב פֿון דער כּנסת־ישׂראל. ניט אומזיסט האָבן חז״ל זיך אַזוי שיין אויסגעדרוקט: ״׳וישלחהו מעמק חברון׳, והלא חברון בהר שנאמר ׳ויעלו בנגב ויבא עד חברון׳ (במדבר יג, כב). אלא מעצה עמוקה של אותו צדיק הקבור בחברון, לקיים מה שנאמר לאברהם בין הבתרים, ׳כי גר יהיה זרעך בארץ לא להם׳ (בראשית טו, יג)״[5] [בראשית רבה, פרשה פה, יד]. דער ערשטער שריט אין אַנטוויקלען די פּאַראַדאָקסאַלע אַרכיטעקטור פֿון דער ייִדישער געשיכטע איז די פֿאַרווירקלעכונג פֿון דער גזירה פֿון ״כי גר יהיה זרעך בארץ לא להם, ועבדום וענו אותם ארבע מאות שנה״. און פֿון דעם מאָמענט אָן, ווען יעקבֿ און יוסף האָבן זיך געזעגנט אין עמק חבֿרון, זעען מיר באַשײַמפּערלעך ווי אַלץ פֿירט נאָר צו איין באַשטימטן ציל: ״ואלה שמות בני ישראל הבאים מצרימה את יעקב איש וביתו באו״ (שמות א, א). יעקבֿ גייט אין גלות קיין מצרים.

אָבער דאָ שווימען אַרויף צוויי גרונטפֿראַגן וועלכע מיר מוזן גוט אַנאַליזירן, אויב מיר ווילן לכל־הפּחות פֿאַרשטיין עטוואָס פֿון דער אויסגעשטאַלטונג און אַנטוויקלונג פֿון דער ייִדישער אורגעשיכטע, פֿון די חיי האָבֿות והשבֿטים. אמת, דער מענטשלעכער פֿאַרשטאַנד איז ניט בכּח משׂיג צו זײַן דעם רצון־הקדמון, און אַלע מיסטעריען פֿון דער השגחה. אָבער פֿונדעסטוועגן, וויבאַלד די תּורה האָט וועגן אָט די אַלע געשעענישן דערציילט בפּרטיות, וויל זי דאָך, וואַרשײַנלעך, מיר זאָלן זיך אין אָט די סודות עפּעס פֿאַרטיפֿן.

ווי מיר האָבן באַמערקט, שווימען אַרויף צוויי שאלות:

1) אויב דאָס ייִדישע היסטאָרישע שיקזאַל איז פֿאַרבונדן מיט יסורים און גלות־מצרים, פֿאַר וואָס האָט זיך עפּעס אָט די פֿאַזע פֿון ״כי גר יהיה זרעך בארץ לא להם״ דווקא געדאַרפֿט אָנפֿאַנגען דורך אַזאַ שרעקלעכן עפּיזאָד ווי מכירת־יוסף, דורך אַזוי פֿיל קנאה און שׂנאה און אַכזריות פֿון איין זײַט, און דורך יעקבֿס איבערנאַטירלעכן לײַדן, ״ויתאבל על בנו ימים רבים״ (בראשית לז, לד) פֿון דער אַנדער זײַט? פֿאַר וואָס האָט דער בורא־עולם פּשוט ניט געהייסן יעקבֿן מיט די קינדער גיין קיין מצרים, ווײַל דער אָנפֿאַנג פֿון דעם גלות־מצרים איז נאָענט? עפּעס ווײַזט אויס, אַז די השגחה האָט דווקא געוואָלט, אַז אַזאַ גרויזאַמער חטא ווי מכירת־יוסף זאָל זײַן די התחלה פֿון גלות־מצרים, און דער חטא זאָל זײַן באַגלייט מיט יעקבֿס בלוטיקע טרערן.

2) אומפֿאַרשטענדלעך איז אויך יוספֿס האַנדלונג אין מצרים. אָט דאָס גאַנצע

5. ״׳און ער האָט אים געשיקט פֿונעם טאָל פֿון חבֿרון׳. אָבער חבֿרון איז דאָך אויף אַ באַרג! ווי עס שטייט, ׳און זיי זײַנען אַרויפֿגעגאַנגען אין נגבֿ און זײַנען געקומען ביז חבֿרון׳ (במדבר יג, כב). נאָר וואָס? ער האָט אים געשיקט פֿון דער טיפֿער עצה פֿון יענעם צדיק וואָס איז באַגראָבן אין חבֿרון, כּדי מקיים צו זײַן דאָס וואָס גאָט האָט געזאָגט צו אבֿרהמען בײַם ברית־בין־הבתרים, ׳דײַנע קינדער וועלן זײַן פֿרעמדע אין אַ לאַנד וואָס איז ניט זייערס׳ (בראשית טו, יג).״

רייצן זיך און מאַטערן זײַנע ברידער, און גלײַכצײַטיק זײַן אַלטן טאַטן, וועלכן ער האָט אַזוי ליב געהאַט, איז אומבאַגרײַפֿלעך. אָט די גאַנצע דעבאַטע "מרגלים אתם לראות את ערות הארץ באתם" (בראשית מב, ט), דאָס אַרעסטירן שמעונען, דאָס פֿאַרלאַנגען בנימינען, וויסנדיק וואָס פֿאַר אַ יסורים יעקבֿ וועט מוזן דורכגיין, אויב ער וועט זײַן געצוווּנגען זיך צו שיידן מיט בנימינען. און ספּעציעל נאָכער, דער טריק מיט דעם גבֿיע־הכּסף איז כּמעט סאַדיסטיש. קען מען זאָגן אַז יוסף־הצדיק, וואָס איז נאָכער געווען אַזוי גוט און געטרײַ צו די ברידער, און וואָס האָט אַזוי שיין געהאַנדלט נאָכן פֿאָטערס טויט — "ועתה אל תראו, אנכי אכלכל אתכם ואת טפכם, וינחם אותם וידבר אל לבם" (בראשית נ, כא) — האָט געוואָלט מאַטערן זײַנע ברידער און זײַן פֿאָטער מיט די אַלע קאַפּריזן און בילבולים? עפּעס האָט דאָך אָט די מיסטעריעזע האַנט געפֿירט יוספֿן אין זײַנע פֿאַרהאַנדלונגען מיט די ברידער, עפּעס איז דאָ אַ מיין און אַ זינען אין אָט די אַבסורדע האַנדלונגען.

די מענטשלעכע באַדערפֿענישן ווערן אײַנגעטיילט אין הכרחיות און מותרות, נויטווענדיקייטן און לוקסוס. עס זײַנען דאָ אַזעלכע גיטער אָדער ווערטן אָן וועלכע דער מענטש קען ניט עקסיסטירן. און אַפֿילו ווען ער קען, וועט זײַן לעבן אָן זיי זײַן עלנט און מיזעראַבל. און עס זײַנען דאָ ווערטן אָדער גיטער אָן וועלכע דער מענטש קען גאַנץ גוט אויסקומען. גאָרניט, בשעת ער קריגט זיי, האָט ער הנאה און פֿילט זיך באַפֿרידיקט. זײַן לעבן אָבער קען אָנגיין אָן זיי אויך.

דערבײַ איז דאָ אַ מערקווערדיקע און כּמעט פּאַראַדאָקסאַלע דערשײַנונג, זי איז שוין אָבסערווירט געוואָרן, סײַ פֿון די חכמי־ישׂראל, און סײַ פֿון די חכמי־אומות־העולם: לוקסוס פֿעלט ניט אויס אַ מענטשן ווען ער האָט עס ניט. אָבער דערפֿאַר, בשעת ער קריגט די מותרות, האָט ער שטאַרק הנאה פֿון זיי. למשל, אַ מענטש קען אויסקומען אָן דימענטן, אָן אייל־בילדער אויף די ווענט, אָן שיינע טעפּעכער אויפֿן פּאָסבאָדן, און אָן אַ פּראַכטפֿולער היים. אַ מאָל פֿעלן זיי אים גאָרניט אויס, אָבער בשעת גאָט העלפֿט אים, און ער קען אָט די אַלע שיינע זאַכן קריגן, האָט ער פֿון זיי אַ סך תּענוג, און געניסט פֿון זיי שטענדיק. ער וועט אײַנלאַדן באַקאַנטע און פֿרײַנד כּדי צו ווײַזן זײַן נײַע שיינע היים, די געשמאַקפֿולע מעבל און אַזוי ווײַטער, וואָרעם ער איז שטענדיק צופֿרידן מיט זיי.

די חכמי־ימי־הבינים האָבן זיך זייער שיין אויסגעדריקט וועגן דעם: "כל שההעדר אינו חסרון, הנוכחות מעלה". (אויב בשעת עס פֿעלט איז עס ניט קיין חסרון — איז די אָנוועזנהײַט אַ מעלה פֿון וועלכער מען האָט פֿאַרגעניגן.) זעט איר, בנוגע הכרחיות, די אומבאַדינגטע הצטרכותן פֿון מענטשן, איז דער כּלל פֿאַרקערט. דער מענטש וואָס באַזיצט זיי איז גאָרניט גליקלעך. אַ סך מאָל איז ער גאָר אומצופֿרידן, און ווייס גאָרניט ווי אָפּצושאַצן זיי. ערשט דער יעניקער וואָס האָט די

ווערטן ניט, ווייסט ווי שלעכט עס איז אָן זיי. ״כל שההעדר חסרון״, האָבן די זעלבע חכמי־ימי־הביניים געזאָגט, ״אין הנוכחות מעלה״.

אָט דער געזעץ האָט כּמעט אַן אוניווערסאַלע אָנווענדונג. די וויכטיקסטע און די נייטיקסטע ווערטן און גיטער ווערן דורכן מענטשן ניט אָפּגעשאַצט כּל־זמן ער האָט זיי. פֿיל מאָל וואַרפֿט ער זיך מיט זיי אַרום, מיסברויכט און רויִנירט זיי. פּלאַטאָ האָט שוין באַמערקט, אַז דער געזונטער מענטש ווייסט גאָרניט ווי גליקלעך ער איז, און ווי גוט עס איז אים. ווער איז דען דאַנקבאַר דעם בורא־עולם יעדן פֿרימאָרגן, ווען אַ מענטש כאַפּט זיך אויף און קען זיך אויפֿהייבן פֿון בעט און באַוועגן זײַנע אבֿרים? ווער איז מכּיר־טובֿה גאָט ב״ה פֿאַר קענעןריידן אָדער עסן, שלינגען, און אַזוי ווײַטער?

יהדות, מיט איר טיפֿן בליק און צאַרטן געפֿיל, האָט מתקן געווען די ווונדער־שיינע ברכות השחר, אין וועלכע דער מענטש דריקט אויס דאַנקבאַרקייט דעם בורא־עולם פֿאַר אָט די אַלע פּשוטע טעגלעכע קלייניקייטן. ״כי פתח עיניה לימא ברוך פוקח עורים״[6] [ברכות ס, ע״ב]. צי איז דען דאָ אַ גרעסערער נס, ווי קענען אויפֿעפֿענען די אויגן און זען די זונענליכט אַרײַנשײַנענדיק דורכן פֿענצטער אין שלאָפֿצימער?! ״כי תריץ ויתיב לימא ברוך מתיר אסורים...כי זקיף לימא ברוך זוקף כפופים״[7] [דאָרטן]. איז דען דאָ אַ גרעסערע גליק ווי קענען זיך אַוועקזעצן אין דער פֿרי אין בעט, אָדער קענען אַרויסשפּרינגען פֿון בעט און אויסגלײַכן דעם רוקן?! לאָז ער, האָט די הלכה געזאָגט, אָט דאָס גליק פֿילן, און געבן דערפֿאַר שבֿח והודאה צום בורא־עולם!

אָבער ווער פֿאַרשטייט עס? ווער מאַכט די ברכות? און אפֿילו דער וואָס זאָגט זיי, פֿילט דען אָט די גוטסקייט און דאָס ווונדער פֿון זײַן אַ שׂולט אין אַלע אבֿרים? ערשט ווען דער מענטש ווערט ח״ו קראַנק, הייבט ער אָן צו באַגרײַפֿן וואָס פֿעלט אים אויס, און פֿאַנגט אָן אָפּצושאַצן ווי גוט עס איז אים געווען פֿריִער, בשעת ער האָט געקענט זיצן, אָדער בשעת ער איז געווען אים שטאַנד צו באַוועגן זײַנע גלידער. דאַמאָלס הייבט ער אָן צו פֿאַרשטיין דעם זינען און מיין פֿון אָט די אַלע ברכות: זוקף כּפופֿים, מתּיר אסורים, פּוקח עורים, המעביר חבֿלי שינה ותנומה מעפֿעפּי, און אַזוי ווײַטער.

מיר האָבן דאָקטוירים דערציילט, אַז אַ סך מאָל, ווען אַ פּאַציענט קומט צו זיי, און זיי גיבן אים אַ באַשטימטע דיעטע, ווייסן זיי פֿאָראויס אַז ער וועט זיי ניט פֿאָלגן.

---

6. ״ווען ער עפֿנט די אויגן, זאָל ער זאָגן ׳ברוך פוקח עורים׳.״

7. ״ווען ער שטרעקט זיך אויס און זעצט זיך אַוועק, זאָל ער זאָגן ׳ברוך מתּיר אסורים׳...ווען ער גלײַכט זיך אויס, זאָל ער זאָגן ׳ברוך זוקף כּפופֿים׳.״

ערשט ווען דער פּאַציענט קריגט דעם ערשטן אַטאַק, און ווערט גוט קראַנק, הייבט ער זיך אָן צו היטן.

דאָס זעלבע געזעץ, "כל שההעדר חסרון, הנוכחות אינה מעלה", איז גילטיק אויך, למשל, בנוגע אַ היימאַט און אַ פֿאָטערלאַנד. ווער שאַצט אָפּ, למשל, דאָס גליק פֿון זײַן אין דער היים, און ניט דאַרפֿן אַרומוואַנדערן, אויב ניט דער גר, וואָס האָט קיין היימאַט ניט. בשעת, למשל, אַמעריקע איז אַרײַנגעגאַנגען אין דער צווייטער וועלט־מלחמה, נאָך פּוירל־האַרבאָר, האָבן צענדליקער טויזנטער יונגע־לייט באַלאַגערט די טויערן פֿון די רעקרוטינג־אָפּיסעס[8] כּדי צו וואָלונטירן. אַ סך פֿון זיי האָבן זיך געמאָלדן פֿרײַוויליק, ניט אַזוי צוליב פּאַטריאָטיזם, ווי צוליב וואַנדערלוסט. זיי זײַנען געווען מיד פֿון דער מאָנאָטאָנקייט פֿון לעבן, פֿון דער רויִקייט פֿון די קליינע שטעטלעך אין ניו־ענגלאַנד אָדער די מיטל־וועסט,[9] און עס האָט זיך זיי געגלוסט זען די וועלט. אָבער נאָך אַ פּאָר וואָכן אין דרום־פּאַסיפֿיק, אין די דזשונגלס פֿון קאַלעדאָניאַ, גוואַדאָקאַנאַל, און אַזוי ווײַטער, האָבן זיי אָנגעהויבן בענקען אַהיים, נאָך די רויִקע גאַסן און אַלייען פֿון ניו־ענגלאַנד, נאָך דער קאָרנער־דראָג־סטאָר און דער מאַרקעט־סקווער.[10] ערשט דאָרטן האָבן זיי אָנגעהויבן אָפּשאַצן די שיינקייט און די פּראַכט פֿון אַמעריקע.

דאָס זעלבע איז אויך אמת בנוגע פֿרײַהייט. ערשט אין די קאָנצענטראַציע־לאַגערן האָבן טויזנטער מענטשן פֿאַרשטאַנען דאָס גליק פֿון זײַן פֿרײַ, פֿון קענען זיך באַוועגן ווי און ווען מען וויל, פֿון קענען שלאָפֿן בײַנאַכט, ניט מורא האָבנדיק פֿאַר אַ געסטאַפּאָ־אַגענט, אָדער פֿאַר אַ ג.פּ. או.־אַגענט[11] וואָס וועט אָנקלינגען פֿאַרטאָג אין דער טיר. דער בירגער פֿון אַ פֿרײַ לאַנד באַגרײַפֿט עס ניט. "על נהרות בבל שם ישבנו גם בכינו בזכרינו את ציון" (תהילים קלז, א): ערשט אין דער פֿרעמד, בײַ די טײַכן פֿון בבֿל, האָבן ייִדן זיך דערמאָנט אין דער פּראַכט און שיינקייט פֿון אַן עם חפֿשי אין זײַן אייגענעם לאַנד. איך קען אַזוי רעכענען אַ סך יסודותדיקע ווערטן, וועלכע דער מענטש פֿאַרשטייט ניט כּל־זמן ער האָט זיי.

[הוספֿה:[12]]

אפֿשר באַשטייט די גאַנצע טראַגעדיע פֿון מאָדערנעם מענטשן אין דעם, וואָס ער שאַצט ניט אָפּ זײַנע יסודותדיקע ווערטן און גיטער וואָס ער באַזיצט, און זוכט

8. מאָביליזאַציע־ביוראָען (ענגליש)
9. מערבֿ (ענגליש)
10. קרעמל בײַם ראָג גאַס, און מאַרק־פּלאַץ (ענגליש).
11. סאָוועטישער געהיימדינסט־אַגענט.
12. ווײַטער גייען צוויי זײַטן, נומערירט 6a און 6b אין כּתבֿ־יד, וואָס זײַנען אַ שפּעטערדיקע הוספֿה פֿונעם מחבר, און אַ זעלבשטענדיקער מאמר־המוסגר. די לויפֿיקע דרשה איז ממשיך נאָך דער הוספֿה.

מער און מער. דאָס איז אַפּשר געווען דער שורש פֿון חטא אין גן־עדן. אָדם מיט חוה האָבן געהאַט אַ גאַנצן גן־עדן פֿאַר זיך, און זיי זײַנען ניט געווען גליקלעך, און געזוכט גליק אין עץ־הדעת. אַט דער געזעץ פֿון 'כל שההעדר חסרון, הנוכחות אינה מעלה', איז אַפּשר דער שורש פֿון חטא הײַנט אויך.

די תּורה האָט זיך מיט דער מענטשלעכער אידיאָסינקראַטישער שוואַכקייט שטאַרק [....],[13] און כּדי עס צו גובֿר צו זײַן, האָט זי אײַנגעפֿירט צוויי גרויסע אינסטיטוציעס: 1) די אינסטיטוציע פֿון מזבח און קרבן, 2) די אינסטיטוציע פֿון תּשובֿה, חרטה און וידוי.

וואָס פֿאַר אַן אידעע ליגט באַהאַלטן אין דער מצווה פֿון קרבן? דאַרף דער רבש"ע האָבן מענטשלעכע מתּנות? "האקדמנו בעולות בעגלים בני שנה, הירצה ד' באלפי אילים ברבבות נחלי שמן" (מיכה ו, ו–ז)?

לאָמיר נאָר אַנאַליטיש אונטערזוכן דעם ערשטן קרבן וואָס גאָט ב"ה האָט פֿאַרלאַנגט — די עקידת־יצחק. דער מדרש דערציילט, אַז בשעת דער מלאך האָט געזאָגט אבֿרהמען "אל תשלח ידך אל הנער ואל תעש לו מאומה" (בראשית כב, יב), "עמד אברהם ושאל: אתמול אמרת לי 'כי ביצחק יקרא לך זרע' (בראשית כא, יב). חזרת ואמרת 'קח נא את בנך את יחידך אשר אהבת את יצחק...והעלהו לעולה' (דאָרטן כב, ב) . ועכשיו אתה אומר לי: 'אל תשלח ידך אל הנער ואל תעש לו מאומה'. אמר לו הקב"ה: וכי שחטהו אמרתי לך? העלהו, אסיקתיה וקיימת"[14] [בראשית רבה פרשה נו, ח] . דער מדרש וויל אויסדריקן אַ מערקווערדיקן געדאַנק. גאָט ב"ה האָט ניט געוואָלט האָבן יצחקן, זײַן פֿלייש און בלוט. ער האָט געוואָלט, אַז אבֿרהם מיט שׂרה זאָלן אים האָבן, און מיט אים גליקלעך זײַן. גאָט האָט נאָר פֿאַרלאַנגט יצחקן אויף אַ ווײַלע, ער האָט געוואָלט פֿון אבֿרהמען אַ מתּנה זײַן זון. בשעת־מעשׂה האָט ער אים ניט געזאָגט אַז עס איז אַ מתּנה על־מנת־להחזיר. אבֿרהם האָט געמיינט, אַז ער דאַרף אים אַוועקשענקען יצחקן אויף אייביק, האָט ער אָנגעהויבן פֿרעגן קשיות. האָט דער רבש"ע געענטפֿערט: ניין, אבֿרהם. איך האָב נאָר פֿאַרלאַנגט יצחקן אויף אַ פּאָר מינוט, וויפֿל עס האָט דיר געדויערט דאָס בינדן און אַרויפֿלייגן אויפֿן מזבח. איצטער, נעם אים צוריק, דער קרבן איז שוין פֿאַרווירקלעכט געוואָרן.

פֿאַר וואָס האָט עס דער בורא פֿאַרלאַנגט? פּשוט. קינדער זײַנען אויך פֿון די גרונט־ווערטן, וועלכע אַ מענטש שאַצט ניט אַלע מאָל אָפּ. אַ סך מאָל דוכט זיך אים,

13. וואָרט ניט־לייענעוודיק אין כּתבֿ־יד.

14. "אבֿרהם איז געשטאַנען און האָט געפֿרעגט: נעכטן האָסטו מיר געזאָגט, 'וואָרעם אויף יצחקן וועט גערופֿן ווערן דײַן זוימען'. האָסטו געביטן דײַן מיינונג און געזאָגט, 'נעם דײַן זון, דײַן איינציקן, וואָס האָסט ליב, יצחקן...און ברענג אים אויף דאָרטן פֿאַר אַ בראַנדאָפּפֿער'. און איצט זאָגסטו: 'זאָלסט ניט אויסשטרעקן דײַן האַנט אויפֿן ייִנגל, און זאָלסט אים גאָרניט טאָן'. האָט הקדוש־ברוך־הוא געענטפֿערט: צי האָב איך דיר געזאָגט 'שחטהו', שעכט אים? 'העלהו', ברענג אים אויף! האָסטו אים געבראַכט, און מקיים געווען."

אַז עס דאַרף אַזוי זײַן, און אַז דער רבש"ע קומט אים קינדער. ער פֿאַרגעסט אויף איין ווײַלע דעם גרויסן חסד וואָס גאָט ב"ה טוט מיט עלטערן, ווען ער גיט זיי אַ זון אָדער אַ טאָכטער. ער האַלט עס פֿאַר זײַנס, און פֿילט גאָרניט דאָס גליק פֿון האָבן אַזאַ מתּנה פֿון גאָט ב"ה. ערגער איז נאָך אַזאַ אײַנשטעלונג בנוגע אַ זון אין וועמען מען לייגט האָפֿענונגען, און פֿון וועמען אַ גרויסער עתיד איז אָפּהענגיק. דעריבער האָבן די אָבֿות ניט געקראָגן אָט די מתּנה אַזוי לײַכט. דעריבער האָט אבֿרהם געדאַרפֿט וואַרטן גאַנצע הונדערט יאָר אויף יצחקן. גאָט ב"ה האָט געוואָלט דורך דעם באַווײַזן, אַז אַ זון איז ניט אַזאַ נאַטירלעכע זאַך. עס איז אַ חסד־שמים, וואָס מען דאַרף עס אָפּשאַצן ווי געהעריק, און ניט פֿאַרגעסן אויף איין סעקונדע דעם ווונדער פֿון אַ יצחק.

און בשעת דער רבש"ע באַמערקט, אַז דער מענטש פֿאַרגעסט אָט דעם חסד אויף איין מאָמענט, פֿאַרלאַנגט ער צוריק דעם פּקדון, ניט אויף שטענדיק, נאָר אויף אַ ווײַלע. ער פֿאַרלאַנגט אַן עקידה 'והעלהו שם לעולה'. אמת, ער גיט יצחקן צוריק אַוועק גלײַך. 'אל תשלח ידך אל הנער ואל תעש לו מאומה', אָבער, אַראָפּנעמענדיק יצחקן פֿון מזבח, האָט אבֿרהם בעסער פֿאַרשטאַנען ווי פֿריִער וואָס פֿאַר אַ זכות און אַ חסד עס איז צו האָבן אַ יצחקן. ער האָט אים פֿאַרלאָרן אויף אַ ווײַלע, און האָט דערפֿילט ווי שלעכט עס איז אָן אים.

דער קרבן ווערט פֿאַרלאַנגט אפֿילו פֿון גרעסטן צדיק, אויב אויף אַ האַלבער סעקונדע הייבט ער אָן באַטראַכטן זײַנע יסודותדיקע ווערטן אַלס נאַטירלעכע זאַכן, און פֿאַרגעסט זיי אָפּצושאַצן אין ריכטיקן ליכט. אַ מאָל, ווי דער פֿאַל איז געווען מיט אבֿרהמען, איז די מתּנה געוווען על־מנת־להחזיר־מיד, און אַ מאָל איז עס אַ לענגערער טערמין. גאָט ב"ה פֿאַרהאַלט די מתּנה אַ ביסל מער, ביז וואַנעט דער מענטש הייבט אָן ריכטיק צו בענקען און פֿאַרשטיין זײַן פֿאַרלוסט.

די צווייטע אינסטיטוציע איז די פֿון תּשובֿה.[15]

אויב דאָס פּסיכאָלאָגישע געזעץ פֿון "כל שההעדר חסרון, הנוכחות אינה מעלה" איז גילטיק אין אַזעלכע יסודותדיקע ווערטן ווי געזונט, היימאַט, פֿרײַהײַט, און אַזוי ווײַטער, איז עס זיכער אמת בנוגע דעם יסוד־היסודותדיקן ווערט, דעם עיקר פֿון אַלע עיקרים אין דער מענטשלעכער עקסיסטענץ — דעם רבש"ע.

דער מענטש וואָס גלייבט און האָט בטחון אין אים, און לעבט אין אײַנקלאַנג מיט זײַנע מצוות און משפּטים, פֿילט גאָרניט ווי גוט אים איז, ווי גליקליך ער איז. ערשט מיטן פֿאַרלאָזן דעם בורא־עולם, מיט דעם פֿאַרשווינדן פֿון דער אמונה אין אים, מיטן מחלל זײַן די קדושה פֿון אַ רעליגיעז־עטישן לעבן, צוליב אַ באַשטימטער תּאווה, וואָס האָט זיך אויסגעוויזן לכתּחילה מעכטיק און אומבאַזיגבאַר, און נאָכער,

15. סוף פֿון דער הוספֿה.

נאָכן אָנזעטיקן זיך, זיך אַרויסגעוויזן ווי אַ פֿאַטאַ מאָרגאַנאַ, אַ פֿאַרבלענדעניש — הייבט אָן דער מענטש באַגרײַפֿן אַ סך מאָל ווי נאַריש ער האָט געהאַנדלט, און וואָס ער האָט פֿאַרלוירן צוליב זײַן לײַדנשאַפֿט. ערשט דאַמאָלס, ווען אַלץ איז שוין מחולל, פֿאַרשוועכט, פֿאַרוואָכעדיקט, קען דער מענטש אָנהייבן בענקען נאָך קדושה, נאָך טהרה, נאָכן רבש״ע וואָס ער האָט פֿאַרראַטן, נאָך דער שלימות־הנפֿש וואָס איז נסתּלק געוואָרן פֿון אים.

״אמור לי, בני, מה קול שמעת בחורבה״ [ברכות ג, ע״א]? וואָס הערסטו, ווען דו שטייסט אַ מאָל אין דער חורבֿה פֿון דײַן אייגענעם לעבן, אין דער חורבֿה ווו אַלץ איז חולינדיק און טמא? בענקסט דעמאָלט לכל־הפּחות נאָך דער גלאָררײַכער קדושה, וואָס דו האָסט אַליין צעשטערט? פֿילסטו דײַן אייגענעם טראַגיק? הערסט דאָס געוויין פֿון דער נשמה? ״ואמרתי לו, שמעתי בת קול שמנהמת כיונה ואומרת: אוי לבנים, שבעונותיהם החרבתי את ביתי ושרפתי את היכלי״[16] [דאָרטן]. יע, איך הער עס דעם בת־קול, איך פֿיל די געגועים נאָכן רבש״ע ווענען איך האָב פֿאַרראַטן.

דערויף האָט די תּורה מיט איר טיפֿער פֿאַרשטענדניש פֿאַר מענטשלעכע שוואַכקייטן, אויפֿגעבויט איר אידעע פֿון תּשובֿה. אין וואָס באַשטייט תּשובֿה? אין חרטה על העבֿר און קבלה על להבא? אַ חוטא דאַרף טאָן תּשובֿה. וואָס הייסט ׳ער דאַרף׳? ווי קען די תּורה פֿאַרלאַנגען אַ זאַך וואָס ווידערשפּרעכט די פּסיכאָלאָגישע ווירקלעכקייט? זי איז דאָך אַ תּורת־חיים. טאָמער דערוועקט זיך ניט קיין חרטה־געפֿיל אין מענטשן?

דער תּירוץ איז: אויב די תּורה פֿאָדערט תּשובֿה פֿון מענטשן, איז עס אַ סימן, אַז תּשובֿה איז אַ נאַטירלעכע רעאַקציע צו חטא. אַ נאָרמאַלער מענטש מוז חרטה האָבן אויפֿן חטא. פֿאַר וואָס? לאָמיר זען די אורזאַך פֿון זינד. סיבת־החטא איז די אומפֿאַרשטענדעניש פֿון מענטשן פֿאַר עפּעס טײַערס, יסודותדיקט וואָס ער באַזיצט — דעם רבש״ע. ער פֿילט ניט דאָס גליק פֿון זײַן נאָענט צום בורא־עולם ב״ה, פּונקט ווי ער פֿאַרשטייט ניט, ווי וויכטיק עס איז צו זײַן געזונט, כּל־זמן ער האָט עס. ממילא זינדיקט ער. וואַרפֿט אַוועק דעם שענסטן ווערט וואָס ער האָט באַזעסן.

אָבער אין דעם מאָמענט וואָס ער פֿאַרלירט אים, כאַפּט ער זיך ווי עלנט און איינזאַם ער איז, און ווי גליקלעך ער איז געווען אַ מאָל, און דאָס געפֿיל פֿון חרטה שווימט אויף. אַ ייִד וואָס איז, למשל, דערצויגן געוואָרן אין אַ ייִדישער אַטמאָספֿערע, און האָט פֿאַרזוכט די קדושה פֿון שבת־קודש, און מיט יאָרן שפּעטער, ווען ער האָט אַ צײַט לאַנג, צוליב געשעפֿטלעכע אורזאַכן, מחלל שבת געווען, וועט ער פֿילן דעם

16. ״איך האָב געהערט אַ בת־קול וואָס האָט געוואָרטשעט ווי אַ טויב און געזאָגט: ׳ווי איז צו מײַנע קינדער, וואָס צוליב זייערע זינד האָב איך צעשטערט מײַן הויז און פֿאַרברענט מײַן היכל׳.״

גייַסטיקן פאַרלוסט פון אַט דעם ווערט, און בענקען נאָך דער שבת־פּראַכט. דאָס זעלבע איז אמת וועגן אַנדערע מצוות. אַ חרטה־געפיל מוז זיך דערוועקן אין מענטשן, וואָס זאָל אים נאָגן און מאַטערן, און וועלכע זאָל אין אים דערוועקן געפילן צו דעם אַמאָל, צו אַ ריינעם און הייליקן לעבן.

אמת, דער מענטש קען דאָס געפיל דערשטיקן אין זיך, פאַרטומלען זיך, און זיך איינשמועסן, אַז דווקא אַ וואָכעדיקער, אינהאַלטסלאָזער לעבן איז שענער. אָבער טיף אין האַרצן, אין אַ שלאָפלאָזער נאַכט, וועט ער הערן דעם בת־קול מנהמת כיונה פון דער גייַסטיגער חורבה אַרויס. דער נאָרמאַלער מענטש, וואָס באַציט זיך מיט אָביעקטיוויטעט צו זיך אַליין, און קען זיך, מוז תשובה טאָן נאָך אַ חטא. אַ סך מאָל, ווען דאָס חרטה־געפיל קומט ניט שנעל, פאַרוויקלט דער רבש״ע דעם מענטשן אין אַזעלכע פאַראַדאָקסאַלע צושטאַנדן, וועלכע צווינגען אים צו זייַן אמת מיט זיך אַליין, און דערהערן דעם בת־קול שמנהמת כיונה.

בשעת דער חוטא טוט תשובה, און קערט זיך צוריק אום צום בורא־עולם, וועלכן ער האָט פאַרלאָזן אַ ווייַלע, הייבט ער ערשט אָן אים אָפּצושאַצן, און צו פאַרשטיין דאָס גליק פון זייַן נאָענט צו אים. ערשט דאַמאָלס איז ער אין דעם זעלבן פסיכישן מצב, אין וועלכן עס געפינט זיך איינער וואָס איז על־פּי־נס געזונט געוואָרן פון אַ געפערלעכער קראַנקייט, וואָס באַגרייַפט ערשט דאַמאָלס דאָס גליק פון זייַן געזונט.

אָט די אידעע איז באמת אויסגעדריקט געוואָרן דורך חז״ל אין דעם מאמר ״במקום שבעלי תשובה עומדים, אין צדיקים גמורים יכולים לעמוד״ [ברכות לד, ע״ב]. פאַר וואָס? ווייַל זיי האָבן דורכגעלעבט די טראַגיק פון חטא, און פון הסתלקות־השכינה. ממילא האָבן זיי אַ טיפערע איבערלעבעניש פון דער פראַכט פון השראת־השכינה. דער צדיק גמור איז אַ מאָל צו פיל צוגעוואוינט צו קדושה.

דער רבש״ע האָט אויסגעקליבן אברהמען, וועלכן ער האָט אַנטדעקט, און אַנטוויקלט אין אים אַ נייַע השקפת־עולם, אַ השקפה וועלכע האָט פולקאָם געבראָכן מיט דער געזעלשאַפטלעכער אָרדענונג פון יענער צייַט, און האָט אָנגעהויבן צו פאַרלאַנגען פון מענטשן נייַע חובות, ווי משפט וצדקה, חסד ורחמים, קורץ: די יסודות פון דער תורה וואָס זייַנען שפּעטער געגעבן געוואָרן זייַנע קינדער. אָט די ירושה איז איבערגעגעבן געוואָרן פון אברהמען צו יצחקן, און פון יצחקן צו יעקבן. יעדער האָט עפּעס מוסיף געווען, און עס מוסר געווען צו זייַנע קינדער.

די שבטים זייַנען דערצויגן געוואָרן אין אַן אַטמאָספערע פון צדק און יושר, ווו אברהמס געשטאַלט האָט געשוועבט, און זייַן גייַסט האָט גערוט. דער בורא־עולם האָט געהאַלטן, אַז זיי זייַנען נאָך ניט ראוי מקבל צו זייַן די תורה. זיי שאַצן נאָך ניט אָפּ ווי געהעריק די גאַנצע פּראַכט און די גאַנצע שיינקייט, און די גאַנצע קדושה פון דעם ביתו של אברהם. זיי באַטראַכטן עס ווי עפּעס נאַטירלעך, ווי עפּעס אַלטעגלעך. זיי

פֿילן ניט די דערהויבנקייט פֿון אָט די יסודותדיקע ווערטן, און אין אַזאַ מצבֿ זײַנען זיי נאָך ניט פֿעיִק צו ווערן די פֿאָנען־טרעגער פֿון אַ נײַעם לעבנסשטייגער, וואָס דאַרף רעוואָלוציאָניזירן דעם סדר־עולם.

וואָס האָט זיי דאַמאָלס נאָך געפֿעלט? צוויי יסודותדיקע זאַכן וואָס זײַנען זייער כאַראַקטעריסטיש פֿאַר יהדות. לאָמיר זיי אַנאַלאַזירן: די ערשטע זאַך וואָס האָט זיי געפֿעלט, איז די קעגנזײַטיקע ליבע, אָט דאָס וואָס איז שפּעטער אָנגערופֿן געוואָרן ״אהבֿת־ישׂראל״. דאָס באַוווסטזײַן אַז כּל ישׂראל חבֿרים, און זײַנען אַלע פֿאַרבונדן דורך איין שיקזאַל. גאַנץ אומאָפּהענגיק פֿון מײַן שטאַנד אין דער געזעלשאַפֿט, מײַן בירגערשאַפֿט אין לאַנד, מײַן קולטור־מצבֿ, קען איך מיך ניט אַרויסדרייען פֿון דעם גורל וועלכער קען באַפֿאַלן מײַנע אָרעמע ברידער. קורץ: אַ ייִד קען ניט אַנטלויפֿן פֿון דעם היסטאָרישן שיקזאַל, פּונקט ווי באַשטימטע אַסימילירטע ייִדן ווילן אַנטלויפֿן און קענען ניט, פּונקט ווי יונה הנבֿיא האָט געוואָלט אַוועק פֿון גאָט. אָט די אהבֿת־ישׂראל האָט פֿאַראייניקט די ייִדן פֿון דער גאַנצער וועלט אין משך פֿון דורות, און האָט באַוויזן וווּנדער. אַז מען פּלעגט מאַטערן אַ ייִדן אין מאַראָקאָ, פֿלעגט ווי טאָן אַ ייִדן אין ווילנע (פּונקט ווי אין דער מעשׂה מיטן מענטשן מיט די צוויי קעפּ).

אָט די אהבֿת־ישׂראל צווישן אַלע צוועלף שבֿטי י־ה האָט געדאַרפֿט אויסגעשמידט ווערן דורך לײַדן און יסורים. אויב ניט, וואָלט עס קיין קיום ניט געהאַט. צוועלף ברידער זײַנען זיי געווען, ניט אַלע פֿון גלײַכן אָפּשטאַם. עס זײַנען צווישן זיי געווען בני־האמהות און בני־השפֿחות, בני לאה און בני רחל. עס ווײַזט אויס פֿון דער תּורה, אַז די השגחה האָט דווקא אַזוי געוואָלט, אַז די בני־יעקבֿ זאָלן ניט זײַן אַלע גלײַך, נאָר צעטיילט דורך אַזוי־גערופֿענע סאָציאַלע קאָנווענציעס און קלאַסן־פֿאַרשיידנהייטן, כּדי ערשט נאָכער זאָלן זיי זיך ערשט קענען ריכטיק אויפֿפֿירן, טראָץ אַלע הבֿדלים צווישן לאהן און זלפּהן, און רחלען און בלההן. דער ׳משפּט אחד לגר ולאזרח הארץ׳ האָט געמוזט ווערן אַ רעאַליטעט אין זייער לעבן. ממילא ווערט יעקבֿס פֿאַמיליע צעריסן דורך מחלוקת.

אין וואָס באַשטייט די מחלוקת? אין אַ פּשוטן קלאַסן־קאַמף צווישן ברידער, ווי עס איז דער פֿאַל געווען אין דער געזעלשאַפֿט אין משך פֿון טויזנטער יאָרן. די בני־האמהות באַהאַנדלען ניט גוט די בני־השפֿחות, קוקן אויף זיי פֿון אויבן אַראָפּ. ״׳ויבא יוסף את דבתם רעה אל אביהם׳ (בראשית לז, ב): מזלזלין בבני השפחות לקרותן עבדים״ [רש״י דאָרטן]. און יוסף, רחלס זון, דער בן־זקונים פֿון יעקבֿן, האַלט זיך העכער פֿון די איבעריקע ברידער. עס פֿעלט זיי דאָס געפֿיל פֿון אחדות־ישׂראל, פֿון בשותּפֿותדיקייט פֿון גורל, אַז בשעת עשׂו אַטאַקירט זיי, מאַכט ער ניט קיין אונטערשיד צווישן די בני־השפֿחות און בני־האמהות, צווישן ראובֿנען מיט יוספֿן. די כּתונת־פּסים פֿון אַ ייִדן האָט אים קיין מאָל ניט געראַטעוועט פֿון די הענט פֿון עשׂון.

יעדער זעט זײַן גורל אַנדערש. יעדערן דאַכט זיך אַז ער איז בעסער און פֿעיִקער פֿון זײַנע ברידער. ספּעציעל דאַכט זיך דאָס יוספֿן מיט די חלומות.

קורץ: די שבֿטים שאַצן ניט דאָס גליק פֿון "מה טוב ומה נעים שבת אחים גם יחד" (תהילים קלג, א), פֿון אחדות־ישׂראל, וואָס באַשטייט דווקא אין אַלע צוועלף שבֿטים. ניט זיי קענען בויען אַן אומה [....],[17] אַן עם הנצחי, וואָס דער יסוד וועט זיין אחדות־ישׂראל, וועלכע יהדות האָט אוועקגעשטעלט אויף דער זעלבע מדרגה ווי אחדות־הבורא. "אתה אחד ושמך אחד ומי כעמך ישראל גוי אחד בארץ". דער ווערט פֿון אהבֿה איז צו יסודותדיק און עלעמענטאַר, אַז מען זאָל זי אָפּשאַצן בשעת מען האָט זי.

ממילא האָט די השגחה געטאָן דאָס, וואָס זי טוט אַלע מאָל ווען דער מענטש ווערט אַ ביסל צעלאָזן און פֿאַרגעסט זיך: זי פֿאַרלאַנגט אַ קרבן, אַן עקידה. אין וואָס באַשטייט אָט דער קרבן? וואָס פֿאַרלאַנגט דער בורא־עולם פֿון מענטשן? דווקא אָט דעם ווערט, וואָס ער האָט אין זײַן חסד געגעבן דעם מענטשן, און ער, דער מענטש, איז אים ניט דאַנקבאַר. ער דאַרף דעם קרבן ניט האָבן, ער וויל נאָר צונעמען דאָס טײַערסטע בײַם מענטשן אויף אַ ווײַלע, כּדי יענער זאָל זיך כאַפּן וואָס ער האָט פֿאַרלוירן, און אָנהייבן מעריך זײַן ריכטיק דעם ווערט פֿון דעם אוצר וואָס ער האָט געהאַט. נאָכער קריגט ער עס צוריק, פּונקט ווי אבֿרהם האָט באַקומען יצחקן צוריק.

די שבֿטים פֿאַרשטייען ניט דאָס גליק פֿון זײַן צוועלף ברידער בײַ יעקבֿן, פֿון האָבן די מעגלעכקייט צו פֿאַרווירקלעכן די גרויסע נבֿואה פֿון אבֿרהמען פֿון בויען די כּנסת־ישׂראל, אַ גאַנצע, אָן פּגימות, און אָן חסרונות. זיי באַגרײַפֿן ניט, וואָס עס הייסט "שבת אחים גם יחד" — יעדער מיט זײַנע כּשרונות, און יעדער מיט זײַנע כּוחות, איז משלים דעם אַנדערנס כּוחות. איי זיי באַגרײַפֿן ניט אהבֿת־ישׂראל? לאָמיר בעטן די עקידה, זאָגט דער רבונו־של־עולם. געוויינטלעך, אויף אַן אַנדערן אופֿן ווי איך האָב עס פֿאַרלאַנגט פֿון אבֿרהמען, אָבער דאָך אַן עקידה. "את בנך אשר אהבת — את יוסף".

די ברידער פֿאַרקויפֿן יוספֿן אויף זייער אַ מיאוסן אַכזריותדיקן אופֿן. פֿון יעקבֿס זין פֿעלט איינער, און ערשט דאַמאָלס האָבן זיי זיך אויפֿגעכאַפּט פֿון זייער גלײַכגילטיקייט, און פֿאַרשטאַנען וואָס זיי האָבן פֿאַרלוירן. די תּורה דערציילט ניט וועגן פּסיכישע איבערלעבענישן, אָבער זי ווינקט אָן ווי צעבראָכן דאָס גאַנצע הויז איז געווען. דער ערשטער האָט ראובֿן אַרויסגעבראַכט דאָס יאָמער־געשריי פֿון די ברידער, וואָס האָבן פֿאַרקויפֿט דאָס שענסטע וואָס זיי האָבן געהאַט. "וישב ראובן אל הבור — והנה אין יוסף בבור, ויקרע את בגדיו, וישב אל אחיו ויאמר: הילד איננו

17. וואָרט ניט־לייענעוודיק אין כּתבֿ־יד.

ואני אנה אני בא״ (בראשית לז, כט–ל). ״ויקומו כל בניו וכל בנותיו לנחמו״ (דאָרטן, לה), זיי האָבן באַגריפֿן די נאַרישקייט פֿון זייער האַנדלונג. יעקבֿס הויז האַלט ביים פֿונאַנדערפֿאַלן זיך.

אין דער פּרשה ווערט געשילדערט דאָס עלנט פֿון די בני־יעקבֿ, דאָס חרטה־געפֿיל איבער זייער פֿאַרברעכן, די יסורי־הנפֿש וואָס זיי זײַנען דורך. איצטער, דווקא, האָט זיי אויסגעפּעלט דער שיינער יוסף, דער פֿאַנטאַזיאָר, דער בעל־החלומות מיט דער כתונת־פּסים. איצטער וואָלטן זיי געגעבן כּל־הון־דעלמא, אַז זיי זאָלן אים קענען אָפּקויפֿן צוריק פֿון די ישמעאלים. נאָר עס איז געווען אַ ביסל צו שפּעט, דער רבש״ע האָט די עקידה צוגענומען אויף לאַנגע יאָרן, אַנדערש ווי ביי אבֿרהמען.

די שבֿטים האָט אויך אויסגעפֿעלט מוט, אמת, מיט זיך אַליין, צו קענען זיך מתוודה זײַן. חרטה־געפֿילן איז איין זאַך, און ווידוי איז אַ צווייטע זאַך, און צווישן זיי ליגט אַ לאַנגער מהלך. און ניט אַלע קענען דורכמאַכן דעם מרחק צווישן חרטה און ווידוי.

אַ מאָל קען אַ מענטש אָפּטאָן אַן עוולה, און גלייך חרטה האָבן, און פֿונדעסטוועגן ניט האָבן דעם מוט צו זאָגן ווידוי. וואָס איז אייגנטלעך ווידוי? ׳חטאתי׳. דאַכט זיך זייער פּשוט אַרויסצורײדן דאָס וואָרט. ׳חטאתי, עויתי, פּשעתי׳. אָבער פּסיכאָלאָגיש איז עס אפֿשר דאָס שווערסטע פֿאַרן מענטשן צו טאָן. וואָס הייסט ׳חטאתי׳? הכּרת החטא, מודה זײַן אַז איך בין שולדיק, און ניט אַן אַנדערער. און שולדיק בין איך מכּף רגל ועד ראש, אָן קיין שום תּירוצים און אמתלאות, און איך טאָר ניט אָנהענגען די שולד אויף אַ שׂעיר־לעזאזל. אָט די מצוה פֿון ווידוי: ״איש או אשה כי יעשו מכל חטאת וכו׳, והתודו את חטאתם אשר עשו״ (במדבר ה, ו–ז), איז אפֿשר די רעוואָלוציאָנערסטע מצוה אין דער תּורה. דער מענטש מוז פֿאַרבייגן זײַן שטאָלץ, און זיך אַליין באַשולדיקן.

געוויינטלעך, זוכט זיך אַ בשׂר־ודם ריינצוּוואַשן פֿון די חטאות וואָס ער האָט געטאָן, און געפֿינען אַ שׂעיר־לעזאזל וועמען צו באַשולדיקן. אַ מאָל איז עס די פֿרוי, אַ מאָל אַ חבֿר, אַ מאָל ביזנעס, אַ מאָל דאָס לעבן. אָבער דער מענטש האַסט דאָס וואָרט ׳חטאתי׳.

מיר ייִדן ווייסן גאַנץ גוט אָט די מחלה. אונדזער גאַנצע טראַגעדיע באַשטייט אין דעם, וואָס מיר זײַנען אַ סך מאָל דער שׂעיר־לעזאזל פֿאַר חטאים וואָס מיר זײַנען ניט באַגאַנגען. די דײַטשן האָבן אונדז באַשולדיקט, אַז צוליב אונדז האָבן זיי פֿאַרלוירן די ערשטע וועלט־קריג, און זיי האָבן געוואָלט אַז מיר זאָלן זאָגן ׳חטאתי׳ פֿאַר ווילהעלמס[18] עוולות און פֿאַרברעכן, און מיר האָבן דערפֿאַר באַצאָלט מיט זעקס מיליאָן קרבנות. היינט באַשולדיקט מען אונדז אין סטאַלינס עוולות. ניט די

18. דער דײַטשישער קייזער ווילהעלם דער צווייטער, וואָס האָט געהערשט פֿון 1888 ביז 1918.

דעמאָקראַטישע וועלט איז שולדיק אין דער פֿאַרשפּרייטונג פֿון קאָמוניזם, ניט איר גלייַכגילטיקייט צום נאַציזם, ניט איר פֿאַרבינדן זיך מיט קאָרומפּירטע עלעמענטן אין מזרח, ווי טשאַן־קיי־שעק[19], נאָר מיר ייִדן. די אַלטע מעשׂה פֿון יונה: אַן אָרעמער וואַנדערער וואָס האָט געשלאָפֿן בירכּתי האניה, און האָט קיין זאַך ניט געהאַט צו טאָן מיט דער פֿירונג פֿון שיף. און פֿונדעסטוועגן, אין אַ קריטישן מאָמענט, ווען "והאניה חשבה להשבר", האָט מען אים געמאַכט פֿאַרן שׂעיר־לעזאזל: "מה לך נרדם...בשלמי הרעה הזאת לנו" (יונה א, ד, ז).

די גאַנצע טראַגעדיע פֿון דער מאָדערנער וועלט באַשטייט אין איר עגאָיסטישער זעלבסט־טוישונג איבער איר זעלבסט־גערעכטיקייט. דער מאָדערנער מענטש פֿאַרשטייט ניט דאָס גרויסע צויבערוואָרט פֿון 'חטאתי': איך בין שולדיק, און מיר דאַרפֿן קיין אַנדערן ניט באַשולדיקן. יהדות, אָן דעם יסוד פֿון ווידוי, וואָלט ניט געווען דאָס וואָס זי איז.

אמת, די ברידער האָבן גלייַך חרטה געהאַט אין מכירת־יוסף. יהודה האָט גלייַך פֿאַרשטאַנען, ווי שרעקלעך און אָפּשוילעך[20] די האַנדלונג איז געווען. אָבער פֿון חרטה ביז אַרויסריידן דאָס וואָרט 'חטאתי' איז אַ ווייַטער מהלך. זיי האָבן זיך אַליין געוואָלט פֿאַרטומלען, זיך איינשמועסן אַז זיי זייַנען געווען גערעכט, און שולדיק איז געווען גאָר אַן אַנדערער. זיי האָבן באַשולדיקט איינער דעם אַנדערן. "ויהי בעת ההיא וירד יהודה מאת אחיו' (בראשית לח, א): למה נסמכה פרשה זו לכאן, והפסיק בפרשתו של יוסף? ללמד שהורידוהו אחיו מגדולתו כשראו בצרת אביהם. אמרו: אתה אמרת למכרו, אלו אמרת להשיבו היינו שומעים לך"[21] [רש"י, דאָרטן]. דאָס זייַנען טיפּישע רייד פֿון אַ חוטא, וואָס האָט חרטה אויף זייַנע זינד, אָבער האָט ניט דעם מוט צו זאָגן 'חטאתי' און באַשולדיקן זיך אַליין. אַנשטאָט דעם, זוכט ער אַ כּפּרה־הינדל, אַ שׂעיר־לעזאזל. אוודאי איז יהודה געווען שולדיק, אָבער זייַן שולד האָט ניט פֿאַרמינערט די שולד פֿון די ברידער. זיי זייַנען אַלע געווען שולדיק, אָבער קיינער האָט קיין 'חטאתי' דערווייַל ניט געזאָגט. יהודה האָט געוואָלט פֿאַרגעסן די גאַנצע טראַגעדיע, און זיך דערווייַטערט פֿון יעקבֿס הויז. "ויט עד איש עדלמי ושמו חירה, וירא שם יהודה בת איש כנעני, ושמו שוע, ויקחה ויבא אליה" (בראשית לח, א). געוואָלט בויען אַ ניי

19. כינעזישער מיליטערישער און פּאָליטישער פֿירער, פֿון 1950 אָן — פּרעזידענט פֿון דער כינעזישער רעפּובליק אויפֿן אינדזל טייוואַן.

20. אַכזריותדיק (דייַטש)

21. "און עס איז געווען אין יענער צייַט, האָט יהודה אַראָפּגענידערט פֿון זייַנע ברידער'. פֿאַר וואָס איז די דאָזיקע פּרשה געשטעלט געוואָרן דאָ, און מען האָט אָפּגעשטעלט די מעשׂה פֿון יוסף? צו לערנען אַז זייַנע ברידער האָבן אים [יהודהן] אַראָפּגענידערט פֿון זייַן גדולה, ווען זיי האָבן דערזען זייער פֿאָטערס צער. זיי האָבן [יהודהן] געזאָגט: דו האָסט געזאָגט מען זאָל אים פֿאַרקויפֿן. וואָלטסטו געזאָגט מען זאָל אים אומקערן [אַהיים], וואָלטן מיר דיך געפֿאָלגט."

הויז, זיך אין גאַנצן אָפּזונדערן פֿון יעקבֿן, אַלץ כּדי ניט צו זאָגן ׳חטאתי׳. (איר ווייסט אַז דער פֿאַרזוך איז אים ניט געלונגען.)

עס האָט געדאַרפֿט נאָך דויערן עטלעכע און צוואַנציק יאָר ביז יענעם מאָמענט, ווען די בני־יעקבֿ וועלן דערגרייכן די גרויסע מדרגה פֿון אמת און צדק, און זיך אַליין אָנהייבן קלאַפּן אין האַרצן און שרײַען ׳חטאתי׳, ביז יענעם מאָמענט ווען זיי אַלע, אָן אונטערשייד, זאָלן זיך אַליין באַשולדיקן: ״ויאמרו איש אל אחיו, אבל אשמים אנחנו על אחינו, אשר ראינו צרת נפשו בהתחננו אלינו ולא שמענו, על כן באה אלינו הצרה הזאת״ (בראשית מב, כא). און כּדי צו דערגיין צו דער שטופּע, האָבן זיי נאָך געמוזט דורכגיין יסורי־גיהונם מיט יוספֿן, און מיט זײַנע בילבולים אויף בנימינען און שמעונען.

און ערשט דאַמאָלס זײַנען זיי געוואָרן די גרויסע בעלי־תּשובֿה, וואָס פֿאַרשטייען דעם גרויסן ווערט פֿון אחדות און אהבֿת־ישׂראל. אָט די זעלבע ברידער, וואָס האָבן אַזוי גלײַכגילטיק פֿאַרקויפֿט יוספֿן בעשׂרים כּסף, האָבן ווי לייבן געקעמפֿט פֿאַר בנימין. אָט דער זעלבער יהודה, וואָס האָט זיך אַזוי אַ זאָג געטאָן מיט עטלעכע און צוואַנציק יאָר צוריק ״לכו ונמכרנו לישמעאלים״ (בראשית לז, כז), האָט זיך מוסר־נפֿש געווען פֿאַר בנימין, ״ויגש אליו יהודה ויאמר״. ערשט דאַמאָלס האָט יוסף פֿאַרשטאַנען אַז ער קען זיך צוריק פֿאַראייניקן מיט די ברידער, און צוזאַמען בויען די כּנסת־ישׂראל.

[....][22]

[...] באמת איז די מסורת פֿון גאולה געווען יוספֿס. ״ויאמר יוסף אל אחיו: אנכי מת, וא׳ פקד יפקד אתכם, והעלה אתכם מן הארץ הזאת אל הארץ אשר נשבע לאברהם יצחק ויעקב. וישבע יוסף את בני ישׂראל לאמר: פקד יפקוד א׳ אתכם והעליתם את עצמותי מזה.״ (בראשית נ, כד–כה) . קומט דער מדרש [בראשית רבה צז, ו] און זאָגט: ״ג׳ סימנים נתן להם יוסף: הבא בסגנון שלו ׳אנכי׳, והממנה מכם זקנים, ואומר לכם פקד פקדתי — זהו הגואל״.[23] (די גירסא איז די ריכטיקע[24], ווײַל אין יעקבֿס צוואה צו יוספֿן איז קיין ׳פקד יפקד׳ ניט דערמאָנט. אַזוי, ווײַזט אויס, איז אויך געווען רש״יס גירסא.) דער מדרש איז אומפֿאַרשטענדלעך. וואָס מיינט ״הבא בסגנון שלו ׳אנכי׳״? ערשטנס, האָט דער מדרש געקענט זאָגן ״אנכי״; צוליב וואָס האָט ער געדאַרפֿט באַטאָנען ״בסגנון שלו״? צווייטנס, ווו איז עס דערמאָנט בײַ יוספֿן אַז ער האָט געזאָגט ״אנכי״ אין שײַכות מיט גאולה? ער האָט געזאָגט ״אנכי מת״. וואָס פֿאַר

22. עס פֿעלן דאָ זעקס זײַטן פֿון כּתבֿ־יד (זז׳ 15–20), וואָס האָבן זיך ניט אויפֿגעהיט.

23. ״דרײַ סימנים [פֿון דער גאולה] האָט יוסף זיי געגעבן: איינער וואָס קומט און רעדט מיט זײַן לשון ׳אנכי׳, וואָס באַשטימט צווישן אײַך זקנים, און וואָס זאָגט ׳פּקוד פּקדתּי׳ — איז ער דער אויסלייזער.״

24. אַז יוסף,און ניט יעקבֿ, האָט געגעבן די סימנים. די אָנגענומענע גירסא איז: ״ג׳ סימנים נתן להם הזקן״, מיינענדיק יעקבֿ־אָבֿינו.

אַ פֿאַרבינדונג האָט עס מיט משהס בשׂורת־הגאולה? דריטנס, ווו איז דערמאָנט ביי יוספֿן מינוי זקנים?

ווען מיר קוקן אונדז גוט צו צו יוספֿס צוואה, פֿאַלט אונדז אויף אַ מערקווערדיקע זאַך. לכתּחילה דערציילט די תּורה: "ויאמר יוסף אל אחיו: אנכי מת, וא׳ פקד יפקד אתכם, והעלה אתכם מן הארץ הזאת אל הארץ אשר נשבע לאברהם ליצחק וליעקב." נאָכער, הייבט אָן דער פּסוק דערציילן אַן אַנדערע געשיכטע: "וישבע יוסף את בני ישראל לאמר: פקד יפקד א׳ אתכם והעליתם את עצמותי מזה". ווײַזט אויס, אַז דער פֿריִערדיקער אָנזאָג איז ניט געווען קיין טייל פֿון דער שבֿועה, ווײַל די תּורה וואָלט דאָך ניט גענדאַרפֿט מפֿסיק זיין אין מיטן, און אָנהייבן אויף דאָס נײַ "וישבע יוסף את בני ישראל לאמר", נאָר געקענט ממשיך זײַן "ויאמר יוסף [...]

[....][25]

...געשטאַלט אין דער ייִדישער געשיכטע. אויב מיר ווייסן נאָך הײַנט פֿון יוספֿן, איז עס אַ דאַנק זײַנע ברידער, וועלכע האָבן נאָך זײַן טויט די יוסף־מסורה געשאַפֿן. דווקא לוי, דער שׂונא פֿון יוספֿן, האָט די גלאָררײַכע מסורה פֿאַראייביקט און איר איבערגעגעבן צו קהת, קהת צו עמרמען, און דער לעצטער צו משהן. די מסורה איז געווען אַזוי פֿול מיט ליבע און לײַדנשאַפֿט, אַז משה האָט אין דער ליל־שימורים אַוועקגעוואָרפֿן אַלע אַנדערע אויפֿגאַבן און איז אַוועק זוכן יוספֿס אָרון. לוי איז געווען שולדיק אין מכירת־יוסף, אָבער לוי האָט אויך אויסגעלייזט יוספֿן פֿון מצרים. ווער איז וועמען שולדיק אַ דאַנק? יוסף האָט קיין נקמה ניט גענומען, ווײַל אין לעצטן חשבון האָבן די ברידער געטאָן מיט אים אַ גרויסן חסד.

"שלשה סימנים נתן להם יוסף: הבא בסגנון שלו 'אנכי', והממנה לכם זקנים, ואומר לכם פקוד יפקוד — זהו הגואל." די ייִדישע השקפֿה פֿון מנהיגות און ממשלה ווערט אויסגעדריקט אין דער צוואה. נאָר דער אמתער גואל און משיח וועט קענען זאָגן פּונקט ווי יוסף "אנכי מת", איך בין אָנמעכטיק. מײַן גרעסטער חלום קען נאָר רעאַליזירט ווערן דורך אײַך, ברידער. איר קענט מיך אַרײַננעמען צווישן די שבֿטי י־ה. איך אַליין קען מיך ניט העלפֿן. "אנכי מת" — איך וועל שטאַרבן. איר, ברידער, די שבֿטי י־ה, קענט מיר שענקען אומשטערבלעכקייט, מיטן געדענקען מיך צום גוטן.

"והממנה לכם זקנים": דער וואָס ווייסט, אַז ער אַליין קען קיין זאַך ניט פֿאַרווירקלעכן, מוז האָבן די מיטהילף און מיטאַרבעט פֿון די זקנים, פֿון אַנדערע. ער איז זיי שולדיק אַ דאַנק, אפֿשר מער, ווי זיי — אים. "ואומר לכם פקוד יפקוד א׳ אתכם והעליתם את עצמותי מזה". איך דאַרף האָבן גאולה פּונקט ווי איר אַלע. נעמט מיך אַרײַן אין דער בשׂורת־הגאולה. "פקד פקדתי אתכם ואת העשוי לכם במצרים. ואומר: אעלה אתכם מעני מצרים...אל ארץ זבת חלב ודבש" (שמות ג, טז–יז). איך

25. עס פֿעלן פֿיר זײַטן פֿון כּתבֿ־יד וואָס האָבן זיך ניט אויפֿגעהיט (וו׳ 22–25).

וויל מיטגיין. אַ גואל וואָס מיינט אַז ער איז אַלמעכטיק און דאַרף קיינעמס הילף ניט האָבן, און נייטיקט זיך ניט אין גאולה (פקד), איז אַ משיח־שקר.

אינטערעסאַנט, און כמעט פּאַראַדאָקסאַל, איז די טאַטזאַך אַז די תּורה האָט אָנגעווענדט דעם זעלבן פּרינציפּ אויך אויף שׂונאי־ישׂראל. ייִדן זייַנען געווען אין מצרים שיינע הונדערטער יאָרן. פֿאַרשקלאַפֿט, עקספּלואַטירט, דורכגעגאַנגען יסורי־גיהנום, געריסן עופֿהלעך פֿון די מוטערס אָרעמס און געוואָרפֿן אין נילוס, געשלאָגן, באַליידיקט, אונטערדריקט. "וימררו את חייהם בעבודה קשה בחומר ובלבנים...את כל עבודתם אשר עבדו בהם בפרך" (שמות א, יד). לאָמיר זען ווער איז שולדיק ווען: די מצריים די ייִדן, אָדער פֿאַרקערט, די ייִדן די מצריים? דאַכט זיך עס קען קיין ספֿק וועגן דעם ניט זייַן! קומט די תּורה און גיט זיך אַ זאָג "ולא תתעב מצרי כי גר היית בארצו" (דברים כג, ח): פֿאַראַכט ניט, האָס ניט דעם מצרי, ווייַל דו ביסט געווען אַ גר אין זייַן לאַנד, און דו טאָרסט ניט זייַן קיין כּפֿוי־טובֿה, אַן אומדאַנקבאַרע נשמה.

איר הערט, מיר קומען נאָך די מצריים אויס אַ רעשט! זיי האָבן דאָך אונדז אַזוי שיין באַהאַנדלט! אָבער די תּורה באַשטייט פֿאָרט אויף איר שטעלונג: "לא תתעב מצרי כי גר היית בארצו".

ייִדן טאָרן ניט פֿאַרגעסן, אַז אין מצרים זייַנען זיי געוואָרן אַ 'גוי גדול ועצום'. ווען ניט מצרים, וואָלט קיין כּנסת־ישׂראל ניט אויסגעוואַקסן. אַזוי האָט דער רבש"ע געזאָגט אַבֿרהמען: "כי גר יהי' זרעך בארץ לא להם, ועבדום וענו אותם ארבע מאות שנה. וגם את הגוי אשר יעבודו דן אנכי, ואחרי כן יצאו ברכוש גדול" (בראשית טו, יג–יד). ממילא זייַנען די ייִדן עפּעס שולדיק די מצריים.

וואָס האָבן ייִדן געלערנט אין מצרים? צוויי זאַכן. יוספֿס בײדע חלומות זייַנען מקוים געוואָרן. ערשטנס, האָבן די ייִדן געלערנט "והנה אנחנו מאלמים אלומים בתוך השדה" (בראשית לז, ז): אַ נייַע מאַטעריעלע ציוויליזאַציע. קומענדיק קיין מצרים זייַנען די שבֿטים געווען פּשוטע פּאַסטעכער, נאָמאַדן. זייער ווירטשאַפֿט איז געווען זייער אַ פּרימיטיווע. אַרויסגייענדיק פֿון מצרים, זייַנען זיי געווען אויסגעבילדעט אין אַלע פֿאַכן וואָס אַ ציוויליזירטע געזעלשאַפֿט פֿאַרמאָגט: ערד־אַרבעטער, בוי־מייַסטער, גאָלד־קינסטלער, וועבער. איר זעט דאָך ווי די ייִדן האָבן אויסגעבויט דעם משכן, אַ מוסטער פֿון קינסטלערישער בוי־און וועב־קונסט. "ועשו בצלאל ואהליאב וכל איש אשר נתן ד' חכמה ותבונה בהמה לדעת לעשות את כל מלאכת עבודת הקודש" (שמות לו, א).

דער רבש"ע האָט געוואָלט, אַז די כּנסת־ישׂראל זאָל קענען זיך באַטייליקן אין אַלע צווייַגן פֿון ציוויליזירטער אַרבעט. אין ארץ־כּנען וואָלטן זיי זיך די מלאכות און די פֿאַכן קיין מאָל ניט אויסגעלערנט. דערויף האָט מען געמוזט גיין קיין מצרים, דעם צענטער פֿון ציוויליזאַציע און קולטור. און געלערנט האָבן ייִדן אונטערן בייַטש פֿון נוגשים, אָבער דאָך געלערנט. "וימררו את חייהם בעבודה קשה בחומר ובלבנים

ובכל עבודה בשדה, את כל עבודתם אשר עבדו בהם בפרך". יוספֿס חלום "והנה אנחנו מאלמים אלומים בתוך השדה, והנה קמה אלומתי וגם נצבה", וועגן אַ רײַכער, פֿאָרגעשריטענער ייִדישער געזעלשאַפֿט, איז פֿאַרווירקלעכט געוואָרן מיט בלוט און טרערן.

אָבער פֿיל וויכטיקער ווי די רעאַליזאַציע פֿון דעם ערשטן חלום "והנה אנחנו מאלמים אלומים", וואָס איז פֿאָרגעקומען אין מצרים, איז די פֿאַרווירקלעכונג פֿון צווייטן חלום, פֿון "והנה השמש והירח ואחד עשר כוכבים משתחוים לי" (בראשית לז, ט). ייִדן האָבן אין מצרים דערגאַנגען צו אַן אַנדערן סוד, נעמלעך: אַז אַ גרויסע מאַטעריעלע ציוויליזאַציע, וואָס דריקט זיך אויס אין "והנה אנחנו מאלמים אלומים בתוך השדה", אין פּיראַמידן, אין פּתום ורעמסס, אין אַ רײַכער אַגריקולטור, אין אַ גרויסן טײַך־ און קאַנאַל־סיסטעם, ווי דער נילוס, אין קונסט און האַלץ־שניצערײַ, אין אַ מעכטיקער אַרמיי, רכבֿ מצרים — קען גלײַכצײַטיק זײַן דורכגעווייקט מיט בלוט און לײַדן פֿון הונדערטער טויזנטער שקלאַפֿן. די ציגל און די מויערן פֿון עגיפּטישע טעמפּלען זײַנען פֿאַרמויערט מיט ייִדישע עופֿהלעך, די ליים איז געקנעט געוואָרן מיט די אויסגעדאַרטע הענט, און די פֿיש פֿון נילוס זײַנען פֿעט פֿון ייִדישע קינדער. אַ ציוויליזאַציע פֿון מאלמים אלומים, וואָס שטעלט מיט זיך פֿאָר די גרויסע דערגרייכונגען פֿון וויסנשאַפֿט און קונסט, פֿון דעת און יופֿי, קען זײַן אַן אמתער מאָנסטער — קאַלט ווי די שטיינער וועלכע סימבאָליזירן זי, און שלעכט ווי דער קראָקאָדיל אין נילוס, אָן צדק און אָן יושר, אָן רחמנות, אָן פֿאַרשטענדעניש און רוקזיכט[26] פֿאַרן צווייטן, עגאָיסטיש און גרויזאַם.

ערשט אין מצרים האָבן ייִדן פֿאַרשטאַנען ווי וויכטיק עס איז דער צווייטער חלום פֿון יוספֿן, פֿון "והשמש והירח ואחד עשר כוכבים משתחוים לי". אויב די אלומות דינען נאָר זיך אַליין, זיי זײַנען אַ צוועק פֿאַר זיך, און ווערן ניט אויפֿגעפֿאַסט ווי אַ מיטל צו אַ העכערן אידעאַל, צו אַ הייליקער עקסיסטענץ, פֿול מיט געטלעכן זינען, ליכט, און קדושה — ווי שרעקלעך קענען זיי ווערן! ייִדן האָבן אין מצרים געלערנט וואָס מען דאַרף *ניט* טאָן, פּונקט ווי דאָס וואָס מען דאַרף טאָן. ערשט זײַענדיק עדות ניט נאָר בנוגע דער גרויסקייט פֿון דער מצרישער ציוויליזאַציע, נאָר אויך פֿון איר שרעקלעכקייט, האָבן ייִדן געקענט פֿאַרשטיין די תּורה, דעם זכר ליציאת מצרים. "וגר לא תלחץ, ואתם ידעתם את נפש הגר, כי גרים הייתם בארץ מצרים" (שמות כג, ט). דו האָסט דאָך געזען ווי עקלהאַפֿט עס איז דער חלום פֿון "והנה אנחנו מאלמים אלומים, והנה קמה אלומתי וגם נצבה ותסובנה אלומותיכם ותשתחונה לאלומתי", אויב ער ווערט ניט באַגלייט פֿון צווייטן חלום! ווי עגאָיסטיש דער מענטש ווערט, ווען זײַן גאַנצער לעבנס־אידעאַל דריקט זיך אויס אין דער אלומה. היט זיך דערפֿאַר!

26. אײַנזעעניש (דײַטש).

״לא תעשה כל מלאכה אתה ובנך ובתך ועבדך ואמתך וכו׳, למען ינוח עבדך ואמתך כמותך, וזכרת כי עבד היית בארץ מצרים״ וכו׳ (דברים ה, יג–יד). ווי גרויזאַם אַ ציוויליזאַציע איז, וואָס ווייס נאָר פֿון ״ששת ימים תעבוד״, און פֿאַרשטייט ניט דעם ״ויום השביעי שבת לד׳״. ״אל תשקצו את נפשותיכם בכל השרץ השורץ, ולא תטמאו בהם...כי אני ד׳ המעלה אתכם מארץ מצרים...והייתם קדושים״ (ויקרא יא, מג–מה). איר ווייסט דאָך פֿון דערפֿאַרונג ווי שמוציק דער מענטש קען ווערן, אויב זײַן אידעאַל איז ניט קדושה.

ייִדן אין מצרים האָבן געלערנט אַז די אלומה מוז שטענדיק דינען אַ העכערער וועלט פֿון חסד און צדק. זיי האָבן דעם חלום פֿון ״והשמש והירח״ אויך רעאַליזירט דורך יסורים און גלות. זיי האָבן דאָרטן דעם יסוד פֿון דער כּנסת־ישׂראל אָנגעלייגט.

און אין דער נאַכט פֿון חמשה עשׂר בניסן איז געשען אַ גרויס וווּנדער, פֿיל גרעסער ווי אַלע עשׂר מכּות צוזאַמען, פֿיל אומפֿאַרשטענדלעכער ווי קריעת־ים־סוף און ירידת־המן און בארה של מרים: אַ פֿאָלק פֿון זעקס הונדערט טויזנט שקלאַפֿן איז באַפֿרײַט געוואָרן ביד חזקה ובזרוע נטויה, און קיין איין שויב איז ניט צעבראָכן געוואָרן אין אַ מצרישן הויז. טויזנטער פֿאָטערס און מוטערס, פֿון וועמעס אָרעמס די נוגשים האָבן אַוועקגענומען יונגע קינדער און אין נילוס זיי געוואָרפֿן, האָבן ניט פֿאַרשעפּעט קיין איין מצרישן קינד. איבער אַ האַלב מיליאָן שקלאַפֿן האָבן רעוואָלטירט קעגן זייערע אַדונים, און מען האָט קיין איין הויז ניט באַגזלט. האָבן זיי עפּעס געוואָלט, האָבן זיי געמוזט בעטן רשות: ״וישאלו איש מאת רעהו ואשה מאת רעותה כלי כסף וכלי זהב״ (שמות יא, ב). עבֿדים, פֿאַרביטערטע, פֿאַרפּײַניקטע, האָבן קיין פּאָגראָם ניט געמאַכט. נאָר מען איז אַרויס ביד רמה, אָן בלוט־פֿאַרגיסן. קיין צווייטע רעוואָלוציע פֿון אַזאַ מין סאָרט אויפֿפֿירונג קען די געשיכטע ניט. נקמה נעמען פֿאַר ייִדן טוט דער רבש״ע, ייִדן ניט. ״ועבר ד׳ לנגוף את מצרים״ (שמות יב, כג), אָבער ״ואתם לא תצאו איש מפתח ביתו עד בוקר״ (דאָרטן, פּסוק כב).

איר פּראָקלאַמירט אַן אַנדערע סאָרט גאולה, אַ גאולה פֿון חסד און רחמים, ניט פֿון בלוט און טרערן, אַפֿילו פֿון אײַערע אונטערדריקער. ״ולא יתן המשחית לבא אל ביתכם לנגוף״ (דאָרטן, פּסוק כג): דער משחית פֿון האַס, פֿון נקמה, פֿון פֿאַרביטערונג, פֿון גרויזאַמס, טאָר אײַערע שוועלן ניט אַריבערטרעטן. ״לא תתעב מצרי כי גר היית בארצו.״ עפּעס ביסטו שולדיק דעם מצרי, דו האָסט פֿון אים עפּעס געלערנט. און בײַ בשׂר־ודמס, אַפֿילו ווען איינער איז גערעכט און דער אַנדערער איז אומגערעכט, קען אַ מאָל דער צדיק זײַן עפּעס שולדיק דעם רשע. דאָס איז ייִדישע גאולה, מאָראַל און מוסר פֿון רעוואָלט.

יוסף האָט געלערנט זײַנע ברידער, ווי שטאָלץ מען דאַרף זיך אויפֿפֿירן אין עבֿדות, און ווי באַשיידן מען דאַרף זײַן אין דער נאַכט פֿון גאולה, ווען עס דוכט זיך אַז

די גאַנצע מאַכט געהערט מיר. מען דאַרף געדענקען דעם ״אנכי מת, וא׳ פקד יפקוד אתכם, והעליתם את עצמותי מזה אתכם״.

ממילא, האָבן ייִדן פֿון יוספֿן געלערנט נאָך עפּעס וואָס ווערט אויסגעדריקט דורך ״פּקד פּקדתּי״. דער טבֿע פֿון וועלכער־עס־איז פּאָליטיש־רעוואָלוציאָנערער באַוועגונג איז, אַז זי איז קריטיש אײַנגעשטעלט צום עבֿר. אַ סך רעוואָלוציעס האָבן ניט נאָר באַפֿרײַט דאָס פֿאָלק פֿון פּאָליטישער עבֿדות, נאָר אויך איבערגעריסן מיטן עבֿר. ניט אומזיסט איז די רוסישע רעוואָלוציע פֿאַרבונדן געוועזן מיט אַטעיִזם, און די פֿראַנצייזישע — מיט דעיִזם. אויך בײַ אונדז ייִדן אָבסערווירן מיר הײַנט די זעלבע טענדענץ. די ארץ־ישׂראלדיקע יוגנט האָט אַנטוויקלט אַ אידעאָלאָגיע פֿון שלילת־הגלות. אונטער שלילת־הגלות פֿאַרשטייען אַ סך פֿאַנאַטיקער ניט נאָר פּאָליטישע נעגאַציע פֿון גלות, נאָר כּפֿירה אין אַלע ערכים וואָס די אומה הישׂראלית האָט געשאַפֿן אין משך פֿון צוויי טויזנט יאָר. אַזאַ שלילה פֿירט צו ניהיליזם און קאָמוניזם, ווי מיר זעען עס אין די ראַדיקאַלע גרופּן אין ארץ־ישׂראל.

פֿאַר וואָס האָט עפּעס אַזאַ דערשײַנונג ווי שלילת־הגלות אויפֿגעטויכט אין ארץ־ישׂראל דווקא? פּשוט. מיט עפּעס גרויס, רעוואָלוציאָנערס, איז אַנשטאָנען דאָרטן מדינת־ישׂראל, און די וועלכע האָבן בײַגעשטײַערט צו דער גרינדונג פֿון דער מלוכה, זײַענדיק שטאָלץ מיט זייערע לײַסטונגען, קוקן מיט ביטול אויף די פֿאָריקע דורות, וועלכע עס איז ניט געווען באַשערט צו דערלעבן אַזאַ נצחון. זיי פֿאַרגעסן, אַז ווען ניט די אַמאָליקע דורות, וואָס האָבן געגלויבט אין ביאת־המשיח, געפֿאַסט תּשעה־באָבֿ, און געטרויערט אויף ירושלים, און געחלומט וועגן בנין־המקדש, וואָלט קיין זאַך ניט צושטאַנד געקומען. ווען ניט די ייִדישע מסורה, דער גרויסער עבֿר, וואָלטן מיר הײַנט קיין מדינת־ישׂראל ניט געהאַט. אָט די מנהיגים ווילן דעם גאַנצן קרעדיט פֿאַר זיך, זיי ווילן איגנאָרירן דעם עבֿר, פֿאַרגעסן די אמתע שטילע העלדן, וועלכע האָבן געוואַרט אויף משיחן בכל יום שיבֿא.

בשעת דער בורא ב״ה האָט געשיקט משהן צו די ייִדן, האָט ער אים אין דער ערשטער התגלות געזאָגט: ״אנכי א׳ אביך, א׳ אברהם, א׳ יצחק, א׳ יעקב״ (שמות ג, ו). משה, אוודאי וועסטו זײַן דער גואל, דער אדון־הנבֿיאים, דער עבֿד ד׳, דער מקבל־התּורה. אָבער איין זאַך מוזסטו וויסן: אַז די אַלע סגולות און מתּנות קריגסטו נאָר אין זכות פֿון די אַלטע אָבֿות, וועלכע זײַנען געווען די פּיאָנערן, וואָס מיט זייער מסירת־נפֿש האָבן זיי געשאַפֿן די כּנסת־ישׂראל און אויפֿגעהאַלטן די הייליקע מסורה פֿון ״פּקד יפקוד א׳ אתכם״. משה, ווען דו קומסט צו די ייִדן, שטעל זיך ניט פֿאָר ווי אַ רעוואָלוציאָנער וואָס קומט עפּעס מחדש זײַן, און וועלכער וויל איבערוואַקסן דעם עבֿר. ניין משה, קניפּ זיך אָן אין דעם עבֿר: ״ויאמר עוד א׳ אל משה: כה תאמר אל בני ישׂראל, ד׳ א׳ אבותיכם, א׳ אברהם א׳ יצחק א׳ יעקב, שלחני אליכם׳ (שמות ג, טו). איך גיי אויפֿלעבן אַ מסורה פֿון עבֿר. מײַן מיסיע איז נאָר דער המשך פֿון די ווערק פֿון

די אָבֿות. ווען ניט זיי, מיט זייערע מזבחות און עקידות, וואָלט איך היינט קיין גואל ניט געקענט זיין. ״פקד פקדתי אתכם״ — גאולה און זכּרון, המשך פֿון ברית־אָבֿות. אָן דער היסטאָרישער קאָנטינויִטעט איז גאולה אַבסורד.

און משה אין שירת־הים האָט די געדאַנקען קלאָר פֿאָרמולירט: ״׳זה א־לי ואנוהו, א׳ אבי וארוממנהו׳ (שמות טו, ב): לא אני תחילת הקדושה, אלא מוחזקת ועומדת היא לי הקדושה ואל־קותה עלי מימי אבותי״[27]. מיר קומט קיין יישר־כּח ניט. איך בין אַ שליח פֿון דער השגחה, וואָס איז ממשיך אַן אַלטע מסורה. אין דער מסורה האָט יוסף געשפּילט אַ גרויסע ראָלע.[...][28]

27. ״׳דאָס איז מיין גאָט, און איך וועל אים באַשיינען, דער גאָט פֿון מיין פֿאָטער, און איך וועל אים דערהייבן׳: ניט איך בין דער אָנהייב פֿון דער קדושה, נאָר זי און איר געטלעכקייט שטייט מיר ביי, זינט די טעג פֿון מיינע אָבֿות.״

28. סוף פֿון דער דרשה פֿעלט.

שבת הגדול תשי״ז

זאָגט די הגדה, עס איז דאָ א מצוַת־עשׂה מן התּורה וואָס הייסט סיפּור־יציאת־מצרים. מקורות פֿון וואַנעט די מצוה שטאַמט, זײַנען דאָ אַ סך: ״והגדת לבנך ביום ההוא לאמר״ (שמות יג, ח), ״ואמרתם זבח פּסח הוא לד׳״ (שמות יב, כז), ״ואמרת אליו: בחוזק יד הוציאנו ד׳ ממצרים״ (שמות יג, יד), ״ואמרת לבנך: עבדים היינו״ (דברים ו, כא). קורץ: די פּרשיות פֿון די ארבעה־בנים אַנטהאַלטן די מצוה פֿון סיפּור־יציאת־מצרים. דער רמב״ם [הלכות חמץ ומצה ז, א] דערמאָנט נאָך דעם פּסוק: ״זכור את היום הזה אשר יצאתם ממצרים״ (שמות יג, ג). ער טײַטשט אים אין דעם זינען פֿון סיפּור.

באמת האָבן מיר אַ מצוה וואָס איז נוהג אַ גאַנץ יאָר, די מצוה פֿון *זכירת*־יציאת־מצרים, ווי עס שטייט אין פּסוק: ״למען תּזכּור את יום צאתך מארץ מצרים כּל ימי חייך״ (דברים טז, ג). און די מצוה איז נוהג ביום ובלילה. דער דין בלײַבט דאָך ווי ר׳ אלעזר בן עזריה און בן זומא[1]. אויף דערויף קען דאָך איינער פֿרעגן די שאלה: פֿאַר וואָס האָט מען געדאַרפֿט האָבן אַ באַזונדערע מצוה פֿון סיפּור־יציאת־מצרים די

1. געמיינט דער מאמר אין דער הגדה ״אמר ר׳ אלעזר בן עזריה: הרי אני כבן שבעים שנה ולא זכיתי שתּאמר יציאת מצרים בלילות עד שדרשה בן זומא, שנאמר ׳למען תּזכּר את יום צאתך מארץ מצרים כל ימי חייך׳. ׳ימי חייך׳ הימים, ׳כל ימי חייך׳ הלילות.״ [״ר׳ אלעזר בן עזריה האָט געזאָגט: אָט בין איך ווי זיבעציק יאָר אַלט און איך האָב נישט זוכה געווען איך זאָל פֿאַרשטיין פֿאַר וואָס מען דערמאָנט יציאת־מצרים בײַ נאַכט, ביז עס האָט עס געדרשנט בן זומא: ׳כדי זאָלסט געדענקען דעם טאָג פֿון דײַן אַרויסגיין פֿון לאַנד מצרים אַלע טעג פֿון דײַן לעבן׳, ׳די טעג פֿון דײַן לעבן׳ הייסט די טעג, ׳אַלע טעג פֿון דײַן לעבן׳ הייסט [אויך] די נעכט.״]

ערשטע נאַכט פֿון פּסח — זכירת־יציאת־מצרים איז דאָך נוהג אַלע נעכט און אַלע טעג פֿון אַ גאַנץ יאָר?

דער ענטפֿער איז זייער אַ פּשוטער: עס זײַנען דאָ צוויי גרונטזעצלעכע נפֿקא־מינות צווישן זכירה און סיפּור.

1) זכירה הייסט דערמאָנען יציאת־מצרים בקיצור. ווען מען זאָגט פּרשת־ציצית, און מען שליסט מיטן לעצטן פּסוק "אני ד' אלקיכם אשר הוצאתי אתכם מארץ מצרים" (במדבר טו, מא), איז מען יוצא מיט דער מצווה. סיפּור, דאַקעגן, מוז מען דערציילן באַריכות. סײַ וועגן דעם קושי־השעבוד, און סײַ וועגן די אותות־ומופֿתים וואָס דער רבונו־של־עולם האָט באַוויזן אין מצרים, כּדי אונדז אויסצולייזן. ווי עס שטייט אין דער משנה: "מתחיל בגנות ומסיים בשבח, ודורש מארמי אובד אבי עד שיגמור כל הפרשה כולה"[2] [פּסחים, פּרק י, משנה ד].

2) זכירה הייסט דערמאָנען פּריוואַט, פֿאַר זיך אַליין. סיפּור איז אַ מצווה אויך צו דערציילן אַן אַנדערן, ווי עס שטייט אין פּסוק: "והגדת לבנך ביום ההוא לאמר". בײַ סיפּור־יציאת־מצרים איז דאָ אַ מצווה פֿון הלל והודאה, ווי מיר זאָגן אין דער הגדה "לפיכך אנחנו חייבים להודות להלל ולשבח" וכו'[3]. בײַ זכירה איז דער חיוב ניטאָ.

וואָס הייסט "מתחיל בגנות ומסיים בשבח"? אין דער פֿראַגע האָבן רבֿ און שמואל געגעבן צוויי פֿאַרשיידענע תּשובֿות. רבֿ זאָגט "מתחילה עובדי עבודה זרה היו אבותינו", און שמואל — "עבדים היינו לפרעה במצרים" [פּסחים קט"ז ע"א]. אין אַנדערע ווערטער: רבֿ האַלט אַז גנות און שבֿח דאַרפֿן פֿאַרשטאַנען ווערן אין גײַסטלעך־רעליגיעזן זינען. גנות הייסט — עבֿודה־זרה, שבֿח מיינט — בחירת ישׂראל. און שמואל טײַטשט אָפּ גנות און שבֿח כּפשוטם: מיר זײַנען געווען קנעכט צו פּרעה, און נאָכער האָט אונדז דער רבונו־של־עולם באַפֿרײַט. אינטערעסאַנט, אַז דער רמב"ם האָט אָפּגעפּסקנט ווי ביידע אין הלכות חמץ ומצה [ז, ד]:

"וצריך להתחיל בגנות ולסיים בשבח. כיצד? מתחיל ומספר שבתחילה היו אבותינו בימי תרח ומלפניו כופרין וטועין אחר ההבל, ורודפין אחר עכו"ם, ומסיים בדת האמת, שקרבנו המקום לו והבדילנו מן האומות וקרבנו ליחודו. לכן מתחיל ומודיע, שעבדים היינו לפרעה במצרים וכל הרעה שגמלנו, ומסיים בנסים ובנפלאות שנעשו לנו ובחירותנו, והוא שידרוש מארמי אובד אבי עד שיגמר כל הפרשה כולה."[4]

2. "ער הייבט אָן מיט די חסרונות און ער ענדיקט מיט לויב, און ער דערקלערט פֿון 'ארמי אובד אבי' ביז ער ענדיקט די גאַנצע פּרשה."

3. "...לפאר לרומם להדר לברך לעלה ולקלס למי שעשה לאבותינו ולנו את כל הנסים האלה."

4. "ער דאַרף אָנהייבן מיט די חסרונות און ענדיקן מיט לויב. ווי אַזוי? ער הייבט אָן מיט דערציילן אַז בתחילה זײַנען אונדזערע אָבֿות אין די טעג פֿון תּרח און זײַנע פֿאָרגייער געווען כּופֿרים וואָס האָבן געבלאָנדזשעט

דער רמב״ם, ווײַזט אויס, האָט געלערנט אַז רבֿ און שמואל קריגן גאָרניט. די משנה אַליין [דאָרטן, פּסחים פּרק י, משנה ד] זאָגט דאָך ״והוא שידרוש מארמי אובד אבי עד שיגמר כל הפּרשה כולה״. אַ סימן, אַז שמואלס סיפּור של גנות און שבח דאַרף מען זיכער דערציילן, און רבֿ איז מסכּים מיט אים. פֿון דער אַנדער זײַט, איז שמואל אויך מודה אַז רבֿס אינטערפּרעטאַציע פֿון גנות און שבֿח איז ריכטיק.

מען מוז זיך אָפּשטעלן אויף צוויי זאַכן. מילא, שמואלס סבֿרא איז זעלבסט־פֿאַר־שטענדלעך. סיפּור־יציאת־מצרים דאַרף זיך אויך פֿאַרנעמען מיט דער איינפֿאַכער דערציילונג וועגן שעבוד און גאולה. די משנה אַליין באַטאָנט דאָך ״ודורש פּרשת ארמי אובד אבי״, און זי אַנטהאַלט דאָך דעם סיפּור־המעשׂה. אָבער פֿון וואַנען האָט רבֿ גענומען זײַן הלכה, אַז גנות ושבֿח מיינט גאָר עבֿודה־זרה און בחירת־ישׂראל?

אַ צווייטע שאלה דאַרף מען פֿרעגן. די ערשטע האַלבע הגדה איז זייער מאָדנע מסודר: גלײַך נאָך די פֿיר קשיות הייבן מיר אָן מיט אַ פּסוק ״עבֿדים היינו״, און מיר גייען איבער צו זאַכן וואָס זײַנען, דוכט זיך, ניט אַזוי וויכטיק אין דעם צוזאַמענשטעל פֿון דער הגדה. מיר הייבן אָן זאָגן ״ואלו לא הוציא...וכל המרבה״. נאָכער דערציילן מיר ״מעשה ברבי אליעזר״, ״אמר רבי אלעזר בן עזריה: הרי אני כבן שבעים שנה״, ״ברוך המקום, ברוך הוא...כּנגד ארבעה בנים דברה תּורה״, ״יכול מראש חודש, תּלמוד לאמור ביום ההוא״. די אַלע ענינים זײַנען זיך זייער וויכטיק אין אַן אַנדער צוזאַמענהאַנג, אָבער ניט פּסח בײַנאַכט, ווען מען דאַרף דערציילן סיפּור־יציאת־מצרים און פֿאַרענטפֿערן די פֿיר קשיות. ערשט נאָכער הייבן מיר אָן זאָגן ״מתּחילה עובדי עבודה זרה היו אבותינו״, און גייען איבער צו ״ארמי אובד אבי״. פֿאַרוואָס האָט מען אַזוי צוזאַמענגעשטעלט די הגדה?

ווען מיר קוקן אונדז צו, ווי דער בעל־ההגדה האָט געדרשנט די פֿיר פּרשיות, וועלכע זײַנען זיך מתעסק מיט ארבעה בנים: די פּרשה פֿון חכם, ״כּי ישאלך בנך מחר לאמר, מה העדות והחקים והמשפּטים אשר צוה ד׳ א׳ אתכם״ (דברים ו, כ); די פּרשה פֿון רשע: ״והיה כּי יאמרו אליכם בניכם, מה העבודה הזאת לכם״ (שמות יב, כו); די פּרשה פֿון תּם: ״והיה כּי ישאלך בנך מחר לאמר, מה זאת״ (שמות יג, יד); און די פּרשה פֿון שאינו יודע לשאול: ״והגדת לבנך״ (שמות יג, ח) — וועט אונדז אײַנפֿאַלן אַז בנוגע די לעצטע צוויי בנים, דעם תּם און דעם שאינו יודע לשאול, גיט דער בעל־ההגדה די זעלבע תּשובֿות ווי די תּורה. דעם תּם: ״ואמרתּ אליו בחזק יד הוציאנו ד׳ ממצרים״,

נאָך נישטיקייטן, און זײַנען נאָכגעלאָפֿן עבֿודה־זרה. און ער פֿאַרענדיקט מיטן דת פֿון אמת, וואָס דער רבונו־של־עולם האָט אונדז דערנענטערט צו אים, און האָט אונדז אויסגעטיילט פֿון די פֿעלקער, און האָט אונדז דערנענטערט צו זײַן אייניקייט. דערפֿאַר הייבט מען אָן מיטן אָנזאָגן, אַז מיר זײַנען געווען קנעכט פֿון פרעהן אין מצרים, און דערציילן אַל־דאָס־שלעכטס וואָס ער האָט אונדז אָפּגעטאָן. און מען פֿאַרענדיקט מיט די נסים און וווּנדער וואָס זײַנען צו אונדז געשען, און מיט אונדזער פֿרײַהייט. דהיינו, מען לערנט ׳ארמי אובד אבי׳ ביז ער פֿאַרענדיקט די גאַנצע פּרשה.״

און דעם שאינו יודע לשאול: "והגדת לבנך ביום ההוא לאמר בעבור זה עשה ד' לי בצאתי ממצרים". אָבער אין באַציִונג צום חכם און דעם רשע האָט דער בעל־ההגדה זיך באַנוצט מיט אַנדערע תּירוצים. בנוגע דעם חכם שטייט אין דער תּורה, אַז דער פֿאָטער זאָל אים ענטפֿערן: "עבדים היינו לפרעה במצרים ויוציאנו ד' א' משם ביד חזקה, ויתן ד' אותות ומופתים גדולים ורעים בפרעה וכו'" (דברים ו, כא–כב), און אין דער הגדה געפֿינט זיך גאָר די תּשובֿה: "ואף אתה אמור לו כהלכות הפסח, אין מפטירין אחר הפסח אפיקומן". דעם רשע האָט די תּורה געענטפֿערט: "ואמרתם זבח פסח הוא לד', אשר פסח על בתי אבותינו במצרים" (שמות יב, כז), און אין דער הגדה איז די תּשובֿה: "בעבור זה עשה ד' לי בצאתי ממצרים. לי ולא לו, אלו היה שם לא היה נגאל". דעם פּסוק פֿון "ואמרתם זבח פסח" זאָגן מיר גאָר אין רבן גמליאלס נוסחה: "פסח שהיו אבותינו אוכלים...על שום מה?"

בנוגע דער צווייטער שאלה, וועגן דעם רשע, האָט שוין דער גאָון געענטפֿערט אַ וווּנדערבאַרן תּירוץ. אין אַלע תּשובֿות באַצייכנט די תּורה צו וועמען דײַן תּשובֿה דאַרף אַדרעסירט ווערן. בײַם חכם שטייט "כי ישאלך בנך...ואמרת לבנך": דו זאָלסט דײַן זון, וואָס האָט געפֿרעגט, ענטפֿערן. בײַם תּם זאָגט די תּורה "כי ישאלך בנך מחר לאמר מה זאת, ואמרת אליו": דו זאָלסט אים ענטפֿערן. לאָז ניט זײַן שאלה אָן אַ תּשובֿה. בײַם שאינו יודע לשאול דריקט זיך אויס דער פּסוק "והגדת לבנך": דערצייל דײַן זון, וואָס האָט אַפֿילו קיין שׂכל ניט צו פֿרעגן. אָבער בײַם רשע זאָגט ניט די תּורה, צו וועמען די תּשובֿה דאַרף אַדרעסירט ווערן. דער נוסח איז "והיה כי יאמרו אליכם בניכם מה העבודה הזאת לכם, ואמרתם זבח פסח הוא לד' אשר פסח על בתי אבותינו במצרים בנגפו את מצרים ואת בתינו הציל". די תּורה האָט דאָ משנה געווען דעם נוסח און ניט באַטאָנט "ואמרת אליהם זבח פסח הוא לד'", נאָר "ואמרתם" סתּם. דאָס הייסט: ענטפֿער אים גאָרניט, איגנאָריר אים. נאָר אין דער הגדה, ווען איר וועט דאַרפֿן מסביר זײַן דעם ענין פֿון פּסח ווי רבן גמליאל האָט געפּסקנט, וועט איר עסנדיק דעם פּסח זאָגן, "ואמרתם זבח פסח הוא לד' אשר פסח וכו'". די פּסוקים דאַרפֿן זיך לייענען אַזוי: "והיה כי תבואו אל הארץ אשר יתן ד' לכם כאשר דבר, ושמרתם את העבודה", "ואמרתם זבח פסח הוא לד', אשר פסח על בתי בני ישראל במצרים בנגפו את מצרים ואת בתינו הציל" (שמות יב, כה און כז). דער מיטלסטער פּסוק "והיה כי יאמרו אליכם בניכם מה העבודה הזאת לכם" בלײַבט הענגען אין דער מיטן.

און דעם ענטפֿער צום רשע האָט די תּורה כּולל געווען אויף אַן אומדירעקטן אופֿן אין דעם סיפּור צום שאינו יודע לשאול. "בעבור זה עשׂה ד' לי בצאתי ממצרים, לי ולא לו" וכו'.

אָבער די פֿראַגע וועגן דעם שינוי אין דער תּשובֿה צום בן חכם בלײַבט אומפֿאַר־ענטפֿערט.

לאָמיר אַנאַליזירן ריכטיק די תּשובֿה וואָס די תּורה האָט געגעבן צום בן חכם.

״ואמרת לבנך עבדים היינו לפרעה במצרים, ויוציאנו ד׳ ממצרים ביד חזקה. ויתן ד׳ אותות ומופתים גדולים ורעים במצרים, בפרעה ובכל ביתו לעינינו. ואותנו הוציא משם למען הביא אותנו לתת לנו את הארץ, אשר נשבע לאבותינו. ויצונו ד׳ לעשות את כל החקים האלה ליראה את ד׳ א׳ לטוב לנו כל הימים, לחיתנו כיום הזה. וצדקה תהיה לנו כי נשמר לעשות את כל המצוה הזאת לפני ד׳ א׳ כאשר צונו״ (דברים ו, כא–כה) .

די תשובה באַשטייט פֿון צוויי חלקים. דער ערשטער חלק הייבט זיך אָן מיט ״עבדים היינו״ און שליסט זיך ״לתת לנו את הארץ אשר נשבע ד׳ לאבותינו״. דער צווייטער חלק פֿאַנגט אָן מיט ״ויצונו ד׳ לעשות את כל החקים האלה ליראה את ד׳ א׳״ און ענדיקט זיך מיט ״כי נשמור לעשות את כל המצוה הזאת וכו׳ כאשר צונו״. די מסקנה פֿון דער גאַנצער פּרשה איז אַז עס זײַנען דאָ צוויי מאָמענטן אין סיפּור־יציאת־מצרים:

1) דער סיפּור־מעשׂה וואָס עס איז פֿאָרגעקומען אין מצרים — דער שעבוד און די גאולה. ווי דער ערשטער טייל פֿון דער תּשובֿה צום חכם באַטאָנט, ״עבדים היינו... ויוציאנו ביד החזקה ויתן ד׳ אותות ומופתים״ וכו׳.

2) די דינים און די הלכות, וועלכע זײַנען געגעבן געוואָרן ייִדן אין פֿאַרבינדונג מיט יציאת־מצרים, קורץ — די הלכות־הפּסח.

ניט נאָר איז מען מחויבֿ צו דערציילן וועגן די געשעענישן אין מצרים, נאָר אויך צו דערקלערן און צו לערנען מיט דעם בן־חכם די הלכות, ווי עס שטייט אין פּסוק ״ויצונו ד׳ לעשות את כל החקים האלה ליראה את ד׳ א׳ וצדקה תהיה לנו כי נשמר לעשות את כל המצוה הזאת כאשר צונו״. דאָס הייסט די דינים און חוקים פֿון פּסח.

קומט אויס, אַז די ערשטע נאַכט פּסח איז אַ מצוה מן התורה (אַ חוק פֿון והגדת לבנך) זיך עוסק זײַן אין הלכות־הפּסח, אין דינים פֿון פּסח, מצה, ומרור, חמץ, און אַזוי ווײַטער. מיט די מצוות, וועלכע זײַנען געגעבן געוואָרן ייִדן אין מצרים. און לויט ווי דער בעל־ההגדה זאָגט, ״וכל המרבה לספר ביציאת מצרים הרי זה משובח״. און כּדי די טעזע צו באַשטעטיקן, ברענגט ער די ״מעשׂה ברבי אליעזר, ורבי יהושע, ורבי אלעזר בן עזריה, ורבי עקיבא, ורבי טרפון שהיו מסובין בבני ברק, והיו מספרים ביציאת מצרים כל אותו הלילה״. דאַרפֿן מיר אונדז ניט פֿאָרשטעלן אַז עס מיינט אַז וואָס מער מען זאָגט די הגדה, איז אַלץ בעסער, און אַז די תּנאים זײַנען געזעסן אַ גאַנצע נאַכט און זיך געהאַלטן אין איין איבערחזרן די הגדה. דער כל המרבה אין מעשׂה ברבי אליעזר באַציט זיך אויף לערנען די הלכות־הפּסח, בנוגע די הלכות פֿון פּסח. און ריכטיק, אַז כל המרבה הרי זה משובח. און די תּנאים האָבן זיך עוסק געווען בהלכות־הפּסח ביז עמוד השחר.

אינטערעסאַנט איז, אַז אין דער תּוספֿתּא אין פּסחים געפֿינט זיך די פֿאָלגנדע נוסחה: ״חייב אדם לעסוק בהלכות הפסח כל הלילה, אפילו בינו לבין עצמו, אפילו

בינו לבין תלמידו. מעשׂה ברבן גמליאל וזקנים, שהיו מסובין בבית ביתוס בן זונין בלוד, והיו עסוקין בהלכות הפּסח כּל הלילה עד קרות הגבר. הגביהו מלפניהן ונועדו, והלכו להן לבית המדרש"[5] (תּוספתּא פּסחים, פּרק י, הלכות יא–יב).

ממילא פֿאַרשטייען מיר דאָך דעם תּירוץ וואָס דער בעל־ההגדה גיט דעם בן חכם: "ואף אתּה אמור לו כּהלכות הפּסח אין מפטירין אחר הפּסח אפיקומן". עס איז די זעלבע תּשובֿה וועלכע די תּורה גיט דעם בן חכם: "ויצונו ד׳ לעשׂות את כּל החקים האלה ליראה את ד׳ א׳ לטוב לנו כּל הימים וכו׳ וצדקה תּהיה לנו, כּי נשמר לעשׂות את כּל מצוה הזאת וכו׳ כּאשר צונו". דער בעל־ההגדה (די מכילתּא) האָט נאָר מפֿרש געווען וואָס די תּורה מיינט דערמיט. אין פּשוטע ווערטער האָט ער אונטערגעשטראָכן אַז עס איז אַ חובֿ אויפֿן פֿאָטער צו דערקלערן דעם זון די הלכות־הפּסח, אַפֿילו די הלכה דרבנן פֿון "אין מפטירין אחר הפּסח אפיקומן". דער ביאור פֿון הלכות־הפּסח איז אַ טייל פֿון סיפּור־יציאת־מצרים.

באמת איז אַפֿילו דער סיפּור־יציאת־מצרים צום תּם און צום שאינו יודע לשאול אויך געבויט אויף די חוקות־הפּסח, וואָס זײַנען געגעבן געוואָרן ייִדן אין מצרים. "והיה כּי יביאך ד׳ אל ארץ הכּנעני, כּאשר נשבע לך ולאבותיך ונתנה לך. והעברתּ כּל פּטר רחם לד׳...וכל פּטר חמור תּפדה בשׂה, ואם לא תּפדה — וערפתּו, וכל בכור אדם בבניך תּפדה. והיה כּי ישאלך בנך מחר לאמר, מה זאת? ואמרתּ אליו: בחוזק יד הוציאנו ד׳ ממצרים מבית עבדים. ויהי כּי הקשה פּרעה לשלחנו, ויהרג ד׳ כּל בכור בארץ מצרים מבכור אדם ועד בכור בהמה. על כּן אני זבח לד׳ כּל פּטר רחם הזכרים וכל בכור בני אפדה. והיה לאות על ידכה ולטוטפות בין עיניך. כּי בחזק יד הוציאנו ד׳ ממצרים" (שמות יג, יא–טז). דער תּם פֿרעגט, וואָס פֿאַר אַ מצוה איז קדושת בכורות און פּדיון פּטר חמור און בכור אדם — מה זאת? און די תּשובֿה באַשטייט ווידער פֿון צוויי חלקים: ערשטנס, די מעשׂה וועגן יציאת־מצרים און מכּת־בכורות, און צווייטנס, די דינים פֿון בכור, הלכות אויף וועלכע ייִדן זײַנען נצטווה געוואָרן אין מצרים.

די זעלבע צוויי מאָטיוון קען מען אַנטדעקן אויך אין דעם סיפּור צום שאינו יודע לשאול: "והיה כּי יביאך ד׳ אל הארץ הכּנעני והחתּי והאמרי והחוי והיבוסי אשר נשבע לאבתיך לתת לך ארץ זבת חלב ודבש, ועבדתּ את העבודה הזאת בחודש הזה. שבעת ימים תּאכל מצות וביום השביעי חג לד׳. מצות יאכל את שבעת הימים, ולא יראה לך חמץ ולא יראה לך שאור בכל גבולך. והגדתּ לבנך ביום ההוא לאמור: בעבור זה עשׂה ד׳ לי בצאתי ממצרים" (שמות יג, ה–ח). ווידער די צוויי סיפּורים. ערשטנס 1) "עשׂה ד׳ לי בצאתי ממצרים", דעם פֿאַקטישן אַרויסגיין פֿון מצרים. 2) בעבור זה — "בעבור

5. "אַ מענטש איז מחויבֿ זיך צו פֿאַרנעמען מיט הלכות־פּסח אַ גאַנצע נאַכט, אַפֿילו איינער אַליין, אַפֿילו ער מיט זײַן תּלמיד. אַמאָל איז געשען אַז רבן גמליאל און די זקנים זיך האָבן זיך פֿאַרזאַמלט אינעם שטוב פֿון ביתּוס בן זונין אין לוד, און האָבן זיך פֿאַרנומען מיט הלכות־פּסח אַ גאַנצע נאַכט, ביז דער האָן האָט געקרייט. האָבן זיי צוגענומען [דעם טיש], זיך פֿאַרזאַמלט, און זײַנען געגאַנגען אין בית־מדרש."

מצה ומרור״, ווי דער בעל־ההגדה און אויך רש״י לערנען. 3) די דערקלערונג פֿון די דינים, וועלכע די תּורה רעכנט אויס פֿריִער.

קורץ: ביַי אַלע בנים האָט די תּורה אָנגעזאָגט אַז מען זאָל ניט נאָר דערציילן די מעשׂה פֿון יציאת־מצרים, נאָר אויך די הלכות פֿון פּסח און די דינים וואָס זיַינען מקושר צו יציאת־מצרים.

די חכמי־המסורה זיַינען נאָך געגאַנגען אַ שריט וויַיטער און אָפּגעפּסקנט, אַז אויב איינער וויל מפֿריד זיַין בין הדבֿרים און אָפּוואַרפֿן דעם ״ויצונו ד׳ לעשׂות את כל החקים האלה״, אָדער דעם ״בעבֿור זה״, אָדער דעם ״על כן אני זובח לד׳״, דאַרף מען אים אַפֿילו דעם תּוך־הסיפּור ניט דערציילן. דערפֿאַר איגנאָרירט מען דעם בן רשע. ער זאָגט דאָך ״מה העבֿודה הזאת לכם״. ער איז ניט מקבל קיין עול־מצוות. ממילא ״ולפי שהוציא את עצמו מן הכלל, כּפר בעיקר. ואף אתּה הקהה את שיניו — ואמרתּם״. אָבער ניט אים. פֿאַר וואָס? וויַיל ער איז ניט קיין מודה אין דעם ״בעבור זה עשׂה ד׳ לי״, אַז די הלכות־הפּסח זיַינען דער הויפּט־מאָטיוו פֿון סיפּור־יציאת־מצרים, און איינער וואָס וואַרפֿט אָפּ דעם ויצוונו אָדער דעם בעבֿור זה, און רופֿט אויס ציניש ״לכם״, ווערט ניט איַינגעשלאָסן אין דעם והגדתּ לבנך: ״לי ולא לו — אלו היה שם לא היה נגאל״.

קורץ: דער סדר פֿון סיפּור־יציאת־מצרים מוז זיך אָנהייבן פֿריִער מיט דער פֿעסטשטעלונג פֿון הלכות־הפּסח, פֿון די חוקים ומשפּטים, און ערשט נאָכער דאַרף מען דערציילן די געשיכטע פֿון יציאת־מצרים. דער ״ויצונו ד׳ לעשׂות את כל החוקים האלו״ דאַרף געזאָגט ווערן פֿאַרן סיפּור־יציאת־מצרים. דער סיפּור־המעשׂה איז נאָר אַ דערקלערונג אויף די חוקים ומשפּטים. אויב מען דערמאָנט ניט די הלכות־הפּסח, איז ניטאָ וואָס צו דערציילן וועגן שעבוד און די אותות ומופֿתים.

דער רעיון איז געבראַכט געוואָרן צום אויסדרוק דורך רבֿ־ן מיט שמואל. ווען רבֿ האָט אַרויסגעזאָגט זיַין דעה ״מתּחילה עובדי עבודה זרה היו אבותינו במצרים, ועכשיו קרבנו המקום לעבודתו״, האָט ער ניט געמיינט אַז מיט די דריַי ווערטער איז מען יוצא די מצוה פֿון סיפּור־יציאת־מצרים. עס איז דאָך אַ מצוה פֿון סיפּור בפּרוטרוט און באַריכות. אַלץ וואָס רבֿ האָט געוואָלט זאָגן איז, אַז דער הויפּטמאָטיוו מוז באַשטיין אין דערציילן וועגן בחירת־ישׂראל. אָבער דער סיפּור וועגן בחירה מוז דורכגעפֿירט ווערן דורך דערציילן די הלכות־הפּסח, דורך דעם ״ויצונו ד׳ לעשׂות את כל החקים האלה״, דורך דעם ״בעבור זה״. ממילא מוז מען מפֿרט זיַין אין דער הגדה הלכות פֿון פּסח.

אָבער הלכות פֿון פּסח זיַינען דאָ אַ סך. מען קען גאַנצע נעכט פֿאַרברענגען זיי צו לערנען און צו איבערחזרן. זיי זיַינען אויך הלכות־תּמורות, למשל, די דינים פֿון קרבן־פּסח, פֿון חמץ, תּערובֿות חמץ, בל יראה און בל ימצא. און די מסדרי־ההגדה האָבן געוואָלט אַז די הלכות זאָלן זיַין צוגענגלעך צו אַלעמען. אַלע זיַינען דאָך מחויבֿ

אין סיפור־יציאת־מצרים, און ניט אַלע קענען לערנען כּדי צו פֿאַרשטיין דינים פֿון נשחט שלא למנויו, אָדער פּגול, אָדער די הלכות פֿון חציו עבד וחציו בן־חורין, אָדער די דינים פֿון שימור און טעם כּעיקר ביי חמץ[6]. ממילא האָט מען געמוזט אַרייַנשטעלן הלכות קלות פֿון פּסח, וועלכע דער דורכשניטלעכער מגיד־ההגדה זאָל קענען תּופֿס זייַן, און ממילא אויך יוצא זייַן די מצוה פֿון סיפּור־יציאת־מצרים. לכן האָט מען אַרייַנגעפֿירט די הלכות פֿון מצות סיפּור־יציאת־מצרים אַליין, כּדי דורכן אָפּלערנען די דינים פֿון "והגדת לבנך" זאָל מען מקיים זייַן דעם "ויצונו ד' לעשות את כל החקים האלה".

געווייינטלעך, דער למדן קען דעם קיום פֿון די הלכות אויסברייטערן, ווי עס שטייט אין דער הגדה: "וכל המרבה לספר ביציאת מצרים הרי זה משובח", אָבער דעם מינימום האָט דער בעל־ההגדה אַרייַנגעשטעלט אין טעקסט און סטאַנדאַרדיזירט.

מיר הייבן אָן מיט עבֿדים היינו כּדי צו באַטאָנען אַז דער מקור פֿון אַלץ איז יציאת־מצרים. אָבער גלייַך גייען מיר איבער צו הלכות פֿון סיפּור־יציאת־מצרים:

1. "ואלו לא גאל הקב"ה את אבותינו ממצרים, הרי אנו ובנינו ובני בנינו משועבדים היינו לפרעה במצרים", די הלכה פֿון "בכל דור ודור חייב אדם לראות את עצמו כאלו הוא יצא ממצרים" — דער יסוד פֿון חיובֿ־המצוה. די הלכה שטייט גאָר אין דער פּרשה פֿון בן חכם: "ואותנו הוציא משם, למען הביא אותנו לתת לנו את הארץ".
2. "ואפילו כלנו חכמים...מצוה עלינו לספר ביציאת מצרים", די הלכה אַז סיפּור־יציאת־מצרים דאַרף מען מקיים זייַן אַפֿילו ווען מען ווייסט שוין אַלע פּרטים. אויך אַז עס איז דאָ אַ מצוה פֿון חידוש אין דעם סיפּור.
3. "וכל המרבה לספר ביציאת מצרים הרי זה משובח", אַז סיפּור־יציאת־מצרים איז אַ מצוה שאין לה שיעור.
4. "מעשׂה ברבי אליעזר ורבי יהושע...", דער דין אַז סיפּור איז נוהג אַ גאַנצע נאַכט, אַפֿילו נאָך רבי אלעזר בן עזריה, וואָס האַלט אַז "אין הפסח נאכל אלא עד חצות" [זען משנה זבחים, פּרק ה, משנה ח].
5. דער דין פֿון רבי אלעזר בן עזריה אַז זכירת־יציאת־מצרים איז נוהג ביום ובלילה, און די דרייַ חכמים, אַז נאָר ביום. (אמת, עס איז ניט קיין סיפּור, אָבער וויבאַלד עס איז פֿאַרבונדן מיט יציאת־מצרים, דערמאָנט מען עס אין דער הגדה.)
6. "ברוך המקום ברוך הוא. כנגד ארבעה בנים דברה תורה". אַ מצוה צו דערציילן אַ צווייטן בכלל, און קינדער — בפֿרט.
7. מען דאַרף צופּאַסן די מצות־סיפּור צו דער אינטעליגענץ פֿון קינד.

6. זען פסחים ס, ע"א — סא, ע"א; פּח, ע"א — ע"ב; מ ע"א; מד ע"ב.

8. אַ בן וואָס איז ניט מודה אין מצוות דאַרף מען ניט דערציילן ביציאת־מצרים.
9. מען דאַרף אַרויסרופֿן די קוריאָזיטעט פֿון קינד אַז ער זאָל פֿרעגן שאלות פּסח בייַ נאַכט.
10. אַז דער ביאור פֿון הלכות־פּסח איז אַ באַשטאַנדטייל פֿון סיפּור־יציאת־מצרים.
11. דער פּזמון ״יכול מראש חודש, תּלמוד לומר ביום ההוא״ איז קובֿע דעם זמן פֿון סיפּור־יציאת־מצרים — ״בזמן שמצה ומרור מונחים לפניך״.

קורץ: אין די עטלעכע פּזמונים פֿון דער הגדה, וועלכע באַשטייען פֿון תּוספֿתּות און מכילתּות, תּורה־שבעל־פּה, האָבן די מסדרי־ההגדה קאָנצענטרירט די הויפּט הלכות פֿון סיפּור־יציאת־מצרים, כּדי מען זאָל יוצא זייַן פֿון ״ויצונו ד׳ לעשות את כּל החקים האלה״ און דעם ״אתּה אמור לו כּהלכות הפּסח״. אָן דעם ״ויצונו״ קען זיך די הגדה ניט אָנהייבן. בשעת מען ווערט פֿאַרטיק מיט דעם מינימום הלכות (עס ווייַזט אויס, אַז מען דאַרף לכל־הפּחות איין מצוה פֿון פּסח אָפּטייַטשן ריכטיק), דערקלאַרירן מיר פֿייַערלעך ״מתּחילה עובדי עבודה זרה היו אבותינו במצרים, ועכשיו קרבנו המקום לעבודתו״. אין אַנדערע ווערטער: דורך די מצוות און די חוקים, וואָס דער רבונו־של־עולם האָט אויף אונדז אַרויפֿגעוואָרפֿן, זייַנען מיר געוואָרן אַן עם־הנבֿחר. אַ צושטאַנד פֿון אַ חוקים־לאָזער עקסיסטענץ, ערום מן המצוות, איז אַ מצבֿ פֿון גנות; און התחייבֿות אין מצוות, חוקים, און משפּטים, איז אַ מצבֿ פֿון שבֿח.

ערשט ווען מיר ווערן פֿאַרטיק מיט דעם ויצונו ד׳ לעשות את כּל החקים האלה, מיטן בעבור זה, מיטן על כּן אני זובח לד׳, מיט דער הגדה פֿון רבֿ, מיטן גנות פֿון ערום מן המצוות, פֿאַנגען מיר אָן צו זאָגן שמואלס הגדה — דעם סיפּור פֿון עבֿדים היינו, פֿון ״בחוזק יד הוציאנו ד׳ ממצרים״, די אמתּע מעשׂה פֿון גנות, פֿון שעבוד, פֿון חומר ולבֿנים, פֿון ״כּל הבן הילוד היאורה תּשליכוהו״, און דעם סיפּור פֿון שבֿח און גאולה ביד חזקה ובזרוע נטויה, ובאותות ובמופֿתים. מיר הייבן אָן מיט דער הקדמה פֿון ״ברוך שומר הבטחתו לישׂראל״ און גייען אַריבער צו ״ארמי אובד אבי״, ביז דצ״ך, עד״ש, באח״ב.

נאָך דעם (די פּזמונים אין מיטן זייַנען אין רמב״מס הגדה ניטאָ), הייבן מיר אָן זאָגן ״רבן גמליאל היה אומר״. אין רבן גמליאלס מאמר ווערן די בײדע מאָטיוון: 1) ״ויצונו ד׳״, די הלכות־הפּסח, און 2) דער ״עבדים היינו״ — פֿאַראייניקט. מיר רופֿן אויס פֿייַערלעך: ״פּסח שהיו אבותינו אוכלים על שום מה?״, ״מצה זו, שאנו אוכלים על שום מה?״, ״מרור זה שאנו אוכלים על שום מה?״. ערשטנס, דערקלערן מיר אָפֿן אַז מיר זייַנען מקיים מצוות־הקב״ה הייַנט בייַ נאַכט און מיר זייַנען ממלא די ״כּל החקים האלה״, דעם ״בעבור זה״. מיר זאָגן אָפֿן: ״על כּן אני זובח לד׳״. מיר זייַנען מקבל עול־מצוות אויף אונדז — רבֿס הגדה. מיר זייַנען מבֿאר די סימבאָלישע

באַדײַטונג פֿון די מצוות: על שום שפסח הקב״ה, על שום שלא הספיק, על שום שמררו. מיר דערציילן דעם סיפּור פֿון שעבוד און גאולה נאָכן נוסח פֿון שמואל.

דערמיט פֿאַרענדיקט זיך דער צד־הסיפּור פֿון יציאת־מצרים — הלכות און טעמים באַזירט אויף דער היסטאָרישער געשעעניש פֿון יציאת־מצרים. איצטער הייבן מיר אָן זאָגן הלל והודאה. אָבער איידער מיר פֿאַנגען אָן דעם הלל, מוזן מיר ווידער קאָנסטאַטירן אַ הלכה פֿון וועלכער דאָס הלל זאָגן איז אָפּהענגיק. די הלכה פֿון ״בכל דור ודור חייב אדם לראות את עצמו כאלו הוא יצא ממצרים״. ווײַל אויב דאָס געפֿיל לעבט ער ניט דורך, דערהייבט זיך די פֿראַגע: ווי קען ער הלל זאָגן איבער אַ נס וואָס איז געשען מיט טויזנטער יאָרן צוריק, אָבער וואָס האָט קיין שײַכות ניט צו אים? נאָר אויפֿן יסוד פֿון דער הלכה ״בכל דור ודור״ ווערט יציאת־מצרים פֿאַרוואַנדלט אין אַ פּערזענלעכער דערפֿאַרונג, און דעריבער דאַרף ער זאָגן הלל. די הגדה אַליין באַטאָנט עס: ״לפיכך אנו חייבים להודות...״

אַ שאלה הייבט זיך אויף: פֿאַרוואָס האָבן חז״ל מקדים געווען רבּס הגדה, וואָס איז באַזירט אויפֿן ״ויצונו ד׳ לעשות את כל החקים האלה״ צו שמואלס הגדה פֿון דעם פּשוטן ״עבדים היינו״?

אַלע נסים גלוים וואָס דער רבש״ע טוט כּדי צו העלפֿן דעם מענטשן, מוזן באַגלייט ווערן דורך אַ שינוי אין דעם מענטשן אַליין. אַ נס איז מחייבֿ אין עפּעס, און פֿאַר אַ נס דאַרף מען באַצאָלן. אַ נס טאָר ניט געשען מצד הקבּ״ה אַליין. דער מענטש מוז זיך משתּתּף זײַן אין דעם נס. געוויינטלעך, וואָס איז נוגע נסים אין טבֿע, די אַזוי־גערופֿענע ״נסים גלוים״, וווּנדער וועלכע באַשטייען אין שיפּור־מערכי־הטבֿע, קען דער מענטש זייער ווייניק זיך באַטייליקן. צו די נפֿלאות פֿון עשׂר־מכּות, אָדער קריעת־ים־סוף, האָבן די ייִדן קיין זאַך ניט בײַגעשטײַערט. דערפֿאַר אָבער, וואָס עס איז נוגע די נסים נסתּרים אין דער פּערזענלעכקייט פֿון מענטשן גופֿא — פּדיון־הנפֿש, תּשובֿה, חידוש הרוח, טהרת־הלבֿ — קען דער מענטש זיך משתּתּף זײַן מיטן רבש״ע און דורכפֿירן דעם נס. יהדות האָט געהאַלטן אַז דער נס נסתּר דאַרף זײַן אַן העתקה פֿון דעם נס גלוי. וואָס דער רבש״ע טוט בגלוי אין טבֿע, דאַרף דער מענטש זיך באַמיִען צו דובלירן אין זײַן פּערזענלעכקייט אין נסתּר, אין טהרת־הרוח און עלות־הנשמה. ער דאַרף באַצאָלן זײַן חובֿ מיט אַ האַנדלונג וואָס איז ענלעך צו דעם נס, וואָס דער רבש״ע האָט געלײַסטעט[7] כּדי צו העלפֿן דעם מענטשן.

די אידעע פֿון מידה כּנגד מידה (פּאַראַלעליזם) געפֿינען מיר שוין אין ״קדש לי כל בכור״: ״ויהי כי הקשה פרעה לשלחנו ויהרג ד׳ כל בכור בארץ מצרים. על כן אני זובח לד׳ וכל בכור בני אפדה״ (שמות יג, טו). ווי באַלד אַז דער רבש״ע האָט געשלאָגן די בכורי מצרים, מוזן מיר מקדש זײַן אַלע בכורים. ״והיה לך לאות על ידכה ולזכרון

7. באַוויזן, געמאַכט (דײַטש).

בין עיניך כּי בחוזק יד הוציאנו ד׳ ממצרים״. דער רבונו־של־עולם האָט דעמאָנסטרירט אַ יד־חזקה אין מצרים — דאַרפֿן מיר לייגן תּפֿילין אויף דער זרוע.

כּדי צו פֿאַרשטיין וואָס דער רבונו־של־עולם האָט פֿאַרלאַנגט פֿון אונדז יענע ליל־שימורים אויפֿן געביט פֿון טהרת־הרוח, דאַרפֿן מיר פֿאַרשטיין וואָס עס האָט דער בורא־עולם באמת באַוויזן אין מצרים, וועלכע צוויי מידות האָט ער מאַניפֿעסטירט אין דער ליל־שימורים. אויב מיר וועלן טיפֿער תּופֿס זײַן די נסים אין מצרים, און באַגרײַפֿן וואָס עס איז אַנטפּלעקט געוואָרן יענע נאַכט, וועלן מיר אויסגעפֿינען, אַז צוויי מידות האָט דער רבונו־של־עולם מגלה געווען.

מידת הבֿדלה. די תּורה דערציילט שיין, אַז דער רבונו־של־עולם בײַ בריאת העולם האָט מבֿדיל געווען בין האור ובין החושך: ״ויבדל א׳ בין האור ובין החושך״ (בראשית א, ד). מיר אין הבֿדלה רעכענען אויס דרײַ הבֿדלות: ״המבדיל בין קודש לחול, בין אור לחושך, ובין ישׂראל לעמים״. (״בין יום השביעי לששת ימי המעשׂה״ איז אידענטיש מיט בין קודש לחול.)

די הבֿדלה בין אור לחושך איז אַ הבֿדלה מוחשית: יעדער איינער קען זיכער דעם אונטערשייד צווישן ליכט און פֿינצטערניש. אַפֿילו חיות און עופֿות פֿילן דעם קאָנטראַסט צווישן אור און חושך. מיר מאַכן דאָך אַ ברכה אַלע אין דער פֿרי ״הנותן לשׂכוי בינה להבחין בין יום ובין לילה״.

די הבֿדלה בין קודש לחול איז שוין אַ גאַנץ אַנדערע. דאָס אויג זעט שוין ניט דעם גבֿול צווישן קודש און חול. די חושים קענען ניט מרגיש זײַן, וואָס איז קודש און וואָס איז וואָכעדיק. די שטחיותדיקע אָבסערוואַציע קען עס ניט מערקן. דערצו דאַרף מען האָבן אַ ווײַטן בליק, אַ היקפֿדיקע השקפֿה, און ספּעציעל אַ טיפֿע אינטויִציע. דער גבֿול צווישן קודש און חול איז דאָך מופֿשט. נאָר דער וואָס האָט אָנשויונג קען עס פֿילן. די ווולגאַרע פּערזענלעכקייט פֿאַרשטייט עס ניט, און זעט בכלל קיין גבֿולים ניט.

די הבֿדלה בין ישׂראל לעמים איז אַ מאָל אידענטיש מיט דער הבֿדלה פֿון קודש לחול, און אַ מאָל מיט דער הבֿדלה פֿון אור לחושך. ווען ייִדן זײַנען שומרי־מצוות כּדין, ווען זיי פֿירן זיך אויף ווי אַן עם־קודש וממלכת כּהנים — דעמאָלט איז די הבֿדלה אַ ניכּרת לעין רואה. אַ ייִד טראָגט תּפֿילין, ציצית, היט שבת, האָט אַ כּשרע היים, גייט ניט מיטן בלויזן קאָפּ — דערקענען אים אַלע ווי אַ ייִד. ״וראו כל עמי הארץ כּי שם ד׳ נקרא עליך ויראו ממך׳ (דברים כח, י): אלו תּפֿילין שבראש״ [ברכות דף ו, ע״א]. דעמאָלט אידענטיפֿיצירן אַלע דעם ייִדן.

אָבער ווען ייִדן גייען אַוועק פֿון רבש״ע, און אויסערלעך אונטערשיידן זיי זיך ניט פֿון די אומות־העולם; ווען מען וואַרפֿט אַראָפּ דעם צלם־הקודש און פֿאַרקערט, מען וויל נאָך באַהאַלטן די ייִדישקייט, דעמאָלט איז די הבֿדלה מוחשית צווישן ישׂראל לעמים בטל. דאָס הויז, די הנהגה, דער מלבוש זײַנען די זעלבע. טאָ מיט וואָס קען מען

מבֿדיל זײַן? אָבער אַפֿילו ווען די הבֿדלה מוחשית ווערט עלימינירט, בלײַבט די הבֿדלה מופֿשטת. מיר גלויבן, אַז טיף, טיף אין דער ייִדישער נשמה, ווי פֿאַרזונקען אין חטא זי זאָל ניט זײַן, געפֿינט זיך עפּעס הייליקס, מיסטעריעזס, וואָס מען קען ניט אויסמעקן אָדער פֿאַרניכטן, און וואָס לייגט אויף אים דעם שטעמפּל פֿון אייגנאַרטיקייט און אָריגינאַליטעט. אָבער כּדי די הבֿדלה צו מערקן, מוז מען שוין קענען אַרײַנבליקן טיף אין די מעמקי־הנפֿש.

פּסח אין מצרים האָט דער רבש״ע געדאַרפֿט מבֿדיל זײַן בין ישׂראל לעמים אין אַ תּקופֿה, ווען "הללו היו מגדלי בלורית, והללו היו מגדלי בלורית; הללו עובדי עכו״ם, והללו עובדי עכו״ם"[8] [לויט ויקרא רבה, פּרשה כג; ילקוט שמעוני, ואתחנן תתכ״ח, א״אַ]. מען האָט כּמעט ניט געזען דעם קאָנטראַסט צווישן ייִד און מצרי. נאָר דער רבש״ע, דער יודע־מחשבֿות, דער בוחן־כּליות, ער האָט פֿאָרט מבֿדיל געווען. "וירא א׳ את בני ישׂראל, וידע א׳" (שמות ב, כה). ער האָט געזען אין די אָפּגרונטן פֿון דער ייִדישער נשמה, וועלכע איז געווען פֿול מיט חול און חטא — קדושה, און דערפֿאַר האָט ער געראַטעוועט זײַן פֿאָלק. דאָס וואָרט פּסח דריקט אויס די אידעע פֿון הבֿדלה, אַפֿילו ווען איבערפֿלעכלעך איז ניטאָ קיין אורזאַך פֿאַר וואָס מבֿדיל צו זײַן.

די צווייטע מידה וואָס דער בורא־עולם האָט מגלה געווען אין מצרים, איז גבֿורה. חז״ל זאָגן אַז קריעת־ים־סוף קשה לפני הקב״ה. דער רבש״ע האָט ניט ליב מְעַנש זײַן אַפֿילו רשעים. ווען ער דאַרף זיך באַנוצן מיט יד חזקה וזרוע נטויה, איז עס כּבֿיכול אַ ירידה פֿאַרן בורא־עולם. דער מדרש אין וארא רעדט וועגן טומאה. "משל לכּהן שנפלה תּרומתו לבית־הקבֿרות. אמר: ארד ואטמא ואציל את תּרומתי"[9] [זען שמות רבה, פּרשה טו, ה]. בפֿרט, ווען ייִדן האָבן נאָך[10] דער הבֿדלה מוחשית ניט זוכה געווען צו אַזוינס, טראָץ דעם, האָט דער רבש״ע זיך אַליין כּבֿיכול משפּיל געווען, כּדי צו רעטן די כּנסת־ישׂראל. אין דעם דריקט זיך אויס די מדת־הגבֿורה — מתגבר זײַן זיך אויף אַן אַנדערער מידה. אין פֿאַל פֿון די מצרים [....][11] און באַגיין זיך מיטן מדת־הדין.

ממילא, אויפֿן פּרינציפּ פֿון מידה כּנגד מידה האָבן ייִדן געדאַרפֿט באַווײַזן אַ כּח פֿון הבֿדלה מופֿשטת און פֿון גבֿורה. דאָס איז געשען פּסח בײַ נאַכט.

וואָס איז געשען יענע ליל שימורים? וואָס הייסט הבֿדלה מופֿשטת, וועלכע ייִדן האָבן געדאַרפֿט דעמאָנסטרירן די ערשטע ליל שמורים? איך וועל דעם רעיון מסביר זײַן מיט אַ פּסוק פֿון יתרו: "ויאמר ד׳ אל משה: לך אל העם וקדשתם היום

8. "יענע [די מצריים] האָבן זיך פֿאַרלאָזט די טשופּרינע און יענע [בני־ישׂראל] האָבן זיך פֿאַרלאָזט די טשופּרינע. יענע האָבן געדינט עבֿודה־זרה, און יענע האָבן געדינט עבֿודה־זרה."

9. "ס׳איז אַ משל צו אַ כּהן וועמענס תּרומה איז אַראָפּגעפֿאַלן אויפֿן בית־הקבֿרות. האָט ער געזאָגט: איך וועל זיך אַראָפּנידערן, טמא ווערן, און ראַטעווען מײַן תּרומה."

10. ד״ה "לויט" (דײַטשמעריש).

11. ווערטער נישט־לייענעוודיק אין כּתבֿ־יד.

ומחר וכבסו שמלותם וכו׳ והגבלת את העם סביב לאמר, השמרו לכם עלות בהר ונגע בקצהו, כל הנוגע בהר מות ימות וכו׳ ויהי ביום השלישי וכו׳ וירד ד׳ על הר סיני אל ראש ההר, ויקרא ד׳ למשה אל ראש ההר, ויעל משה. ויאמר ד׳ אל משה: רד הָעֵד בעם פן יהרסו אל ד׳ לראות ונפל ממנו רב. וגם הכהנים הנגשים אל ד׳ יתקדשו פן יפרוץ בהם ד׳. ויאמר משה אל ד׳: לא יוכל העם לעלות אל הר סיני, כי אתה העדתה בנו לאמר — הגבל את ההר וקדשתו. ויאמר אליו ד׳ לך רד, ועלית אתה ואהרן עמך, והכהנים והעם אל יהרסו לעלות אל ד׳ פן יפרוץ בם. וירד משה אל העם ויאמר אליהם״ (שמות יט, י–כה).

ווייסט מען טאַקע ניט פאַר וואָס דער בורא־עולם האָט משהן אָנגעזאָגט נאָך אַ מאָל, אַז ער זאָל אַרויפגיין און מזהיר זײַן די עדה און די כהנים, אַז זיי זאָלן ניט איבערטרעטן די גבולים וועלכע ער האָט געצויגן. ער האָט דאָך אים שוין געגעבן דעם צווי ראש־חודש סיון: ״והגבלת את העם מסביב לאמר: השמרו לכם עלות בהר ונגע בקצהו״ (דאָרטן, פסוק יב), און משה האָט אויסגעפירט די שליחות. פאַר וואָס, אין שבועות אין דער פרי פאַר מתן־תורה, ווען ער האָט שוין משהן אַרויפגערופן צו זיך — ״ויקרא ד׳ למשה אל ראש ההר״ — האָט ער אים אָנגעזאָגט נאָך אַ מאָל, און געהייסן אים אַראָפגיין פון באַרג, מזהיר זײַן ווידער די ייִדן?! משה אַליין האָט עס געפרעגט, אָבער דער רבש״ע האָט איגנאָרירט זײַן שאלה און נאָך אַ מאָל געהייסן אים מזהיר זײַן די ייִדן: ״לך רד״. ערשט נאָכער איז משה צוריק אַרויף אויפן באַרג און דער בורא־עולם האָט געגעבן די תורה.

די תשובה איז פשוט: אַ גבול איז שטענדיק געמאַכט געוואָרן, כדי מענטשן און חיות זאָלן אים ניט אַריבערטרעטן און ניט אַרײַנגיין אין פרעמדער טעריטאָריע. עס איז אָבער דאָ אַן אונטערשייד צווישן דעם גבול וואָס שטעלט אָפּ אַ מענטשן, אַ בר־דעת, און דעם גבול וועלכער האַלט אָפּ אַ חיה. פאַר אַ חיה אָדער אַ בהמה מוז מען האָבן אַ גדר, אַ פשוטע מחיצה, וואָס זאָל פיזיש ניט דערלאָזן זי גיין אין אַ פרעמדן פעלד וואָס געהערט ניט צו איר בעל־הבית. סתם אַ ליניע, אָדער אַן עמוד מיט אַן אויפשריפט, וועט ניט העלפן. ״כי יבער איש שדה או כרם ושלח את בעירה בעירו ובער בשדה אחר״ (שמות כב, ד). אויב עס איז ניטאָ קיין פיזישער גדר וועט די בעירה גיין אין אַ שדה אחר, פונקט ווי די אַראַבער אינפילטרירן אין ארץ־ישראל. אַזוי, איז דער יונײַטעד ניישאָנס[12] אײַנגעפאַלן דער גאונישער אײַנפאַל אַוועקצו־שטעלן אַ וואַנט, עלעקטריזירטע דראָט, כדי אָפּצושטעלן די אָנפאַלן. אַ חיה דאַרף האָבן הבדלה. אַ מענטש, אָבער, דאַרף ניט האָבן קיין מחיצות, קיין גדרים. גענוג איז פאַר אים אַ וואָרענונג אַז די טעריטאָריע געהערט ניט צו אים. זײַן גבול איז אַן אַבסטראַקטע, הבדלה מופשטת.

12. פאַראייניקטע פעלקער־אָרגאַניזאַציע.

דער רעיון איז אַ הויפּטמאָטיוו אין דער תּורה. פֿאַר אַ ייִדן דאַרף מען ניט האָבן קיין גדרים ומחיצות, קיין נוגש און קיין שוטר מיט קיין געפֿענקעניש און עונשים. דער לאו אַליין, די אַזהרה אַליין, זײַנען גענוג אָפּצושטעלן אַ ייִדן פֿון עבֿירות און עוולות. דאָס האָט דער רבש״ע געוואָלט אונטערשטרײַכן צו משהן: די גאַנצע תּורה וואָס איך גיב אײַך דריקט זיך אויס אין צוויי ווערטער: ״אל יהרסו״ — ברעכט ניט קיין אַבסטראַקטע גבֿולים און מחיצות. דער מדרש אין שיר־השירים פֿאַרגלײַכט די חוקי הקב״ה צו אַ ערֵמָה וועלכע איז סוגה בשושנים (שיר־השירים ז, ג). ווען דער מענטש איז גראָב און וואולגאַר, קען ער לײַכט אַרויפֿטרעטן אויף די רויזן און זיי פֿאַרניכטן. לא נחש ולא עקרב עוקצו[13]. קיינער היט אים ניט, קיינער באַשטראָפֿט אים ניט, גלײַך עס איז ניטאָ קיין נוגש און קיין שוטר וואָס זאָלן אים צווינגען טאָן זאַכן וואָס ער וויל ניט.

יהדות האָט געהאַלטן, אַז אַן עבֿד פֿאַרשטייט ניט דעם ענין פֿון הבֿדלה בין קודש לחול, פֿון ״אל יהרסו״, פֿון ״סוגה בשושנים״. ״עבדא בהפקירא ניחא ליה, זילא ליה, פריצה ליה״[14] [גיטין יג, ע״א]. ער נעמט וויפֿל מען קען. נאָר פֿיזישע מאַכט קען אים אָפּשטעלן: אַ נוגש אָדער אַ שוטר. דערפֿאַר האָט אַן עבֿד ניט קיין תּפֿיסת קידושין, ווײַל בײַ אונדז, חיי אישות באַרוט אויפֿן באַגריף פֿון ״והגבלת״, פֿון ״אל יהרסו״, פֿון ״סוגה בשושנים״. אַלע מצוות פֿון קדושת חיי המשפּחה זײַנען דערויף באַזירט. דערפֿאַר הייסט דאָך אישות קידושין — ״והגבלת את העם וקדשתו״. דעריבער זאָגן חז״ל, אַז אַן עבֿד איז מופֿקע פֿון אישות. ווײַל ער איז אַן עם הדומה לחמור [לויט יבמות סב, ע״א, א״אַ], און ער איז זיך נוהג ווי די בהמה וועלכע גייט בשדה אחר. ממילא איז ער מופֿקע פֿון אישות.

דער וווּנדער אין מצרים, פֿיל גרעסער ווי די אותות ומופֿתים, ווי די זרוע נטויה און יד־חזקה, איז דאָס נעמען אַ פֿאָלק פֿון עבֿדים, וואָס האָט געלעבט הפֿקרדיק, מגושמדיק — עבדא בהפקירא ניחא ליה, זילא ליה, פריצה ליה — וואָס האָט ניט פֿאַרשטאַנען וואָס עס הייסט אַ חוק און משפּט, וועלכן פֿאַר עובֿר זײַן עס שלאָגט ניט קיין נוגש. זיי האָבן פֿאַרשטאַנען נאָר איין זאַך: אַז פֿאָלגן מוז מען דעם נוגש, ווײַל אויב מען פֿאָלגט ניט, גיט ער מיטן בײַטש. אָבער מקיים זײַן אַ מצוה ווי מצה, ווי אכילת פּסחים, זיך אויסהיטן פֿון דעם לאו ״ועצם לא תשברו בו״ (שמות יב, מו) אָדער ״ולא תותירו ממנו עד בקר״ (שמות יב, י) — איז ניט נייטיק, ווײַל קיינער שלאָגט ניט דערפֿאַר, און קיין נוגש שטייט ניט און וואַכט ניט איבער דעם. איי, דאָס געוויסן מאָנט, עס איז אַ געבאָט פֿון בורא־עולם, אַן ענין פֿון ״אל יהרסו״, פֿון ״סוגה בשושנים״ — דאָס פֿאַרשטייט ניט דער עבֿד. ער וויל ניט.

---

13. קיין שלאַנג און קיין עקדיש בײַסן אים ניט. [לויט מדרש תנחותא, כי תשא, ב, א״אַ].

14. ״אַ שקלאַף האָט בילכער ליב אַ הפֿקרדיקע פֿרוי, וואָס איז גרינג פֿאַר אים, וואָס איז אויסגעלאַסן מיט אים.״

בשעת משה איז געקומען צו ייִדן און האָט זיי דערציילט אַ מעשה פֿון זאת חוקת הפסח, מיט מ״מ און מצוות, האָבן זיי געדאַרפֿט זיך אויסלאַכן פֿון אים און אים ענטפֿערן: ״מיר זייַנען נאָר פֿאַראינטערעסירט אין סיר־הבשׂר, אין קישואים, אין דעם חציר, אבֿטיחים און בצלים[15]. וואָס דרייסטו אונדז אַ קאָפּ מיט חוקים, מיט הלכות פּסח, מצה, מרור, ועצם לא תשברו בו? אַז דער ביין איז געשמאַק, וועלן מיר אים אַזוי לאַנג בייַסן ביז וואַנעט מיר וועלן אים צעברעכן און אַרויסזויגן די מאַרך״. ״ותרבי ותגדלי ותבואי בעדי עדיים...ואת ערום ועריה״ (יחזקאל טז, ז). ״ערום מן המצות״. דייַן לעבן איז געווען אַ נאַקעטער, אַ חיהשער, באַהערשט פֿון תּאוות און גלוסטונגען.

און דאָ איז געשען דער גרעסטער ווונדער, דער נס וועלכער שטייט העכער ווי אַלע נסים: ״ויעשׂו כל בני־ישׂראל כּאשר צוה ד׳ את משה ואת אהרן, כן עשׂו״ (שמות יב, נ)! די עבֿדים האָבן פּלוצעם דערפֿילט די פֿליכט פֿון די מצוות, די פּראַכט פֿון אַ לעבן געווידמעט העכערע אידעען און מטרות. זיי האָבן פֿאַרשטאַנען וואָס עס מיינען גייַסטיקע ווערטן, און וואָס עס באַטייַט אַ כּריתת־ברית מיטן בורא־עולם. וואָס עס מיינט ליל שמורים, און די חשיבֿות פֿון מצה און מרור. פּלוצעם זייַנען זיי געשטאַנען בייַ אַ בייט מיט רויזן — סוגי שושנים — קיינער האָט איבער זיי ניט געפֿאָכעט מיטן בייַטש, און קיין נוגשים זייַנען ניט אַרומגעלאָפֿן, פֿאַרלאַנגען מיט געשרייען און דראָונגען את מתכּנת הלבֿנים (שמות ה, ח). לא נחש ולא עקרב עוקצו. זיי האָבן געקענט אַלץ צעטרעטן, די רויזן מיט פּראַכטפֿולע בייטן, אָבער זיי האָבן פּלוצעם דערזען די פּראַכט, דעם יופֿי של מעלה, פֿון די שושנים, און זיי האָבן אָפּגעהיט די בלומען. די טראַנספֿאָרמאַציע איז אַ נס־נסתּר פֿון גרויסער באַדייַטונג. ייִדן זייַנען מבֿדיל בין קודש לחול.

צוווייטנס, האָבן זיי אַן אַנדער מידה מגלה געווען יענע נאַכט: ״ואעבור עליך ואראך מתבוססת בדמיך (יחזקאל טז, ו) — זהו דם פסח ודם מילה״ [לויט מכילתּא בא, פּרשה ה; פּסיקתּא דרב כּהנא, ז, א״אַ]. דער עבֿד האָט פֿייַנט פֿיזישע שמערצן, ער לייַדט געגנוג פֿון דער בייַטש פֿון נוגש. ער אַליין איז ניט בערייט[16] זיך אונטערצווואַרפֿן פֿרייַוויליק יסורי־הגוף צוליב אַ מצוה, וואָס וועט אים ניט פֿאַרגרעסערן זייַן חלק אין סיר־הבשׂר. דער עבֿד איז אַזאַ פּחדן, ער ציטערט פֿאַרן אָדון, פֿאַרן ברוטאַלן נוגש. ער פֿאַרשטייט דאָך גאָרניט דעם ענין פֿון מסירת־נפֿש, פֿון קעמפֿן פֿאַר אַ פּרינציפּ, פֿאַר אַן אידעאַל. און דערפֿאַר זאָגן די חכמי־ימי־הביניים, אַז עבֿד פּסול לעֵדות. ווייַל זייַענדיק אַ פּחדן, וועט ער אַ סך מאָל ניט זאָגן דעם אמת.

דאָ קומט משה און הייסט זיי, ערשטנס, זיך מל זייַן (״וכל ערל לא יאכל בו״

15. לויט במדבר יא, ה: ״מיר געדענקען די פֿיש וואָס מיר פֿלעגן עס אין מצרים אומזיסט, די פּלוצירן, און די קירבעס, און דאָס גרינס, און די ציבעלעס און די קנאָבל.״

16. ד״ה גרייט.

[שמות יב, מח]), זיך פֿאַרשאַפֿן שמערצן. און צווייטנס, "משכו וקחו לכם צאן ושחטו את הפסח" (שמות יב, כא): נעמט אַ שעפּסל, וועלכער ווערט פֿאַרגעטערט דורך די מצרים. "הן נזבח את תועבת מצרים לעיניהם ולא יסקלונו" (שמות ח, כב)? די מצרים זאָלן עס באַמערקן, וועלן זיי דאָך באַשולדיקן יידן אין חילול פֿון זייער רעליגיע. זיי קענען דאָך אויסהרגענען אַלע יידן וועלכע זײַנען מקריבֿ קרבנות פּסחים. און פֿונדעסטוועגן האָבן די עבֿדים מקבל באהבֿה געווען סײַ די יסורים, און סײַ די מצוה פֿון קרבן־פּסח, און ניט דערשראָקן זיך. געווען בערייט צו באַצאָלן מיט בלוט פֿון לײַדן און פּחד פֿאַר דעם קיום פֿון אַ צווי פֿון בורא־עולם. אַ מערקווערדיקער ווונדער: "ואמר לך בדמייך חיי, ואמר לך בדמייך חיי" (יחזקאל טז, ו).

גבֿורה איז אַ צווייטער יסוד אין יהדות. קידוש־השם מאַניפֿעסטירט זיך אין גבֿורה. די גבֿורה האָבן יידן אַרויסגעוויזן יענע נאַכט פֿון פּסח. די תּורה: "וטבלתם בדם אשר בסף, והגעתם אל המשקוף ואל שתי המזוזות וכו׳, ועבר ד׳ לנגוף את מצרים וראה את הדם על המשקוף ועל שתי המזוזות, ופסח ד׳ על הפתח ולא יתן המשחית לבא אל בתיכם לנגוף" (שמות יב, כב–כג). איך וויל זען אײַער קרבן, אײַער טראַנספֿאָרמאַציע, אײַער ווונדערלעכע גבֿורה, אײַער בערייטשאַפֿט אין כּיבוש הפּחד והיסורים, וואָס איר האָט אַרויסגעצײַגט. איר האָט געמאַכט אַ הבֿדלה צווישן געפֿילן, איר האָט מבֿדיל געווען בין הקודש ובין החול. און צווייטנס, האָט איר אַרויסגעוויזן גבֿורה אין כּיבוש הפּחד והרצון, וועל איך מבֿדיל זײַן צווישן אײַך און די מצרים, און מגלה זײַן מידת־הגבֿורה — ופסחתּי על הפּתח.

דער ווונדער פֿון התגלות פֿון גבֿול און גבֿורה. אין דער נאַכט פֿון פּסח, דער נס־נסתּר שטײַגט אַריבער אַלע אותות־ומופֿתים פֿון יד־חזקה און זרוע נטויה. דערפֿאַר האָבן חז״ל געווידמעט דעם נס־נסתּר די ערשטע טייל פֿון דער הגדה.

די קבלה איז עס נאָך מסביר טיפֿער. דער זוהר אין בשלח זאָגט: "תּא חזי כל מזוני דבני עלמא מלעילא קא אתיין. וההוא מזונא דאתי מן שמיא וארעא דא מזונא דכל עלמא, והוא מזונא דכולא והוא מזונא גס ועב, וההוא מזונא דאתי יתיר מעילא, הוא מזונא יתיר דקיק, קאתיא מאתר דדינא אשתכח, ודא הוא מזונא דאכלו ישׂראל כד נפקו ממצרים"[17] [זוהר שמות, סא, ע״ב]. אין אַנדערע ווערטער: וואָס וואָכעדיקער די מזונות וועלכע וואַקסן פֿון דער ערד, גס ועבֿ, וואָס נידעריקער דער מענטש וועמען דער רבש״ע איז מפֿרנס, אַלץ לײַכטער קומען אים אָן די מזונות, די פּרנסה. ער ווערט געשפּײַזט אין דער בחינה פֿון פּרנסנו ככּלבֿ, פֿון פּרנסנו כּעורבֿ — "פּותח את ידיך ומשׂביע לכל חי רצון" (תּהילים קמה, טז), אָדער "נותן לחם לכל בשׂר כּי לעולם

17. "קום און זע: דאָס גאַנצע עסנוואַרג פֿון דער מענטשהייט קומט פֿון אויבן. און דאָס עסנוואַרג וואָס קומט פֿון הימל און ערד איז דאָס עסנוואַרג פֿון דער גאַנצער וועלט. עס איז דאָס עסנוואַרג פֿון אַלע, און איז גראָבֿ און דיק. נאָר דאָס עסנוואַרג וואָס קומט פֿון אַ העכערן אָרט איז דאַרער, און קומט פֿונעם אָרט ווו עס געפֿינט זיך דער ׳דין׳. אָט דאָס איז דאָס עסנוואַרג וואָס בני־ישׂראל האָבן געגעסן ווען זיי זײַנען אַרויס פֿון מצרים."

חסדו" (תהילים קלו, כה). אָבער, וואָס העכער די מדרגה פֿון דער פּערזאָן וועלכע דאַרף געשפּײַזט ווערן, אַלץ הייליקער און ריינער די מזונות זײַנען. ווען זיי קומען ניט פֿון דער ערד, נאָר פֿון הימל, מלעילא, וואָס מער דקיק דער מזון איז, אַלץ שווערער קומט אָן די פּרנסה, אַלץ מער איז מען מדקדק מיט איר. "מזונא יתיר דקיק קא אתיה מאתר דדינא אשתכח". ווען דער מענטש מאָנט מזונא ניט אין דער בחינה פֿון "נותן לחם לכל בשׂר כי לעולם חסדו", פּרנסנו ככלבֿ, פּרנסנו כעורבֿ, נאָר מיט דער הבֿטחה פֿון רצון יראיו יעשׂה, דעמאָלט גיט מען אים בדקדוק ובצימצום, דעמאָלט איז מען זיך נוהג מיט אים מיטן מדת־הדין.

דער אר"י הקדוש אין "עץ חיים" האָט אַנטוויקלט צוויי מערקווערדיקע אידעען. ער אונטערשיידט צווישן השפּעת־פּנים און השפּעת־עורף. השפּעת־פּנים אין דער בחינה פֿון "יאר ד' פּניו אליך ויחנך" (במבדר ו, כה), און השפּעת־עורף אין דער בחינה פֿון "וראית את אחורי ופני לא יראו" (שמות לג, כג). צוויי יסודות אין הנהגת־העולם דורך זײַן באַשעפֿער.

כּדי מסביר צו זײַן די צוויי מושׂגים, מוז איך מיך באַנוצן מיט אַ פּאָר אילוסטראַציעס: אַ טײַך בימות החמה פֿליסט אין זײַן בעט, אײַנגעשלאָסן אין זײַנע ברעגן, אין אַ באַשטימטער ריכטונג. ווער עס וויל באַוואַסערן זײַנע פֿעלדער מוז גראָבן קאַנאַלן, אויפֿשטעלן דאַמבעס, פּאָמפּען דאָס וואַסער און ברענגען עס צו די קרקעות וועלכע ער וויל באַפֿרוכפּערן. פֿון זיך אַליין גייט דאָס וואַסער ניט אַריבער די ברעגן. דער טײַך טרינקט ניט אָן דאָס פֿעלד וואָס ליגט אַרום. ער שטראָמט כּסדר אין איין ריכטונג, פֿון וועלכער ער ווייכט ניט אָפּ. דער טײַך איז אַ סימבאָל פֿון השפּעת־פּנים — "הנני נוטה אליך כּנהר שלום" (ישעיה סו, יב). אין פֿרילינג, אָבער, ווען דער שניי צעגייט, און דער טײַך הייבט זיך אויף, און פֿאַרפֿלייצט די גאַנצע סבֿיבֿה, באַוואַסערט גערטנער, סעדער, פֿעלדער, ווען זײַנע וואַסערן פֿליסן און שטראָמען אין אַלע זײַטן, ווען די התפּשטות איז גרויס — דעמאָלט שטעלט ער מיט זיך פֿאָר השפּעת־עורף, אַ ריכטונגלאָזע השפּעה, אָפּן פֿאַר אַלעמען, אָן וואָג און אָן מאָס.

אַ צווייטע אילוסטראַציע: ווען עס איז פֿינצטער אין הויז, און איך צינד אָן אַן עלעקטרישן לאָמפּ מיט זײַן קאָלפּאַק אַראָפּגעבויגן אַזוי, אַז דאָס ליכט פֿאַלט נאָר אויפֿן טיש בײַ וועלכן איך דאַרף אַרבעטן, דאָס ליכט איז געריכטעט אויפֿן ספֿר וואָס איך לייען, אָדער אויפֿן פּאַפּיר אויף וועלכן איך שרײַב — סימבאָליזירט עס השפּעת־פּנים, אַ באַגרענעצטע ריכטיק־געריכטעטע ליכט, וועלכע איך דאַרף האָבן כּדי צו טאָן מײַן אַרבעט. זעט איר, ווען איך צינד אָן אַ גרויסן לאָמפּ וואָס פֿאַרגיסט מיט ליכט יעדעס ווינקעלע און יעדן אינטש אין צימער, דעמאָלט איז עס השפּעת־עורף, ווײַל איך ניץ אויס אַ סך מער ליכט וויפֿל איך דאַרף געברויכן. דאָס ליכטיק זײַן אין גאַנצן צימער איז אַ רעזולטאַט פֿון דעם, וואָס דער וואָס האָט אָנגעצונדן דעם לאָמפּ איז ניט קיין מדקדק אין שפּאָרן ליכט. ווען רעגן גייט אויף פֿעלדער און גערטנער וועלכע

זײַנען דאָרשטיק נאָך וואַסער, ער באַפֿרוכפּערט זיי און העלפֿט זיי געדייַען, איז עס השפּעת־פּנים. פֿאַלט דער רעגן אויך איבער שטעט און דערפֿער, מדבריות און וועגן און שטעגן, ווו זײַן מטרה ווערט ניט פֿאַרווירקלעכט — איז עס השפּעת־עורף.

דער רבש״ע איז אַ מחיה און אַ בונה עולמות. ער איז מחדש בטובֿו בכל יום תמיד מעשׂה בראשית דורך דעם, וואָס ער איז משפּיע אויף זיי חסד, חיות, און כּח צו עקסיסטירן. ווען מיר רעדן וועגן זן ומפֿרנס לכּל, אָדער נותן לחם, אָדער משׂבֿיע לכל חי — מיינט מען ניט דווקא מזונות אין דעם באַגרענעצטן זינען פֿון ברויט און שפּײַז אַליין. מען פֿאַרשטייט דערונטער די עצם חיות אַליין, וואָס דער רבש״ע לאָזט פֿליסן צו דער בריאה. דער פֿאַקט וואָס די פּלאַנעטן דרייען זיך, די זון האַלט אין איין אַרויסשטראַלן וואַרעמקייט, ליכט, דער פּראָצעס פֿון פֿאַר[...][18] און באַוואַסערונג, דאָס וואַקסן פֿון דער באָטאַנישער וועלט, דאָס זשומען פֿון די פֿליגן און דאָס פֿליִען פֿון די פֿייגל, די אינטעליגענץ פֿון מענטשן, די מעגלעכקייט וואָס ער האָט צו באַוועגן זײַנע גלידער, דאָס צירקולירן פֿונעם בלוט, קורץ — די גאַנצע קאַפּויערישע דראַמע איז דער טאַט פֿון זן ומפֿרנס לכּל. די חיות באַשטייט אין דער השפּעה וואָס פֿליסט פֿון אין־סוף אויף די ברואים. ״תּסתּיר פּניך — יבהלון, תּוסף רוחם — יגוועון ואל עפרם ישובון, תּשלח רוחך — יבראון ותּחדש פּני אדמה״ (תהילים קד, כט–ל)!

אָבער די השפּעה, ווען זי איז השפּעת־פּנים, און זי דערפֿליסט דורך אַלע עשׂר־ספֿירות פֿון כּתר דורך חכמה, בינה, דעת, חסד, גבֿורה, תּפֿארת, נצח, הוד, יסוד, און מלכות, זי איז עפּעס מחזיק, פּונקט ווי דער טײַך פֿליסט דורך קאַנאַלן און צינורות צו די פֿעלדער וועלכע ער באַוואַסערט, און וואָס מער ער פֿליסט דורך די כּלים, אַלץ מער מצומצם ווערט ער. ווידער, פּונקט ווי דער טײַך וואָס פֿליסט אין זײַן בעט, איז באַגרענעצט דורך איר. די השפּעה ווערט געגעבן נאָר די, וועלכע ווייסן און באַגרײַפֿן זייער אָפּהענגיקייט פֿון גאָט ברוך־הוא; נאָר די, וואָס ווילן מקיים זײַן דעם ״והלכתּ בדרכיו״ דורך רעאַליזירונג פֿון די עשׂר־מידות (אין מיניאַטור) אין זייער אייגענעם לעבן; די, וואָס פֿאַרשטייען אַז דער חסד פֿון בורא־עולם ווערט ניט געגעבן אומזיסט — ער איז מחייבֿ אין עפּעס, אַז ער דאַרף אַליין לייַסטן, ער דאַרף זיך מקדש זײַן און פּראַקטיצירן די מידת־הגבֿורה. אַז ער טאָר פֿון רבש״עס חסד ניט הנאה האָבן בחינם, נאָר דאַרף באַצאָלן זײַן חובֿ דורך צימצום און זעלבסטקאָנטראָל, דורך ״אל יהרסו״, דורך אָפּהיטן רמ״ח מצוות־עשׂה און שס״ה מצוות־לא־תעשׂה, וועלכע זײַנען געגעבן געוואָרן אַלס צינורות דורך וועלכע דער חיות, די השפּעת־פּנים פֿליסט.

דער עיקר דאַרף מען וויסן בנוגע השפּעת־פּנים, אַז דאָס וואָס דער גורל שענקט איז נאָך ווייניק. מען דאַרף באַצאָלן דערפֿאַר, און שטענדיק וויסן אַז דער מענטש אַליין איז אַ חסר־אונים, און דער רבש״ע קומט אים קיין זאַך ניט. השפּעת־פּנים

18. וואָרט נישט קלאָר אין כּתבֿ־יד.

ווערט געגעבן מיט מאָס, במידה ובמשקל, ״עומר לגלגולת מספר נפשותיכם איש לאשר באהלו תקחו״ (שמות טז, טז). מען קען נישט אַרייַנכאַפּן די וועלט. מען קען נישט נעמען מער, וויפֿל מען גיט — ״איש אל יותר ממנו עד בקר״ (שמות טז, יט). ווען מען געניסט פֿון השפּעת־פּנים, איז מען מבֿדיל בין קודש לחול. ״ששת ימים תלקטהו וביום השביעי שבת לא יהיה בו״, ״היום לא תמצאהו בשׂדה״ (שמות טז, כה–כו). קורץ: די השפּעה ווערט מצומצם אין כּמות, אָבער וואַקסט אין איכות.

השפּעת־עורף, ווי די מקובלים דערקלערן, פֿליסט פֿון כּתר אַליין, ניט דורכגייענדיק די עשׂר־ספֿירות. דער רבש״ע פֿאַרשפּרייט אַ סך ליכט און חסד. אַ גרויסער טייל ווערט אַראָפּגענידערט אויף דער וועלט אָן אַ כּיוון, זי פֿאַרפֿלייצט אַלע ברואים ווי די זון אין אַ פֿרילינג־פֿרימאָרגן. זי איז אין דער בחינה ״שׂממית בידים תתפּש והיא בהיכלי מלך״ (משלי ל, כח). די פּראַכט פֿון מלכות ווערט רעפֿלעקטירט אַפֿילו אין דער שׂממית. דער מענטש וואָס קריגט השפּעת־עורף פֿילט זיך ניט פֿאַרפֿליכטעט צו באַצאָלן פֿאַר דעם חסד. ער איז זוכה מן ההפֿקר. די ספֿירות פֿון חכמה, חסד, נצח וכו׳ ווערן ניט נתגלה פֿאַר אים. אים דאַכט זיך גאָר, אַז דאָס וואָס ער האָט, איז אַ רעזולטאַט פֿון זייַנע אייגענע לייַסטונגען. ממילא איז ער ניט מחויבֿ צו זייַן דאַנקבאַר דעם בורא־עולם און לאָזן זייַן חסד פֿליסן דורך די עשׂר־ספֿירות און דורך די צינורות פֿון תּרי״ג מצוות. ער ווייסט ניט פֿון וואַנעט דאָס ליכט קומט, און ער איז זוכה, כּלומרשט, מן ההפֿקר, ווי די שׂממית אין קיניגלעכן פּאַלאַץ. ממילא אַנטוויקלט ער גאווה, עזות, חוצפּה, אין דער בחינה פֿון ״מי ד׳ אשר אשמע בקולו... לא ידעתּי את ד׳ וגם ואת ישׂראל לא אשלח״ (שמות ה, ב). די המשכות פֿון אורות וצללים, פֿון דער דרגה פֿון ״יאר ד׳ פּניו אליך״, איז אים אומבאַקאַנט. כאַפּט ער, גזלט ער, רויבט, און מיינט אַז ער קען כּובֿש זייַן עולמות.

השפּעת־עורף שטעלט די תּורה פֿאָר אין פּרשת בהעלותך: ״ורוח נסע מאת ד׳ ויגז שלוים מן הים, ויטש על המחנה כּדרך יום כּה וכדרך יום כּה סביבות המחנה וכאמתים על פּני הארץ״ (במדבר יא, לא). אָן אַ מאָס און אָן אַ שיעור, ווי די פֿאַרפֿלייצונג פֿון אַ טייַך אין חודש־האָבֿיבֿ. ״ויקם העם כּל היום ההוא וכל הלילה וכל יום המחרת, ויאספו את השׂלו, הממעיט אסף עשׂרה חמרים וישטחו להם שטוח סביבות המחנה״ (דאָרטן לב–לג). הפֿקרות, ווולגאַריטעט, און מאַסלאָזיקייט — חטף ואכל, חטף ושתה — השפּעת־עורף פֿירט צו קבֿרות־התּאווה, צו גאווה, צו אַ מצבֿ פֿון קשה־עורף.

בשעת משה האָט געפֿרעגט דעם בורא־עולם ״׳הודיעני נא את דרכיך׳ (שמות לג, יג): צדיק ורע לו, רשע וטוב לו״ [ברכות ז, ע״א], האָט דער בורא־עולם געענטפֿערט: משה, פֿאַרגלייַך ניט דעם צדיק מיטן רשע. דער צדיק איז אַ מושפּע פֿון השפּעת־פּנים, דערפֿאַר איז דער חסד מצומצם, במידה ובמשקל, עומר לגלגולת. דער רשע כאַפּט פֿון השפּעות־עורף וועלכע איך האָב מפֿקיר געוווען פֿאַר אַלע בחינם. פֿאַר וואָס?

פֿרעג קיין קשיות ניט! "וראית את אחורי", דו זעסט נאָר די וועלט פֿון שטאַנדפּונקט פֿון השפּעת־עורף, דערפֿאַר פֿרעגסטו קשיות. "ופני לא יראו", וואָלסטו אָבער אַרייַנגעצויגן דעם אַספּעקט פֿון השפּעת־פּנים אין דייַנע באַטראַכטונגען, וואָלטן אַ סך פֿראַגעס פֿאַרענטפֿערט געוואָרן. גליקלעך איז דער מענטש וואָס [...][19] אָפּן בצער דורך השפּעת־פּנים, ווי דער רשע וואָס קלייַבט עשׂרה חמרים פֿון השפּעת־עורף.

עבֿדות באַשטייט פֿון לעבן אין דער בחינה פֿון השפּעת־עורף, פֿון הפֿקרות, פֿון [...]אַטישער[20] הנאה, פֿון נאַרישער גאוה, פֿון לא ידעתּי את ד׳ — דאָס הייסט "עבֿדים היינו לפּרעה במצרים". פּרעה = ערף. קנעכט צו אונדזערע תּאוות, צו אונדזערע תּענוגים, צו אונדזער עשירות, צו דער השפּעת־עורף, צום חמץ. יציאת־מצרים באַטייַט די התעלות פֿון השפּעת־עורף צו השפּעת־פּנים, צו יאר ד׳ פּניו אליך, צו אַ לעבן וואָס איז זיך אַליין מצמצם, צו אַן עקסיסטענץ וואָס איז זיך אַליין מצמצם — היט זיך, קאָנטראָלירט זיך — צו דער בחינה פֿון מצה, "ושמרתּם את המצות", צו דער דרגה פֿון פֿאַרשטיין אונדזער אייגענע מאַכטלאָזיקייט און הילפֿלאָזיקייט, צו עניוות און חסד, צו גילוי־שכינה בקול דממה דקה.

"קדש לי כל בכור פּטר כל רחם בבני ישׂראל באדם ובבהמה לי הוא" (שמות יג, ב). דער בכור האָט אַמאָל געהאַט פּריווילעגיעס. ער פֿלעגט הערשן איבערן הויז, ער איז געווען דער טיראַן וואָס פֿלעגט אַלץ נעמען פֿאַר זיך, און דער עגאָיִסט וואָס האָט געמיינט אַז אַלץ דרייט זיך אַרום אים. דער בכור איז דער רעפּרעזאַנט פֿון השפּעת־עורף. ער איז אַ יחסן נישט ווייַל ער האָט פֿאַרדינט, ער האָט עפּעס געלייַסטעט, נאָר ווייַל ער איז דורך אַ צופֿאַל געבוירן געוואָרן דער ערשטער. ער האָט סימבאָליזירט מענטשלעכע מאַכט, חוצפּה, גאוה און טעמפּקייט. קדש לי כל בכור. זאָל דער בכור זיך אויפֿהייבן פֿון השפּעת־עורף צו השפּעת־ פּנים, צו אַ זינפֿולן און הייליקן לעבן. זאָל ער פֿאַרשטיין, אַז אַלץ וואָס ער האָט איז אַ מתּנה, און אַז דער חסד איז אים מחייבֿ אין עפּעס. "וכל פּטר חמור תּפדה בשׂה" — דעם ווולגאַרן בכור זיי פּודה פֿון זייַן לעכערלעכער הפֿקרדיקער עקסיסטענץ. "ואם לא תפדה — וערפתּו": צעברעך זייַן נאַקן, זייַן גאוה, זייַן עורף, וואָס מיינט אַז מען מעג געניסן מן ההפֿקר.

דער קידוש פֿון בכורים איז פֿאָרגעקומען פֿרי ביי נאַכט אין ליל־שמורים. אונדזערע חכמי־המסורה האָבן מקדים געווען דעם נס אין נשמת־האומה צו די אותות ומופֿתים אין טבֿע, ניט ווייַל זיי זייַנען געווען איבערצייַגט אַז גדול הנס הראשון מן האחרון, נאָר אויך צוליב אַן אַנדערן טעם. אָבער כּדי צו מסביר זייַן עס מוז איך זיך באַנוצן מיט אַ רמב"ם, וואָס איר אַלע ווייסט.

19. ווערטער ניט קלאָר אין כּתבֿ־יד.
20. וואָרט ניט קלאָר אין כּתבֿ־יד.

דעם רמב״מס שיטה איז, אַז קדושה ראשונה, ד״ה קדושת יהושע, איז נתקדש געוואָרן נאָר ביז גלות בבל. ״קדושה ראשונה — קדשה לשעתה, ולא קדשה לעתיד לבא״ [רמב״ם, הלכות תרומות א, ה]. מיטן חורבן־הארץ איז בטל געוואָרן איר קדושה. קדושה שניה, ד״ה קדושת עזרא, איז אַ קדושה עולמית און זי איז מיטן צווייטן חורבן ניט פֿאַרשוווּנדן. ״קדשה לשעתה וקדשה לעתיד לבא״. דער רמב״ם אַליין איז מסביר דעם פּסוק, וואָס שײַנט צו זײַן אויפֿן ערשטן אויגנבליק פּאַראַדאָקסאַל. ס׳טײַטש, ביאה ראשונה, אין וועלכער די גאַנצע כּנסת־ישׂראל האָט זיך באַטייליקט, ״ביאת כּולכם״, און בײַ וועלכער אַלע האָבן געזען גילוי־שכינה, פּונקט ווי אין משהס צײַטן בײַ קריעת־ים־סוף, ״בזאת תדעון כּי אל חי בקרבכם״ (יהושע ג, י), האָט ניט געקענט מקדיש זײַן ארץ־ישׂראל אויף שטענדיק? און דווקא ביאה שניה, אין וועלכער נאָר אַ קליינע צאָל האָט זיך משתּתּף געווען, און וועלכע איז פֿאָרגעקומען אונטער שרעקלעכע אומשטאַנדן פֿון הסתּר־פּנים, האָט מקדיש געווען ארץ־ישׂראל אויף אייביק?!

לאָמיר ציטירן דעם לשון הרמב״ם, ווי ער איז מישבֿ די שוועריקייט:

״כּל שהחזיקו עולי מצרים ונתקדש קדושה ראשונה, כּיון שגלו בטלה קדושתן. שקדושה ראשונה לפי שהיתה מפּני הכּיבוש בלבד קדשה לשעתה ולא קדשה לעתיד לבא. כּיון שעלו בני הגולה והחזיקו במקצת הארץ, קדשו קדושה שניה העומדת לעולם״.[21] [הלכות תרומות, א, ה]

אין הלכות בית־הבחירה, דריקט זיך אויס דער רמב״ם בנוגע קדושת־מקדש, וועלכער, גלויבט דער רמב״ם, איז קיין מאָל ניט בטל געוואָרן, אין קאָנטראַסט צו קדושה ראשונה פֿון ארץ־ישׂראל, וועלכער איז יאָ באַזײַטיקט געוואָרן מיטן חורבן.

״ולמה אני אומר במקדש וירושלים קדושה ראשונה קדשה לעתיד לבא, ובקדושת שאר ארץ־ישׂראל וכו׳ לא קדשה לעתיד לבא. לפי שקדושת המקדש וירושלים מפּני השכינה, ושכינה אינה בטלה. והרי הוא אומר ׳והשימותי את מקדשיכם׳ (ויקרא כו, לא)? ואמרו חכמים: אף־על־פּי ששמומים, בקדושתם הן עומדים. אבל חיוב הארץ בשביעית ובמעשׂרות אינו אלא מפּני שהוא כּבוש רבים,

21. ״אַלע לענדער וואָס די עולי־מצרים האָבן אײַנגענומען, און וואָס זײַנען פֿאַרהייליקט געוואָרן מיט דער ערשטער פֿאַרהייליקונג, איז זייער פֿאַרהייליקונג שפּעטער בטל געוואָרן, היות ווי זיי זײַנען פֿאַרטריבן געוואָרן. וואָרעם די ערשטע פֿאַרהייליקונג איז געווען בלויז איבער דער פֿאַרנעמונג [פֿונעם לאַנד], איז עס פֿאַרהייליקט געוואָרן פֿאַר איר צײַט, און נישט אויף אייביק. היות ווי די בני־הגולה האָבן עולה געווען, און האָבן [ווידער] אײַנגענומען אַ טייל פֿונעם לאַנד, האָבן זיי עס פֿאַרהייליקט מיט אַ צווייטער פֿאַרהייליקונג וואָס איז בלײַביק אויף אייביק.״

וכיוון שנלקחה הארץ מידיהם — בטל הכיבוש. ונפטרה מן התורה ממעשרות ומשביעית, שהרי אינה מן ארץ־ישראל. וכיון שעלה עזרא וקדשה, לא קדשה בכיבוש, אלא בחזקה שהחזיקו בה. ולפיכך, כל מקום שהחזיקו בו עולי בבל ונתקדש בקדושת עזרא השניה, הוא מוקדש היום"[22] [הלכות בית הבחירה ו, טז].

די שאלה איז דאָך אָבער ווען ביַי יהושע איז געווען גילוי־שכינה: "היום הזה [...] פּחדך [...]"[23]. "אף־על־פּי שנלקח הארץ ממנו" וכו'. די סיבת־הקודש איז גילוי־שכינה דורך מידת־הדין, דורך שיפּור מערכות הטבֿע, דורך יד חזקה וזרוע נטויה, דורך אותות ומופֿתים און השגחה גלויה ופּרטית. קורץ — דורך כּיבוש קען די קדושה ניט עקסיסטירן אויף שטענדיק, וויַיל דער גילוי־שכינה, אַן אויסדרוק פֿון מאַכט, פֿון יד חזקה וזרוע נטויה אין טבֿע, איז ניט מקדש אויף אייביק. די יד חזקה וזרוע נטויה ווערן באַהאַלטן. אין אַ ציַיט פֿון הסתר־פּנים, פֿון חורבן, ווען אַן אַנדער מאַכט נעמט אַוועק דאָס וואָס מען האָט זוכה געווען דורך כּיבוש, ווערט אויך פֿאַרשווונדן די קדושה, וויַיל זי איז אַ קדושה פֿון יד־חזקה. און דאַגעגן די סיבת־הקידוש איז גילוי־השכינה.

ניט אין טבֿע דורך יד חזקה וזרוע נטויה, נאָר אין נשמת־האדם, דורך קידוש־החיים, קידוש־הגוף, מסירת־נפֿש, דורך גילוי־שכינה אין די טיפֿענישן פֿון דער מענטשלעכער פּערזענלעכקייט, דורך אותות ומופֿתים אין דער נשמה פֿון פֿאָלק, דורך גילוי־שכינה פֿון קול דממה דקה, ווי עס איז פֿאָרגעקומען בימי עזרא אין אַ ציַיט פֿון הסתר־פּנים, פֿון [...]ים[24] און בילבולים, אין אַ מאָמענט ווען די עולי־גולה האָבן אויסגעשריגן "כּשל כּח הסבל והעפר הרבה" (נחמיה ד, ד), ווען מען איז ניט דערשלאָפֿן און דערעסן, ווען מען האָט יעדן שטיין אין דער חומת־ירושלים געלייגט מיט מסירת־נפֿש, מיט בלוט און מיט כּיבוש־היצר, ווען נחמיה האָט פֿאַרלאָזן אַ קיניגלען פּאָסטן אין בבֿל, לוקסוס און קאַריערע, און איז געקומען קיין ירושלים, עיר קבֿרות־אָבֿות, וואָס איז געווען בחרפּה גדולה ושעריה שוממים — אַזאַ קידוש דורך

22. "צוליב וואָס האַלט איך בנוגע דעם בית־המקדש און ירושלים אַז די ערשטע פֿאַרהייליקונג האָט זיי פֿאַרהייליקט אויף אייביק, בעת די פֿאַרהייליקונג פֿונעם רעשט פֿון ארץ־ישראל וכו' האָט ניט פֿאַרהייליקט דאָס לאַנד אויף אייביק? וויַיל די קדושה פֿונעם בית־המקדש און ירושלים איז פֿון דער שכינה, און די שכינה ווערט קיין מאָל ניט בטל. צי שטייט ניט אין פּסוק, 'איך וועל פֿאַרוויסטן איַיער הייליקטימער'? (ויקרא כו, לא) זאָגן די חכמים: כאָטש זיי זיַינען פֿאַרוויסט, איז זייער קדושה וויַיטער גילטיק. אָבער דער חיובֿ פֿונעם לאַנד בנוגע שמיטה און מעשׂר איז נאָר וויַיל עס איז געווען אַ כּיבוש פֿון אַ רבים. היות ווי דאָס לאַנד איז [שפּעטער] צוגענומען געוואָרן ביַי זיי, איז דער כּיבוש בטל געוואָרן. דאָס לאַנד איז געוואָרן פּטור מן־התורה פֿון מעשׂר און שמיטה, וויַיל זי זיַינען נישט פֿונעם לאַנד פֿון [פֿאָלק] ישׂראל. און ווי־באַלד עס האָט עולה געווען עזרא און פֿאַרהייליקט [דאָס לאַנד], האָט ער עס ניט פֿאַרהייליקט דורך כּיבוש, נאָר דורך דעם וואָס מען האָט זי גענומען און געהאַלטן. דעריבער, איז יעדעס אָרט וואָס די עולי־בבֿל האָבן גענומען, און וואָס איז פֿאַרהייליקט געוואָרן דורך דער צווייטער פֿאַרהייליקונג פֿון עזרא, פֿאַרהייליקט אויך היַינט".

23. אומלייענעוודיקע ווערטער אין כּתבֿ־יד.

24. וואָרט ניט־לייענעוודיק אין כּתבֿ־יד.

גילוי־שכינה, דורך מענטשלעכער גײַסטיקער גבֿורה און זעלבסטאָפּפּערונג, דורך מקריבֿ זײַן זיך, קען ניט בטל ווערן.

אַ לאַנד קען צוגענומען ווערן, אַ בית־המקדש — ניט. "והשמותי את מקדשיכם: אף על פי ששמומים בקדושתם הם עומדים." און ווען אַ לאַנד ווערט געבויט דורך גילוי־שכינה פֿון דעם קול דממה דקה, קריגט זי דעם זעלבן סטאַטוס ווי אַ בית־המקדש, און עס איז ניטאָ קיין מאַכט אין דער וועלט וואָס זאָל צעשטערן איר קדושה. פֿאַרקערט, בשעת דער גילוי־שכינה פֿון יד חזקה וזרוע נטויה פֿאַרשווינדט לגמרי אין צײַטן פֿון קריזיס און הסתר־פּנים, דער גילוי־שכינה פֿון קול דממה דקה אין דער נשמת־האומה איז פֿיל בולטער און שטאַרקער, מער פֿאַרעקשנט און העראָישער. אין חורבן, איז די קדושה פֿון מקדש פֿיל דערהויבענער ווי בְבִנְיָנוֹ. "על כל קוץ וקוץ תלי תלים של הלכות" [תנחומא בראשית, א; עירובין כא ע״ב] — אויף יעדן דאָרן, אויף יעדער גזירה און חורבן, ווערן מחודש בערג מיט הלכות; דאָס ליכט פֿאַרשפּרייט זיך מער און מער, און לכן איז די קדושה ניט בטל.

לאָמיר איצטער צוגיין צום ענין פֿון עבֿדות און חרות. בײַם עבֿד האָבן מיר אויך צוויי אופֿנים ווי אַן עבֿד קען אָוועקגענומען ווערן פֿון זײַן אָדון. ערשטנס, דורך כּיבוש מלחמה. עס איז אַן אָפֿענע משנה אין גיטין, דף ל״ז: "עבד שנשבה ופדאוהו, אם לשם עבד — ישתעבד, אם לשם בני חורין — לא ישתעבד"[25]. אויב דער אָדון איז געגאַנגען אין קריג מיט אַן אַנדערן, און מען האָט אים באַזיגט און געפֿאַנגען זײַן עבֿד, געהערט דער עבֿד צו די שובֿים, צו די מנצחים, און די וואָס לייזן אים אויס פֿון זיי קענען אים אָדער האַלטן פֿאַר אַן עבֿד פֿאַר זיך, אָדער אים באַפֿרײַען. כּיבוש איז אַ קנין נאָכן "וישב ממנו שבי"[26] (במדבר כא, א). [....]

צווייטנס, קען אַן אָדון פֿאַרלירן זײַן עבֿד ווען דער עבֿד, פֿאַר די טבֿילת־עבֿדות, איז זיך טובֿל לשם גירות אַלס אַ ישׂראל. די גמרא זאָגט אין יבֿמות: "הלוקח עבד מן עובד כוכבים, וקדם וטבל לשם בן־חורין, קנה עצמו בן־חורין וכו׳. כּיון דקדם וטבל לשם בן־חורין, אפקעיה לשעבודיה כּדרבא, דאמר רבא: הקדש חמץ ושחרור מפקיעין מידי שעבוד"[27] [יבמות מה, ע״ב—מו, ע״א]. אויב אַן עבֿד, אין וועלכן דער אָדון האָט נאָר קנין מעשׂה ידיו, האָט אָנגענומען אין זיך קדושת־ישׂראל, איז פּקע די עבֿדות. פֿאַר וואָס? פּשוט! באמת, דער פֿולקאָמענער מענטש, בײַ וועמען דער

25. "אַ שקלאַף וואָס איז געפֿאַנגען געוואָרן, און מען האָט אים אויסגעלייזט — אויב מען האָט אים אויסגעלייזט אַלס שקלאַף, זאָל ער ווײַטער בלײַבן אַ שקלאַף. און אויב מען האָט אים אויסגעלייזט אַלס פֿרײַער מענטש, זאָל ער ניט זײַן קיין שקלאַף."

26. ניט־לייענעוודיקע ווערטער אין כּתבֿ־יד.

27. "ווען איינער קויפֿט אַ שקלאַף בײַ אַן עובֿד־כּוכבים, און דער שקלאַף האָט זיך געפֿעדערט און זיך טובֿל געווען כּדי צו ווערן אַ בן־חורין, האָט ער זיך געמאַכט פֿאַר אַ בן־חורין...ער האָט מבֿטל געווען זײַן שעבוד לויטן דין פֿון רבֿא. וואָרעם רבֿא האָט געזאָגט: הקדש, חמץ און באַפֿרײַונג זײַנען מבֿטל שעבוד."

צלם־אל־קים איז אַקטיוו, און ווען מענטש נשמה איז ריין און הייליק (ווי מיר זאָגן אַלע פֿרימאָרגן: "אלקי נשמה שנתת בי טהורה היא"), קען ניט ווערן קיין עבֿד. וויַיל וואָס מיינט צלם א׳? וואָס מיינט קדושת־ישׂראל? וואָס מיינט כּבֿוד־הבריות? די אַלע זאַכן באַטיַיטן איין אידעע: אַז דער מענטש האָט נאָר איין אָדון — "את פּני האדון ד׳ א׳ ישׂראל" (שמות לד, כג), און ניט קיין צוויי אדונים, גאָט און אַ בשׂר־ודם. אַז ער איז פֿריַי און אומאָפּהענגיק בנוגע זיַינע מיטמענטשן. ממילא איז קדושת האישיות, וואָס איז אידענטיש מיט קדושת־ישׂראל, און וועלכע דריקט אויס די אויסשליסלעכע אדנות פֿון בורא־עולם, אין סתּירה מיט דער אינסטיטוציע פֿון עבֿדות. אויב מען איז מקבל חוקי־השם און מען איז מקודש בעצמותיו, קען מען ניט זיַין פֿאַרשקלאַפּט צו אַ מענטשן. "כּי לי בני ישׂראל עבדים, ולא עבדים לעבדים" [בבא מציעא י, ע"א]. דערפֿאַר, אויב אַן אָדון האָט אַן עבֿד אין ווען ער האָט אַ קנין פֿון מעשׂה ידיו, און דער עבֿד איז זיך טובֿל לשם גירות, ער איז זיך מקדש, נעמט אַרויף אויף זיך עול־מצוות, און דערהייבט זיך צו דער מדרגה פֿון אַן אישיות שלמה, פֿון אַ פּערזענלעכקייט וועלכע טראָגט אין זיך די נשמה טהורה, קדושת־ישׂראל אָן פּגימות — גייט ער אַרויס לחירות.

קדושה און עבֿדות זיַינען אַ תּרתּי־דסתרי. עבֿדות וואָרצלט אין חולין, אין טומאה, אין פּסול, אָבער קען זיך ניט פּאָרן מיט קדושה, טהרה, און כּשרות פֿון דער פּערזענלעכקייט. דערפֿאַר האָט די קדושה פֿון אַן עבֿד שטבֿל לשם עבֿדות אַ פּגימה: ער איז פּסול לעדות, זיַינע קידושין זיַינען ניט תּופֿס, וויַיל תּפֿיסת־קידושין איז אַ תּוצאה פֿון אַ הייליקער פּערזענלעכקייט און אַזוי ווײַטער. אין דעם מאָמענט וואָס אַן עבֿד דערגרייכט קדושת האישיות, ווערט עלימינירט די עבֿדות.

ווי שיין האָט זיך די הלכה אויסגעדריקט: "עבד שהניח לו רבו תפילין יצא בן חורין" [רמב"ם, הלכות עבדים ח, יז; שולחן־ערוך, יורה־דעה רס"ז, ע] — אַן עבֿד וועמען דער אָדון האָט געהייסן לייגן תּפֿילין איז פֿריַי. פֿאַר וואָס? וויַיל עבֿדות מיטן שם ש־ד־י אין די תּפֿילין, מיט דער פּרשה פֿון "שמע ישׂראל" און "והיה אם שמוע", ווו דעם רבש"עס אדנות איז אַזוי דיַיטלעך פֿעסטגעשטעלט, מיט "קדש לי כּל בכור", מיט "והיה כּי יביאך וכו׳ ועבדת את העבודה הזאת" (שמות יג, ה), קען ניט האַרמאָניזירן. די עבֿדות ווערט פּקע. "עבד שקראו רבו לקרות בספר בציבור יצא לחירות" [דאָרטן]. אויב דער אָדון האָט אויפֿגערופֿן זיַין עבֿד אויף אַן עליה, געווינט דער עבֿד זיַין פֿריַיהייט, וויַיל מיט דער ברכה "אשר בחר בנו מכּל העמים ונתן לנו את תּורתו" לייקנט ער אָפּ די עבֿדות, און פֿאַרבינדט זיך נאָר מיט דעם בורא־עולם. "׳לא תסגיר עבד אל אדוניו׳ (דברים כג, טז): בעבד שברח מחוץ־לארץ לארץ־ישׂראל הכּתוב מדבר" [גיטין מה, ע"א]. אַן עבֿד וואָס אַנטלויפֿט פֿון חולין קיין קודש — איז פֿריַי.

דער הבֿדל צווישן חירות דורך כּיבוש און חירות דורך אַנטלויפֿן קיין ארץ־

ישׂראל, דורך קדושה, דורך טבֿילה לשם יהדות, דורך תּפֿילין און קריאת־התּורה, איז זייער ענלעך צו דעם וועלכן דער רמב״ם האָט דעפֿינירט בנוגע ארץ־ישׂראל. אויב מען נעמט אַוועק דעם עבֿד דורך כּיבוש, אָבער אין זײַן פּערזענלעכן סטאַטוס בײַט זיך קיין זאַך ניט — דער עבֿד בלײַבט גײַסטיק, מאָראַליש, רעליגיעז אַן עבֿד, ווולגאַר און חולינדיק — דעמאָלט קען אים דער אָדון צוריקקריגן, אויב ער איז מנצח זײַן קעגנער און איז כּובֿש דעם עבֿד נאָך אַ מאָל. כּיבוש איז נאָר גילטיק כּל־זמן דער כּובֿש איז מעכטיק. אָבער ווען דער אַמאָליקער אָדון איז זיך מתגבר, איז בטל דער כּיבוש. זעט איר, ווען די חירות פֿון עבֿד באַרוט אויף אַ טראַנספֿאָרמאַציע פֿון דער פּערזענלעכקייט — טבֿילה לשם גירות — אויף עלות־הנפֿש פֿון חולין צו קודש, אויף קבלת־עול־מצוות, אויף אויסבײַטן חוץ־לארץ אויף ארץ־ישׂראל — קען דאָס קיין מאָל ניט בטל ווערן. ״קדושה לא פּקעה בכדי״ [נדרים כט, ע״א–ע״ב]. זי קען מען קיין מאָל ניט אויסוואָרצלען, און איר חירות פֿאַלט אונטער דער הלכה פֿון ״קדשה לשעתה וקדשה לעתיד לבא״. קיין מאַכט אין דער וועלט קען ניט צעשמעטערן דעם גילוי־שכינה פֿון קול דממה דקה אין די טיפֿענישן פֿון דער מענטשלעכער פּערזענלעכקייט.

״עבֿדים היינו לפרעה במצרים ויוציאנו ד׳ משם ביד חזקה ובזרוע נטויה״ איז זייער שיין. דער רבש״ע האָט כּובֿש געווען די עבֿדים וואָס פּרעה האָט געהאַט. פּרעה האָט דערקלערט קריג קעגן רבש״ע כּביכול — ״מי ד׳ אשר אשמע בקולו, לא ידעתי את ד׳ וגם את ישׂראל לא אשלח״ (שמות ה, ב) — און האָט פֿאַרלוירן די מלחמה. דער רבש״ע האָט אים צעשלאָגן מיט עשׂר מכּות און דורך קריעת־ים־סוף, דורך אותות ומופֿתים גדולים ורעים, דורך גילוי־שכינה און שיפּור מערכות הטבֿע, דורך יד חזקה וזרוע נטויה, דורך דעם קנין כּיבוש. ממילא, דער קנין פֿון רבש״ע פֿון דער כּנסת־ישׂראל איז באַזירט אויף דער משנה פֿון עבֿד שנשבה. ״וישב ממנו שבי״. ״כּל מקום אשר תדרוך כּף רגלכם בו לכם נתתּיו וכו׳״ (יהושע א, ג). לכן דאַרף דער קנין ניט שטיין העכער און ניט דויערן לענגער ווי די קדושת־הארץ וועלכע איז נקנה געוואָרן דורך דעם זעלבן קנין פֿון כּיבוש. מיט חורבן־הארץ און גלות־האומה, ״על נהרות בבל שם ישבנו גם בכינו וכו׳ כּי שם שאלונו שובינו דברי־שיר ותוללינו שׂמחה״ (תהילים קלז, א, ג). ווו די שובֿים, די כּובשים, זײַנען געווען ערלים און [...]ים,[28] ווו די שכינה פֿון יד חזקה און זרוע נטויה איז נעלם געווען, ווו דער הסתּר־פּנים און צימצום האָבן דערגרייכט אַ שרעקלעכע מדרגה, ווו דער כּובֿש האָט געהאַלטן אין איין באַרימען זיך ״אעלה על במתי עב״ (ישעיה יד, יד) — האָט געדאַרפֿט פּקע ווערן דער קנין פֿון כּיבוש וואָס האָט באַרוט אויף גילוי־שכינה, שיפּור מערכי הטבע, יד חזקה וזרוע נטויה ובמורא גדול, פּונקט ווי עס איז בטל געוואָרן דער קנין הקב״ה בארץ.

28. וואָרט אומקלאָר.

ווייל גלותן און ווייל תּקופות פֿון הסתּר־פּנים האָבן שוין ייִדן דורכגעמאַכט זינט יענעם עפּיזאָד על נהרות בבל, זינט יענעם הסתּר־פּנים פֿון "ואני בתוך הגולה על נהר כּבר" (יחזקאל א, א)? ממילא האָט דאָך געדאַרפֿט פֿאַרשווינדן די בחירת־ישׂראל, דער "ולקחתּי אתכם לי לעם והייתי לכם לאלקים" (שמות ו, ז). וואָס פֿאַר אַ רעכט האָבן מיר נאָך הײַנט צו פֿײַערן פּסח, צו אויסשרײַען הויך "אשר גאלנו וגאל את אבותינו ממצרים", צו עסן מצה און זאָגן הלל מיטן "בכל דור ודור חייב אדם לראות את עצמו כּאלו הוא יצא ממצרים"? עס איז דאָך נאָר אַ בחירה דורכן כּיבוש. בטל כּיבוש — בטלה בחירה.

דעם ענטפֿער האָבן מיר שוין געגעבן. די בחירת־ישׂראל אין מצרים איז ניט פֿאָרגעקומען דורך די אותות ומופֿתים, דורך יד חזקה וזרוע נטויה, ניט דורכן גילוי־שכינה פֿון ובמורא גדול, דורך דער דעמאָנסטראַציע פֿון שיפּור מערכות הטבֿע, נאָר דורך דעם גילוי־שכינה פֿון קול דממה דקה אין דער נשמת־האומה, דורכן "ולקחתּם אגודת אזוב וטבלתּם בדם" (שמות יב, כב), דורך דער פּלוצעמדיקער התעלות הנפֿש והרוח, דורך ויקד העם וישתּחוו, דורך קבלת קדושת־ישׂראל און עול־המצות, דורך דעם בדמייך חיי, דורכן פֿאַרוואַנדלט ווערן אין מקדש ד׳ — און קדושת־המקדש ווערט קיין מאָל ניט בטל. די בחירת־ישׂראל איז קיימת לעד ולעולמי עולמים.

ווי פֿראַכטפֿול קלינגען די ווערטער פֿון דער תּורה: "ולקחתּם אגודת אזוב וטבלתּם בדם אשר בסף, והגעתּם אל המשקוף ואל שתּי המזוזות מן הדם אשר בסף וכו׳ ושמרתּם את הדבר הזה לחק לך ולבניך עד־עולם". די אייביקייט פֿון דער כּנסת־ישׂראל איז ניט געשאַפֿן געוואָרן דורך די אותות ומופֿתים פֿון יד חזקה וזרוע נטויה, נאָר דורך דעם אײַנטונקען די אגודת אזובֿ בדם, דורך דער העראָישער האַנדלונג פֿון די ייִדן אין מצרים מיטן ברענגען דעם קרבן־פּסח. ייִדן האָבן אָנגעהויבן לייגן תּפֿילין אין מצרים, "והיה לך לאות על ידך ולזכּרון בין עיניך" (שמות יג, ט). וממילא זײַנען זיי באַפֿרײַט געוואָרן.

ראיה לדבֿר: די תּורה האָט אָנגעזאָגט וועגן ניהוג כּל המצוות: פּסח, מצה, מרור, סיפּור־יציאת־מצרים דווקא בליל חמשה־עשׂר, ווען די ייִדן זײַנען נאָך געווען אין מצרים. דער נס פֿון מכּת־בכורות איז דאָך געווען כּחצות הלילה. ייִדן זײַנען אַרויס פֿון מצרים ערשט אויף מאָרגן אין דער פֿרי. "ממחרת הפּסח יצאו בני ישׂראל ביד רמה לעיני כּל מצרים" (במדבר לג, ג). פֿאַר וואָס האָט די תּורה ניט באַפֿוילן אַז די אַלע מצוות זאָל מען מקיים זײַן דעם ערשטן טאָג אין דער פֿרי? בליל חמשה־עשׂר, נאָך שקיעת־החמה זײַנען דאָך די ייִדן נאָך געווען עבֿדים לפּרעה! אינטערעסאַנט איז, אַז ראבֿ"ע האַלט אַז די אַלע מצוות מוז מען מקיים זײַן דווקא פֿאַר חצות (חז"ל רופֿן די צײַט חפּזון דישׂראל), איידער דער נס פֿון מכּת־בכורות איז פֿאָרגעקומען. פֿאַר וואָס? ווײַל די הויפּט־קדושה פֿון ליל־שמורים באַרוט ניט אויף די נסים ונפֿלאות וואָס דער רבש"ע האָט באַוויזן יענע נאַכט, ניט אויף קנין כּבוש דורך ביד חזקה ובזרוע נטויה,

נאָר אויפֿן קנין פֿון קידוש דורך מצוות, דורכן גילוי־שכינה בקול דממה דקה. און ייִדן האָבן אַליין זיך דערהויבן צו דער דרגה פֿון עם־קדוש.

ערשט נאָך דעם ווי דער נס איז פֿאָרגעקומען, האָט זיך די גאולה דורך כּיבוש, די נסים דורך יד חזקה וזרוע נטויה, אָנגעהויבן. ווען די ייִדן וואָלטן זיך אַליין ניט אויסגעלייזט דורך קידוש־עצמי יענע ליל שמורים אין מצרים, וואָלט די גאולה דורך כּיבוש ניט דורכגעפֿירט געוואָרן אין גאַנצן. ״בצאת ישׂראל ממצרים, בית יעקב מעם לועז, היתה יהודה לקדשו, ישׂראל ממשלותיו״ (תהילים קיד, א–ב). ערשט דעמאָלט ״הים ראה וינס, הירדן יסוב לאחור״!

שבֿועות תשט״ו

שבֿועות איז דער יום־טובֿ פֿון מתּן־תּורה. באמת איז אונדזער תּורה זייער אַ גרויסע און אַ טיפֿע [....][1] ארוכּה מארץ מדה ורחבֿה מני לבֿ, ״לכל תּכלה ראיתי קץ רחבה מצותך מאד״ (תהילים קיט, צו). וויפֿל מצוות מען זאָל ניט ציילן, דעקן זיי ניט דאָס גאַנצע תּורה־געביט. עס זײַנען דאָ אַ סך מצוות־תּעשׂה און לא־תעשׂה, דרבנן, פּרטים און דקדוקים. מען קען פֿאַרברענגען אַ גאַנצן לעבן באהלה של תּורה און שטודירן זי יומם ולילה, און טראָץ דעם נישט וויסן זי גענוי. די אַלע מ״ח מעלות וועלכע דער תּנא רעכנט אויס אין פּרק קנין תּורה[2], ווי מעוט סחורה, מעוט דרך ארץ, מעוט תּענוג, מעוט שינה זײַנען ניט סתּם קיין שיינע מליצות, נאָר אַ תּנאי־קודם־למעשׂה. יגיעה, מסירת־נפֿש אויף תּורה זײַנען אומבאַדינגט נייטיק, כּדי זוכה צו זײַן צום קנין־התּורה.

גרויס איז זי אין צוויי הינזיכטן: אין כּמות און אין איכות. די ליטעראַטור פֿון דער תּורה־שבעל־פּה איז קאָלאָסאַל אַנטוויקלט. מיר דאַכט זיך אַז זי האָט די גרעסטע צאָל ספֿרים און אָפּהאַנדלונגען, ווי וועלכע עס איז אַנדערע וויסנשאַפֿטלעכע דיסציפּלין. ש״ס בבֿלי, ירושלמי, ספֿרי, ספֿרא, מכילתּא, מפֿרשים, ספֿרי הגאונים,

1. ווערטער ניט לייענעוודיק אין כּתבֿ־יד.
2. אבות ו, ו: ״גדולה תורה יותר מן הכהונה ומן המלכות. שהמלכות נקנית בשלשים מעלות. והכהונה בעשרים וארבע. והתורה נקנית בארבעים ושמונה דברים...במעוט סחורה. במעוט דרך ארץ. במעוט תענוג. במעוט שנה. במעוט שיחה. במעוט שחוק...״. ״גרעסער איז די תּורה פֿון כּהונה און פֿון מלוכה. וואָרעם מלוכה ווערט דערגרייכט דורך דרײַסיק מידות, און כּהונה דורך פֿיר און צוואַנציק מידות, אָבער די תּורה ווערט דערגרייכט דורך אַכט און פֿערציק מידות...דורך ווייניק האַנדל, דורך ווינציק וועלטלעכקייט, דורך ווינציק תּענוגים, דורך ווינציק שלאָף, דורך ווינציק רעדן, דורך ווינציק לאַכן....״

ראשונים (רמב״ם, רי״ף, רמב״ן, רשב״א, ריטב״א, ראב״ד), אחרונים, און אַזוי ווײַטער, זײַנען באַשטאַנדטיילן פֿון דער הלכהשער ליטעראַטור. אין איכות איז זי זייער אַבסטראַקט און שווער. דעריבער געפֿינען מיר אין חז״ל, אַז זיי האָבן געשטרעבט אײַנצופֿירן כללים, מפֿתּחות, אַלגעמיינע פּרינציפּן, אונטער וועלכע מען קען די תּורה קלאַסיפֿיצירן און אײַנטיילן אַזוי, אַז זי זאָל ניט אויסקוקן ווי אַ שטורמישער ים אין וועלכן מען קען ניט שווימען. חז״ל האָבן עס שטענדיק אָנגערופֿן "אזנים לתּורה". "ויותר שהיה קהלת חכם עוד למד דעת את העם, ואיזן וחקר תּיקן משלים הרבה׳ (קהלת יב, ט). אמר רבי אלעזר: בתחילה היתה תּורה דומה לכפיפה שאין לה אזנים. עד שבא שלמה ועשׂה לה אזנים"[3] [ילקוט שמעוני קהלת, תתקפ״ט]. נאָך דער קבלת־חז״ל האָט שוין שלמה אָנגעהויבן צו קלאַסיפֿיצירן די תּורה, כּדי אַ מענטש זאָל זיך קענען גיכער אָריענטירן.

פֿאַרשיידענע נסיונות פֿון קלאַסיפֿיקאַציע זײַנען געמאַכט געוואָרן דורך די חכמי־המסורה. "דרש רבי שׂמלאי: תּרי״ג מצות נאמרו לו למשה מסיני. שס״ה לאוין כמנין ימות החמה, ורמ״ח עשׂה כנגד אבריו של אדם"[4] [מכות כג, ע״ב]. מצוות שבין אדם לחבירו, ומצוות שבין אדם למקום. מצוות היחיד, ומצוות הציבור. מצוות שהזמן גרמא, ומצוות שאין הזמן גרמא. אונדזערע ראשונים האָבן געפּרוּווט קלאַסיפֿיצירן די מצוות נאָך די אבֿרים פֿון מענטשן: מצוות התּלויות בפּה, בידים, בלבֿ, בראש הגויה און אַזוי ווײַטער. אין די אַלע סיסטעמאַטיזירונגען ליגט אַ סך לומדות, און עס האָט זיך געשאַפֿן אַ גרויסע ליטעראַטור וועגן דעם. באַקאַנט צווישן די אַנדערע זײַנען דעם רמב״מס *ספֿר המצות*, דעם רמב״נס השׂגות, דער חינוך[5], דער *ספֿר יראים*[6] און אַזוי ווײַטער.

די אַלע פּראָבלעמען פֿון קלאַסיפֿיקאַציע רירן אָן די גופֿי־תּורה, די הלכהשע סיסטעמאַטיזירונג, אָבער חוץ גופֿי־תּורה איז דאָך דאָ נשמת־התּורה, ווי דער זוהר זאָגט אין בהעלותך [קנב ע״א]: "עבדי דמלכא עילאה אינון דקיימו בטורא דסיני לא מסתּכלי אלא בנשמתא דאיהו עיקרא דכלא אורייתא ממש"[7]. נשמת־התּורה מיינט די מעטאַפֿיזיש־מאָראַלישע יסודות אויף וועלכע די תּורה איז באַגרינדט, די גרויסע תּורה־פּערזענלעכקייט וועלכע מיר ווילן שאַפֿן, די נשמה וואָס רעדט די שפּראַך

3. "עס האָט געזאָגט רבי אלעזר: לכתּחילה איז די תּורה געווען ווי אַ קויש אָן אויערלעך [ד״ה הענטעלעך], ביז עס איז געקומען שלמה און האָט איר געמאַכט אויערלעך."

4. "רבי שׂמלאי האָט געדרשנט: "זעקס הונדערט דרײַצן מצוות זײַנען געזאָגט געוואָרן צו משהן בײַם הר־סיני. דרײַ הונדערט פֿינף און זעכציק לאוין, ווי דער צאָל טעג אין אַ זונען־יאָר, און צוויי הונדערט אַכט און פֿערציק מצוות־עשׂה, ווי דער צאָל אבֿרים אין מענטשלעכן גוף."

5. ספר החינוך, צוגעשריבן צו רבי אהרן הלוי פֿון באַרצעלאָנע (1235–1290).

6. פֿון רבי אליעזר פֿון מעץ (געשטאָרבן 1175).

7. "די קנעכט פֿונעם רבונו־של־עולם וואָס זײַנען געווען בײַם הר־סיני האָבן געקוקט נאָר אויף דער נשמה [פֿון דער תּורה], וואָס איז דער עיקר פֿון אַלץ, תּורה ממש."

פֿון דער תּורה, און גיט אויסדרוק צו די אַלע געפֿילן און מחשבֿות וואָס זײַנען אַזוי כאַראַקטעריסטיש פֿאַר דער כּנסת־ישׂראל אין אירע פּאַראַדאָקסאַל־היסטאָרישע התחלות, פֿון די אָבֿות ביז הײַנט. עס וואָלט געווען אינטערעסאַנט אויסצוגעפֿינען דעם אלף־בית פֿון דער פּנימיות פֿון יהדות, פֿון דער שפּראַך פֿון נשמת־התּורה, אויף וועלכע די תּרי״ג־מצוות באַרוען. אפֿשר דורכן דערגרונטעווען זיך צום תּמצית פֿון יהדות וואָלטן מיר געפֿונען אַ נײַעם פּרינציפּ פֿון קלאַסיפֿיקאַציע פֿון מצוות־התּורה. מיר וועלן קענען פֿאַרשטיין, וועלכע מצוות דריקן אויס דעם מאָראַליש־מעטאַפֿיזישן יסוד, און וועלכע — אַן אַנדערן.

די גופֿי־תּורה ווייסן מיר ווּ צו געפֿינען, אָבער ווּ געפֿינען מיר די נשמת־התּורה, די לעבעדיקע תּורה־פּערזענלעכקייט? דער ענטפֿער איז אַ פּשוטער: בײַ די אָבֿות!

די ראָלע פֿון די אָבֿות איז אומגעהײַער גרויס אין אונדזער געשיכטע. דער רמב״ן רופֿט אָן דעם ספֿר בראשית ׳ספֿר הסימנים׳, דאָס בוך פֿון סימבאָלן, פֿון די אַרכיטיפּן וועלכע האַלטן זיך אין איין איבערחזרן אין דער ייִדישער געשיכטע. ״מעשׂה אבות — סימן לבנים״; ״אמר הקב״ה לאברהם: צא וכבוש הדרך לפני לבניך״[8] [בראשית רבה, פרשה מ]. די גאַנצע דראַמע פֿון דער ייִדישער געשיכטע האָט זיך שוין מגלה געווען אין אירע גרונטשטריכן אין די סיפּורי־האָבֿות. אָבער די אָבֿות זײַנען ניט נאָר וויכטיק ווי די וועגווײַזער און אַרכיטעקטן פֿון דעם ייִדישן פּאָליטיש־היסטאָרישן גורל, נאָר אויך פֿון דער ייִדישער תּורה, פֿון דער ספּעציפֿיש ייִדישער השקפֿת־עולם, וועלכע איז נאָכער געגעבן געוואָרן אויפֿן באַרג סיני, און האָט זיך פֿאַרקערפּערט אין דער ייִדישער מסורה. ״אברהם קיים את כל התורה כולה, אפילו עירובי תחומין, שנאמר ׳עקב אשר שמע אברהם וגו׳ ׳ (בראשית כו, ה)״[9] [ויקרא רבה, פרשה ב].

באמת, נאָך דער אויפֿפֿאַסונג פֿון חז״ל, האָט דער רבש״ע שבֿועות נאָר איבערגעחזרט אַ סך זאַכן וועלכע זײַנען אַנטדעקט געוואָרן דורך די אָבֿות, דורך אבֿרהמען אין זײַנע שלאָפֿלאָזע נעכט אין אור כּשׂדים, אָדער אין ארץ־ישׂראל. אינטערעסאַנט איז, ווי דער ילקוט טײַטשט דעם נעשׂה ונשמע.

> ״׳כל אשר דבר ד׳ נעשה ונשמע. הלא צריך היה לאמר ׳נשמע ונעשה׳. אלא אמרו ישראל להקב״ה: רבון העולמים, עד שלא שמענום קיימנום. ׳אנכי׳ — קיים יעקב,

---

8. ״הקדוש־ברוך־הוא האָט געזאָגט צו אבֿרהמען: גיי און פֿלאַסטער אויס דעם וועג פֿאַר דײַנע קינדער״. דער מדרש איז ממשיך: ״את מוצא כל מה שכתוב באברהם כתיב בבניו״, ״דו קענסט פֿון דעם דרינגען אַז אַלץ וואָס שטייט געשריבן בײַ אבֿרהמען, שטייט געשריבן בײַ זײַנע קינדער.״

9. ״אבֿרהם האָט מקיים געווען די גאַנצע תּורה, אפֿילו עירובֿי־תּחומין, ווי עס שטייט אין פּסוק ׳עקב אשר שמע אברהם בקולי וישמר משמרתי מצותי חקותי ותורותי׳, ׳דערפֿאַר וואָס אבֿרהם האָט צוגעהערט צו מײַן קול, געהיט מײַן היטונג, מײַנע געבאָט, מײַנע געזעצן און מײַנע לערנונגען׳.״

שנאמר ׳ויאמר יעקב אל ביתו וכו׳ הסירו את אלהי הנכר׳ (בראשית לה,ד); ׳לא תשׂא׳ — קיים אברהם, שנאמר ׳הרימותי ידי אל ד׳ (בראשית יד, כב); ׳זכור׳ — קיים יוסף, שנאמר ׳וטבוח טבח והכן׳ (בראשית מג, טז); ׳כּבד׳ — כּבר קיים יצחק כשנעקד על גבי המזבח; ׳לא תרצח׳ — קיים יהודה וכו׳; ׳לא תנאף׳ — קיים יוסף באשת פּוטיפרע; ׳לא תגנוב׳ — קיימו השבטים, ׳ואיך נגנב מבית אדוניך כסף או זהב׳ (בראשית מד, ח); ׳לא תענה׳ — קיים אברהם, שהעיד לכל באי עולם שאתּה רבון כל המעשׂים; אף הוא קיים ׳לא תחמוד׳, שנאמר ׳אם מחוט ועד שרוך נעל׳ (בראשית יד, כג)״[10] [ילקוט שמעוני יתרו, רעו].

די אָבֿות האָבן שוין דורך זייער אייגענער פּערזענלעכקייט אַרויסאַנטדעקט די יסודות פֿון יהדות נאָך איידער זיי זײַנען געגעבן געוואָרן אויפֿן באַרג סיני, ווײַל זיי האָבן באַזעסן די נשמת־התּורה, די נשמה, וואָס דורך איר געניאַלער אינטויִציע קען מען זיך דערגרונטעוווען צו חקר שד־י. ושתּי כּליותיו היו [....][11] ״ולא היה לו מלמד ולא מודיע דבר אלא מושקע באור כּשׂדים וכו׳ עד שהשׂיג דרך האמת והבין קו הצדק מתכונתו הנכונה״[12], באַמערקט דער רמב״ם [הלכות עבודת כוכבים א, ג] וועגן אבֿרהמען. קורץ, אבֿרהם איז געוועזן די פּערזענלעכקייט וועלכע האָט אינטויִטיוו געפֿילט די יסודות פֿון דער תּורה, און זײַן נשמה האָט זיך באַנוצט מיט דער שפּראַך פֿון אונדזער השקפֿה. ניט אומזיסט זאָגן מיר: ״אל־קי אברהם אל־קי יצחק ואל־קי יעקבֿ״. זיי האָבן דערצויגן אַן אומה מיט געפֿיל און פֿאַרשטענדעניש פֿאַר דער תּורה. ממילא, כּדי צו באַגרײַפֿן יסודותדיקע שטריכן פֿון נשמת התּורה, מוזן מיר אונדז פֿאַרטיפֿן אַ ביסל אין דער פּערזענלעכקייט פֿון די אָבֿות און זייער השקפֿת־עולם.

אינטערעסאַנט איז, אַז דער מדרש, אויסטײַטשנדיק די דגלים, האָט אַנטוויקלט דרײַ עיקרים וועלכע סימבאָליזירן די דרײַ אידעען וואָס זײַנען

10. ״׳אַלץ וואָס גאָט האָט גערעדט וועלן מיר טאָן און געהאָרכן׳: עס וואָלט דאָך געדאַרפֿט שטיין ׳מיר וועלן געהאָרכן און טאָן׳! נאָר די בני־ישׂראל האָבן געזאָגט צו הקדוש־ברוך־הוא: רבונו־של־עולם, נאָך איידער מיר האָבן זיי געהאָרכט האָבן מיר זיי מקיים געווען. ׳אנכי [ה׳ אל־קיך]׳ האָט מקיים געווען יעקבֿ־אָבֿינו, ווי עס שטייט אין פּסוק ׳און יעקבֿ האָט געזאָגט צו זײַן הויזגעזינד וכו׳ טוט אָפּ די פֿרעמדער געטער׳. ׳לא תשׂא [את שם ה׳ אל־קיך]׳ האָט מקיים געווען אבֿרהם, ווי עס שטייט אין פּסוק ׳איך הייב אויף מײַן האַנט צו גאָט׳, ׳זכור [את יום השבת]׳ האָט מקיים געווען יוסף, ווי עס שטייט אין פּסוק ׳שעכט אַ שעכטונג און גרייט צו׳, ׳כּבד [את אביך ואת אמך] האָט שוין מקיים געווען יצחק בײַ דער עקידה, ׳לא תרצח׳ האָט מקיים געווען יהודה..., ׳לא תנאף׳ האָט מקיים געווען יוסף מיט פּוטיפרס ווײַב, ׳לא תגנוב׳ האָבן מקיים געווען די שבֿטים, ׳הײַנט ווי וועלן מיר גנבֿענען פֿון דײַן האַרס הויז זילבער אָדער גאָלד?׳, ׳לא תענה [ברעך עד שקר]׳ האָט אבֿרהם מקיים געווען, ווען ער האָט עדות געזאָגט פֿאַר דער גאַנצער וועלט אַז דו ביסט דער האַר איבער אַלע מעשׂים, ער האָט אויך מקיים געווען ׳לא תחמוד׳, ווי עס שטייט אין פּסוק ׳אויב אַ פֿאָדעם אָדער אַ שוכבענדל׳.״

11. נישט לייענעוודיקע ווערטער.

12. ״ער האָט ניט געהאַט קיין לערער און קיין אָנזאָגער, נאָר איז געווען אײַנגעזונקען אין אור־כּשׂדים וכו׳ ביז ער האָט באַגרײַפֿט דעם דרך־האמת און פֿאַרשטאַנען דעם קו פֿון יושר אין איר ריכטיקן פֿורעם.״

פֿאַרווירקלעכט געוואָרן אין אבֿרהמס פּערזענלעכקייט, און וואָס זײַנען אַ יסוד אין יהדות:

> ״איש על דגלו באותות (במדבר ב, ב), כמו שנאמר ׳הביאיני אל בית היין ודגלו עלי אהבה׳ (שיר השירים ב, ד). כיון שנגלה הקב״ה על הר סיני ירדו עמו כ״ב רבבות של מלאכים וכו׳ והיו כולם עשויים דגלים דגלים. לכך נאמר ׳דגול מרבבה׳ (שיר השירים ה, י) וכו׳. כיון שראו אותן ישׂראל שהם עשוים דגלים דגלים התחילו מתאוים לדגלים. אמרו: הלואי כך אנו נעשים דגלים כמותן וכו׳. אמר להם הקב״ה: נתאויתם לדגלים? חייכם שאני עושה שאלתכם וכו׳. מיד הודיע הקב״ה...ואמר למשה: לך עשה אותם דגלים כמו שנתאוו. ׳איש על דגלו באותות לבית אבותם׳.״[13] [תנחותא פרשת במדבר, טו]

די מלאָכים האָבן דגלים. פֿאַר וואָס? ווײַל אַ דגל איז דער סימבאָל פֿון אַן אַרמיי, און די מלאָכים שטעלן מיט זיך פֿאָר די געטלעכע אַרמיי — ״ד׳ צבֿ־אות מלא כל הארץ כבודו״ (ישעיה ו, ג). דער רבש״ע ווערט אָנגערופֿן צבֿ־אות. (על־פּי־דין איז דער נאָמען קודש ואינו נמחק.) בשעת דער רבש״ע האָט אָנגעזאָגט משהן וועגן די דגלים, האָט ער בשעת־מעשׂה פֿאַרוואַנדלט ייִדן אין אַן אַרמיי. באמת רופֿן זיך ייִדן אויך אָן ״צבאות״. ״ויהי מקץ שלשים שנה וארבע מאות שנה ויהי בעצם היום הזה יצאו כל צבאות ד׳ מארץ מצרים״ (שמות יב, מא). ייִדן זײַנען די געטלעכע אַרמיי, און דער בורא־עולם איז דער קאָמאַנדיר וועלכער האָט זיי געשענקט די דגלים, ווײַל דערמיט האָט ער אָפֿיציעל און פֿאָרמעל זיי געגעבן, אַזוי צו זאָגן, די צייכנס וועלכע יעדע אַרמיי האָט. און בשעת ער האָט זיי געגעבן די דגלים האָט ער באַטאָנט: ״מבן עשׂרים שנה ומעלה כל יוצא צבא בישׂראל תפקדו אותם לצבאותם אתה ואהרן״ (במדבר א, ג). צייל יעדן סאָלדאַט, משה, און זײַן אָנגעהעריקייט אין דער אַרמיי (לצבאותם).

דער ערשטער וואָס האָט אַרויסגעוויזן פֿעיִקייט און געשיקטקייט צו מאָבּיליזירן

---

13. ״׳איטלעכער ביי זײַן פֿאָן לויט די צייכנס׳ (במדבר ב, ב), ווי עס שטייט אין פּסוק, ׳ער האָט מיך געבראַכט אין דער ווײַנקאַמער און זײַן פֿאָן איבער מיר איז ליבשאַפֿט געווען׳ (שיר השירים ב, ד). ווי באַלד דער רבונו־של־עולם האָט זיך אַנטפּלעקט אויפֿן הר־סיני, האָבן זיך אַראָפּגעלאָזט צוויי און צוואַנציק טויזנט מלאָכים וכו׳ און זיי זײַנען אַלע געווען אָרגאַניזירט לויט פֿאָנען. דעריבער שטייט ׳די פֿאָן פֿון צען טויזנט׳ (שיר השירים ה, י) וכו׳. ווי באַלד די ייִדן האָבן זיי דערזען, אַז זיי [די מלאָכים] זײַנען אָרגאַניזירט לויט פֿאָנען האָט זיך זיי פֿאַרגלוסט נאָך פֿאָנען. זיי האָבן געזאָגט: הלוואי וואָלטן מיר געווען אָרגאַניזירט לויטן פֿאָנען ווי זיי, וכו׳. האָט דער רבונו־של־עולם זיי געזאָגט: אײַך האָט זיך פֿאַרגלוסט פֿאָנען? איך שווער אײַך אַז כ׳וועל טאָן אײַער ווונטש וכו׳. באַלד האָט דער רבונו־של־עולם אָנגעזאָגט...און געזאָגט משהן: גיי און אָרגאַניזיר זיי לויט פֿאָנען, ווי זיי האָט זיך פֿאַרגלוסט. ׳איטלעכער ביי זײַן פֿאָן לויט די צייכנס פֿון זייערע פֿאָטערהײַזער׳.״

אַן אַרמיי, איז געוווען אבֿרהם. "וירק את חניכיו ילידי ביתו שמונה עשׂר ושלש מאות, וירדף עד דן. ויחלק עליהם לילה הוא ועבדיו, ויכּם וירדפם עד חובה אשר משׂמאל לדמשק" (בראשית יד, יד–טו). אבֿרהם האָט דער ערשטער געשאַפֿן אַ ייִדישע אַרמיי, און דער טיטל "צבֿאות" אין פֿאַרבינדונג מיט ייִדן האָט זײַן שורש אין יענער מאָביליזאַציע וואָס איז פֿאָרגעקומען אין יענער מיסטעריעזער נאַכט פֿון פֿופֿצנטן אין ניסן ("ויחלק עליהם לילה"). און אין דער זעלבער נאַכט זײַנען די צבֿאות ד' אַרויס מיט הונדערטער יאָרן שפּעטער פֿון ארץ מצרים. אבֿרהם האָט דער ערשטער פֿאַרוואַנדלט דעם ייִדן אין אַ יוצא־צבֿא. אַנדערש וואָלט די תּורה ניט דערציילט וועגן דער גאַנצער מלחמה צווישן אבֿרהמען און די מלכים. אויב די תּורה האָט געווידמעט אַ גאַנצע פּרשה דעם "וירק את חניכיו ילידי ביתו", איז עס אַ סימן, אַז אין דער מעשׂה קומט צום אויסדרוק אַ הויפּט־השקפֿה אין יהדות ווי צו זײַן אַ ייִד, צו רוען אַרום אהל מועד, ווי אין די מסעות דאַרף מען זײַן אַ יוצא־צבֿא, אַ מיטגליד פֿון צבֿאות ד'.

פֿאַר וואָס? ווײַל יהדות באַרוט זיך אויף קאַמף, אויף פֿאַרטיידיקונג און דיסציפּלין. זי קען אַנדערש ניט פֿאַרווירקלעכט ווערן סײַדן דורך איינעם וואָס האָט זיך אָנגעשלאָסן אָן דעם חיל ד', אָדער איז אַ יוצא־צבֿא. יהדות איז אַ כּסדרדיקע מלחמת ד', אַ שטענדיקער "וירק את חניכיו אנשי ביתו, ויכּם וירדפם עד חובה". אַ שטענדיקער קליגן זיך, סטראַטעגיש אויסרעכענען די נעקסטע באַוועגונג — און אבֿרהם האָט דעם יסוד אַנטדעקט.

לאָמיר די אידעע פֿון "וירק את חניכיו אנשי ביתו" ריכטיקער פֿאַרשטיין. בשעת אבֿרהם האָט אַנטדעקט דעם רבש"ע, האָט ער אויך גלײַכצײַטיק פּראָקלאַמירט דער וועלט אַ נײַעם צוגאַנג צו אמונה. ביז אים האָבן מענטשן געהאַלטן אַז מען דאַרף דינען גאָט נאָר ווען די עבֿודה און די אמונה באַצאָלן זיך, און דער מענטש קען דורך זיי פּראָפֿיטירן. זיי פֿלעגן ברענגען קרבנות צו די געטער בשעת זיי פֿלעגן גיין קעמפֿן מיט זייערע שׂונאים, כּדי זיי זאָלן מצליח זײַן אין דער מלחמה, און אויך אַז זיי פֿלעגן קומען צוריק זיגרײַך. פֿאַרקערט, פֿלעגן זיי פֿאַרלירן די שלאַכט, פֿלעגן זיי קומען און אויסשמירן די פּנימער פֿון די געטער מיט שמוץ. "והיה כי ירעב והתקצף וקלל במלכו ובאלהיו" (ישעיה ח, כא). די באַציִונג צווישן מענטשן און די געטער איז געוווען באַזירט אויף "שמור לי — ואשמור לך": ווועסטו זײַן גוט צו מיר, וועל איך דיר דינען, אַניט קום איך דיר גאָרניט.

באמת, די באַציִונג איז הײַנט אויך זייער כאַראַקטעריסטיש פֿאַרן מאָדערנעם מענטשן...אויך ער זוכט גאָט ווען אים דאַכט זיך, אַז דורך אמונה וועט זיך אים לעבן באַקוועמער. די גלחים און באַשטימטע ראַבײַס זאָגן אים צו "פּיס אָוו סאָול", "פּיס אָוו מײַנד", מנוחת־הנפֿש ושלוות־הגוף. מען גיט אָן אין נדן, אַז רעליגיעזע דערפֿאַרונג מאַכט די עקסיסטענץ אָנגענעם. פּונקט ווי איינער קויפֿט אַ טעלעוויזיע־

אַפּאַראַט, אָדער אַ ״דיפּ פֿריזער״[14], אָדער קויפֿט זיך אײַן אַ הויז בײַם ים כּדי ער זאָל ניט דאַרפֿן לײַדן היץ אין שטאָט, אַזוי הייסט מען אים גיין אין שול, אָדער, להבֿדיל, אין דער קירך, כּדי ער זאָל פֿאַרגעסן אַלע זײַנע זאַכן. [והנה הוא עומד על...על א׳][15]. זייער גאָט איז נאָר אַן אינסטרומענט כּדי אויסגענוצט צו ווערן. ״גיי אין קירך און לאָז דאָרט איבער דײַנע זאָרגן.״ ממילא האַלט דער מאָדערנער מענטש, אַז דער רבש״ע קען ניט און דאַרף זיך ניט מישן אין זײַנע פּריוואַטע ענינים, און ניט פֿאַרלאַנגען פֿון אים זאַכן וועלכע זאָלן פֿאַרשאַפֿן אומאָנגענעמלעכקייטן און מי און טירחה. דת איז געקומען אויף דער וועלט כּדי צו פֿאַרזיסן דאָס לעבן, און ניט כּדי אים צו פֿאַרביטערן.

יהדות, וועלכע איז לכתחילה פּראָקלאַמירט געוואָרן דורך אבֿרהם אָבֿינו, האָט אויפֿגעשטעלט אַן אַנדער שיטה. ערשטנס, איז די מטרה פֿון יהדות, פֿון דעת אל־קים, נישט סתּם שׂמחה, נאָר השתּלמות און התדבקות אין בורא־עולם, לעבן על פּי חוקי־התּורה־והמוסר, און אויפֿהייבן זײַן פֿיזיאָלאָגישע עקסיסטענץ צו אַ מדרגה פֿון עבֿודה און קדושה.

אמת, אַז בשעת אַ ייִד דערגרייכט זײַן מטרה און אָרגאַניזירט זײַן לעבן נאָך די פֿאָדערונגען פֿון דער תּורה, און ברענגט אַרײַן קדושה אין זײַנע מעשׂים, איז ער דער גליקלעכסטער מענטש אויף דער וועלט. און די שׂמחה פֿון רעליגיעזער איבערלעבונג, ווען אַ מענטש פֿילט זיך נאָענט צום בורא־עולם, איז אֵין לשער, ווײַל עס איז ניטאָ קיין גרעסערער שׂכר ווי דער ״צדיקים יושבים ועטרותיהם בראשיהם ונהנים מזיו השכינה״ [ברכות יז, ע״א]. אָבער יהדות איז געגעבן געוואָרן דעם מענטשן ניט כּדי ער זאָל זײַן גליקלעך, נאָר כּדי ער זאָל זײַן גרויס און הייליק, נאָענט צו גאָט און אַ שלם במידותיו. דאָס גליק און שׂמחה איז אַ צווייטראַנגיקע דערשײַנונג.

״אמר ליה ההוא מינא דשמיה ששׂון לרבי אבהו: עתידיתו דתמלו לי מים לעלמא דאתי, דכתיב ׳ושאבתּם מים בששׂון׳ (ישעיב יב, ג). א״ל: אי הוה כּתיב ׳לששׂון׳ כּדקאמרת, השתּא דכתיב ׳בששׂון׳ משכיה דההוא גברא משוינן ליה גודא ומלינן ביה מיא״[16] [סוכה מח, ע״ב]. דער מין מיטן נאָמען ששׂון — וואָס האָט פֿאַרטראָטן די שיטה פֿון די עובֿדי עבֿודה־זרה, אַז די מטרה פֿון עבֿודת־ד׳ איז ששׂון, באַקוועמלעכקייט און גענוס, הנאה פֿון לעבן — האָט געזאָגט רבי אבֿהו, אַז דער פּסוק באַשטעטיקט זײַן אויפֿפֿאַסונג. עס שטייט דאָך ״מים בששׂון״, דער מאָטאָ

14. אײַזקאַסטן (ענגליש).

15. ווערטער נישט קלאָר אין כּתבֿ־יד.

16. ״אַ געוויסער אפּיקורס מיטן נאָמען ששׂון האָט אַ מאָל געזאָגט צו רבי אבֿהון: עס איז באַשערט אַז דו זאָלסט ציִען וואַסער פֿאַר מיר אויף יענער וועלט, ווי עס שטייט אין פּסוק ׳און איר וועט שעפּן וואַסער מיט שׂמחה [בששׂון]׳ (ישעיה יב, ג). האָט יענער געענטפֿערט: עס וואָלט אַזוי געווען ווען ס׳זאָל שטיין געשריבן ׳לששׂון׳. נאָר היות ווי עס שטייט געשריבן ׳בששׂון׳, מוז דער טײַטש זײַן אַז פֿון דער הויט פֿון דעם דאָזיקן מענטשן וועט מען מאַכן אַ וואַסער־פֿעסל און מען וועט דערפֿון ציִען וואַסער.״

איז פֿרייד. דת קען ניט פֿאַרלאַנגען פֿון מענטשן זאַכן וועלכע זאָלן אים פֿאַרשאַפֿן אומאָנגענעמלעכקייטן. האָט אים רבי אבֿהו זייער שאַרף געענטפֿערט: אויב די מטרה פֿון יהדות וואָלט געווען ששון, ווי איר זאָגט, וואָלט געדאַרפֿט שטיין ״ושאבתם מים לששון״. אַלץ וואָס איר טוט, דאַרפֿט איר טאָן לשם ששון. אָבער ווי באַלד עס שטייט אַנשטאָט ״לששון״ — ״בששון״, מיינט עס נאָר ״משכיה דההוא גברא משוינן ליה גודא ומלינן ביה מיא״. ששון, פֿרייד, גליק, הנאה, וועלן אַ סך מאָל באַגלייטן אונדזער עבֿודת־השם, מיר וועלן דורך זיי שעפּן וואַסער, זיי וועלן מיר נוצן ווי כּלים. אָבער די תּורה אַליין זוכט ניט דווקא פֿרייד, נאָר הויפּטזאַכלעך השתּלמות־האדם, התקרבֿות צום רבש״ע, קדושה און חסד און אַזוי ווײַטער. אמת, אַז מיר וועלן שעפּן די ריכטיקע פּרינציפּן, וועלן מיר אויך זײַן גליקלעך, אָבער ששון איז ניט דער תּכלית.

עבֿודת־ד׳ וועלכע פֿירט צו השתּלמות קומט ניט אָן לײַכט. פֿאַרקערט, זי איז פֿאַרבֿונדן מיט קאַמף. דער ייִד וואָס וויל שעפּן דאָס וואַסער ממעיני הישועה, דאַרף קענען זײַן אַ סאָלדאַט, אַ יוצא צבֿא בישׂראל, אַניט קען ער ניט געציילט ווערן. איר וועט מיך פֿרעגן: קאַמף מיט וועמען דאַרף דער יוצא צבֿא פֿירן? וועל איך ענטפֿערן: די ערשטע זאַך דאַרף אַ מענטש קעמפֿן מיט זיך אַליין. לאָמיר זען, וואָס פֿאַרלאַנגט יהדות פֿון מענטשן? אַ קרבן. אַ קרבן ניט פֿון אַ בהמה, ניט פֿון אַן עוף, נאָר פֿון זיך זעלבסט. ״אדם כּי יקריב מכם קרבן״ (ויקרא א, ב). דער הייליקסטער קרבן איז די זעלבסטאָפּפֿערונג פֿון מענטשן, ווען דער מענטש איז מקריבֿ זײַן האַרץ; עבֿודה שבלבֿ, ווי חז״ל האָבן עס אָנגערופֿן. די עבֿודה שבלבֿ איז ניט אָפּהענגיק פֿון ירושלים, פֿון בית־המקדש, נאָר זי ווערט פּראַקטיצירט שטענדיק.

ווי ווערט דער קרבן געבראַכט? דערציילט די גמרא אין ברכות: ״רב ששת, כּי הוה יתיב בתּעניתא, בתר דמצלי אמר הכי: רבון העולמים, גלוי לפניך, בזמן שבית־המקדש קיים אדם חוטא וּמקריב קרבן, ואין מקריבין ממנו אלא חלבו ודמו וכו׳. יהי רצון מלפניך שיהא חלבי ודמי שנתמעט כאלו הקרבתיו לפניך על גבי המזבח — ותרצני״[17] [ברכות יז, ע״א] . תּענית — איז קרבן. אין וואָס באַשטייט דער קרבן? אין מעוט חלבֿ ודם. אָבער דאָס איז נאָר אַ מעטאַפֿאָר. דער רבש״ע איז ניט פֿאַראינטערעסירט אין אונצעס פֿון פֿעט, וואָס דער מענטש פֿאַרלירט. וויכטיק איז די פּעולה פֿון כּיבוש־היצר — די זעלבסט־קאָנטראָל, דער ״וירק את חניכיו״, דאָס צוימען דעם אייגענעם אינסטינקט. וויכטיק איז דאָס קענען זיך אָפּזאָגן פֿון עפּעס

17. ״ווען רבֿ ששת האָט אָפּגעריכט אַ תּענית, האָט ער נאָכן דאַווענען אַזוי געזאָגט: רבון־העולמים, עס איז קלאָר און באַוווּסט פֿאַר דיר, אַז אין דער צײַט ווען דער בית־המקדש איז געשטאַנען, האָט אַ מענטש וואָס האָט געזינדיקט מקריבֿ געווען אַ קרבן. און פֿון אים האָט מען מקריבֿ געווען נאָר זײַן חלבֿ און זײַן בלוט וכו׳. יהי רצון, אַז מײַן פֿעטס און בלוט וואָס איז פֿאַרמינערט געוואָרן, זאָל זײַן ווי איך וואָלט זיי מקריבֿ געווען פֿאַר דיר אויפֿן מזבח — און איך זאָל דיר וווּל זײַן.״

וואָס רעגט און ציט, וויכטיק איז דאָס באַוווּסטזייַן אַז ניט אַלע מאָל דאַרף מען טאָן וואָס עס איז אָנגענעם. אַ מאָל דאַרף מען האַנדלען קעגן פּרימיטיווע ווונטשן.

וויכטיק איז דער מזבח, וועלכן די אָבֿות בכלל, און אבֿרהם בפּרט, האָבן געבויט, ווען ער האָט זיך נאָר מיטן רבש״ע געטראָפֿן. ״וירא ד׳ אל אברם...ויבן שם מזבח לד׳ הנראה אליו. ויתק משם ההרה מקדם לבית־אל...ויבן שם מזבח לד׳, ויקרא בשם ד׳״ וכו׳. ״ויאהל אברם ויבא, וישב באלני ממרא אשר בחברון, ויבן שם מזבח לד׳״ (בראשית יב, ז–ח; יג, יח) . אבֿרהם בויט מזבחות, אָבער ער איז ניט מקריבֿ מכּל הבהמה הטהורה, מכּל העוף הטהור, מעל עולות במזבח. נאָר ער איז מקריבֿ זיך אַליין, זייַן יצר, זייַן אינסטינקט, זייַן תּאווה. אבֿרהם זוכט ניט קיין באַפֿרידיקונג און קיין איבערפֿלעכלעכע שׂמחה אין עבֿודת־ד׳. ער איז מקריבֿ אַ קרבן — מעוט חלבֿ ודם, זעלבסט־דיסציפּלין — וירק את חניכיו. אבֿרהם איז אַ יוצא צבֿא.

אויך הייַנט איז אַ ייִד מקריבֿ חלבֿ ודם אויפֿן מזבח, און מאָביליזירט זיך אַליין, ווי אבֿרהם האָט מאָביליזירט יענע נאַכט את חניכיו, ווען ער זאָגט זיך אָפּ פֿון אַ טרייפֿן מאָלצייַט, פֿון חילול־שבת כּדי צו פֿאַרדינען געלט, פֿון אומערלעכן דאָלאַר און אַזוי ווייַטער. ״שׂאו את ראש כּל עדת בני ישׂראל למשפּחותם לבית־אבותם״ (במדבר א, ב) — ייִדישער אויפֿשטייַג (שׂאו), ייִדישע גרויסקייט, ייִדישע גבֿורה, באַשטייט אין כּל יוצא צבא בישׂראל, אין זייַן אַ סאָלדאַט, דיסציפּלינירט און זעלבסט־קאָנטראָלירט, און געווינען דעם קאַמף מיט זיך אַליין. ״איזהו גבור — הכּובש את יצרו״ [אבות ד, א]. דעם פּרינציפּ פֿון [....][18] אַרונטער. אַ סך מצוות פֿון מאכלות־אסורות, איסור ערוה און אַזוי ווייַטער. איכּפֿת [...][19] להקב״ה.

אָבער אויף אבֿרהמס מזבח איז מען מקריבֿ ניט נאָר דעם יצר, נאָר עפּעס אַנדערש אויך. ווען אבֿרהם אָרגאַניזירט זייַן אַרמיי, פֿאַרלאַנגט ער ניט דווקא כּיבוש־התּאווה, נאָר אויך שבֿירת־הרצון. דער קרבן איז אַ פֿיל קאָמפּליצירטער. [....][20] בשעת כּיבוש־היצר באַציט זיך נאָר אויף דער דיסציפּלינירונג פֿון אינסטינקטיווע דראַנגען, ווי דער הונגער אָדער געשלעכטס־דראַנג, פֿאַרלאַנגט שבֿירת־הרצון די אונטערדריקונג פֿון באַשטימטע החלטות ביי מיר, וועלכע זייַנען באַזירט אויף טיפֿע געפֿילן. זיך קענען אָפּזאָגן ניט נאָר פֿון קערפּערלעכע, נאָר אויך פֿון גייַסטיקע באַפֿרידיקונגען, איז אַ משונהדיקער נסיון. דערצו דאַרף מען באַזיצן מערקווערדיקע כּוחות־הנפֿש. בחירה חפֿשית, למשל, בנוגע האַנדלונגען איז אויך ניט אַלע מאָל אַ לייַכטע אויפֿגאַבע. הדבֿרים קל־וחומר, ווען דער כּוח־הבחירה דאַרף גאָר צווינגען דעם מענטשן צו אונטערדריקן באַשטימטע געפֿילן וועלכע זייַנען נאַטירלעך פֿאַר

18. ניט־לייענעוודיקע ווערטער אין כּתבֿ־יד.
19. ניט־לייענעוודיקע ווערטער אין כּתבֿ־יד.
20. ניט־לייענעוודיקע ווערטער אין כּתבֿ־יד.

אים. דאָ מוז מען בויען אַ גרויסן מזבח און מאָביליזירן די גאַנצע ווילנסקראַפֿט. וירק את חניכיו, אנשי ביתו.

לאָמיר נעמען אַ בײַשפּיל: אבֿרהם איז דער אַדוואָקאַט פֿון גערעכטיקייט, פֿון גוטסקייט, פֿון חסד, פֿון הכנסת־אורחים און צדקה. אבֿרהם קעמפֿט קעגן ברוטאַליטעט און עוולה, קעגן די פֿאַרשטייערס פֿון ממשלת־זדון. האָט אבֿרהם פֿײַנט סדום ועמורה, די שטעט וועלכע פֿאַרקערפּערן רשעות און אומרעכט. אבֿרהם ווייסט אויך, אַז כּל־זמן סדום איז מעכטיק און רײַך, געבענטשט מיט אַ שפֿע פֿון פּרנסה, "כּולה משקה...כּגן ד׳ כּארץ מצרים" (בראשית יג, י), קען ער ניט זײַן דערפֿאָלגרײַך אין זײַן שליחות פֿון רבש״ע צו פֿאַרשפּרייטן אַ תּורת־צדק־וחסד און יושר. מענטשן וועלן פֿאַרגלײַכן אבֿרהמס לײַדן, יסורים, און גילגולים, מיט סדומס מזל, מיט איר רײַכטום, און וועלן בעסער אָננעמען סדומס תּורה, וועלכע באַצאָלט זיך אַ סך בעסער ווי אבֿרהמס תּורה, וועלכע פֿאַרלאַנגט קרבנות און מזבחות. זײַן אייגענער פּלימעניקל, לוט, איז פֿאַרכּישופֿט געוואָרן דורך סדומס גלאַנץ און עשירות, און אַוועק און געזאָגט: "אי אפשי, לא באברהם ולא באלקיו" [בראשית רבה, פּרשה מ]. אבֿרהם ווייסט גאַנץ גוט, ווי גרויס עס איז דער כּוח פֿון אַן אידעע וואָס איז מוצלח. און ווי ווײַט האָט געהאַלטן, אַז די גאַנצע וועלט זאָל האָבן אָנגענומען די נאַצי־אידעאָלאָגיע, ווײַל אויף אַ ווײַלע האָט זיך געדאַכט אַז זי איז זיגרײַך און אַ מוצלחת?

אבֿרהם ווייסט, אַז זײַן אויפֿגאַבע אין לעבן — איבערצובויען די מענטשלעכע געזעלשאַפֿט — קען נישט מצליח זײַן כּל־זמן סדום עקסיסטירט און איז מצליח. חורבן־סדום איז אַ תּנאי־קודם־למעשׂה פֿאַר אבֿרהמס דערפֿאָלגרײַכער מיסיע. זאָלן מענטשן פֿאַרשטיין, אַז רשעות מוז סוף־כּל־סוף פֿירן צו קאַטאַסטראָפֿע, והא ראיה: סדום. זעט, אַז חסד משפּט און צדקה ברענגען גליק דעם מענטשן. בעצם האָט דער רבש״ע דאָס געמיינט, ווען ער האָט געזאָגט: "המכסה אני מאברהם אשר אני עושׂה? ואברהם היו יהיה לגוי גדול ועצום, ונברכו בו כּל גויי הארץ. כּי ידעתּיו למען אשר יצוה את בניו ואת ביתו אחריו, ושמרו דרך ד׳ לעשׂות צדקה וּמשפּט, למען הביא ד׳ על אברהם את אשר דבר עליו. ויאמר ד׳: זעקת סדום ועמורה כּי רבה, וחטאתם כּי כּבדה מאד" (בראשית יח, יז–כ). סדום איז פֿאַרניכטעט געוואָרן "למען הביא ד׳ על אברהם את אשר דבר עליו". "ויקומו משם האנשים, וישקפו על פּני סדום" (דאָרטן, פּסוק יז). די מלאָכים האָבן באַטראַכט סדום פֿון אבֿרהמס שטאַנדפּונקט. אבֿרהם און סדום צוזאַמען קענען ניט עקסיסטירן.

אָבער אבֿרהם, טראָץ די אַלע באַטראַכטונגען, האָט זיך אײַנגעשטעלט פֿאַר סדום. ווײַל טאָמער זײַנען דאָרטן דאָ עטלעכע צדיקים און זיי וועלן פֿאַרטיליקט ווערן, וועט חלילה־וחס דער "שופט כּל הארץ לא יעשׂה משפּט" (בראשית יח, כה), און דער פּרינציפּ פֿון גערעכטיקייט וועט ניט פֿאַרווירקלעכט ווערן. ממילא איז אבֿרהם מוחל אויף אַלץ: אויף זײַן שׂנאה צו סדום, און זײַן ליבע צו זײַן מיסיע. ער איז

בערײַט מקריבֿ צו זײַן זײַן לעבן און זיך אַרויסווײַזן אַ פֿולקאָמער דורכפֿאַל מיט זײַן נײַער תּורה. ער איז מוחל אויף זײַנע האָפֿענונגען און וויזיעס לעתיד־לבֿא, אַבֿי איין צדיק אין סדום זאָל ניט באַעוולט ווערן: ״ואברהם עודנו עומד לפני ד׳״ (בראשית יח, כב). אבֿרהם שטייט פֿעסט אויף זײַנע פּרינציפּן פֿאַרן רבש״ע, און וויל ניט מוותּר זײַן אַפֿילו אַ קוצו־של־יוד אויף דעם עיקר פֿון משפּט, אַפֿילו ווען עס האַנדלט זיך וועגן גײַסטיקן זעלבסטמאָרד.

איז דאָ אַ גרעסערער מזבח פֿאַר דעם שבֿירת־הרצון — זבחי אלקים רוח נשברה (תהילים נא, יט) — ווי ווען אבֿרהם ברענגט זײַן גאַנצן ווילן און אַלע זײַנע שטרעבונגען, זײַן גאַנצן גײַסט אויפֿן מזבח פֿון משפּט? קען מען זיך פֿאָרשטעלן אַ מעכטיקערע דיסציפּלין און זעלבסט־קאָנטראָל? ״וירק את חניכיו אנשי ביתו ויכם וירדפם עד חובה״. דער מענטש אַליין באַזיגט און צעשטערט אַלע זײַנע אַמביציעס און חלומות.

יהדות האָט עס[21] איבערגענומען, דער רבש״ע האָט עס פֿאַרקערפּערט אין די עשׂרת־הדברות. וואָס איז דען לא תחמוד, אַז ניט שבֿירת־הרצון? פֿרעגן שוין ראשונים (דער אבן עזרא): מען קען אָנזאָגן מענטשן, עס זאָל זיך נישט גלוסטן? מילא, מען קען אים פֿאַרבאָטן צו גנבֿענען, לא תגנובֿ, צו מאָרדן, אָבער ווי קען מען אים באַפֿעלן לא תחמוד, בשעת העין רואה והלב חומד? דער ענטפֿער איז פּשוט: די תּורה האָט פֿאַרלאַנגט פֿון מענטשן קאָנטראָל ניט נאָר איבער זײַנע מעשׂים, נאָר אויך איבער זײַנע געפֿילן. דער מענטש דאַרף פֿאַרשטיין ווען צו אונטערדריקן אַ געפֿיל און ווען צו קולטיווירן אים. אויב דער מענטש ווערט נכשל אין עפּעס שלעכטס אָנצו [....][22] — בית רעך, אשת רעך, און אַזוי ווײַטער — דאַרף ער זיך דערמאָנען אין אבֿרהמס ״וירק את חניכיו אנשי ביתו ויכם וירדפם עד חובה״. זעלבסט־קאָנטראָל און זעלבסט־דיסציפּלין.

לאָמיר נעמען אַן אַנדער בײַשפּיל: ״לא תשנא את אחיך בלבבך״ (ויקרא יט, יז). ווי קען מען אָנזאָגן איינעם ניט צו פֿײַנט האָבן זײַן ברודער, ווען יענער האָט באַעוולט, ״ולא תשׂא עליו חטא״? ״לא תקום ולא תטור את בני עמך״ (ויקרא יט, יח). ״אמר לו: ׳השאילני מגלך׳, אמר לו: ׳לאו׳. למחר אמר לו הוא: ׳השאילני קרדומך׳, אמר לו: ׳איני משאילך כּדרך שלא השאלתּני׳. זו היא נקימה. ואיזו היא נטירה? אמר לו: ׳השאילני קרדומך׳, אמר לו ׳לאו׳. למחר אמר לו: ׳השאילני חלוקך׳, אמר לו: ׳הֵילָך,

21. ד״ה די אידעע פֿון שבֿירת־הרצון.

22. נישט לייענעוודיקע ווערטער אין כּתבֿ־יד.

איני כּמותך, שלא השאלתני׳. זוהי נטירה״[23] [יומא כג, ע״א]. ״שנוטר, האיבה בלבו, אף על פּי שאינו נוקם.״[24]

נקמה איז זייער אַן עלעמענטאַרער געפֿיל, האָט די תּורה עס פֿאַרבאָטן. צווײ שכנות: איין שכנה איז אַ מרשעת, וואָס וויל קיינעם ניט העלפֿן און ניט לײַען, אַפֿילו אַ קלייניקייט. פּלוצעם בײַנאַכט איז די מרשעת קראַנק געוואָרן און זי קומט צו מיר בעטן אַ טובֿה, אַ גרויסע געפֿעליקייט, אָדער זי בעט בײַ מיר געבן איר אַ טערמאָמעטער. דאָ ניט נאָר טאָר איך איר ניט אָפּזאָגן, נאָר אַפֿילו ניט אויפֿמערקזאַם מאַכן איר אַז איך בין אָנשטענדיקער פֿון איר און האַנדל אַנדערש. איך דאַרף געבן די זאַך וואָס זי בעט, פֿאַרבײַסן די ליפּן, פֿאַרשטויסן דאָס געפֿיל פֿון ביטערקייט און נקמה, און רעדן מיט איר צירלעך־מאַנירלעך — ״ואהבֿת לרעך כּמוך״ (ויקרא יט, יח) — איך דאַרף זי נאָך ליב האָבן. פֿאַרלאַנגט די תּורה פֿון די ייִדן אַן אַרמיי־דיסציפּלין, פּונקט ווי דער סאָלדאַט וועלכער ווערט באַליידיקט פֿון זײַן קאָמאַנדיר על־לא־דבֿר מוז שווײַגן און ענטפֿערן ״יעס סער״! ״וירק את חניכיו אנשי ביתו, ויכּם וירדפם עד חובה״. מען ברעכט דעם אייגענעם ווילן, כּל יוצא צבֿא בישׂראל.

די הלכה האָט אַ סך אַזעלכע דינים. בײַ איינעם שטאַרבט, רחמנא־ליצלן, אַ ליבער קרובֿ, אַ פֿאָטער, אָדער אַ בעל [....] אָדער [....][25] צו וועמען ער איז געווען צוגעבונדן מיט זײַן גאַנצער נשמה און לײַב־און־לעבן. טרויערט ער. אבֿלות איז אַ מצוה וועלכע שטימט מיט דער מענטשלעכער נאַטור. אָבער קבר את [....] שעה אחת לפני הרגל[26] — געקומען אַהיים פֿון בית־הקבֿרות, פֿאַרוויינט, דאָס האַרץ צעבראָכן, עלנט און איינזאַם, פֿונעם גאַנצן הויז ווייעט אַ געפֿיל פֿון פּוסטקייט און אומעט. פּלוצעם פֿאַרגייט די זון, בײַנאַכט איז יום־טובֿ. מעג דער אָבֿל אויפֿשטיין פֿון דער ערד, זיך אַרומוואַשן, אָנטאָן יום־טובֿדיקע בגדים, אָנצינדן די ליכט, אויספּוצן דאָס הויז, גרייטן צום טיש, פֿאַרגעסן אין זײַן אומגליק, און זיך פֿרייען מיטן יום־טובֿ. ״אבל אינו נוהג אבלתו ברגל.... אתי שׂמחה דרבים ודחי אבל דיחיד״ [מועד קטן יד, ע״ב]. רגל איז מבֿטל גזירת־שבֿעה און שלושים. ווי קען די תּורה פֿאַרלאַנגען פֿון אַ

23. ״איינער קומט צו אַ צווייטן און זאָגט ׳אַנטלײַ מיר דײַן סערפּ, און דער צווייטער זאָגט ׳ניין׳. צומאָרגנס קומט יענער צום ערשטן און זאָגט ׳אַנטלײַ מיר דײַן האַק׳, און דער ערשטער זאָגט ׳איך אַנטלײַ דיר נישט, פּונקט ווי דו האָסט מיר ניט אַנטליִען׳. דאָס הייסט נוקם זײַן. און וואָס הייסט האַלטן אַ שׂנאה? איינער קומט צו אַ צווייטן און זאָגט ׳אַנטלײַ מיר דײַן האַק׳, און דער צווייטער זאָגט ׳ניין׳. צומאָרגנס קומט יענער צום ערשטן און זאָגט ׳אַנטלײַ מיר דײַן בגד׳, און דער ערשטער זאָגט ׳אָט האָסטו עס. איך בין ניט ווי דו, וואָס האָסט מיר נישט אַנטליִען. דאָס הייסט האַלטן אַ שׂנאה.״

24. ״דער וואָס האַלט אַ שׂנאה, איז די שׂנאה בײַ אים אין האַרצן, כאָטש ער איז ניט נוקם.״

25. ווערטער ניט לייענעוודיק אין כתבֿ־יד.

26. אפֿשר אַן אָפּשיק אויפֿן דין ״מת לו מתו קודם הרגל, ונהג אבלות אפילו שעה אחת לפני הרגל, בטלה ממנו גזירת שבעה״ [טור אורח־חיים, סימן תקמ״ח]. ״אויב זײַן מת איז אים געשטאָרבן פֿאַר יום־טובֿ, און ער האָט אָפּגעהאַלטן אבֿילות אפֿילו איין שעה צײַט פֿאַר יום־טובֿ, איז די שבֿעה בטל.״

מענטשן, אַז ער זאָל פּלוצעם זיך שטאַרקן, מסיח דעת זײַן פֿון זײַן אבֿלות, און אַליין זיך משׂמח זײַן אין עלנט און פּײַן? די תּורה פֿאַרלאַנגט דיסציפּלין. "וירק את חניכיו אנשי ביתו."

האָט אבֿרהם אויך ניט אַזוי געהאַנדלט, ווען זײַן ליבע שׂרה איז געשטאָרבן? זײַן שׂרה, אשת־נעורים, מיט וועמען ער האָט געחלומט, געהאָפֿט, געקעמפּט, געבויט אַ נײַע וועלט, געלערנט מענטשן די וועגן פֿון גאָט, די מוטער פֿון זײַן יצחק. "ויבא אברהם לספד לשׂרה ולבכּתה" (בראשית כג, ב). און גרויס איז געווען אבֿרהמס אומגליק, טרויער, עלנט, אַליין און פֿאַרלאָזן. אָבער — אבֿרהם טאָר ניט פֿאַרצווייפֿלען, טאָר נישט אַרײַנפֿאַלן אין ייִאוש. אַרום שטייען די בני־חת, וועלכע וואַרטן אַרויס אויף אבֿרהמס רעזיגנאַציע. שׂונאים קוקן אויס אויף אַ צעבראָכענעם אבֿרהמען. און גלײַך גיט זיך אבֿרהם אַ הייב, אַ שטעל אויף. די אַרבעט מוז ווײַטער אָנגיין: "איך האָב אַ כּריתת־ברית מיטן רבש"ע". "ויקם אברהם מעל פּני מתו" (דאָרטן, פּסוק ג).

די זעלבע זאַך האָט דער רבש"ע אָנגעזאָגט אהרנען: "ועל כּל נפשׁות מת לא יבא, לאביו ולאמו, (ולאחיו, ולאחיותיו, ולבנו, ולבתו) לא יטמא. ומן המקדש לא יצא, כּי נזר שמן משחת אלקיו עליו" (ויקרא כא, יא–יב). ווי קען דער כּהן־גדול אײַנזיצן אין בית־המקדש און טאָן די עבֿודה בשעת זײַנע טײַערסטע זײַנען אַוועקגעריסן געוואָרן פֿון אים? ווו קען ער נעמען דעם מוט נאָך מיתת נדבֿ ואבֿיהו ניט זיך מטמא צו זײַן, נאָר אָנגיין מיט דער אַרבעט גלײַך ווי קיין זאַך האָט זיך ניט געטראָפֿן? אַפֿילו קיין טרער ניט אַרויסלאָזן, קיין זיפֿץ ניט געבן, ניט וועלן זיי באַגלייטן צום לעצטן מאָל צו זייער אייביקער רו? "ויאמר משה אל אהרן ולאלעזר ולאיתמר בניו, ראשיכם אל תפרעו ובגדיכם אל תפרמו וכו׳ ומפתח אהל מועד לא תצאו, ואחיכם כּל בית ישראל יבכּו את השׂרפה אשר שׂרף ד׳" (ויקרא י, ו). ליגט דאָ אין דעם דער העכסטער שבֿירת־הרצון. "וירק את חניכיו אנשי ביתו", "כּל יוצא צבא בישׂראל".

אונטער דער רובריק פֿון שבֿירת־הרצון געהערן אַלע מידות־טובֿות און די איסורים וועלכע זײַנען נוגע די געפֿילן פֿון מענטשן: כּעס, גאוה, שׂמחה, אבֿלות. אָבער אבֿרהם האָט אויך געבראַכט נאָך אַ קרבן, דעם גרעסטן, אפֿשר: כּיבוש־האהבֿה, די עקידה. "וכבש רחמיו לעשות רצונך בלבב שלם". אין דעם האָט זיך מאַניפֿעסטירט, אפֿשר, דער גרעסטער יסוד פֿון יוצא צבֿא בישׂראל, פֿון וירק את חניכיו אנשי ביתו. דער רבש"ע האָט ניט פֿאַרלאַנגט פֿון אים יצחקן ווי אַ קרבן, נאָר די גרייטקייט אַוועקצוגעבן אים זײַן בן־יחיד, אויף וועמען ער האָט אַזוי לאַנג געוואַרט.

באמת האָט דער רבש"ע געוואָלט ווײַזן אבֿרהמען אַז אַ מענטש דאַרף קענען באַזיגן נאָך איין געפֿיל — דאָס געפֿיל פֿון קנין, פֿון באַזיצן עפּעס, פֿון אייגנטום. אינטערעסאַנט איז, אַז דאָס געפֿיל פֿון קנין איז איינס פֿון די פּרימיטיוויסטע און אורשפּרינגלעכסטע. באַשטימטע חיות ווײַזן עס שוין אַרויס. אַ קליין קינד, וואָס האָט

נאָך כמעט קיין באַציִונג ניט צו דער מוטער אָדער צו אַנדערע שטוביקע מענטשן, ווערט שרײַען און גוואַלדעווען ווען עמעצער זאָל פּרובירן אַרויסרײַסן אַ שפּילצײַג פֿון אים. פֿאַרשטייט זיך, אַז דאָס טײַערסטע און הייליקסטע אייגנטום איז דאָס קינד. די תּורה פֿאָדערט פֿון מענטשן, פּונקט ווי גאָט ב״ה האָט עס פֿאַרלאַנגט פֿון אבֿרהמען, זײַן בכּוח אַ מאָל צו פֿאַר[...][27] דאָס מעכטיקע געפֿיל און אים אונטערדריקן, ווען מען דאַרף. חנה, וועלכע האָט באַגריפֿן די אידעע פֿון דער כּנסת־ישׂראל ווי צבֿאות ד׳, אַ געטלעכע אַרמיי (זי איז דאָך געווען די ערשטע וואָס האָט אָנגערופֿן דעם רבש״ע ד׳ צבֿ־אות), האָט תּופֿס געווען דעם ענין פֿון כּיבוש־רצון־הקנין, און זי האָט מקדיש געווען שמואל צו גאָט: ״וגם אנכי השאלתהו לד׳ כּל הימים אשר היה הוא שאול לד׳״ (שמואל א, א, כּח).

אָבער דער פּרינציפּ פֿון כּיבוש־האהבֿה וכּיבוש־קנין פֿון חנהן, אַ מוטער וואָס האָט אַזוי לאַנג געוואַרט אויפֿן קינד, געוויינט און געבעטן גאָט — ״והיא מרת נפש ותתפלל על ד׳ ובכה תבכּה״ (שמואל א, א, י) — געבענקט נאָך שמואלן, געפֿילט זיך עלנט און איינזאַם, און וואָס האָט אַוועקגעשענקט דאָס קינד גאָט נאָכן אַנטוויינען אים, און אַוועקגעפֿאָרן אַהיים אָן שמואלן, איז זייער כאַראַקטעריסטעש אין דער יִדישער געשיכטע. וואָס הייסט חינוך, אַז ניט מקדיש זײַן עפּעס צו גאָט — חנוכּת־המזבח. אַ ייִד פֿלעגט מקדיש זײַן דעם זון צום רבש״ע גלײַך בײַ דער געבורט. באמת, עולה איז אַ סימבאָל פֿון אַוועקגעבן דעם זון צום רבש״ע, אָבער ספּעציעל פֿלעגט לימוד־התּורה פֿאַרלאַנגען פֿון ייִדן אַ סך אָנשטרענגונג. בשעת בײַ די אומות־העולם פֿלעגט די יוגנט אַרומגיין פּוסט און פּאַסט, האָבן ייִדן געהאַלטן זייערע קינדער אין בית־ספֿר אַ גאַנצן טאָג, און די קליינע צאַרטע ייִנגלעך פֿלעגן זײַן פֿאַרשפּאַרט אַ גאַנצן זומערדיקן טאָג און לערנען תּורה. סוף־כּל־סוף, די עפֿנטלעכע בילדונג־סיסטעם, וואָס איז ערשט אײַנגעפֿירט געוואָרן אין די ציוויליזירטסטע לענדער די לעצטע הונדערט יאָר, האָט עקסיסטירט בײַ ייִדן מיט איבער צוויי און צוואַנציק הונדערט יאָר צוריק. דאָס ייִדישע קינד פֿלעגט פֿאַרברענגען די בעסטע יאָרן פֿון זײַן לעבן איבער ספֿרים און מגילות, און זייערע עלטערן האָבן גאָרניט רחמנות געהאַט אויף זיי. ״וכבֿש רחמיו לעשׂות רצונך״. און אַפֿילו הײַנט, ווען די גאַנצע יוגנט מוז שטאַרק אַרבעטן, און אַרײַנלייגן אַ סך מי און צײַט כּדי עפּעס צו דערגרייכן, מוזן אונדזערע קינדער טראָגן אַ טאָפּעלע משׂא — סײַ די סעקולערע, און סײַ די תּורה־בילדונג, וואָס איז באַזונדער שווער.

באמת דאַרף מען פֿאַרברענגען אַ גאַנצן טאָג אויף איינער פֿון די צוויי, אָבער מיר מוזן געפֿינען צײַט אויף מאַטעמאַטיק, געשיכטע, און פֿיזיק, און אויך אויף גמרא און חומש מיט רש״י און תּנ״ך. צווישן אונדז גערעדט, תּורה־שבעל־פּה איז זייער אַ

27. דאָס וואָרט איז ניט פֿאַרענדיקט אין כּתבֿ־יד.

שווערער לימוד, און מען מוז פֿאַרברענגען יאָרן באהלה של תּורה כּדי צו קענען עפּעס דערגרייכן. איר ווייסט דאָך דעם מאמר "אין התּורה מתקיימת אלא במי שממית עצמו עליה" [ברכות סג, ע"ב א"אַ]. מען מיינט דאָ ניט פֿיזישע ליַידן, ווי גייַסטיקע קאָנצענטראַציע, התמדה, מסירת־נפֿש צו דער תּורה, תּמיד זיַין אַריַינגעטאָן און אַזוי וויַיטער. און בשעת מען פֿאַרלאַנגט עס פֿון אונדזערע קינדער, אַז זיי זאָלן טראָגן די משׂא, און בשעת אַ יידיש ייִנגל, נאָך דעם ווי ער ווערט פֿאַרטיק מיט זיַינע הויז־אויפֿגאַבעס, נעמט ער אַרויס די גמרא און זעצט זיך לערנען ביז איינס אַזייגער ביַי נאַכט, ווען ער דאַרף מאָרגן זיבן פֿרי אויפֿשטיין, און דער פֿאָטער פֿאַרלאַנגט עס פֿון אים — איז ער ממלא דער "שאול הוא לד'" פֿון חנה, און אבֿרהמס "וירק את חניכיו אנשי ביתו", און לאָזט די געפֿילן פֿון רחמנות אויפֿן קינד ניט באַאיַינפֿלוסן אים. ער איז אַ יוצא צבֿא בישׂראל, וועלכער טראָגט אַ דגל פֿון אַ מלאך, אַ [...][28] פֿון צבֿאות ד'.

אונטער דער קאַטעגאָריע קומען אַרונטער אַ סך מצוות און אזהרות, וועלכע באַשעפֿטיקן זיך מיט כּיבוש־הקנין: צדקה, חסד, הלוואה, איסור ריבית, שמיטה, יובֿל, משכּון, און אַזוי וויַיטער. דער מענטש טאָר זיך ניט באַטראַכטן ווי דער אַבסאָלוטער בעל־הבית פֿון זיַינע נכסים. אָבער אַ ייִד איז אַ יוצא צבֿא, און זיַין לעבן איז איין קייט פֿון "וירק את חניכיו", פֿון זעלבסט־דיסציפּלין און זעלבסט־קאָנטראָל בנוגע דער אַרומיקער וועלט.

איך מיין, דער ייִד איז כּסדר אַנגאַזשירט אין מלחמות ישׂראל והעמים. אַ מאָל איז עס אַ הייסע מלחמה, אַ מאָל — אַ קאַלטע. אָבער די שפּאַנונג הערשט שטענדיק. "ויאבק עמו עד עלות השחר" (בראשית לב, כה). דער מצבֿ פֿון ארץ־ישׂראל היַינט צו טאָג איז דער בעסטער באַוויַיז. אין וואָס באַשטייט דער קאַמף? אין דעם, וואָס יהדות הייסט דעם ייִדן זיַין אַנדערש פֿון דער גאַנצער וועלט, דינען אַן אַנדער גאָט, פֿיַיערן אַנדערע ימים־טובֿים, האַלטן אַן אַנדער קאַלענדאַר, מאַכן אַ צייכן אין ליַיב (מילה), באַנוצן זיך מיט אַ שריפֿט וועלכע קוקט אויס ווילד צו אַנדערע, דאַוונען אַנדערש, פֿרייען זיך אין אַן אַנדער אופֿן, און אויך, רחמנא ליצלן, קלאָגן און טרויערן. די וועלט פֿאַרשטייט עס ניט, זי האַלט אונדז אין איין איַינלאַדן [....][29]. אבֿרהם, ווו איז דיַין גאָט, וואָס זוכסטו זיך? פֿאַר וואָס לעבסטו ניט מיט אַלעמען צו גליַיך? פֿאַר וואָס שחיטה? פֿאַר וואָס מאכלות־אסורות? פֿאַר וואָס שבת?

אמת, אבֿרהם רעדט די שפּראַך פֿון אבֿימלך, פּרעה, לוט, ענר אשכּול וממרא. ער האָט פֿריַינד צווישן זיי, ער פֿירט מיט זיי געשעפֿטן, שליסט מיט זיי בונדן. אָבער טראָץ דעם פֿילט ער און פֿילן זיי, אַז עס ליגט צווישן אבֿרהם און דער וועלט אַ גרויסער תּהום, וועלכן קיינער קען ניט אַריבערגיין.

28. וואָרט נישט לייענעוודיק אין כּתבֿ־יד.

29. עטלעכע ווערטער ניט־לייענעוודיק אין כּתבֿ־יד.

אַ מענטש האָט פֿײַנט בדידות. צוליב דעם האָט ער אַ מאָדע פֿון נאָכשלעפּן זיך נאָך דעת־הקהל. ער וויל ניט זײַן דער איינציקער דיסענטער (אָפּטריניקער), אַ משה קאַפּויער. ער וויל מסכּים זײַן מיט דעם רבים, ער וויל זיך געפֿינען אויפֿן קהלשן וואָגן און מיטשטימען מיטן עולם און שרײַען "הוראַ".

חז"ל דערציילן וועגן אַ געשפּרעך צווישן רבֿ אַשי און מנשהן אין חלום. מנשהן האָט זיך אַרויסגעוויזן אַז ער קען אַ סך מער לערנען פֿאַר רבֿ אַשי, אַזוי אַז די הלכה פֿון וואַנען מען דאַרף שנײַדן די המוציא איז נקבע געוואָרן לדורות אין מנשהס נאָמען. רבֿ אַשי האָט מנשהן געשטעלט אַ מערקווערדיקע פֿראַגע: "מאחר דחכימתו כּולי האי, מאי טעמי קא פּלחיתו לעבודה זרה?" [סנהדרין קב, ע"ב]. וויבאַלד אַז איר זײַט געווען אַזעלכע חכמים, פֿאַר וואָס זשע האָט איר געדינט עבֿודה זרה? האָט איר דען ניט פֿאַרשטאַנען אַז עבֿודה זרה איז טויט און ווערטלאָז? "אמר ליה אי הות התם הות נקיטנא בשיפולי גלימא ורהטת אבתראי"[30]: ווען דו וואָלסט דאָרטן געווען, וואָלסטו נאָכגעלאָפֿן נאָך אים פּונקט ווי מיר. פֿאַר וואָס? ווײַל אַזוי איז געווען די מאָדע, און קיינער וויל ניט אויסגע[...][31] ווערן און בלײַבן אַליין.

די נייגונג קען דערפֿירן דעם יחיד צו אַכזריות, צו לינטשינג־סצענעס, צו פּאָגראָמען און צו גאַזקאַמערן. דערפֿאַר האָט די תּורה אַזוי שאַרף אָנגעזאָגט אין די עשׂרת־הדברות: "לא תענה ברעך עד שקר" (שמות כ, יב). דער פּועל "ענה" מיינט ‚ענטפֿערן, נאָכזאָגן'. בשעת איינער הייבט אָן און דער אַנדערער ענדיקט, הייסט דער לעצטער אָן "עונה". "עונה כּל היום ואומר אמן", "כּל העונה אמן אחר ברכות", "וענית ואמרת לפני ד' אלקיך" (דברים כו, ה) — דו זאָלסט פֿאַרזעצן דײַן געשפּרעך פֿאַר גאָט. די מורא פֿאַר שקרים און בלבולים און רדיפֿות איז שטענדיק גרויס ווען דער יחיד דאַרף ניט נעמען די איניציאַטיוו, נאָר ער דאַרף נאָר מסכּים זײַן, ענטפֿערן אָמן, צושאָקלען מיטן קאָפּ. ווען דײַן חבֿר ווערט געיאָגט און פֿאַרפֿאָלגט דורך שלעכטע מענטשן, שליס זיך ניט אָן אין דער באַנדע. ווען איינער בילט, זײַ ניט מסכּים מיט אים. "לא תענה ברעך עד שקר" — ענטפֿער ניט קיין אָמן אויף די רייד פֿון אַ עד־שקר קעגן דײַן חבֿר. קעמף פֿאַר יושר און גערעכטיקייט אַליין. אמת, דו האָסט פֿײַנט בדידות, אָבער דו ביסט אַ יוצא צבֿא בישׂראל, און דער יוצא צבֿא דאַרף קענען זיך קעגנשטעלן קעגן אַן עד־שקר.

אבֿרהם האָט באַוויזן דעם כּוח זיך אָפּצוזונדערן פֿון דער גאַנצער געזעלשאַפֿט, ווײַל ער האָט געוווּסט, אַז דער אמת איז מיט אים. אבֿרהם העבֿרי, "שכּל העולם מעבר אחד, והוא מעבר השני" [בראשית רבה, מב, ח]. אָט דער אידעאַל פֿון "לא תענה ברעך עד שקר" איז פֿאַרווירקלעכט געוואָרן דורך אבֿרהמען. ער האָט ניט געענטפֿערט קיין

30. "ווען דו וואָלסט דאָרט געווען, וואָלסטו אויפֿגעהויבן די פּאָלעס פֿון דײַן בגד און מיר נאָכגעלאָפֿן."
31. ניט לייענעוודיק אין כּתבֿ־יד.

״אמן״ אויף די שקרים פֿון די עובֿדי עבֿודה־זרה, און דאָס איז געבליבן אַ יסוד פֿון דער השקפֿת־עולם פֿון דער כּנסת־ישׂראל. וירק את חניכיו אנשי ביתו, און געקעמפֿט מיט די אַלע מלכים. די מידה פֿאַרלאַנגט די גרעסטע מאָס פֿון דיסציפּלין און כאַראַקטער, פֿעסטקייט. מען מוז זײַן אַן אמתער יוצא צבֿא כּדי עס צו רעאַליזירן. אין דעם דריקט זיך אויס אונדזער באַוווּסטזײַן אַז מיר זײַנען צבֿאות ד׳, וועלכע טראָגן דעם דגל, אַפֿילו ווען מען איז איזאָלירט. ״אנכי ד׳ אל־קיך אשר הוצאתיך מארץ מצרים מבית עבדים״ (שמות כ, ב). בײַ יציאת־מצרים זײַנען מיר פֿאַרוואַנדלט געוואָרן אין צבֿאות ד׳. ״בעצם היום הזה יצאו כל צבאות ד׳״ (שמות יב, מא).

די צווייטע גרונט־אידעע פֿון יהדות, אויף וועלכע אַ סך מצוות זײַנען באַזירט, און וועלכע איז אויך אַנטוויקלט געוואָרן דורך אבֿרהמען, איז פֿאָרמולירט געוואָרן אין אַ מערקווערדיקן פּסוק אין דער תּורה: ״ויען אבֿרהם ויאמר: הנה נא הואלתי לדבר אל ד׳ ואנכי עפר ואפר״ (בראשית יח, כז). זייער אַ פּאַראַדאָקסאַלער פּסוק. פֿון איין זײַט, איז דער מענטש אַ גרויסער חשובֿ: ער פֿאַרברענגט מיטן רבש״ע, מיטן אין־סוף, איז זיך כּבֿיכול מתוּוכח מיט אים. פֿון דער אַנדערער זײַט, איז דער מענטש גאַנץ באַגלייט פֿון דעם באַוווּסטזײַן פֿון עפֿר ואפֿר, פֿון גאָרניט און ניט.

די לאָזונג איז געוואָרן אַ יסוד אין אונדזער השקפֿת־עולם. די הלכה האָט אויפֿגעבויט אויף דער דיכאָטאָמיע פֿון חשיבֿות און נישטיקייט, פֿון ״הנה הואלתי לדבר אל ד׳ ואנכי עפר ואפר״, די דינים פֿון צניעות. אינטערעסאַנט, אַז דער מדרש האָט אין די דגלים געזען אַ סימבאָל פֿון צניעות. ״׳באותות לבית אבותם יחנו בני ישׂראל׳ (במדבר ב, ב). איש וביתו באו: כּל אחד ואחד בתוך באהלו. ואפילו כּשהיו ששים רבוא במדבר כּך היו צנועים. ולא היה אחד מהם פּותח פּתחו כּנגד פּתחו של חברו״[32] [ילקוט שמעוני, בלק, תשעא]. ״קדושים וגדולים היו ישׂראל בדגליהם, וכל העכּו״ם מסתכּלין בהם ותמיהין ואומרים: ׳מי זאת הנשקפה כּמו שחר׳ (שיר השירים ו, י).... אף בלעם הביט בהם שנאמר ׳וישׂא בלעם את עיניו, וירא את ישׂראל שוכן לשבטיו׳ (במדבר כד, ב) וכו׳ אלו הם הדגלים. התחיל לומר: מי יכול ליגע בבני אדם אלו? מכּירין את אבותיהם ואת משפּחותיהם. מכּאן למדנו שהיו הדגלים גדולה וגדר לישׂראל. לכך נאמר ׳איש על דגלו׳״[33] [במדבר רבה ב, ו].

אין וואָס, אייגנטלעך, באַשטייט צניעות? אין דעם באַוווּסטזײַן פֿון דער חשיבֿות

32. ״׳לויט די צייכנס פֿון זייערע פֿאָטערהײַזער זאָלן לאַגערן די קינדער פֿון ישׂראל׳ (במדבר ב, ב). איטלעכער איז געקומען מיט זײַן הויזגעזינט — יעדער איינער אין זײַן געצעלט. און אַפֿילו ווען זיי זײַנען געווען זעקס הונדערט טויזנט אין מדבר, זײַנען זיי געווען צניעותדיק. קיינער האָט נישט אויפֿגעעפֿנט זײַן עפֿענונג אַנטקעגן אַ צווייטנס עפֿענונג.״

33. ״הייליק און גרויס זײַנען ישׂראל געווען מיט זייערע פֿאָנען, און אַלע געצנדינער האָבן אויף זיי געקוקט, זיך פֿאַרוווּנדערט און געזאָגט: ׳ווער איז די וואָס קוקט אַרויס ווי דער פֿרימאָרגן׳ (שיר השירים ו, י)...אויך בלעם האָט זיי אָנגעקוקט, ווי עס שטייט אין פּסוק ׳און בלעם האָט אויפֿגעהויבן זײַנע אויגן, און געזען ישׂראל רוען לויט זײַנע שבֿטים׳ (במדבר כד, ב) וכו׳. דאָס זײַנען די פֿאָנען. האָט ער אָנגעהויבן זאָגן, ווער קען אָנרירן

פון מענטשן, "הנה הואלתי נא לדבר אל ד'", וועלכער טרעפט זיך צונויף שטענדיק מיטן אין־סוף, און דאָס שטענדיקע פילן אַז מען געפינט זיך שטענדיק פאַרן בורא־עולם. "ואברהם עודנו עומד לפני ד'" (בראשית יח, כב). ממילא, מוז זיך דער מענטש האַלטן ווי אַ גרויסער יחסן און חשוב. דער רמב"ם אין מורה נבוכים, אויך דער רמ"א אין ערשטן סעיף פון "אורח חיים", באַמערקן: "שויתי ד' לנגדי תמיד (תהילים טז, ח) — הוא כלל גדול בתורה וכו', כי אין ישיבת האדם ותנועותיו ועסקיו, והוא לבדו בביתו, כישיבתו תנועותיו ועסקיו והוא לפני מלך גדול. ולא דבורו והרחבת פיו כרצונו...במושב המלך. כל שכן, כשישים האדם אל לבו שהמלך הגדול הקב"ה, אשר מלא כל הארץ כבודו, עומד עליו ורואה במעשיו"[34]. די שטענדיקע אָנוועזנהייט פון גאָט טאָר דער מענטש קיין מאָל ניט פאַרגעסן, און די ידיעה וועט אים שטענדיק געבן ווערדע און חשיבות. דער אין־סוף חברט זיך מיט אים.

אָבער ווען יהדות רעדט וועגן מענטשלעכער חשיבות באַגרענעצט זי איר ניט נאָר צום אינטעלעקט, אָדער צום גייסט, ווי די גריכן האָבן געטאָן. דער מענטשלעכער קערפּער איז אַ גרעסערער חשוב אין יהדות. יעדער אָרגאַן איז הייליק. יעדער אבר האָט אַ גרויסע פונקציע, יעדער פיזיאָלאָגישער כוח ווערט באַטראַכט ווי וויכטיק. ממילא, דאַרף אַ מענטש מכבד זיין זיין קערפּער, זיינע דראַנגען און זיינע פונקציעס. בזיון־הגוף איז דאָס נידערטרעכטיקסטע אין יהדות. דער קערפּער דאַרף זיין ריין און הייליק, טאָר ניט טמא ווערן דורך דעם וואָס מען דערנידעריקט אים צו דער מדרגה פון אַ חיהשן קערפּער. דער רבש"ע שפּאַצירט מיטן מענטשן, ממילא מוז דער מענטש, זיין נשמה און זיין גוף, זיך פילן וויכטיק. דאָס הייסט פאַרלויפיק צניעות, חשיבות־הגוף.

אין וואָס, אייגנטלעך, באַשטייט צניעות? דאָס וואָרט איז זייער געלויפיק ביי יידן, אָבער ניט אַלע פאַרשטייען וואָס עס אַנטהאַלט. צניעות מיינט, ערשטנס, קדושת־חיי־המין. עס איז ניטאָ קיין איין געביט אין וועלכן דער מענטש קען זינדיקן אַזוי נידעריק, ווי אויפן סעקסועלן. ער קען דאָ פאַרוואַנדלט ווערן אין אַ חיה, און אפשר אין עפּעס נאָך נידעריקערס. יהדות האָט זייער מחמיר געווען אין עריות און געוואָרנט יידן קעגן תועבות־הגוים, כי "בכל אלה נטמאו הגוים אשר אני משלח אותם מפניכם" (ויקרא יח, כד). די הלכה האָט אַריינגענומען עריות אין די דריי מצוות, אויף

די דאָזיקע מענטשן? זיי קענען זייערע פאָטערס און זייערע משפּחות. פון דאַנעט לערנט מען אַז די פאָנען זיינען געווען אַ גרויסקייט און אַ גדר פאַר ישראל, ווי עס שטייט אין פסוק 'יעדערער ביי זיין פאָן'.

34. "'איך האַלט גאָט פאַר מיר תמיד' (תהילים טז, ח) — דאָס איז אַ גרויסער כלל אין תורה וכו'. וואָרעם אַ מענטשנס זיצן, באַוועגן זיך און באַשעפטיקונגען זיינען נישט די זעלביקע ווען ער איז אַליין אין זיין שטוב, ווי עס זיינען זיין זיצן, באַוועגן זיך און באַשעפטיקונגען ווען ער איז פאַר אַ גרויסן מלך. זיינע רייד און באַרעדעוודיקייט זיינען ניט...ווי ביים זיצן פאַרן מלך. און נאָך מערער, ווען אַ מענטש נעמט זיך צום האַרצן אַז דער גרויסער מלך הקדוש־ברוך־הוא, וואָס די גאַנצע וועלט איז פול מיט זיין כבוד, שטייט איבער אים און קוקט אויף זיינע מעשים."

וועלכע עס איז אָפּגעפּסקנט געוואָרן דער דין פֿון יהרג ואל יעבֿור. און אין די עשׂרת־הדברות איז פֿאָרמולירט געוואָרן אַ ספּעציעלער "לאו", "לא תנאף". אויף די הלכות־עריות באַרוט זיך קדושת־חיי־המשפּחה בײַ ייִדן.

דער פּרינציפּ איז אַנטוויקלט געוואָרן דורך די אָבֿות, דורך אבֿרהמען: "איה שׂרה אשתך? ויאמר הנה באהל" (בראשית יח, ט). די תּורה האָט זייער שטאַרק מאריך געווען און דערציילט בפּרטיות וועגן דעם עפּיזאָד מיט שׂרהן, ווען זי איז אַוועקגענומען געוואָרן צו פּרעהן, און שפּעטער צו אבֿימלכן, ווי דער רבש״ע האָט זי געשיצט און ניט געלאָזן די אָריענטאַלישע דעספּאָטן זיך צוצורירן צו איר. "הנך מת על האשה אשר לקחת" (בראשית כ, ג). די זעלבע מעשׂה ווערט דערציילט אויך וועגן רבֿקהן. פֿאַר וואָס איז די תּורה אַזוי מאריך וועגן דעם, בשעת זי איז מקצר וועגן אַנדערע זאַכן, וואָס אויפֿן ערשטן אויגנבליק זײַנען פֿיל וויכטיקער ווי דער עפּיזאָד? אָבער די תּורה וויל באַטאָנען אַז קדושת־המשפּחה איז דער יסוד אויף וועלכן אבֿרהמס הויז איז אויפֿגעשטעלט געוואָרן. און ווען, חס־וחלילה, דער נס וואָלט ניט געשען, און פּרעה און אבֿימלך וואָלטן אויסגעפֿירט, וואָלטן שׂרה אָדער רבֿקה ניט געקענט ווערן די מוטערס פֿון דער אומה־הישׂראלית.

סטייטש, וועט איר פֿרעגן, וואָס וואָלטן זיי געווען שולדיק? די דעספּאָטן האָבן באַנוצט צוואַנג — "אנוס רחמנא פּטריה" [נדרים כז, ע״א]. אמת, עס וואָלט טאַקע ניט געווען זייער שולד. אָבער די טהרה און די קדושה וועלכע די אמהות האָבן געדאַרפֿט האָבן, וואָלטן געווען מבֿוטל. זיי וואָלטן טאַקע געווען נטמאות באונס, אָבער דאָך טמא. אין יענע מאָמענטן איז די גאַנצע ייִדישע געשיכטע געשטאַנען אויפֿן וואָגשאָל. וואָלט פּרעה אויסגעפֿירט, וואָלט שׂרה דיסקוואַליפֿיצירט געוואָרן פֿון דער ראָלע פֿון אַ מוטער פֿון דער כּנסת־ישׂראל. און אָן שׂרהן וואָלט אבֿרהם קיין כּנסת־ישׂראל ניט געקענט אויפֿבויען.

דינה, למשל, איז מחולל געוואָרן באונס, און פֿון יענעם מאָמענט ווערט איר נאָמען ניט דערמאָנט אין תּנ״ך. זי איז אין דער כּנסת־ישׂראל ניט אַרײַן. ווען יוסף וואָלט נישט בײַגעשטאַנען דעם נסיון פֿון פּוטיפֿרס הויז, וואָלט זײַן נאָמען אויסגעמעקט געוואָרן פֿון דער ייִדישער געשיכטע. "יוסף, עתידין אחיך שיכתבו על אבני אפוד, ואתה ביניהם. רצונך שימחה שמך מביניהם ותקרא רועה זונות דכתיב, 'ורועה זונות יאבד הון' (משלי כט, ג)"[35] [סוטה לו, ע״ב]. עס וואָלט גאָרניט געהאָלפֿן יוספֿס גאונות, יוספֿס גוטסקייט, חסד צו זײַנע ברידער, און דער פֿאַקט וואָס ער האָט

35. "יוסף, די נעמען פֿון דײַנע ברידער וועלן זײַן פֿאַרקריצט אויף די שטיינער פֿונעם אפֿוד, און דײַן נאָמען צווישן זיי. ווילסטו אַז דײַן נאָמען זאָל אויסגעמעקט ווערן צווישן זייערע, און מען זאָל דיך אָנרופֿן אַ פֿאַרבענגער מיט זונות, ווי עס שטייט אין פּסוק, 'דער וואָס חבֿרט זיך מיט זונות ברענגט אויס דעם פֿאַרמעג'. (משלי כט, ג)."

געראטעוועט בית־ישׂראל פֿון אונטערגאַנג. אויב יוסף וואָלט נטמא געוואָרן, וואָלט ער ניט געקענט פֿאַראייביקט ווערן.

אויב עס פֿאַרשווינדט קדושת־חיי־המשפּחה, קען די כּנסת־ישׂראל קיין קיום ניט האָבן — אַ יסוד וואָס מיר האָבן געירשנט פֿון אבֿרהמען. בלעם האָט דעם יסוד געוווּסט, און ער האָט געזאָגט בלקן: "לכה איעצך אשר יעשׂה העם הזה לעמך באחרית הימים' (במדבר כד, יד)...אל־קיהם של אלו שׂונא זימה הוא"[36] [סנהדרין קו, ע"א]. און אינטערעסאַנט איז, אַז דווקא בײַ מעשׂה שיטים — "ויחל העם לזנות אל בנות מואב" (במדבר כה, א) — האָט משה זיך פֿאַרלוירן. משה, וואָס האָט זיך געקענט אײַנשטעלן בײַם עגל: "מלמד שתפש משה לקב"ה בבגדו ואמר: איני מניח לך". בײַ די מרגלים האָט ער פֿאַרטיידיקט ייִדן. "עתה יגדל נא כח ד', ד' ארך אפים וכו'" (במדבר יד, יז–יח). בײַ די מעשׂה קרח האָט ער ניט פֿאַרלוירן דעם מוט. און פּלוצעם דאָ האָט משה זיך מיאש געווען. "והנה איש מבני ישׂראל בא ויקרב אל אחיו את המדינית לעיני משה ולעיני כל עדת בני ישׂראל, והמה בוכים פתח אהל מועד" (במדבר כה, ו). משה וויינט! איר הערט? משה פֿאַרגיסט טרערן! מיר געפֿינען עס ניט אין קיין אַנדערן טייל פֿון חומש. דער שטאָלצער, מוטיקער אדון־הנבֿיאים האָט צוזאַמענגעבראָכן! בלעם האָט געהאַלטן בײַם געווינען זײַן קאַמף. זײַן קעגנער, משה, האָט זיך כּמעט ווי מיאש געווען. פֿאַר וואָס? ווײַל קדושת־המשפּחה איז אָנגערירט געוואָרן. פּרעה האָט אויסגעפֿירט, און האָט אָנגעהויבן מטמא צו זײַן די שׂרהס און די אבֿרהמס פֿון דער כּנסת־ישׂראל.

אינטערעסאַנט אַ דין: "משפּחת אב קרויה משפּחה; משפּחת אם — אינה קרויה משפּחה" [בבא קמא קט, ע"ב]. און מען לערנט אָפּ די הלכה פֿון די דגלים. "שׂאו את ראש כל עדת בני ישׂראל למשפּחותם לבית אבותם (במדבר א, ב)." כּהן און לוי, למשל, ווענדט זיך אָן דעם פֿאָטער. משׂכּילים האָבן קריטיקירט דעם דין, ער וואָלט פּוגע בכּבֿוד געווען בכּבֿוד־האשה. אָבער זיי פֿאַרשטייען נישט, אַז אין דער משפּחת־אבֿ ווערט מאַניפֿעסטירט דער אידעאַל פֿון צניעות. עס איז אַ פֿאַקט, אַז פּרימיטיווע פֿעלקער, וועלכע האָבן געלעבט אין אוממאָראַליטעט, אויסגעמישט, האָבן אײַנגעפֿירט דעם פּאַטריאַרכאַט־סיסטעם, די משפּחת־אבֿ, ווו מ'האָט קיין מאָל ניט געוווּסט ווער דער פֿאָטער איז. אין דער הלכה פֿון משפּחת־אבֿ קרויה משפּחה דעמאָנסטרירן מיר די קדושת־המשפּחה בײַ ייִדן, די צניעות פֿון אונדזערע אמהות, און דעם הויכן סטאַנדאַרד פֿון מאָראַליטעט. "מי יכול ליגע בבני אדם אלו, שמכּירים את אבותיהם? לכך נאמר: איש על דגלו למשפּחתם לבית אבותם".

דרך־ארץ פֿאַרן קערפּער דריקט זיך אויס אין אַ סך אַנדערע הלכות בנוגע

36. "'קום, לאָמיך דיך באַשיידן וואָס דאָס דאָזיקע פֿאָלק וועט טאָן צו דײַן פֿאָלק אין סוף פֿון די טעג' (במדבר כד, יד)...דער גאָט פֿון די דאָזיקע מענטשן האָט פֿײַנט אויסגעלאַסנקייט."

די אינטימסטע פֿאָרמען פֿון מענטשלעכן לעבן. אַ מענטש טאָר ניט מבֿזה זײַן זײַן קערפּער, אפֿילו ניט אין שלאָפֿצימער, אין בית־הכסא, אָדער אין מרחץ. אומעטום דאַרף ער זײַן באַוווּסט פֿון איין זאַך, אַז זײַן קערפּער איז הייליק, און אַז דער אין־סוף איז פֿאַראַן (בנמצא). ווי צאַרט און שיין זײַנען די הלכות. קיין רעליגיע האָט זיך ניט געקענט פֿאָרשטעלן אַזאַ מין השקפֿת־עולם, וועלכע באַשעפֿטיקט זיך מיט די אינטימסטע פֿונקציעס פֿון מענטשלעכן גוף. ״׳ומגיד לאדם מה שחו׳ (עמוס ד, יג): אפילו שיחה קלה שבין איש לאשתו עתיד ליתן את הדין עליה״[37] [מסכת כלה ג, י; ויקרא רבה כו, ז]. דער באַגריף פֿון צניעות באַרוט זיך אויף די חשיבֿות פֿון מענטשן, אויפֿן הואלתּי לדבר אל ד׳. אויף דער טעזע שטיצן זיך אויך די דינים פֿון כּבֿוד־הבריות, קבֿורת־מתים, אבֿלות, ביקור־חולים, און אַזוי ווײַטער.

אָבער פֿון דער אַנדערער זײַט איז דער יסוד פֿון צניעות די אַנטיטעזע פֿון ״ואנכי עפר ואפר״, אַז דער יחיד איז גאָרניט ווערט — ערד און אַש. חשיבֿות־האדם אַליין קען ווערן געפֿערלעך. זי מוז שטענדיק זײַן באַגלייט דורך דעם קעגנזאַץ פֿון עפֿר־ואפֿר. אין דעם זינען געפֿינט צניעות אָנצווענדן ניט נאָר אויפֿן געביט פֿון חיי־המשפּחה, נאָר בכלל אין לעבן פֿון מענטשן. עס איז אפֿשר די גרעסטע מידה וואָס יהדות האָט געגעבן דער וועלט.

וואָס מיינט ״צניעות״ אין העברעיִש? באַשיידנהייט, עניוות. מען זאָגט אין העברעיִש: צנוע ונחבא אל הכלים. צניעות יתרה היתה בבני בניו של רחל. ווי קומט עס עפּעס, אַז דאָס וואָרט צניעות איז פֿאַרוואַנדלט געוואָרן אין אַן אויסדרוק וואָס באַצייכנט געשלעכטס־מאָראַליטעט? דער ענטפֿער איז פּשוט. אוממאָראַלישקייט אין אַלע געביטן שטאַמט פֿון חוצפּה. ״ויקח אשה זונה״ איז אַן [....][38] אין אונדזער שפּראַך, און מאָראַליטעט — פֿון באַשיידנקייט און עניוות. חוצפּה אָדער גאווה באַציט זיך אויף דער אײַנשטעלונג פֿון אַ מענטשן וואָס איז פֿאַרליבט אין זיך אַליין, גלאָריפֿיצירט זיך, און מיינט אַז ער איז אַ צענטראַלע פּערזענלעכקייט, און אַלץ וואָס אים געפֿעלט אָדער גלוסט זיך איז מותּר. ער פֿאַרגעסט דעם פּרינציפּ פֿון ואנכי עפֿר ואפֿר. ״ויראו בני האלהים את בנות האדם כי טובות הנה, ויקחו להם נשים מכל אשר בחרו״ (בראשית ו, ב). דעמאָלט ווערט אָפּגעוואָרפֿן דאָס מאָראַלישע, ווײַל דער מענטש האַלט אַז ער שטייט איבער דעם געזעץ. דעמאָלט ווערט לא תחמוד געפֿערלעך, און דאָס עובֿר זײַן אויפֿן לא תחמוד קען פֿירן צו גניבֿה, רציחה, און זנות.

יהדות האָט זיכער געגלויבט אין דער ווערט פֿון יחיד. זי איז געווען, ווי מיר האָבן פֿריִער דערקלערט, די ערשטע וואָס האָט פּראָקלאַמירט צו דער וועלט די

37. ״׳און ער זאָגט דעם מענטשן וואָס זײַן טראַכטונג איז׳ (עמוס ד, יג): אפֿילו וועגן קלענסטן שמועס וואָס אַ מאַן שמועסט מיט זײַן ווײַב וועט ער מוזן אָפּגעבן אַ חשבון.״

38. ווערטער נישט לייענעוודיק אין כּתבֿ־יד.

אידעע פֿון צלם אל־קים, און האָט פֿאָרמולירט די מאַקסימע פֿון ״כל המאבד נפש אחת...כאלו אבד עולם מלא״[39] [סנהדרין פרק ד, משנה ה]. אָבער יהדות האָט אויך פֿאַרלאַנגט פֿון מענטשן צו פֿאַרשטיין, אַז די זעלבע חשיבֿות דאַרף אויך צוגעשריבן ווערן צו דעם אַנדערן. ער איז אויך אַ יחיד, אַ נבֿרא בצלם האל־קים. ממילא טאָר איך מיך ניט גלאָריפֿיצירן אויפֿן חשבון פֿון צווייטן. דאָס אַלטע וואָרט: ״מאי חזית דדמא דידך סומק טפי? דילמא דמא דההוא גברא סומק טפי?״[40] [פסחים כה, ע״ב]. ממילא טאָרסטו ניט מאָרדן, אַפֿילו ווען עס האַנדלט זיך וועגן דײַן לעבן. דאָס איז אַ יסוד פֿון צניעות, פֿון באַשיידנקייט. דער חצוף, דער בעל־גאוה, באַגרײַפֿט עס ניט. ער איז וויכטיק, מער קיינער.

דערויף איז געבויט גאַנץ הלכות־נזיקין בײַ אונדז. ווער עס לערנט בבא בתרא אין פרק ״לא יחפור״ די הלכות פֿון נזקי שכנים, ווי פֿאָרזיכטיק אַ מענטש דאַרף זײַן בײַ זיך אין רשות, ניט צו באַשעפֿטיקן זיך מיט קיין זאַך ווען עס קען אָנטאָן שאָדן זײַן שכן, ווייס ווי זיך צו פֿירן מיט צניעות, באַשיידנקייט. ניט זיך עקשנען אַז אין מײַן הויף קען איך טאָן וואָס איך וויל, און זיך פֿאַרלאָזן אויפֿן יסוד פֿון ״זה חופר בתוך שלו וזה נוטע בתוך שלו״[41] [בבא בתרא פרק ב, משנה יא], נאָר כסדר זיך מרחק זײַן מן הבור. ווײַל טאָמער וועלן די וואָרצלען פֿון בוים נאָך מערערע יאָרן איבערפֿילן דעם גרוב, ״מרחיקין את הגפת ואת הזבל ואת המלח...מכותלו של חברו״[42] [בבא בתרא, פרק ב, משנה א]; ״מרחיקין את השובך מן העיר חמישים אמה״[43] [בבא בתרא פרק ב, משנה ה], ווײַל טאָמער וועלן די טויבן איבערפֿליִען די גערטנער, און אַזוי ווײַטער און ווײַטער. קורץ, ״יותר יש על האדם לשמר עצמו שלא יזיק, משלא יוזק״[44] [הגהות מיימוניות, הלכות נזקי ממון, ב, יז]. אַ מענטש מוז אויך וויסן, ער זאָל יענעם אַפֿילו ניט ווילנדיק ניט טאָן קיין שאָדן. די ייִדישע הלכה איז זייער שטרענג אין דעם פּרט, און האָט אָפּגעפּסקנט: ״אדם מועד לעולם בין שוגג בין מזיד, בין אונס בין ברצון״[45] [בבא קמא פרק ב, משנה ו]. דו ביסט וויכטיק, אָבער דײַן חבֿר איז פּונקט אַזאַ יחסן ווי דו.

יהדות האָט געהאַלטן אַז אַ מענטש וואָס איז אַ חצוף, אַן עגאָיִסט, און ממילא אויך אַ מזיק, פֿאַרלירט זײַן צלם א׳. די משנה אין בבא קמא [פרק א, משנה א] רעכנט אויס די ארבעה אָבֿות הנזיקין: ״השור והבור והמבעה וההבער״[46]. אין דער גמרא איז אַ

39. ״יעדער איינער וואָס ברענגט אום איין נפֿש...איז ווי ער וואָלט אומגעבראַכט אַ גאַנצע וועלט.״
40. ״צוליב וואָס מיינסט אַז דײַן בלוט איז רויטער? אפֿשר איז יענעמס בלוט רויטער?״
41. ״דער גראָבט אויף זײַן גרונט, און דער פֿלאַנצט אין זײַן גרונט.״
42. ״מען דאַרף אָפּרוקן דעם איילבירט־אָפּפֿאַל, און מיסט, און זאַלץ...פֿון דער וואַנט פֿון זײַן שכן.״
43. ״מען דאַרף דערווײַטערן אַ טויבנשלאַג פֿון דער שטאָט פֿופֿציק איילן״
44. ״אַ מענטש דאַרף זיך מערער היטן אַז ער זאָל ניט אָנטאָן שאָדן, ווי אַז ער זאָל ניט געשעדיקט ווערן.״
45. ״אַ מענטש איז שטענדיק באַוואָרנט, סײַ [ווען ער טוט שאָדן] בשוגג, סײַ במזיד, סײַ באונס, סײַ ברצון״.
46. ״דער אָקס, דער גרוב, דער מבֿעה, און דער פֿײַער.״

גאַנצער עסק איבער מבעה. רבֿ זאָגט: "מבעה — זה אדם" [דף ג, ע"ב]. פֿרעגט זיך: אויב מבעה איז אדם, פֿאַר וואָס האָט רבי ניט געזאָגט פּשוט: "ארבעה אבות נזיקין: השור והבור והאדם וההבער"? צוליב וואָס האָט ער באַדאַרפֿט באַנוצן אַ טערמין וואָס זײַנע תּלמידים האָבן נישט פֿאַרשטאַנען? דער ענטפֿער ליגט אויבן אויף: אין דעם מאָמענט וואָס ער ווערט אַ מזיק, הײַסט ער ניט מער אדם. ער ווערט פֿאַרוואַנדלט אין אַ חיה, וואָס הײסט מבֿעה. ניט אומזיסט קומען די דינים פֿון מזיק גלײַך נאָך מתּן־תּורה (אין פּרשת משפּטים).

דערפֿאַר האָט די תּורה געאַסרט לשון־הרע און רכילות. דער מענטש דאַרף געדענקען, אַז ער איז ניט דער איינציקער וועלכער וויל באַהאַנדלט ווערן אָנשטענדיק דורך אַנדערע. הלל האָט זײַער שיין געזאָגט: "מה דסני לך לחברך לא תעביד"[47] [שבת לא, א]. חשיבֿות פֿון יחיד איז גרויס, אָבער אַלע האָבן עס, און מאַנכמאָל[48] מוז דער מענטש אויסרופֿן "ואנכי עפר ואפר".

אָבער צניעות און דער מאָטאָ "ואנכי עפר ואפר" מאַניפֿעסטירן זיך אין דער ייִדישער געשיכטע נאָך מער. אמת, ווער עס האָט שטודירט אונדזער געשיכטע געניי וועט זיך אָנשטויסן אויף אַ מערקווערדיקן פֿענאָמען. בײַ די אומות־העולם, למשל, האָבן מיר באַריכטן וועגן דעם לעבן פֿון גרויסע יחידים, און מיר זײַנען קלאָר מיט אַ סך ביאָגראַפֿישע איינצלהייטן. למשל, אַריסטו, אַפּלטון, סאָקראַטעס — מענטשן וואָס האָבן געלעבט מיט אומגעפֿער אָדער 2,300 — 2,400 יאָר צוריק — זײַנען אונדז זייער גוט באַקאַנט. ניט נאָר זייערע ווערק ווייסן מיר, נאָר מיר זײַנען געניי אינפֿאָרמירט וועגן זייער פּריוואַטן לעבן. נעמט, להבֿדיל, אונדזערע גדולים, האָבן מיר זייער ווייניק אינפֿאָרמאַציע וועגן זיי. מען רעדט ניט וועגן אַזעלכע וואָס האָבן געלעבט מיט טויזנטער יאָרן צוריק, ווי ישעיה־הנבֿיא, יחזקאל־בן־בוזי הכהן, עזרא, רבן יוחנן בן זכאַי, רבי יהושע בן חנניה, און אַזוי ווײַטער, נאָר אַפֿילו וועגן גדולים, וואָס האָבן געלעבט אין אַכצנטן יאָרהונדערט, ווי דער ווילנער גאון, ר' חיים וואָלאָזשינער. דער רובֿ ווייסן מיר זייער ווייניק. קיין ביאָגראַפֿיעס זײַנען וועגן זיי ניט געשריבן געוואָרן, אויטאָביאָגראַפֿיעס — אוודאי ניט. דאָס ביסל וואָס מיר ווייסן, איז באַקאַנט אונדז נאָר דורך אַ צופֿאַל. אין אַ תּשובֿה איז אַ מאָל דערמאָנט אַ פֿאַקט פֿון זייער לעבן, און אַזוי ווײַטער. וועגן חכמי־אומות־העולם פֿון אַכצנטן יאָרהונדערט ווייסן מיר דאָך אַפֿילו וואָס זיי האָבן געגעסן, און וואָס פֿאַר אַ ווײַן זיי האָבן געטרונקען.

נאָך מער, וועגן אַ סך גדולי־ישׂראל, גבורי־האומה, ווייסן מיר גאָרניט. זיי דערשײַנען פֿאַר אונדז אַנאָנים, ווי שטומע פֿיגורן — אָן אַ נאָמען און אָן אַ צײַט. למשל, די אַנשי־כּנסת־הגדולה, וואָס האָבן פּאַקטיש געראַטעוועט דאָס

47. "דאָס וואָס איז דיר פֿאַרהאַסט זאָלסטו דײַן חבֿר נישט טאָן."

48. טייל מאָל (דײַטש).

פֿאַלק פֿון אונטערגאַנג, ווער זײַנען זיי געווען? חז״ל זאָגן אַז ק״כ זקנים האָבן צוזאַמענגעשטעלט די כּנסת־הגדולה. אָבער קענען מיר זיי? מיר ווייסן נאָר אַ פּאָר נעמען, ווי עזרא, נחמיה, שמעון הצדיק. ווער זײַנען געווען די איבעריקע, וועלכע האָבן אַוועקגעשטעלט די תּורה־שבעל־פּה אויף אַ פֿעסטן באָדן? ווייסן מיר מער ניט די ״זוגות״. ווער זײַנען געווען זייערע בני־דור? די חכמים, די צײַטגענאָסן פֿון יוסי בן יועזר און יוחנן איש צרדה, למשל, פֿון שמעון בן שטח, און יהודה בן טבאי? ווער זײַנען געווען די מיטגלידער פֿון בית־שמאי און בית־הלל? די חסידים הראשונים? די סופֿרים? די נבֿיאים, וועלכע זײַנען געווען, ווי חז״ל זאָגן, אין די טויזנטער (די בני־הנבֿיאים)? ווער זײַנען געווען די רבנן־סבוראי, די גאונים (חוץ אייניקע וועלכע מיר ווייסן)?

ווער זײַנען די חכמים, דער תּנא־קמא, ווען מיר לערנען אין משנה ״חכמים אומרים״? וויפֿל חכמי־המסורה ווייסן מיר? אַ הײַפֿל! די משנה אין עדויות זאָגט, אַז מען וואָלט גאָר קיין נעמען ניט דערמאָנט. אַלע משניות וואָלטן נאָר גערעדט אַנאָנים. נאָר ווו דער יחיד ווײַכט אָפּ פֿון רבים, האָט מען געמעגט דערמאָנען זײַן נאָמען, ווײַל עס איז נוגע הלכה־למעשה: ״אמר ר׳ יהודה: אם כן למה מזכירין דברי היחיד בין המרובין לבטלה? שאם יאמר אדם כך אני מקובל, יאמר לו כדברי איש פלוני שמעת״[49] [עדויות, פרק א, משנה ו]. ווען ניט דער כּלל, וואָלטן מיר קיינעם פֿון אונדזערע רבים ניט געוווסט.

אין דער מערקווערדיקער אויפֿפֿאַסונג קומט צום אויסדרוק די איבערנאַטירלעכע צניעות פֿון די גדולי־האומה און אירע חכמים. דער יחיד שפּילט גאָר קיין ראָלע ניט. ער איז, אוודאי, חשובֿ, אָבער עס זײַנען דאָ טויזנטער אַנדערע וואָס זײַנען פּונקט אַזוי וויכטיק ווי ער. זײַן חשיבֿות באַשטייט נאָר אין דעם, וואָס זײַן לעבן איז געווידמעט אַ גרויסער אידעע פֿון נצח־ישׂראל אין דער תּורה־שבעל־פּה. ממילא, וויכטיק איז זײַן בײַשטײַערונג צו דער אייביקייט, זײַנע רייד, זײַנע הלכות, זײַנע תּקנות, זײַנע השקפֿות. די אַלע זאַכן זײַנען רעגיסטרירט געוואָרן אין דער תּורה. זײַן פּריוואַט לעבן אינטערעסירט קיינעם ניט. די גדולי־האומה זײַנען געווען ביישנים, זייער אינטימען לעבן האָבן זיי ניט געוואָלט אַרויסשטעלן. אפֿילו וועגן די גרעסטע — די אָבֿות און משה — דערציילט נאָר די תּורה אַזוי פֿיל, וויפֿל די פֿאַקטן האָבן געהאַט אַ שײַכות מיט דער אויספֿאָרמירונג פֿון דער כּנסת־ישׂראל, און די ראָלע וועלכע משה אָדער אבֿרהם האָבן געשפּילט ווי שלוחים פֿון דער השגחה. אומגעפֿער פּופֿציק אָדער

49. ״ר׳ יהודה האָט געזאָגט, אויב אַזוי פֿאַר וואָס־זשע דערמאָנט מען די ווערטער פֿון דעם יחיד צוזאַמען מיט די ווערטער פֿון דער מערהייט אומזיסטערהייט? כּדי אויב איינער וועט זאָגן ׳אַזוי האָבן איך בקבלה׳, זאָל מען אים זאָגן ׳דו האָסט געהערט אַזוי ווי די ווערטער פֿון יענעם.׳״

זעכציק יאָר האָט משה פֿאַרבראַכט אין מדין, און מיר ווייסן ניט אַפֿילו קיין איינציקן פֿאַקט וועגן אים אין דער לאַנגער צײַט. („ויהי בימים הרבים ההם״ [שמות ב, כג].) איבער אים שוועבט די גרויסע אידעע פֿון אַ כּנסת־ישׂראל פֿאַרבונדן מיטן בורא־עולם. מיר דינען אים אַלע. קיינער טאָר קיין דאַנק ניט פֿאַרלאַנגען: צניעות, ואנכי עפֿר ואפֿר.

„לא תעשׂה לך פּסל וכל תּמונה״ (שמות כ, ג): גלאָריפֿיציר ניט קיינע מענטשלעכע געשטאַלטן. מאַך ניט קיין סטאַטועס, כּדי אַוועקצושטעלן זיי בײַ די זײַטן פֿון די וועגן; הענג ניט אויף זייערע בילדער אין דײַנע בתּי־מדרש, אַפֿילו ניט פֿון משה רבינו אָדער פֿון אבֿרהם אָבֿינו. דער יחיד האָט געטאָן זײַן אַרבעט. ער איז אַן עניו, ער וויל ניט קיין רום, און ער זוכט עס ניט: ואנכי עפֿר ואפֿר.

די דריטע אידעע פֿון יהדות איז מסורה. „משה קבל תּורה מסיני וּמסרה ליהושע, ויהושע — לזקנים, וזקנים לנביאים וכו׳״ [אבות, פּרק א, משנה א]. אָבער די אידעע קען מען שוין אויך געפֿינען בײַ די אָבֿות. איידער יעדער פֿון די אָבֿות איז געשטאָרבן האָט ער עפּעס איבערגעגעבן זײַנע קינדער. בײַ אבֿרהמען שטייט: „ויתּן אברהם את כּל אשר לו ליצחק״ (בראשית כה, ה). חז״ל זאָגן די ברכּת־אבֿרהם. יצחק האָט געבענטשט יעקבֿן צוויי מאָל. דאָס לעצטע מאָל האָט ער אים דײַטלעך געזאָגט: „ויתּן לך את ברכּת אברהם לך ולזרעך אתּך״ (בראשית כח, ד). יעקבֿ האָט צונויפֿגעזאַמלט זײַנע קינדער און האָט זיי געבענטשט, און ערשט געשטאָרבן ווען ער האָט פֿאַרענדיקט זײַן צוואה: „ויכל יעקב לצוות את בניו״ (בראשית מט, לג). איין דור גיט איבער דעם אַנדערן, און די שלשלת־הקבלה גייט אָן.

אין דער מסורה ליגט באַהאַלטן אַ מערקווערדיקער סוד. געוויינלעך, איז שטענדיק דאָ אַ תּהום צווישן פֿאָטער און אַ זון, וועלכער שיידט אָפּ צוויי דורות, בפֿרט אין צײַטן פֿון קריזיס, ווען מענטשן וואַנדערן פֿון איין לאַנד צום צווייטן. ווען דער זון פֿאַרברענגט אַ לאַנגע צײַט אין דער פֿרעמד, ווערט דער תּהום נאָך טיפֿער. אַ מאָל קען דער תּהום פֿונאַנדערשיידן צוויי דורות מיט כּמעט אַן אומענדלעכן מרחק. בײַ די אָבֿות געפֿינען מיר עס ניט. יעקבֿ אַנטלויפֿט פֿון ארץ־ישׂראל, פֿאַרברענגט צוואַנציק יאָר אין אַן אַנדער לאַנד, אין אַן אַנדער אומגעבונג, און פֿונדעסטוועגן בענקט ער נאָכן פֿאָטער: „כּי נכסף נכספתּה אל בית אביך וכו׳״ (בראשית לא, ל). „ויבא יעקב אל יצחק אביו ממרא קרית הארבע היא חברון, אשר גר שם אברהם ויצחק״ (בראשית לה, כז). וואָס האָט אים געצויגן צו חבֿרון? אין ארם־נהרים איז ער דאָך רײַך געוואָרן, „ויפרץ האיש מאד מאד״ (בראשית ל, מג).

נאָך בולטער איז יוסף באַציִונג צום טאַטן. פֿאַרלאָזן זײַן היים אונטער אומשטענדן וועלכע האָבן באַדאַרפֿט אַרויסרופֿן האַס און פֿאַראַכטונג צום גאַנצן עבֿר: מיאוס פֿאַרקויפֿט געוואָרן ווי אַ קנעכט צו אַראַבער, געשמאַכט אין תּפֿיסה צוליב זײַנע ברידער, דורכגעגאַנגען אַזוי פֿיל בזיונות, באַליידיקונגען, און געפֿאַרן.

צום סוף האָט ער מיט זײַנע אייגענע כּוחות זיך אַרויפֿגעאַרבעט, דערגרייכט דעם העכסטן שטאַפּל פֿון דערפֿאָלג, געוואָרן דער משנה־למלך אין דער מעכטיקסטער אימפּעריע אין יענער צײַט, "בלעדיך לא ירים איש את ידו ואת רגלו" (בראשית מא, מד). "ויוסף הוא השליט על הארץ, הוא המשביר לכל עם הארץ" (בראשית מב, ו). דאַכט זיך, דאַרף יוסף אַלץ פֿאַרגעסן: דעם טאַטן, די ברידער, ארץ־ישׂראל. אים האָט זיך געדאַכט אַז ער האָט פֿאַרגעסן, אַרויסגעשלאָגן פֿונעם קאָפּ דעם עבֿר, געוואָרן אַ צפֿנת פּענח וכו׳. "כּי נַשַּׁנִי אל־קים את כּל עמלי ואת כּל בית אבי וכו׳" (בראשית מא, נא). "כּי הפרני אל־קים בארץ עניי" (דאָרטן, פּסוק נב). אַ נײַעם קאַפּיטל אָנגעהויבן, איבערגעמישט אַ בלאַט — און פֿאַרטיק.

אָבער האָט יוסף פֿאַרגעסן? ניט ווילנדיק האָט זיך פֿאַרוואָלט זען בנימינען, דערמאָנט זיך אָן זייער מוטער, די צאַרטע רחל וואָס ער האָט זייער ווייניק געקענט. אינסטינקטיוו האָט ער געוויינט ווען ער האָט דערזען בנימינען. דער גאַנצער עבֿר האָט אויפֿגעוואַכט פֿאַר זײַנע אויגן: "וימהר יוסף כּי נכמרו רחמיו אל אחיו ויבקש לבכּות" (בראשית מג, ל). עס האָט אים ניט געהאָלפֿן דאָס פֿאַרשטעלן זיך, דאָס אײַנשמועסן זיך אַז מען האָט פֿאַרגעסן, אויסגעמעקט פֿון זכּרון די לעצטע שפּורן. והא־ראָיה, דער עלטסטער זון הייסט מנשה. דער עבֿר ציט: ארץ־כּנען מיט אירע בלויע הימלען; דער פּוסטער, וויסטער נגבֿ; די בערג אַרום חבֿרון; דעם טאַטנס געצעלט. דער טאַטע אַליין לויכט אויף אין זײַן גאַנצער פּראַכט, גוטסקייט, און קדושה. ווו צפֿנת פּענח, ווו מנשה, וואָס מצרים, וואָס משנה־למלך, וואָס גדולה און כּבֿוד? ער בענקט נאָכן טאַטן: "ולא יכול יוסף להתאפּק לכל הנצבים עליו — אני יוסף אחיכם" (בראשית מה, א, ד). איך קען מיך ניט פֿאַרשטעלן, איך בענק אַהיים נאָכן טאַטן, "העוד אבי חי?" יוסף קען דעם טאַטנס פּנים ניט פֿאַרגעסן. עס שטייט פֿאַר אים, עס באַגלייט אים, און צום סוף זאָגט ער אָן די ברידער: "פּקוד יפקוד א׳ אתכם והעליתם את עצמותי מזה אתכם" (שמות יג, יט). איך געהער אין ארץ־כּנען, דאָרט איז מײַן טאַטע באַגראָבן.

און האָט די כּנסת־ישׂראל ניט געהאַנדלט אַזוי אין משך פֿון אירע טויזנטער יאָרן גלות? ייִדן האָבן, למשל, בעתן צווייטן בית־המקדש קיין צו פֿיל נחת אין ארץ־ישׂראל ניט געהאַט. זיי זײַנען געווען אָרעם און געליטן רדיפֿות פֿון פֿאַרשיידענע שׂונאים. חוץ די עטלעכע רויִקע יאָרן אונטער די חשמונאים זײַנען זיי גאָר קיין מאָל ניט פֿרײַ געווען: פּרס, יוון, און רומא. די ייִדן אין אלכּסנדריא, אין רובֿ, האָבן זיי אונטערשטיצט מיט געלט און אויך פּאָליטיש. נאָכער דער חורבן און די מלחמת בר־כּוכבא האָבן חרובֿ געמאַכט דאָס לאַנד און פֿאַרניכטעט אַ גרויסן טייל פֿון אונדזער פֿאָלק.

אין פֿאָלקס־זכּרון זײַנען פֿאַרבליבן ניט קיין גליקצײַטן, נאָר טעג פֿול מיט לײַדן און אַנגסט, און פֿונדעסטוועגן האָט דאָס פֿאָלק ניט פֿאַרגעסן ארץ־ישׂראל, בענקט נאָכן לאַנד, נאָך די חורבֿות און שטיינער, "כּי רצו עבדיך את אבניה ואת עפרה יחננו"

(תהילים קב, טו). וואָס האָט געשלעפּט רבי יהודה הלוין נאָך ארץ־ישׂראל בשעת ער איז געזעסן ברומו־של־עולם אין שפּאַניען? וואָס האָט געצויגן די חכמי־פּראָוואַנציע, וואָס ציט די ייִדן הײַנט? דאָס וואָס האָט געצויגן יוספֿן צום טאַטן.

ניט אומזיסט רופֿן מיר אָן די מסורה — שלשלת־הקבלה. עס איז אַ קייט, און מיר זײַנען אַלע געשמידט אין קייטן און צוגעבונדן צו אַ גרויסן עבֿר, צום אָבֿינו־הזקן. האָבן אונדזערע עלטערן געפֿײַערט צוויי טעג יום־טובֿ, ווײַל זיי זײַנען ניט געווען קיין בקיאים בקביעא דירחא, פּראַווען מיר אויך צוויי טעג יום־טובֿ. אַפֿילו ווען מיר ווייסן גאַנץ גוט ווען דער יום־טובֿ פֿאַלט אויס — מנהג אבֿותיכם בידכם. האָט הלל כּורך געווען מצה ומרור, מאַכן מיר כּורך נאָך הײַנט. "כּן היה עושׂה הלל, זכר למקדש". האָט מען אַ מאָל מקריבֿ געווען קרבנות אין בית המקדש — דאַווענען מיר דרײַ מאָל אַ טאָג, און אַ ספּעציעלע תּפֿילת־מוסף. האָט דער כּהן־גדול מיט צוויי טויזנט יאָר צוריק געפּראַוועט די עבֿודת־היום יום־הכּפּורים, זינגט דער חזן נאָך הײַנט: "וכך היה אומר: ׳אנא השם׳". עפּעס ציט אונדז צום עבֿר, ווײַל מיר ווייסן אַז אָן דעם עבֿר זײַנען מיר ווי אַ בוים וועלכער איז אַרויסגעריסן געוואָרן פֿון די וואָרצלען, און ווערט געטריבן דורכן ווינט. מיר בענקען נאָכן מקור, נאָכן שורש, נאָך אונדזער אָבֿינו־הזקן.

מיר מאַרשירן אַרײַן אין עתיד מיט דער צוואה פֿון עבֿר. "זה א־לי ואנוהו", און ער איז אויך "אל־קי אבי וארוממנהו" (שמות טו, ב). "לא אני תחילת הקדושה, אלא מוחזקת ועומדת לי הקדושה ואלהותו עלי מימי אבותי"[50] [רש"י, דאָרטן]. "כּבד את אביך ואת אמך למען יאריכון ימיך על האדמה אשר ד׳ אלקיך נותן לך" (שמות כ, יא). די נאָענטקייט צום פֿאָטער, צו דער מוטער, יוספֿס — צו יעקבֿן, משהס — צו עמרמען (בן עמרם), יהושעס — צו נון, אין אַלע שטרות שרײַבט מען שמו ושם אָבֿיו, למשפּחותם לבית אבֿותם.

ווי שיין דערציילט דער מדרש "׳מנגד סביב לאהל מועד יחנו׳ (במדבר ב, ב): יש בידם מיעקב אביהם היאך לשרות בדגלים. אינני מחדש עליהם שום דבר .... כּמו שטענו אותו והקיפו את מטתו, כּך יקיפו את המשכּן. לכּך נאמר: לבית אבותם"[51] [במדבר רבה, פּרשה ב, ח]. באַגלייטן דעם משכּן — הייסט באַגלייטן יעקבֿן. דאָס [...][52] זײַן מיטן מקור — אבֿרהם, יצחק ויעקב, "אל־קינו וא׳ אבותינו, א׳ אברהם, א׳ יצחק, וא׳ יעקב".

50. "איך בין ניט דער אָנהייב פֿון דער קדושה, נאָר די הייליקייט און געטלעכקייט פֿון הקדוש־ברוך־הוא ליגט און גילט אויף מיר זינט די צײַטן פֿון מײַנע עלטערן."

51. "זיי ווייסן פֿון זייער פֿאָטער יעקבֿ ווי צו רוען לויט די פֿענער. איך בין קיין זאַך נישט מחדש...פּונקט ווי זיי האָבן אים אויפֿגעהויבן און אַרומגערינגלט זײַן בעט, אַזוי זאָלן זיי אַרומרינגלען דעם משכּן. דעריבער שטייט אין פּסוק ׳לבית אבותם׳."

52. וואָרט ניט לייענעוודיק אין כּתבֿ־יד.

שבֿועות, יום שני, תּשט״ז

מוריה

אינטערעסאַנט איז אַ פּרשה אין בהר: ״ואיש כּי ימכּר בית מושב עיר חומה והיתה גאולתו עד תּום שנת ממכּרו וכו׳ ואם לא יגאל עד מלאת לו שנה תמימה וקם הבית אשר בעיר אשר לו חומה לצמיתות לקונה אותו לדורותיו לא יצא ביובל. ובתי החצרים אשר אין להם חומה סביב על שׂדי הארץ יחשב גאולה תהיה לו וּביובל יצא״ (ויקרא כה, כט–לא). דער דין פֿון יובֿל קען נאָר אָנגעווענדט ווערן צו בתּי־החצרים, וועלכע זײַנען אָפֿן און נישט באַפֿעסטיקט. דער שׂונא קען לײַכט צו זיי צוקומען. אָבער בית מושבֿ עיר חומה, וועלכע איז אַרומגערינגלט מיט אַ מויער און באַפֿעסטיקט, פֿאַלט ניט אַרונטער אונטער דער הלכה פֿון יובֿל, און אויב דער בית איז ניט אויסגעלייזט געוואָרן דאָס ערשטע יאָר, איז דער לוקח זוכה אין אים אויף אייביק. ״לצמיתות לקונה אותו לדורותיו.״

אין דעם קאָנטראַסט פֿון בית מושבֿ עיר חומה און בתּי־החצרים איז אויסגעדריקט געוואָרן אַן אַלטעגלעכער געפֿיל פֿון מענטשן. אין באַציִונג צו באַשטימטע נכסים האָט דער מענטש ניט קיין געפֿיל פֿון זיכערקייט. ער באַזיצט עושר, אָבער ער איז קיין מאָל ניט זיכער אַז די ברכה און די שפֿע וועלן שטענדיק בלײַבן אין זײַן רשות. ער געדענקט די מאַקסים פֿון ״מלח ממון חסר״ [אבות דרבי נתן, פּרק יז]: געלט און אַנדערע ווערטן קען מען ניט אײַנזאַלצן. ״ד׳ מוריש ומעשיר, משפּיל אף מרומם״ (שמואל א, ב, ז). הײַנט איז דער עושר בײַ מיר, מאָרגן געהערט ער אַנדערשוווּ. באמת ווערט די אידעע סימבאָליזירט דורך דער הלכה פֿון יובֿל. הײַנט איז ״כּי ימוך אחיך ומכר מאחזתו״ (ויקרא כה, כה). דער מוכר איז נעבעך אָרעם און דער לוקח רײַך. ער קען אָפּקויפֿן זײַן גאַנצע אחוזה. אָבער אַלע מוזן געדענקען, אַז די לאַגע וועט נישט אָנהאַלטן אויף אייביק, לצמיתות. עס וועט קומען אַ צײַט, און די באַדינגונגען וועלן

זיך ענדערן: "והיה ממכרו ביד הקונה אותו עד שנת היובל ויצא ביובל ושב לאחוזתו" (ויקרא כה, כח).

די זעלבע אידעע וועגן דעם קאַפּריזן כאַראַקטער פֿון שיקזאַל — היום כּאן ולמחר כּאן — וועגן דעם כּסדרדיקן בייַטן זיך פֿון מזל, באַציט זיך ניט נאָר אויף ווירטשאַפֿטלעכע עשירות, נאָר אויך אויף סאָציאַלן פּרעסטיזש, כּבֿוד, השפּעה, זעלבסט־באַפֿרידיקונג, און אַזוי ווייַטער. אַ מאָל קען זיך טרעפֿן "כּי ימוך אחיך וּמכר מאחוזתו", אַז ער האָט אַלץ פֿאַרלוירן — זייַן עשירות, אייַנפֿלוס, געזעלשאַפֿטלעכע שטעלונג. זייַן שטערן איז באמת אין גאַנצן אויסגעלאָשן געוואָרן, און דו, דער קונה, ביסט מעכטיק, פֿעיִק, אַגרעסיוו, און רייַך. אַלע שאַצן דיך און באַמיִען זיך צו זייַן פֿרייַנד מיט דיר. אָבער דייַן גליק איז נאָר צייַטווייַליק, פּונקט ווי יענעמס הצלחה איז געווען נאָר לזמן. "והיה ממכרו ביד הקונה אותו עד שנת היובל ויצא ביובל ושב לאחזתו". קורץ, מענטשלעכע לייַסטונגען, רכוש, ווערטן, אוצרות, פֿאַר וועלכע ער קעמפֿט אַזוי איבערגעגעבן, ווערן פֿאַרגעשטעלט אין חומש ווי בתּי־החצרים — אָפֿענע, נישט באַפֿעסטיקטע הויפֿן, ווו דער שונא, דער פֿייַנטלעכער גורל, קען זיך אַרייַנכאַפּן יעדע מינוט ווען ער וויל. זיי האָבן ניט קיין מויער, די אייַנוווינערס קענען זיך ניט פֿילן באַשיצט. "וּבתּי החצרים אשר אין להם חומה סביב ביובל יצא".

די אידעע פֿון בתּי־החצרים אשר אין להם חומה דריקט אויס אויך אַ היסטאָרישן אמת בנוגע דעם שיקזאַל פֿון פֿעלקער. הייַנט איז דאָס פֿאָלק אַ גרויסמאַכט, מאָרגן קומט יובֿל און נעמט פֿון דעם פֿאָלק אַוועק זייַן מאַכט, זייַן פּרעסטיזש, און זייַן אינטערנאַציאָנאַלע השפּעה. אויך פֿעלקער וווינען אין בתּי־החצרות אשר אין להם חומה. נעמט למשל פֿראַנקרייַך, איר לאַגע פֿאַר דער צווייטער וועלט־מלחמה, און איצטער, וועט איר זיך איבערצייַגן אַז סייַ דער יחיד און סייַ דער רבים געפֿינען זיך אין בתּי־החצרים אשר אין להם חומה.

אָבער דער מענטש זוכט זיכערקייט, סייַ די פּריוואַטע פּערזאָן און סייַ די געזעלשאַפֿט, די מדינה. ער באַמיט זיך צו פֿאַרוואַנדלען די בתּי־החצרים אין אַ בית מושבֿ חומה.

דער סימבאָל פֿון בטחון אין אַלטע און אויך אין מיטל־עלטערלעכע צייַטן איז געווען די חומה. כּדי צו היטן דאָס פֿאָלק פֿלעגט זיך דער מלך שטענדיק באַנוצן מיט באַשטימטע תּכסיסים, וועלכע זאָלן די שמירה דערלייַכטערן. אין אַלטע צייַטן איז דער הויפּטשוץ, וועלכן דער מלך פֿלעגט אויפֿשטעלן, געווען אַ חומה, אַ מויער אַרום דער שטאָט, אַ פֿעסטונג. משה דערציילט אין דבֿרים וועגן דעם גרויסן נצחון איבער עוג מלך הבשן: "כּל אלה ערים בצורות חומה גבוהה, דלתיים ובריח, לבד מערי הפּרזי הרבה מאד" (דברים ג, ה). בשעת ער האָט געשיקט די מרגלים האָט ער זיי אָנגעזאָגט זיי זאָלן נאָכשפּירן "וּמה הערים אשר הוא יושב בהנה, הַבְּמַחֲנים אם בְּמִבְצָרים" (במדבר יג, יט). יריחו האָט זיך געוואָלט פֿאַרטיידיקן קעגן יהושען און האָט זיך

פֿאַרשלאָסן אין אַ חומה: "ויריחו סוגרת ומסוגרת, אין יוצא ואין בא" (יהושע ו, א). קורץ, די מויער איז געווען דער סימבאָל פֿון זיכערקייט אין מיטל־עלטער.

ווייסן מיר, אַז אַפֿילו יחידים, ד"ה ריטער, פֿעאָדאַלע לאָרדן, פֿלעגן בויען זייערע שלעסער ווי פֿעסטונגען, אַרומגערינגלט מיט מויערן און טורעמס, כּדי זיי זאָלן זײַן באַשיצט קעגן אַן אָנפֿאַל. נאָך פֿאַר דער צווייטער וועלט־מלחמה האָט פֿראַנקרײַך געלייגט אירע האָפֿענונגען אויף דער מאַזשינאָ־ליניע[1].

בשעת דער מענטש געפֿינט זיך אין דער חומה, און זײַן הויז איז אַרומגערינגלט מיט אַ פֿעסטונג, האָט ער אַן אילוזיע פֿון "וקם הבית אשר בעיר אשר לו חומה לצמיתות, לקונה אותו לדורותיו, לא יצא ביובל". קיין מאַכט קען פֿון אים דאָס הויז ניט אַוועקנעמען. דער שיקזאַל (יובֿל) וועט זיך קיין מאָל ניט בײַטן, שטענדיק וועט ער זײַן דער בעל־הבית, מעכטיק, געשאַצט און באַשיצט. ער האָט דאָס געפֿיל פֿון לצמיתות.

דאָס וואָרט חומה, געוויינלעך, קען אָננעמען אַ סך באַטײַטן. אַ מאָל האָט עס באַצייכנט אַ פּשוטער מויער, ווי אין יריחו. הײַנט מיינט עס אַטאָמישע באָמבעס, הײַדראָדזשען־באָמבעס, ראַקעטן, עראָפּלאַנען, גרויסע אַרמייען, סובמאַרינען. וואָס מער אַ פֿאָלק האָט, למשל, פֿון דעם מין, אַלץ קלאָרער דאַכט זיך אַז "לצמיתות לקונה אותו לדורותיו". ווער עס האָט געלייענט כרושטשאָווס רעדע אין בערלין, ווו ער האָט זיך באַרימט מיט די מיסלס און דער רוסישער מיליטערישער מאַכט, האָט געפֿילט ווי די ווערטער פֿון דער פּרשה פֿון "ואיש כּי ימכּור בית מושב עיר חומה וקם הבית אשר בעיר אשר לו חומה לצמיתות לקונה אותו לדורותיו" זײַנען ניט ווילנדיק אַרויסגעקומען פֿון זײַן באַרימערישן מויל. אויך יחידים בויען זיך מאָדערנע חומות אַרום זייערע פֿאַרמעגנס און היימען. זיי נעמען אָן פֿאַרשיידענע פֿאָרמען: די חומה איז אַ מאָל אַן אינוועסטמענט, אַ מאָל אַ טראָסט־פֿאָנד, אַ מאָל אַ קאַריערע, און אַזוי ווײַטער. קורץ, אויב איר וועט מיך פֿרעגן, וואָס איז איינע פֿון די מעכטיקסטע דראַנגען אין מענטשן, וואָלט איך געענטפֿערט: דער דראַנג צו פֿאַרוואַנדלען די בתּי־החצרים אין בית מושבֿ חומה, און אויסמעקן די צוויי שיקזאַלהאַפֿטע ווערטער "וביובל יוצא", און אַנשטאָט זיי אויפֿצושרײַבן אויף דער חומה די ווערטער, "וקם הבית אשר בעיר אשר לו חומה לצמיתות".

איז די חומה באמת אַ שוצוואַנט קעגן יובֿל, קעגן דעם רוקזיכטסלאָזן[2] גורל, קעגן די שינויים אין מזל? האָבן מיר באמת געלייענט הײַנט אַ מגילת־רות. וואָס איז די מעשׂהלע דאָרטן אין דער קליינער מגילה, וועגן וועלכער חז"ל האָבן זיך

1. maginot line, ליניע פֿון פֿעסטונגען, שטרויכלונגען, און אַרטילעריע־פּאָזיציעס, וואָס פֿראַנקרײַך האָט אויפֿגעשטעלט אויף איר גרענעץ מיט דײַטשלאַנד און איטאַליע אין די 1930ער יאָרן.

2. אומברחמנותדיקן (דײַטש)

אויסגעדריקט: "אין בה לא טומאה, לא טהרה, לא חיובֿ, ולא פּטור" [רות רבה, פרשה ב]? אָט די מעשׂהלע דרייט זיך אויך װעגן אַ ייִד, אלימלך, אַן אַריסטאָקראַט, "אפרתים מבית לחם יהודה" (רות א, ב), װעלכער האָט זיך געװאָלט פֿאַרזאָרגן מיט אַ חומה, און האָט געבענקט נאָך די װערטער "לקונה אותו לדורותיו". דערפֿאַר איז ער אַנטלאָפֿן פֿון בית לחם יהודה קיין שׂדֵי מואבֿ װען אַ הונגער האָט זיך צעבושעװעט. און װי חז"ל זאָגן, האָט ער געהאַט גענוג תּבֿואה אויף מפֿרנס צו זײַן זיך און זײַן פֿאַמיליע, נאָר ער האָט מורא געהאַט אַז די עניי ישׂראל זאָלן ניט אויפֿעסן אַלץ װאָס ער האָט. װאָס האָט אלימלך אויסגעפֿירט? קיין זאַך! פֿולקומער צוזאַמענבראָך פֿון זײַן פֿאַמיליע איז געװען דער רעזולטאַט פֿון זײַן װוּנטש אויסצובויען זיך אַ בית מושבֿ עיר חומה אין שׂדי מואבֿ.

פֿון דער אַנדערער זײַט האָט אלימלך געהאַט אַ מודע[3] ושמו בועז, װאָס איז ניט געװען אַזוי פּראָמינענט און רײַך און מעכטיק װי אלימלך, אָבער ער איז פֿון בית לחם יהודה — בתּי־החצרים — ניט געלאָפֿן קיין שׂדי מואבֿ זוכן אַ בית מושבֿ עיר חומה. ער האָט ניט געװאָלט זיך פֿאַרזיכערן לצמיתות לדורותיו, און ער האָט דװקא אויסגעבויט אַ בית מושבֿ עיר חומה. אלימלך האָט געהאַט אַ שנור, רות המואבֿיה, האָט זי זיך אײַנגעעקשנט צו גיין מיט נעמי אין בית לחם יהודה. זי האָט ניט געזוכט אַ בית מושבֿ עיר חומה אין מואָבֿ, װוּ זי װאָלט עס לײַכט געקענט קריגן. (חז"ל זאָגן אַז זי איז געװען בתּו של מלך מואָבֿ [סנהדרין קה, ע"ב].) געקענט לעבן אַ לײַכט, זיכער לעבן, אין דער אילוזיע לצמיתות לדורותיו. זי האָט דװקא אויסגעקליבן גיין מיט נעמי אין בית לחם יהודה, אין די בתּי־החצרים, װעלכע זײַנען ניט געװען זיכער פֿון דער װידערהאָלונג פֿון אַ נײַעם "ויהי רעב בארץ". און בכלל, װאָס האָט איר דערװאַרט אין יהודה, אויב ניט קלײַבן לקט שכחה ופאה אין פֿרעמדע פֿעלדער — עניות און מחסור! װאַרשײַנלעך האָט איר די אידעע פֿון בתּי־החצרים מער אימפּאָנירט, װי די פֿון בית מושבֿ עיר חומה.

די רות המואבֿיה האָט זיך געטראָפֿן מיט בועזן און זיי האָבן ביידע אויסגעבויט די גרעסטע, מעכטיקסטע בית מושבֿ עיר חומה אין דער ייִדישער געשיכטע: מלכות בית־דוד און מלכות מלך־המשיח, לצמיתות לדורותיו. װוּ נאָר איר דאַװנט, אָדער בענטשט, װערן זיי דערמאָנט: "וכסא דוד עבדך מהרה לתוכה תּכין", "ועל מלכות בית דוד משיחך", "שם אצמיח קרן לדוד, ערכתי נר למשיחי" (תהילים קלב, יז).

אָט דערשײַנט אין מגילת־רות אַן אַנדערע פּערזענלעכקייט: דער גואל, אויך אלימלכס אַ קרובֿ. ער האָט אויך געזוכט זיכערקייט און שוץ, און האָט געװאָלט פֿאַרװאַנדלען די בתּי־החצרים אין בית מושבֿ עיר חומה. און װען בועז האָט אים געזאָגט: "ויאמר לגאל חלקת השדה אשר לאחינו לאלימלך מכרה נעמי השבה משׂדי

3. לויט רות ב, א.

מואב״ (רות ד, ג), דו ווייסט דאָך וואָס אלימלך האָט מיט זײַן שטרעבן נאָך אַ בית מושבֿ עיר חומה אויסגעפֿירט. ״ואני אמרתי אגלה את אזניך לאמר, קנה נגד היושבים ונגד זקני עמי״ (דאָרטן, פּסוק ד), איך וויל דיך אויפֿמערקזאַם מאַכן, אפֿשר וועסטו אָוועקוואַרפֿן דײַן פּראַקטישקייט און דײַן פֿאַרזיכטיקייט און דײַנע נאַרישן גלויבן אין בית מושבֿ עיר חומה. ״אם תּגאל גאל״, און דו וועסט זיך אַליין אויסלייזן פֿון דײַן עבֿדות צו דײַן עשירות און מזל.

האָט דער גואל מורא געהאַט און האָט געהאַנדלט פּונקט ווי זײַן ברודער אלימלך: ער האָט געגלייבט אין זײַן בית מושבֿ עיר חומה. ״ויאמר הגואל: לא אוכל לגאול פּן אשחית את נחלתי, גאל לך אתּה את גאולתי״ (רות ד, ו). און וואָס האָט ער געוווּנען? גאָרניט! פּונקט ווי אלימלך. מען ווייסט אַפֿילו ניט זײַן נאָמען! ער איז געבליבן אַנאָנים אין דער ייִדישער געשיכטע, אַ פּלוני־אלמוני! דווקא די צוויי, וואָס האָבן געוווינט אין די בתּי־החצרים, זײַנען פֿאַראייביקט געוואָרן לצמיתות!

אָבער לאָמיר עס פֿאַרשטיין. די תּורה האָט דאָך פֿאָרט אָנגעזאָגט: ״וקם הבית אשר לו חומה לצמיתות לקונה אותו לדורותיו. לא יצא ביובל״. אַ סימן, אַז דער דראַנג לצמיתות איז אַ הויכער ווּנטש, און אַ מענטש דאַרף זיך באַפֿעסטיקן קעגן דעם אומבאַקאַנטן מאָרגן. סוף־כּל־סוף, וואָס הייסט דען מלכות, אויב ניט די אידעע פֿון שמירה, פֿון הגנה, פֿון היטן די גאַנצקייט פֿון לאַנד און פֿון פֿאָלק, און אויך פֿון יחיד. ״ושפֿטנו מלכּנו, ויצא לפנינו ונלחם את מלחמותנו״ (שמואל א, ח, כ). דער מלך איז דער שומר פֿון פֿאָלק, פֿון יחיד (ושפטנו), און פֿון ציבור (ונלחם את מלחמותנו). איז דאָך ממילא די אידעע פֿון בית מושבֿ עיר חומה אַ מצווה אין דער תּורה. איז פֿאַר וואָס זײַנען די וועלכע האָבן געזוכט אויסצובויען אַ בית מושבֿ עיר חומה באַשטראָפֿט געוואָרן?

דער ענטפֿער ליגט אין דער מסורה פֿון אַ קרי מיט אַ כּתיבֿ. ״וקם הבית אשר בעיר אשר לא חומה לצמיתות לקונה אותו לדורותיו.״ דער נעבנזאַץ ״אשר לא חומה״ איז געשריבן מיט אַן אַלף, און עס ווערט געלייענט מיט אַ װאָו. דער כּתיבֿ איז ״אשר לא חומה״ — דאָס הויז וואָס האָט ניט קיין מויער, קיין פֿעסטונג, און דער קרי איז מיט אַ ואו — דאָס הויז, וואָס האָט אַ מויער, אַ פֿעסטונג. עפּעס האַנדלט זיך עס אין פּסוק וועגן אַ מערקווערדיקן מויער, אַ מאָדנער חומה. מען זעט זי גאָרניט אָן. לויט דער כּתיבֿ, ווי עס שטייט געשריבן שוואַרץ אויף ווײַס, איז דאָך מיט אַן אַלף. דאָס נאַקעטע פּראַקטישע אויג זעט ניט קיין מויער. אויפֿן משקל ראשון איז דאָס הויז אַ פּשוטע בתּי־חצרים, וועלכע יעדער שׂונא קען אַטאַקירן און פֿאַרניכטן. ווען אַ מיליטער־מאַן זאָל דאָס זען, וואָלט ער געהאַלטן אַז מ׳קען אײַננעמען דאָס הויז אין משך פֿון אַ האַלבער שעה צײַט. די אײַנוווינערס קענען זיך גאָרניט פֿאַרטיידיקן קעגן דעם שׂונא, וועלכער וועט זיי באַפֿאַלן פֿון ארבע זוויות, ״אשר לא חומה״.

אָבער דער קרי, דער וואָס פֿאַרטיפֿט זיך אַ ביסל מער און שטודירט דאָס הויז אין

אַ היסטאָרישער פּערספּעקטיוו, פֿאַרשנדיק, פֿאַרגלײַכנדיק, "זכור ימות עולם בינו שנות דור ודור" (דברים לב, ז), וועט פּלוצעם אויסרופֿן מיט התפּעלות און שטוינונג: ניין, מען מוז לייענען מיט אַ וואו. דער אַלף איז ניט אין ריכטיקן פּלאַץ; דאָס הויז איז אַרומגערינגלט מיט אַ מעכטיקער חומה וואָס קיין שׂונא, קיין אָנגרײַפֿער, קיין אַטאָמישע וואָפֿן קען ניט פֿאַרניכטן. די חומה איז אומזיכטבאַר. די חיצוניות איז שוצלאָזיקייט, אָבער עס איז מער ניט ווי אַן אילוזיע. דאָס הויז איז באַשיצט "אשר לו חומה", און דער קונה וועלכער באַזיצט דעם מערקווערדיקן בית "אשר לא חומה", איז פֿאַרזיכערט לצמיתות לדורותיו.

ווײַזט אויס, אַז אלימלך און דער גואל האָבן אין זייער ספֿר־תּורה געהאַט אַ כּתיבֿ פֿון דעם פּסוק "וקם הבית אשר בעיר אשר לו חומה לצמיתות", מיט אַ וואו, קעגן דער מסורה. און ממילא האָבן זיי געטײַטשט "אשר לו חומה" ווי אַלע זײַנען מפֿרש — דאָס הויז וואָס האָט אַ גראָבע, שטאַרקע וואַנט, אויסגעבויט פֿון גרויסע שטיינער מיט טורעמס און שומרים. אין בועזס און רותס ספֿר־תּורה איז געשטאַנען דער פּסוק "אשר לא חומה" מיט אַן אַלף. ממילא האָבן זיי אַנדערש פֿאַרשטאַנען דאָס וואָרט חומה. עס ווײַזט אויס, אַז דער מסורה־טײַטש "אַלף" און "ואו" איז דער ריכטיקער.

אינטערעסאַנט איז דער מאמר־הגמרא: "'אם אין לוא חומה', אף על פי שאין לו עכשיו והיתה לו קודם לכן" [מגילה ג, ע"ב]. די חומה וועגן וועלכער דער פּסוק רעדט באַציט זיך גאָר אויף אַן אוראַלטן מויער, וואָס עקסיסטירט הײַנט גאָרניט, און איבער וועלכן הײַנטיקע מלחמה־סטראַטעגן וואָלטן געלאַכט, ווען זיי וואָלטן אים געזען. רש"י דריקט זיך אויס: "מוקפת חומה מימות יהושע בן נון, אף־על־פּי שאיננה מוקפת עכשיו" [רש"י אויף ויקרא כה, כט]. די חומה באַשיצט דעם בית מושבֿ, וועלכע איז אַרומגערינגלט מיט איר. יהושעס חומה האָט קיין מאַכט אויף דער וועלט ניט געקענט צעשטערן: ניט נבֿוכדנאצר, ניט טיטוס, ניט די נושׂאי־הצלבֿ, און ניט די מאַכמעדאַנער. "וקם לקונה אותו לדורותיו לצמיתות".

וואָס פֿאַר אַ סאָרט חומה איז דער כּישוף־מויער, וועלכע האָט געהיט היסטאָריש ארץ־ישׂראל פֿאַר אונדז אין משך פֿון אַזוי פֿיל טויזנטער יאָרן, וואָס האָט אויסגעהאַלטן דעם קשר צווישן דער כּנסת־ישׂראל און דעם לאַנד, "ואת הארץ אזכר", אַזוי לאַנג? זאָגן חז"ל: "מכאן שקדשה לשעתה וקדשה לעתיד לבא" [מכות, יט ע"א]. עס איז די קדושה וואָס האָט אַזוי פֿאַראייניקט דאָס פֿאָלק און דאָס לאַנד. אויב מען באַזיצט די חומה (מיטן קרי און כּתיבֿ), איז מען זיכער מיט אַלץ וואָס מען האָט. רות און בועז האָבן פֿאַרשטאַנען וואָס די "חומה" מיינט. און די חומה מיינט אייביקייט — "וישי הוליד את דוד" (רות ד, כב).

אינטערעסאַנט איז דער פּסוק אין רות: "וזאת לפנים בישׂראל על הגאולה ועל התמורה לקיים כל דבר שלף איש נעלו ונתן לרעהו וזאת התעודה בישׂראל. ויאמר הגואל לבועז: קנה לך וישלוף נעלו" (רות ד, ז–ח). אַ מאָל בײַ ייִדן, אַז מען

האָט עפּעס געקויפֿט (גאולה און תּמורה), און מען האָט געוואָלט אַז דער קנין זאָל זײַן דויערהאַפֿט, אַ דבֿר־של־קיימא, אַז מען זאָל זײַן זיכער אַז די זאַך וואָס מ׳האָט דערוואָרבן וועט בלײַבן בײַם קונה, און דער יובֿל, דאָס בלינדע רוקזיכטסלאָזע שיקזאַל וועט עס ניט פֿאַרניכטן, קורץ, אַז מען האָט געוואָלט זיך אַרומרינגלען מיט אַ חומה און פֿאַרוואַנדלען די נכסים לצמיתות לדורותיו — לקיים כּל דבֿר — האָט מען אויסגעטאָן דעם שוך. אויסטאָן אַ שוך איז אין תּנ״ך סימבאָליש פֿאַר אַ מקום־קדוש. ״של נעליך מעל רגליך כּי המקום אשר אתּה עומד עליו אדמת קודש הוא״ (שמות ג, ה). דער נעל איז דער סימבאָל פֿון ווולגאַריטעט און גראָבקייט, פֿון אייבערפֿלעכלעכקייט און נאַרישקייט און רויער מאַכט: ״על אדום אשליך נעלי״ (תהילים ס, י). כּדי צו פֿאַרשטיין קדושה מוז אַ מענטש ווערן עמפּינדזאַמער[4] און פֿײַנפֿילנד. אויב מען האָט געוואָלט עפּעס פֿאַראייביקן, האָט מען אויסגעטאָן דעם נעל און מען האָט דעם ״אשר לו חומה״ אַנדערש פֿאַרשטאַנען. ניט מיט אַלטעגלעכער לאָגיק. מען האָט אַרומגערינגלט דעם קנין מיט אַדמת־קודש ווו דער נעל טאָר ניט טרעטן. ״וזאת התּעודה בישׂראל״, און אין דעם דריקט זיך אויס ייִדישער געשיכטלעכער קיום. קיין זאַך בײַ ייִדן קען קיין קיום ניט האָבן, אויב עס האָט קיין קדושה ניט.

חז״ל דערציילן אַז אין אַלעקסאַנדריע איז געווען אַ דיופּלוסטון, וועלכער איז געווען אַ מוסטער פֿון פּראַכט און אַרכיטעקטור. ״וכל מי שלא ראה דיופּלוסטון של אלכּסנדריה לא ראה בכבודן של ישׂראל״[5] [סוכּה נא, ע״ב]. די קהילה איז געווען רײַך און געבילדעט. דערנאָך האָט מען חרובֿ געמאַכט די דיופּלוסטון של אלכּסנדריה מיט דער קהילה. ״אמרו: כּמין בסילקי גדולה היתה...כּפלים כּיוצאי מצרים והיו בה קתדראות של זהב...וכולהו קטלינהו אלכּסנדרוס מוקדון״[6] [דאָרטן]. אין דער זעלבער צײַט איז געווען אַ בית־המקדש אין ירושלים, ווײַט ניט אַזוי אויסערלעך פּראַכטפֿול ווי די דיופּלוסטון אין אַלעקסאַנדריע. די ייִדן זײַנען געווען אָרעם, הילפֿלאָז, און דער בית־המקדש איז אויך חרובֿ געוואָרן.

ווייסן מיר ווען דער דיופּלוסטון של אלכּסנדריה איז חרובֿ געוואָרן? קלאָגן מיר אויף אים? ניין! מייסנטנס ייִדן ווייסן גאָרניט פֿון דעם גאַנצן עפּיזאָד. אָבער אויף חורבן־בית־המקדש קלאָגן מיר נאָך הײַנט, און מיר זאָגן ״בליל זה יבכּיון וילילון בני, בליל זה חרב בית קדשי ונשׂרפֿו ארמוני״. פֿאַר וואָס? ווײַל אין דעם דיופּלוסטון של אלכּסנדריה האָט מען געשריבן אין די ספֿרי־תּורה ״אשר לו חומה״ מיט אַ ואו, פּונקט ווי עס איז געשטאַנען אין דער ספֿר־תּורה פֿון אלימלכן מיטן גואל. און אין דער ספֿר־

4. סענסיטיווער (דײַטש).

5. ״ווער עס האָט ניט געזען דעם דיופּלוסטון פֿון אַלעקסאַנדריע האָט ניט געזען דעם פּראַכט פֿון ישׂראל.״

6. ״מען האָט דערציילט: עס איז געווען ווי אַזאַ גרויסע באַסיליקע...אַ מאָל האָט זי אַנטהאַלטן מער ווי צוויי מאָל אַזוי פֿיל מענטשן ווי עס זײַנען אַרויס פֿון מצרים...מיט טראָנען פֿון גאָלד...אַלעמען האָט אַלעקסאַנדער־מוקדון אויסגעהרגעט.״

תּורה אין דער עזרה איז דאָס וואָרט "אשר לא" געווען געשריבן מיט אַן אלף און געלייענט מיט אַ ואו. ווי בועז און רות האָבן פֿאַרשטאַנען, איז די חומה אַן אייביקע: "קדשה לשעתה וקדשה לעתיד לבא".

אויך אין פּריוואַטן לעבן, האָב איך געטראָפֿן ייִדן וועלכע האָבן ניט פֿאַרשטאַנען וואָס חומה מיינט, און שטענדיק געשריבן אשר לו חומה מיט אַ ואו: מען האָט זיך באַמיט זיך אַרומצוריגלען מיט אַלערליי חומות, און אויב מען שרײַבט מיט אַ ואו, און מען פֿירט זיך נאָך דער שיטה אין לעבן, ווערט געלייענט בקול רם מיט אלף — אשר לא חומה. און זיי האָבן אַלץ פֿאַרלאָרן. (איך מיין עס ניט אין מאַטעריעלן, נאָר אין גײַסטיקן זינען.) זיי האָבן אפֿילו קיין ריכטיקע היימען נישט אויסגעבויט. די קינדער זײַנען אַנטפּרעמדט געוואָרן פֿון זיי, און אין זייערע הײַזער האָט געהערשט פּוסטקייט און הבֿל־הבֿלים. "ותּשאר האשה משני ילדיה ומאישה" (רות א, ה). זיי קענען זיך ניט באַרימען מיט לצמיתות, מיט לדורותיו. פֿאַרקערט, האָב איך אויך אָבסערווירט ייִדן, דווקא פּשוטע, וועלכע האָבן פֿאַרשטאַנען דעם פּסוק פֿון "אשר לא חומה" ריכטיק, מיטן קרי און מיטן כּתיבֿ, און פֿאַראייביקט אין זייערע הײַזער און קינדער עפּעס שיינס, פּראַכטפֿולס. און עפּעס איז דאָ אין זיי וואָס האָט די קוואַליטעט פֿון לצמיתות. דער חסרון מיטן מאָדערנעם פֿרומען ייִד איז אַז אַ סך מאָל פֿירט ער זיך אויף ווי דער גואל און ניט ווי בועז, ווי אלימלך און ניט ווי רות. זײַן ספֿר־תּורה האָט אַ טעות אין כּתיבֿ.

ווי בויט מען די חומה, וואָס איז גלײַכצײַטיק אַ לא חומה, אָט די אַלטע חומת יהושע־בן־נון? מיר דאַכט זיך, אַז צוויי תּנאים דאַרף מען קענען ממלא זײַן כּדי די חומה זאָל ריכטיק אויסגעבויט ווערן. די צוויי באַדינגונגען זײַנען פֿאָרמולירט געוואָרן אין אַ פּסוק אין דער פֿאָריקער סדרה. די פּרשה אין במדבר זאָגט: "זאת עבודת בני קהת באוהל מועד קודש הקדשים. ובא אהרן ובניו בנסוע המחנה והורידו את פּרוכת המסך וכסו בה את ארון העדות. ונתנו עליו כּסוי עור תּחש ופרשו בגד כּליל תּכלת מלמעלה ושׂמו בדיו" (במדבר ד, ד–ו). בשעת מען האָט געטראָגן דעם אָרון ממקום למקום האָט מען אים געמוזט צודעקן מיט אַ כּסוי עור תּחש, און אויפֿן עור תּחש אויסשפּרייטן אַ בגד תּכלת. עור תּחש, זאָגן חז"ל, איז באַשטאַנען פֿון אַ סך פֿאַרבן. "אמר רבי יוסף היינו ססגונא ששׂשׂ בגווניך הרבה" [שבת כח, ע"א]. מיר טײַטשן עור תּחש (אין אונקלוס "דמשך ססגונא"): פּילפֿאַרביק, אַ מאָזאַיִק פֿון פֿאַרשיידענע קאָלירן.

וואָס איז תּכלת? זאָגט דער רמבּ"ם: "והתּכלת האמורה בציצית צריך שתּהא צביעתה צביעה ידועה שעומדת ביופיה, ולא תשתנה"[7] [רמבּ"ם הלכות ציצית ב, א].

7. "און דער תּכלת וואָס ווערט דערמאָנט בײַ דער מצוה פֿון ציצית דאַרף זײַן באַפֿאַרבט אויף אַ באַקאַנטן אופֿן, וואָס פֿאַרהיט איר שיינקייט און בײַט זיך ניט."

חוץ דער קוואַליטעט פֿון דער פֿאַרב, וואָס איז כּעין הרקיע, דאַרף דער צבֿע התּכלת זײַן קאָנסטאַנט, זיך ניט בײַטן. זי טאָר ניט בלאַס ווערן, ווען זי איז צו פֿיל אויף דער זון. זי טאָר אויך ניט אַרויסגעוואַשן ווערן דורך סמים. די תּכלת וואָס די תּורה האָט פֿאַרלאַנגט בײַ ציצית, טאָר קיין מאָל ניט בײַטן איר קוואַליטעט. די גמרא אין מנחות [מג, ע״א] זאָגט, אַז דער סימן דורך וועלכן מען קען מבֿחין זײַן צווישן תּכלת און קלא אילן איז ״איפרד חזותיה״. אויב מען קען סעפּאַרירן די פֿאַרב פֿון דעם שטאָף, איז עס קלא אילן, ״איפרד חזותיה פּסול״. איז די פֿאַרב אַזוי נִקְלַט אין בגד אַז מען קען זי ניט אַרויסנעמען, איז עס תּכלת.

די שמירה פֿון אָרון באַשטייט אין כּסוי עור תּחש — אַ פֿילפֿאַרביקער צודעק און אַ בגד תּכלת. וואָס באַטײַט עס?

די ערשטע זאַך וואָס אַ ייִד מוז אָפּהיטן כּכבֿת עינו איז, ער זאָל בויען אַרום זײַן הויז אַ חומה נאָכן קרי און כּתיבֿ, און שטרעבן אויך אַז זײַנע קניני־הרוח, קניני־הבית זאָלן בלײַבן בײַ זײַנע קינדער לצמיתות, לדורותיו. מוז ער אַרומוויקלען דעם אָרון מיט כּסוי עור תּחש ססגוני. וואָס מיינט עס? די ייִדישע תּורה באַשטייט אין אירע פּרטים און דקדוקים. מען קען יהדות ניט פֿאַראייביקן, סײַדן אַז מען איז מדקדק אין יעדן פּרט, אין יעדן מנהג, אין יעדער מצוה קלה — ועשׂו סיג לתּורה. יהדות איז אַ כּסוי עור תּחש, אַ בגד מיט אַ סך מוסטערן, מיט פֿאַרשיידענע קאָלירן. אויב מען היט אָפּ יעדן פּרט אין דעם וווּנדערבאַרן טעפּעך, קען מען אײַנהאַלטן יהדות. אויב מען וויל באַשטימטע פֿאַרבן עלימינירן, פֿאַרלירט עס איר רייץ און יופֿי. אַ ייִד טאָר ניט מאַכן קיין חשבונות, ווי אַ סך טוען עס, און זאָגן: ״דֵין הניא ליה ודֵין לא הניא ליה״[8].

אַז מען וויל היטן שבת און אויך אײַנפּלאַנצן דעם שבת לדורותיו, ״ושמרו בני ישׂראל את השבת לעשות את השבת לדורותם״ (שמות לא, טז), מוז מען אים משמר זײַן כּהלכתו ווי אין שולחן־ערוך. איז אַ ייִד זיך מתּיר הוצאה, הבֿערה, כּיבוי, קען ער ניט דערוואַרטן אַז זײַנע קינדער וועלן היטן דעם שבת. צעברעכט ער די וווּנדערבאַרע חומה. איך ווייס גאַנץ גוט אַז די שמירה פֿון די פּרטים איז פֿאַרבונדן מיט אַ סך שווערקייטן און קרבנות. אָבער דער עור תּחש, ססגונא, איז די ״חומת אש סביב״ (זכריה ב, ט). בשעת רות האָט מקבל געווען עול־מצוות, האָט זי דערקלערט: ״כּי אל אשר תּלכי אלך, ובאשר תּליני אלין, עַמֵּך עמי, ואל־קיך אל־קי״ (רות א, טז). זאָגן חז״ל אַז דער ״באשר תּלכי אלך״ באַציט זיך אויפֿן איסור תּחום שבת; ״אשר תּליני אלין״ באַטײַט איסור יחוד; ״עמך עמי ואל־קיך אל־קי״ — איסור עבֿודה־זרה [פּסיקתּא זוטרתא, שמות, יב]. איסור תּחומין און יחוד, וועלכע זײַנען נאָר מדבֿריהם, זײַנען פּונקט אַזוי וויכטיק ווי עבֿודה־זרה, וואָס שטעלט מיט זיך פֿאָר דעם יסוד פֿון יהדות.

8. דאָס טוט אים ליב, און דאָס טוט אים נישט ליב.

אינטערעסאַנט איז די גמרא אין בכורות, דף ה: "שאל קונטרוקוס השׂר את רבי יוחנן בן זכּאי...בגיבוי כּסף אתה מוצא מאתים ואחת כּכּר ואחת עשׂרה מנה...ובנתינת הכּסף אתה מוצא מאת כּכּר...משה רבכם קוביוסטוס היה, או אינו בקי בחשבונות היה.... אמר לו: משה רבינו גיזבר נאמן היה ובקי בחשבונות...'ואת האלף ושבע מאות וחמשה ושבעים עשׂה ווים לעמודים' (שמות לח, כח)"[9]. קונטרוקוס השׂר האָט ניט גערעכנט די כּסף, וואָס מען האָט באַדאַרפֿט פֿאַרברויכן אויף ווי העמודים. און משה האָט עס גערעכנט. די גוים האָבן קיין מאָל ניט פֿאַרשטאַנען, פֿאַר וואָס זײַנען מיר זיך אַזוי מוסר נפֿש אויף פּרטים, פֿאַר וואָס האָבן מיר ניט קיין סיסטעם פֿון דיספּענסאַציע, ווי די קאַטאָליקן האָבן, וואָס זאָל אונדז באַפֿרײַען ווען שמירת־המצוות פֿאַלט שווער פֿון אונדזער פֿליכט. איך ווייס אַז ווען איך גיי צו אַ קאָלעדזש־פּרעזידענט בעטן, אַז מען זאָל דעם אָדער יענעם סטודענט באַפֿרײַען פֿון עקזאַמענס שבת אָדער יום־טובֿ, פֿרעגט ער איין קשיא: קענט איר ניט געבן אים אַ דיספּענסאַציע אויף איין מאָל?

ווען אַ ייִד פֿאַרט אונטערוועגנס און האָט ניט וואָס צו עסן, וויל ער אויך אַז מען זאָל אים מתּיר זײַן אויף אַ ווײַלע טרפֿות. בכלל פֿרעגט מען קשיות, פֿאַר וואָס מחמיר צו זײַן אין פּרטים? דער כּלל איז גענוג! אין משכּן זײַנען די עמודים וויכטיק. די יסודות ווי חסד, רחמים, אמונה בא־ל יחיד, און שבת אין אַלגעמיינע שטריכן. אָבער צוליב וואָס די ווים, די קלײנע העקעלעך משה רבינוס? אין אַלע הלכות מיט זייערע דבֿרי־סופֿרים און חומרות האָט סתּם זיך גע[...],[10] זיי זײַנען געווען קוביוסטוס, "סאַדיסטן", אָדער אינו בקי בחשבונות, נישט פֿאַרשטאַנען [....][11], אָדער געלאָזן די כּנסת־ישׂראל פֿאַרשווענדן כּוחות און צײַט און ברענגען קרבנות פֿאַר קלייניקייטן, פֿאַר נטילת־ידים, עירובֿי־חצרות, און עירובֿ־תּבֿשילין.

חז"ל דערציילן, אַז משה האָט אויך ניט געוווּסט אויף איין מאָמענט, ווו האָט ער אַהינגעטאָן דעם אלף ושבֿע מאות ושבֿעים וחמשה. "שכח אלף ושבע מאות וחמשה שבעים שקל שעשׂה ווים לעמודים. התחיל יושב ותמה"[12] [ילקוט שמעוני, פּקודי, תּטו]. אַ מאָל דאַכט זיך אונדז אַליין אָפֿט אויף אַ ווײַלע, אַז מיר האָבן אָנגעקליבן צו

9. "קונטרוקוס האָט אַ מאָל געפֿרעגט בײַ רבי יוחנן בן זכּאי...' בײַם זאַמלען דעם זילבער [פֿונעם האַלבן שקל] געפֿינט מען צוויי הונדערט און איין צענטער און עלף חלקים...בעת בײַם איבערגעבן דעם זילבער געפֿינט מען נאָר הונדערט צענטער...משה אײַער לערער איז אָדער געווען אַ שווינדלער, אָדער אַ שוואַכער קענער פֿון מאַטעמאַטיק.' האָט ער אים געענטפֿערט: משה רבינו איז געווען אַן ערלעכער קאַסירער און אַ גוטער מאַטעמאַטיקער...'און פֿון די טויזנט און זיבן הונדערט און פֿינף און זיבעציק שקל האָט מען געמאַכט העקלעך צו די זײַלן [ווי העמודים]' (שמות לח, כח)."

10. ווערטער ניט־לייענעוודיק אין כּתבֿ־יד.

11. וואָרט ניט־לייענעוודיק אין כּתבֿ־יד.

12. "ער האָט פֿאַרגעסן די טויזנט זיבן הונדערט און פֿינף און זיבעציק שקל מיט וועלכע ער האָט געמאַכט די העקלעך צו די זײַלן. איז ער געזעסן און האָט זיך געוווּנדערט."

פֿיל חומרות און מדייק געווען אַ ביסל מער ווי מען האָט באַדאַרפֿט אין פּרטים. עס וואָלט געווען גענוג די עמודים, און וואָס דאַרף מען האָבן די ווים, דעם ש״ך מיטן ט״ז און מיטן מגן־אבֿרהם און אַזוי ווײַטער. ״עד שהאיר הקב״ה את עיניו וראה אותם ווין לעמודים, שהיו מאירים ככוכבים בלילה״[13]. משה זעט זיך אָבער אַרום, אַז אָן די ווים וואָלטן די עמודים ניט געקענט שטיין און טראָגן די משׂא פֿון משכּן. ווען ניט די פּרטים, וואָלטן די כּללים, די יסודות, שוין לאַנג פֿאַרשוווּנדן. די חומה מיטן קרי וכתיב זײַנען די ווים, וועלכע האָבן ווי שטערן געלויכטן אין דער גרויסער נאַכט פֿון גלות; ״ונתנו עליו כסוי עור תּחש — ססגונא״; ״באשר תלכי אלך, ובאשר תליני אלין״ — אַלע פּרטים.

צווייטנס, איז זייער וויכטיק דער בגד־תּכלת — דער כּח אין מענטשן זיך איבערצוגעבן אַן אידעע, די עקשנות, די מסירות־נפֿש, די ליבע צו קדשי־ישׂראל, דאָס געפֿיל פֿון טרײַשאַפֿט, וועלכע רות האָט אַרויסגעוויזן: ״באשר תּמותי אמות, ושם אקבר, כּה יעשׂה ה׳ לי וכה יוסיף, כּי המות יפריד ביני ובינך״ (רות א, יז). פּונקט ווי די צבֿע תּכלת קען ניט אַרויסגעריסן ווערן פֿון בגד, אַזוי קען קיין מאַכט אין דער וועלט ניט מפֿריד זײַן צווישן דעם רבש״ע און ייִדן. צי ווײַזן דען ניט ייִדן אַרויס אַזאַ עקשנות בנוגע ארץ־ישׂראל? לאָגיש זײַנען דאָך די שונאי־ציון גערעכט: ניט פּאָליטיש און ניט ווירטשאַפֿטלעך קענען מיר אונדז זיך פֿאַרשטעלן אַן אומאָפּ־הענגיקע ארץ־ישׂראל אין אַ ים פֿון אַראַבער, אָבער מיר האָבן זיך פֿאַרעקשנט, ״כּי המות יפריד ביני ובינך״. און די עקשנות, דער תּכלת, איז די חומה, מיט אַן אַלף און ואו, וואָס האָט געהיט די כּנסת־ישׂראל. ״ונתנו על ציצית הכּנף פּתיל תּכלת״ (במדבר טו, לח): פֿאַרבונדן, קשר עליון [...][14] און מען קען ניט דעם קשר מתּיר זײַן, און די תּכלת אַוועקנעמען. ״ופרשׂו עליו בגד כּליל תּכלת מלמעלה ושׂמו בדיו״.

---

13. ״ביז הקדוש־ברוך־הוא האָט אים באַלויכטן די אויגן, און ער האָט געזען יענע העקלעך צו די זײַלן, וואָס האָבן געשײַנט ווי שטערן בײַ נאַכט.״

14. וואָרט ניט־לייענעוודיק אין כּתבֿ־יד.

יחיד וציבור

דאָס אַלטע פּראָבלעם פֿון יחיד וציבור, וואָס איז אַנטשטאַנען מיט דער ערשטער דעמערונג פֿון פֿילאָסאָפֿיש־סאָציאַלן געדאַנק, און וועלכע איז נאָך ניט אַנטשידן געוואָרן ביזן היינטיקן טאָג, און וועלכע געפֿינט איר אויסדרוק אין צוויי גרונט־פֿאַרשידענע אַנטקעגנגעזעצטע פּאָליטישע סטרוקטורן — די דעמאָקראַטישע און די אַבסאָלוטע מלוכהשע — איז נישט נאָר אַ פּאָליטיש־סאָציאָלאָגישע פּראָבלעם, נאָר אויך אַ רעליגיעז־עטישע. די לעצטע וועלט־מלחמה האָט אפֿשר געהאַט איר שורש אין דער אור־אַלטער מחלוקת. זי האָט ליידער די פּראָבלעם ניט געלייזט, ווייַל די עטישע זייַט איז אין גאַנצן פֿאַרקוקט געוואָרן. די מאָדערנע וועלט בכלל האָט אויפֿגעהערט צו עמפּפֿינדן[1] עטיש־רעליגיעזע ווערטן.

דער פּאָליטישער [...][2] קען קיין מאָל ניט פֿאַרענטפֿערט ווערן, ביז דער גאַנצער קאָמפּלעקס וועט ניט באַטראַכט ווערן אין דעם ליכט פֿון רעליגיעזן עטאָס. די פּאָליטיש־פֿילאָסאָפֿישע פֿראַגע ווערט פֿאָרמולירט: שטעלט דער יחיד פֿאָר דעם העכערן ווערט, ווען דער שטאַט דאַרף דינען, און דער לעצטער, אַלס קולטור־יצירה, איז געשאַפֿן געוואָרן פֿון דעם יחיד, וועלכער איז דער טרעגער פֿון אַלע קולטור־ווערטן? דאַן איז עס גאַנץ אומרעלעוואַנט, צי דער שטאַט אָדער די סאָציאַלע גרופּע איז געקומען מיטן יחיד אויף דער וועלט, און מען קען זיי איינעם פֿון אַנדערן ניט איזאָלירן, ווי די אָרגאַנישע שטאַט־טעאָריע באַהויפּט.

1. שפּירן, באַמערקן (דייַטש).
2. וואָרט ניט־לייענעוודיק אין כּתבֿ־יד.

אָדער מען גלויבט נאַיִוו מיט די פֿראַנצייזישע ענציקלאָפּעדיסטן[3] אין דער אידעע פֿון סאָציאַלן קאָנטראַקט, אָדער דער שטאַט איז אייגנטלעך דער שאַפֿער און דער נושׂא פֿון קולטור־באַוווסטזיַין, און דער יחיד קען נאָר געזען ווערן אויפֿן הינטערגרונט פֿון דער גרופּע, און ממילא מוז ער אים דינען. אונדזער אַמעריקאַנישע דעמאָקראַטיע, וואָס איז שטאַרק באַאײַנפֿלוסט פֿון דער פּאָזיטיוויסטיש־פֿראַנצויזישער, מאָנטיסקיעישער־וואָלטערישער מלוכה־פֿילאָסאָפֿיע, שטייט אויפֿן ערשטן שטאַנדפּונקט, בשעת דער פֿאַשיזם, און אפֿשר אויך דער קאָמוניזם, פֿאַרטרעטן דעם צווייטן.

דער נוסח פֿון דער עטיש־רעליגיעזער שאלה בנוגע יחיד וציבור, ווי זי ווערט פֿאָרמולירט דורך די חכמי חז״ל, איז אַ ביסל אַנדערש. די פֿראַגע דרייט זיך אַרום די אייביקע אַנטינאָמיע פֿון אמת ושלום. אמת ושלום זײַנען צוויי אַטריבוטן פֿון רבש״ע, נאָך דער השקפֿת־היהדות. ״חותמו של הקב״ה אמת״ [שבת נה, ע״א א״אַ], ״ראש דברך אמת ולעולם כל משפט צדקך״ (תהילים קיט, קס), ״שמו של הקב״ה נקרא שלום״ [ויקרא רבה ט, ט], ״עושה שלום במרומיו״ [איוב כה, ב], ״׳שיר השירים אשר לשלמה׳ למי שהשלום שלו״ [שבועות לה, ע״ב]. אויב זיי זײַנען ביידע געטלעכע אַטריבוטן, משמותיו של הקב״ה, מוזן זיי ביידע האַרמאָניזירן. אָבער לײַדער, אין אונדזער רעאַלן לעבן, דוכט זיך אַז אמת מיט שלום ווידערשפּרעכן זיך, און זיי קענען קיין מאָל ניט האַרמאָניזירן. אַ פּנימיותדיקע סתּירה סעפּאַרירט זיי פֿולשטענדיק. לאָמיר זען אין וואָס באַשטייט די סתּירה.

יחיד — אינדיווידואַלטעט — הייסט אַ גײַסטיקע עקסיסטענץ פֿון אנדערש־זײַן; אַ באַוווסטזײַן וועלכע באַטאָנט מײַן ניט עקסיסטירן אַלס אַ [....][4] אָדער ווי גלײַך ווי אַנדערע, נאָר ווי אַ רעאַליטעט, אַן אינדיווידועלע געשטאַלט, וועלכע קומט נאָר איין מאָל אויף דער וועלט. חז״ל האָבן עס זייער שיין פֿאָרמולירט: ״כשם שאין פרצופיהן דומין זה לזה, כך אין דעתן דומה זה לזה״ [ירושלמי ברכות יג; ברכות, נח ע״א]. פּונקט ווי די געזיכטס־שטריכן זײַנען וואַריִירט בײַ די פֿאַרשיידענע מענטשן, אַזוי זײַנען די מיינונגען אויך פֿאַרשיידן. חז״ל, פּונקט ווי די מאָדערנע פּסיכאָלאָגיע, האָבן פֿאַרשטאַנען אַז די ערשטע און בולטסטע דעמאָנסטראַציע פֿון אַן אינדיווידואַליטעט איז דער פּרצוף פֿון מענטשן, די געזיכט־שטריכן, וואָס שטעלן פֿאָר אַ פֿיזישע געשטאַלט, וועלכע איז סימבאָליש פֿאַר דער גײַסטיקער איך־געשטאַלט און יחיד־באַוווסטזײַן. חז״ל קאָנסטאַטירן: פּונקט אַזוי ווי די פֿיזישע געשטאַלט איז אונדיווידואַליזירט, עס זײַנען ניטאָ קיין צוויי אידענטישע פּנימער (עס

3. פֿילאָזאָפֿן פֿון דער פֿראַנצייזישער אויפֿקלערונג פֿון אַכצנטן יאָרהונדערט, וואָס האָבן אַרויסגעגעבן די ״ענציקלאָפּעדיע אָדער סיסטעמאַטיש ווערטערבוך פֿון וויסנשאַפֿטן, קונסטן, און מלאכות״. צווישן זיי: דידעראָ, מאָנטעסקיו, רוסאָ און וואָלטער.

4. וואָרט ניט־לייענעוודיק אין כתבֿ־יד.

זײַנען דאָ ענלעכקייטן, אפֿילו שטאַרקע ענלעכקייטן, וועלכע מיר רופֿן דאַפּלגייער [....][5] אָבער ניט קיין אידענטישע געזיכטער), אַזוי איז אויך די פּסיכיש־גײַסטיקע געשטאַלט אין גאַנצן אינדיווידועל אויסגעפֿורעמט, און טראָגט איר יחידותדיקן חותם, וועלכן עס באַזיצט ניט קיין אַנדערע פּערזאָן. אינדיווידואַליטעט איז אײנציק און אייגנאַרטיק. און דערפֿאַר זײַנען ניטאָ, אַזוי האַלטן חז״ל, קיין צוויי גלײַכע מיינונגען. יעדער מענטש מוז האָבן אַן אַנדער מיינונג, ווײַל די שיטה איז אַ טייל פֿון זײַן אינדיווידואַליטעט. און אַזוי ווי די פּערזענלעכקייט איז אידיווידואַליזירט, אַזוי אויך די מיינונג.

איי, מיר טרעפֿן דאָך אַ מאָל מענטשן וואָס זײַנען מסכּים איינער מיט די אַנדערע, און האָבן אַן אידעניטשן אָנזיכט[6]? איז עס ניט ווײַל אורשפּרינגלעך האָבן זיי געהאַט די זעלבע שיטה, נאָר ווײַל מענטשן זײַנען מְדִינִיִים, געזעלשאַפֿטלעכע ברואים, און קענען ניט לעבן אין אַבסאָלוטער איזאָלאַציע, אין אייביקן קריג. ממילא, גיבן זיי נאָך איינער דעם אַנדערן. הסכּם איז שטענדיק פּשרה. ווען צוויי מיינונגען זײַנען ענלעך, גיט A נאָך צו B, און B צו A, און ממילא טרעפֿן זיי זיך אויף אַן אַלגעמיינער פּלאַטפֿאָרם. וואָלטן מענטשן אָבער געווען אומקאָמפּראָמיסלעך און פֿאַרעקשנט אין זייער מיינונג, וואָלט דאַמאָלס געהערשט אויף דער וועלט אייביקער קאָנפֿליקט, צוויי יחידים וואָלטן קיין מאָל ניט געקענט אײַנשטימען.

[....][7] דעם מאמר־חז״ל שווימט אויף אַ נײַע אידייע. נעמלעך, דער אמת קריגט מיטן שלום. ממה־נפֿשך, איז *אמת* דער איבערוועגנדיקער אידעאַל פֿון מענטשן, דאַן טאָר ער דאָך ניט נאָכגעבן, מוז ער דאָך זײַן אײַנגעשפּאַרט, און דורכזעצן זײַן מיינונג, און ניט נתפּעל ווערן פֿאַר קיין מחלוקת און רײַבונג. און ממילא שליסט אויס דער אמת דעם שלום, וועלכער קען קיין קיום ניט האָבן. דאַמאָלס ווערט פֿאַרוואָרפֿן דער פּרינציפּ פֿון טאָלעראַנץ, און יחידים געפֿינען זיך אין אַ פּערמאַנענטן מצבֿ פֿון מלחמה. פֿאַרקערט, קריגט דער *שלום* די אייבערהאַנט, און דער יחיד הייבט אָן מוותּר צו זײַן אויף זײַנע פּרינציפּן, אויף זײַן אידעאָלאָגיע, אויף זײַן מיינונג, ווערט מחולל דער אידעאַל פֿון אמת.

אמת און קאָמפּראָמיס זײַנען אַ תּרתּי־דסתרי, אמת און שלום ווידערשפּרעכן זיך. ווי קענען ביידע מידות פֿון רבש״ע עקסיסטירן אויף דער וועלט? אָדער דער יחיד האַלט אויף זײַן גאַנצע אינדיווידואַליטעט, און ממילא קען דער ציבור ניט עקסיסטירן, אָדער דער ציבור זיגט, און דער יחיד איז מוותּר אויף זײַן אמת.

חז״ל האָבן פֿאָרגעשטעלט די אַנטינאָמיע אין דעם באַקאַנטן מאמר פֿון ר׳ סימון:

5. וואָרט ניט־לייענעוודיק אין כּתבֿ־יד.
6. מיינונג (דײַטש).
7. שורה אָפּגעהאַקט און ניט־לייענעוודיק אין כּתבֿ־יד.

> "אמר ר' סימון, בשעה שבא הקב"ה לברוא את האדם, נעשו מלאכי השרת כתות כתות...מהם אומרים אַל יִבָּרֵא, מהם אומרים יִבָּרֵא. חסד אומר יברא, שהוא גומל חסדים. ואמת אומר אל יברא, שכולו שקר. צדק אומר יברא, שעושה צדקות. שלום אומר אל יברא, שכולו קטטה"[8] [בראשית רבה, ח, ה].

די מחלוקת צווישן די מלאָכים איז מערקווערדיק: חסד וצדק — אַן אָפּטמיסטישע, פֿרײַנדלעכע שטעלונג בנוגע דעם מענטשן, און דעם שלום מיטן אמת — אַ פּעסימיסטיש־פֿײַנטלעכע שטעלונג. זי איז ניט אין גאַנצן קלאָר. אין דערווירקלעכקייט געפֿינען מיר מענטשן בעלי־צדקה, אָבער אויך זײַנען דאָ אַ סך אַכזרים. אויף דער אַנדערער זײַט געפֿינען מיר שקרנים און בעלי־מחלוקת, אָבער אויך אַנשי־אמת אין רודפֿי־שלום זײַנען ניט אויסגעשלאָסן. פֿרעגט זיך, פֿאַר וואָס האָבן זיך די מלאָכים פֿון אמת און שלום אַזוי סקעפּטיש און אַנטאַגאָניסטיש באַצויגן צום מענטשן, בשעת די מלאָכים פֿון חסד און צדק האָבן אים געלויבט, און וואָרעם רעקאָמענדירט זײַן יצירה?

דער תּירוץ איז פּשוט. די אַנטאַגאָניסטישע שטעלונג פֿון דעם אמת מיטן שלום בנוגע דעם מענטשן שטאַמט ניט פֿון אַ סקעפּטיש־פּעסימיסטישער אויפֿפֿאַסונג. אויך די מלאָכים פֿון אמת און פֿון שלום האָבן געקענט האָבן ווי [....][9] איז די אַנטינאָמישע באַציִונג צווישן שלום און אמת. ביידע צוזאַמען קענען ניט עקסיסטירן. זיי שליסן זיך קעגנזײַטיק אויס. זיגט דער אמת, ווערט דער מענטש אַן אומקאָמפּראָמיסלעכער יחיד, וועלכער נעגירט דעם ציבור. זיגט, פֿאַרקערט, דער שלום, און דער מענטש הייבט אָן אַרויסגיין פֿון זײַן רשות־היחיד אין רשות־הרבים אַרײַן, מוז ער ווערן אַ בעל־פּשרה און מוותּר זײַן אויפֿן אמת.

ניט דער חסד וצדק פֿון איין זײַט, און דער שלום מיטן אמת פֿון דער אַנדערער זײַט, האָבן דאָ געהאַט אַ דין־תּורה פֿאַרן רבש"ע. ניין! דער דין־תּורה איז דאָ פֿאָרגעקומען צווישן אמת מיטן שלום: ווי זאָל דער מענטש באַשאַפֿן ווערן? אַן איש־האמת, וועלכער דינט דעם פּרינציפּ פֿון יקוב הדין את ההר, אָדער אַ רודף־שלום, וועלכער איז מוותּר אויפֿן נקודת־האמת, כּדי צו קענען קאָאָפּערירן מיט אַנדערע און

8. "ר' סימון האָט געזאָגט: בשעת דער אייבערשטער איז געקומען באַשאַפֿן דעם מענטשן, האָבן די מלאכי־השרת זיך צעטיילט אויף גרופּעס. איינע האָט געזאָגט מען זאָל דעם מענטש ניט באַשאַפֿן, און די אַנדערע — מען זאָל דעם מענטש יאָ באַשאַפֿן. חסד האָט געזאָגט מען זאָל דעם מענטש באַשאַפֿן, ווײַל ער איז אַ גומל חסד. אמת האָט געזאָגט מען זאָל דעם מענטש ניט באַשאַפֿן, ווײַל ער איז פֿול מיט שקר. צדק האָט געזאָגט מען זאָל דעם מענטש באַשאַפֿן, ווײַל ער איז אַן עושה צדקות. שלום האָט געזאָגט מען זאָל דעם מענטש ניט באַשאַפֿן, ווײַל ער איז פֿול מיט קריגערײַען."

9. שורה אָפּגעהאַקט און ניט־לייענעוודיק אין כּתבֿ־יד.

זיך צוזאַמענ[...][10] אין אַן איינהייַטלעכן ציבור. סייַ דער אמת, סייַ דער שלום, מורא האָבנדיק אַז זיי וועלן פֿאַרשפּילן די [...][11] האָבן אָפּאָנירט די בריאת־האדם.

ווי האָט דער רבש"ע געפּסקנט דעם דין־תּורה, און ווי האָט ער אַנטשידן? לטובֿת דעם שלום, אָדער לטובֿת דעם אמת? חז"ל דערציילן: "נטל הקב"ה את האמת והשליכו לארץ...שנאמר 'אמת מארץ תצמח' (תהילים פה, יב)...הדא הוא דכתיב 'חסד ואמת נפגשו, צדק ושלום נשקו' (תהילים פה, יא)"[12] [בראשית רבה, דאָרטן].

דער אורטייל איז אָבער מיסטעריעז, מען מוז אים פֿאַרשטיין.

עס ווייַזט אויס, אַז דער רבש"ע האָט געגעבן אַ מאָדוס וויוועגדי פֿאַרן מענטשן, אַז ער זאָל ניט דאַרפֿן מקריבֿ זייַן דעם אמת פֿאַרן שלום, און אויך ניט פֿאַרקערט. עס איז דאָ אַ וועג ווי צו רעאַליזירן ביידע געטלעכע אַטריבוטן, און דער סוד ליגט באַהאַלטן אין די צוויי אַנדערע מידות פֿון צדק און חסד, אָדער, בעסער געזאָגט, אין חסד, אין וועלכער צדק ווערט פֿאַרווירקלעכט. אויב אמת ושלום גייען האַנט אין האַנט מיט צדק און חסד, דאַן קענען אויך אמת און שלום זיך פֿאַראייניקן, און די לייזונג איז ניט קיין מיסטעריע, נאָר זייער אַ לאָגישע און פּשוטע.

ביים רבש"ע איז דער אַטריבוט פֿון אמת שטענדיק פֿאַרבונדן און פֿאַרוואַקסן מיט דער מידה פֿון חסד. "ד' ד' וכו' ורב חסד ואמת" (שמות לד, ו). די צוויי מידות זייַנען די הויפּט־אַטריבוטן אין דער גרויסער קייט פֿון י"ג מידות און מכילין דרחמין. חסד מיט אמת בילדן איין אָרגאַנישע איינהייט און מען קען זיי גאָרניט אַבסטראַהירן איינע פֿון די אַנדערע.

אמת, זאָגט דער רמב"ם, איז אידענטיש מיט מציאות [....][13], איז דער אינהאַלט פֿון מציאות (ווירקלעכקייט). אין הלכה א' פֿון פּרק א' מהלכות יסודי התורה, דריקט זיך דער רמב"ם אויס: "וכל הנמצאים משמים וארץ ומה שביניהם לא נמצאו אלא מאמתת המצאו". אלע ברואים וואָס עקסיסטירן אין אוניווערס, עקסיסטירן נאָר פֿון דעם אמת פֿון זייַן (דער געטלעכער) מציאות. אַבסאָלוטער אמת איז די עסענץ און דער תּוכן פֿון אַבסאָלוטער ווירקלעכקייט. דער רבש"ע, וועלכע איז דער אהי' אשר אהי', די אַבסאָלוטע איינהייט פֿון עקסיסטענץ און עסענץ, די אַבסאָלוטע מציאות, איז ממילא דער אַבסאָלוטער אמת. אויף די אַלטע פֿילאָסאָפֿישע פֿראַגע, וואָס איז דאָס פֿאַרהעלטעניש צווישן אמת און מציאות, גיט יהדות א פּשוטן ענטפֿער: אמת איז דער תּוכן פֿון מציאות.

10. וואָרט ניט־לייענעוודיק אין כתבֿ־יד.
11. וואָרט ניט־לייענעוודיק אין כתבֿ־יד.
12. "האָט דער אייבערשטער גענומען דעם אמת און אים געוואָרפֿן אויף דער ערד...ווי עס שטייט 'אמת שפּראָצט פֿון דער ערד' (תהילים פה, יב)...דערפֿאַר שטייט אין פּסוק 'גענאָד און אמת האָבן זיך באַגעגנט, גערעכטיקייט און שלום האָבן זיך צעקושט' (תהילים פה, יא)."
13. אַ האַלבע שורה איז איבערגעהאַקט און ניט לייענעוודיק.

אָבער דעם רבש״עס אמתת־המציאות, אָדער די מידה פֿון רבֿ אמת, שליסט אויס יעדע אַנדערע עקסיסטענץ אָדער ווירקלעכקייט. דער רבש״ע איז ניט נאָר אחד, נאָר אויך אחד יחיד. ״אני יחיד בעולמי״ [פסחים קיח ע״א א״אַ], ״מלך יחיד א׳ חי העולמים״. ער נעגירט, און מאַכט אַן אַנדער [...][14] פֿון הויה, פֿון רעאַליטעט, פּשוט אוממעגלעך און אַבסורד. ניטאָ קיין אַנדערע עקסיסטענץ חוץ די געטלעכע. דער רבש״ע איז דער מצוי ראשון ואחרון, און אויך דער מצוי יחיד, און עס איז לעכערלעך צו זאָגן אַז עס איז דאָ א סעפּעראַטע פֿאָרם פֿון רעאַליטעט, וועלכע עקסיסטירט אויך.

די באַטראַכטונג איז פֿון די יסודי־הדת, און אַלע חכמי־ישׂראל האָבן זיך עוסק געווען דערמיט. אַנדערע האָבן עס פֿאָרמולירט אָפֿן, ווי דער אר״י־הקדוש און דער תּניא. אַנדערע האָבן עס אויסגעדריקט מעטאַפֿאָריש און באַהאַלטן, ווי דער רמב״ם, דער גאָון, און ר׳ חיים וואָלאָזשינער. די פֿראַגע איז ארוכּה מארץ מדה ורחבֿה מני לבֿ, און רירט אָן מעשׂה־בראשית און מעשׂה־מרכּבֿה, די מיסטעריען פֿון יהדות. אָבער זי קען אויך פֿאָרמולירט ווערן זייער פּשוט: ווי איז בריאת־העולם מעגלעך, און ווי קענען מיר זאָגן אל־קנו מלך העולם, בשעת דער רבש״ע איז אַ יחיד ומיוחד און נעגירט אַלע אַנדערע אַנטישע פֿאָרמען? איז ניט אל־קנו מלך העולם א תּרתּי־דסתרי?

איר ווייסט אַלע, וואָס דער ענטפֿער דערויף איז געווען. מיט דער תּשובה איז פֿאַרבונדן אַ קאַפּיטל ייִדישע געשיכטע, די מחלוקת צווישן תּניא מיטן ווילנער גאָון וועגן מידת־הצימצום. באמת אָבער, טראָץ פֿונדאַמענטאַלע אונטערשיידן, שניהם לדבֿר אחד נתכּוונו. אלו ואלו דבֿרי אל־קים חיים.

אין עצם, עקסיסטירט גאָרניט קיין זעלבשטענדיקע וועלט, וועלכע שטעלט פֿאָר אַן אויטאָנאָמע עקסיסטענץ מיט אַן אייגנאַרטיקן אַנטאָלאָגישן אינהאַלט. ח״ו, נאָר כּולו לגבֿוה. ״ומותר אדם מן הבהמה אין כי הכל הבל״, זאָגן מיר אין נעילה יום־כּיפּור פֿאַר נאַכט, ווען אַ הייליקער טאָג גייט אַוועק פֿון אונדז. די איינציקע ווירקלעכקייט איז די געטלעכע, דער אייביקער אהי׳ אשר אהי׳, וואָס איז אַ ממלא כּל עלמין וסובֿבֿ כּל עלמין. דער איינציקער אמת וועלכער איז די עסענץ פֿון מציאות, איז דעם רבש״עס. קיין אַנדער אמת קענען מיר אונדז גאָר ניט פֿאָרשטעלן.

אויב עס עקסיסטירט אַ וועלט, איז עס ווײַל דער רבש״ע האָט איר געשענקט עטוואָס פֿון זײַן אמת, וועלכער בליצט אַרויס פֿון דעם אהי׳ אשר אהי׳. דער רבש״ע, כּבֿיכול, לאָזט דער וועלט זיך משתּתּף זײַן אין זײַן אמת, אין זײַן מציאות. ער טיילט זיך מיט איר מיט זײַן אמיתּת המצאו. נאָך מער, ער שליסט איר אײַן אין זײַן אַבסאָלוטער, אומענדלעכער, אייביקער, און איינציקער עקסיסטענץ. די וועלט

14. וואָרט ניט־לייענעוודיק אין כּתבֿ־יד.

עקסיסטירט, ווײַל זי גענית פֿון רבש״עס שפֿע פֿון רעאַליטעט און אמת, ווײַל זי האָט געליִען, אָדער געקראָגן געשענקט, אמת פֿון מקור האמת.

״וכל הנמצאים משמים וארץ לא נמצאו אלא מאמתת המצאו״. בריאת־העולם איז ניט אַן איינמאָליקער אַקט. דער רבש״ע האָט ניט באַשאַפֿן אַ וועלט אַלס אַן אויטאָנאָמע, פֿאַר זיך באַשטייענדע אַנטישע קרעאַטור. חס־ושלום! בריאת־העולם מיינט, אַז דער רבש״ע האָט די קרעאַטור באַשאַפֿן, און איר געלאָזן זיך באַטייליקן אין זײַן אייגענעם [...][15]. אַלע מציאותן, גײַסטיקע און פֿיזישע, עקסיסטירן אין אים און דורך אים. ״שהכל נסמך אליו בהוייתו״, דאָס אַל שפּאַרט זיך אָן גאָט ב״ה, כּבֿיכול.

אָבער פֿאַר וואָס האָט דער רבש״ע אַ ניצוץ פֿון זײַן עקסיסטענץ און אמת געשענקט אַן אַנדער קיום? פֿאַר וואָס האָט ער אַ וועלט געשאַפֿן, און איר אין זײַן אומענדלעכער עקסיסטענץ אײַנגעשלאָסן? פֿאַר וואָס האָט ער זיך כּבֿיכול געלאָזט פֿאַראייניקן זײַן אַבסאָלוטן קיום מיט אַ צײַטלעכן פֿליסנדן יש? האָט דען עטוואָס דעם רבש״ע אויסגעפֿעלט ח״ו? איז דער אַבסאָלוטער אומענדלעכער נצחדיקער אמת פֿון בורא ב״ה ניט פֿולקאָמען און גענוגנדיק, אָן קיין אַנדערע עקסיסטענץ? אָן קיין וועלט? דאַרף ער דען דעם טיטל ׳מלך העולם׳, בשעת די מלכות איז געווען זײַנע איידער די וועלט איז באַשאַפֿן געוואָרן? ״אדון עולם אשר מלך בטרם כל יציר נברא״? פֿאַר וואָס האָט דער רבש״ע געדאַרפֿט האָבן דעם טיטל מלך העולם, ״לעת נעשה בחפצו כל אזי מלך שמו נקרא״? דער שם שד־י באַצייכנט דאָך די גענוגזאַמקייט און אומענדלעכע פֿולקייט, אַ פֿולקאָמענהייט פֿון דעם געטלעכן, אַז ער דאַרף צו קיין אַנדערער עקסיסטענץ ניט אָנקומען (אבן עזרא ריש פרשת וארא). [....][16] אין מורה נבֿוכים.

דער ענטפֿער ליגט אין דעם באַגריף פֿון חסד. עס איז מערקווערדיק, אין תּנ״ך ווערט דאָס וואָרט חסד גענוצט אין צוויי באַדײַטונגען, וועלכע ווידערשפּרעכן זיך: ״רב חסד ואמת״, ״כי אני ד׳ עושה חסד משפט וצדקה בארץ״ (ירמיהו ט, כג), ״צדיק ד׳ בכל דרכיו וחסיד בכל מעשיו״ (תהילים קמה, יז), און אַזוי ווײַטער. פֿון דער אַנדער זײַט געפֿינען מיר חסד אין נעגאַטיוון זינען: ״ואיש אשר יקח את אחותו וכו׳ וראה את ערותה והיא תראה את ערותו, חסד הוא, ונכרתו לעיני בני עמם״ (ויקרא כ, יז).

קומט דער רמב״ם און דעפֿינירט דעם באַגריף ״חסד״ אויפֿן פֿאָלגנדן אופֿן: ״וכבר בארנו בפירוש אבות שחסד ענינו הפלגה באיזה דבר שמפליגים בו״ [מורה נבֿוכים ג, נג]. חסד הייסט איבערפֿלוס, אומגעהויערע שפֿע, אומבאַגרענעצטע רײַכטום, [....][17] קוועלן פֿון אַ מיסטעריעזן מקור, אַן אויסגוס פֿון קאָלאָסאַלן

15. וואָרט ניט־לייענעוודיק אין כּתבֿ־יד.
16. שורה אָפּגעהאַקט און ניט־לייענעוודיק.
17. וואָרט ניט לייענעוודיק אין כּתבֿ־יד.

אינהאַלט. ווען דער מקור האָט אַזוי פֿיל, אַז די פֿאַנטאַסטישע עשירות גיסט זיך איבער, און פֿאַרפֿלייצט אַלץ אַרום. און דער שפֿעדיקער אויסגוס קען פֿאָרקומען סײַ פֿון אומבאַגרענעצטער ברכה, און אויך פֿון אומבאַגרענעצטער טומאה.

"אבל הענין כמו שאספר, וזה כי הדבר השלם בצד אחד מן השלמות, אפשר שיהיה השלמות ההוא בגבול שישלים עצמו ולא יעבור ממנו שלמות לזולתו. ואפשר שיהיה שלמותו בגבול שיוותר ממנו שלמות לזולתו. כאלו תאמר על דרך משל, שיהיה איש יש לו מן הממון מה שיספיק לצרכיו לבד, ולא יוותר ממנו מה שיועיל ממנו לזולתו. ואחר יש לו מן הממון, יוותר לו ממנו מה שיעשיר אנשים רבים, עד שיתן לאיש אחד שיעור שיהיה בו האיש ההוא גם כן עשיר, ויוותר לו מה שיעשיר בו איש שלישי. כן הענין במציאות, שהשפע המגיע ממנו ית׳ להמציא שכלים נפרדים ישפע מן השכלים ההם גם כן להמציא קצתם את קצתם עד השכל הפועל וכו׳"[18] [מורה נבוכים חלק ב, פרק יא].

אין פרק י"ב (חלק ב) זאָגט דער רמב"ם ווײַטער:

"ויכונה לעולם פועל הנבדל בשפע על צד ההדמות בעין המים, אשר ישפיע מכל צד וכו׳ נאמר שהעולם נתחדש משפע הבורא ושהוא המשפיע עליו כל מה שיתחדש בו, וכן יאמר שהוא השפיע חכמתו על הנביאים וכו׳ וזה השם, רצוני לומר, ה׳שפע׳ כבר התירהו הלשון העברי גם כן על הבורא ית׳ מפני ההידמות בעין המים השופע, כמו שזכרנו מפני שלא ימצא להדמות פעולת הנבדל יותר נאה מזה הלשון, רצוני לומר, ה׳שפע׳ וכו׳.

אבל מה שזכרנוהו, שספרי הנביאים השאילו ענין השפע גם כן לפועל הבורא — הוא אמרו, "אותי עזבו מקור מים חיים" רצונו לומר שפע החיים, כלומר המציאות, אשר הוא החיים בלא ספק, וכן אמרו, "כי עמך מקור חיים", רוצה בו, שפע המציאות, וכן השלמת המאמר, והוא אמרו, "באורך נראה אור".

18. "אָבער דער ענין איז ווי איך וועל דערציילן, נעמלעך: אַ שלימותדיקע זאַך אויף עפּעס אַן אופֿן, איז מעגלעך אַז דאָס שלימות זאָל זײַן אויף אַזאַ מאָס, אַז עס זאָל אַליין זײַן שלימותדיק, אָבער ניט אַריבערפֿירן דאָס שלימות צו אַנדערע. און עס איז מעגלעך אַז דאָס שלימות זאָל זײַן אויף אַזאַ מאָס, אַז עס זאָל איבערבלײַבן דערפֿון שלימות פֿאַר אַנדערע. ווי מען וואָלט געזאָגט, על־דרך־משל, אַז עס איז דאָ אַ מענטש וואָס האָט געלט וואָס זאָל קלעקן נאָר פֿאַר זײַנע באַדערפֿענישן, און עס וועט ניט איבערבלײַבן דערפֿון אַז אַן אַנדערער זאָל געניסן. און עס איז דאָ אַ צווייטער מענטש וואָס האָט געלט, און עס בלײַבט איבער דערפֿון ער זאָל באַרײַכערן אַ סך מענטשן. ער גיט איין מענטשן אַ מאָס, אַז יענער זאָל אויך זײַן אַן עשיר, און עס בלײַבט איבער דערפֿון ער זאָל באַרײַכערן אַ דריטן מענטשן. אַזוי איז אויך מיט מציאות. דער איבערפֿלוס וואָס קומט פֿון אים, ברוך הוא, שאַפֿט די שׂכלים נפֿרדים, און פֿליסט איבער פֿון יענע שׂכלים צו באַשאַפֿן געוויסע אַנדערע, ביזן שׂכל הפּועל וכו׳."

הוא הענין בעצמו, כי בשפע השכל אשר שפע ממך נשכיל ונתישר ונשיג השכל וכו׳.״[19]

דער סך־הכל פֿון די אַלע ציטאַטן איז, אַז די ווירקלעכקייט פֿון דער וועלט איז אַ תּוצאה פֿון שפֿע פֿון דעם רבש״עס אמת. דער געטלעכער אמת איז ווי אַן אייביקער אומדערשעפּלעכער קוואַל, וועלכער פֿליסט אין אַלע ריכטונגען, און פֿון וועלכן לעבעדיקע קריסטאַל־קלאָרע וואַסער קוועלט אָן אויפֿהער. די וועלט טרינקט די קוואַל־וואַסער פֿון רבש״עס אמת און מציאות, און דערין באַשטייט איר עקסיסטענץ.

דער סימבאָל פֿון חסד איז דער קוואַל פֿון וואַסער, אָדער דער ליכט־קוואַל, וואָס באַהאַלטן ניט די עסענץ פֿון זייער תּוכן פֿאַר זיך, נאָר לאָזן אַנדערע געניסן, פֿאַרפֿלייצן די אומגעבונג מיט וואַסער אָדער מיט ליכט. און ממילא לאָזן זיי אַנדערע זיך טובֿל זײַן אין זייער עקסיסטענץ, און לעבן און געניסן דורך זיי. חסד הייסט ווען אַן אינדווידועלע עקסיסטענץ שליסט ניט אויס די צווייטע, נאָר אדרבה, שליסט איר אײַן, און נעמט אים אַרײַן אין איר אינטימען אַנטישן קרײַז פֿון אומענדלעכן אמת. חסד הייסט התפּשטות, אַפּענבאַרונג[20] (Revelation), ווען די סודותדיקע רעאַליטעט, פֿאַרבאָרגן און באַהאַלטן אין דעם שאָטן פֿון יחידות, אַנטפּלעקט זיך אין איר גאַנצער פּראַכט פֿאַר אַנדערע, און לאָזט זיי אַרײַן אין איר רשות־היחיד. חסד הייסט ניט פּשרה, ויתור אויף מײַן רשות־היחיד, נאָר די התגלות פֿון דעם רשות און די הכנסת־אחרים אין אים.

בריאת־העולם איז דער אַקט פֿון חסד:

---

19. ״די טוונג פֿונעם שׂכל־הנבֿדל ווערט שטענדיק אָנגערופֿן אַן איבערפֿלוס (שפֿע), און ווערט געגליכן צו אַ קוואַל וואַסער וואָס פֿליסט איבער אין יעדער ריכטונג וכו׳. עס ווערט געזאָגט אַז די וועלט איז באַשאַפֿן געוואָרן פֿונעם בורא'ס איבערפֿלוס, און אַז ער האָט גורם געווען דעם איבערפֿלוס אין איר פֿון אַלץ וואָס ווערט געשאַפֿן. און אַזוי ווערט אויך געזאָגט אַז ער האָט גורם געווען אַז זײַן חכמה זאָל איבערפֿליסן צו די נבֿיאים וכו׳. און דער דאָזיקער סובסטאַנטיוו, ׳איבערפֿלוס׳ (שפֿע), ווערט אויך אָנגעווענדט אויף לשון־קודש לגבי דעם בורא, געבענטשט זאָל ער זײַן, אים צו פֿאַרגלײַכן מיט אַן איבערפֿליסנדיקן קוואַל וואַסער, ווי מיר האָבן דערמאָנט. וואָרעם עס איז ניטאָ קיין מער פּאַסיקע פֿאַרגלײַכונג בנגע דער טוונג פֿון דעם וואָס איז אָפּגעשיידט פֿון חומר ווי דער אויסדרוק ״איבערפֿלוס״ וכו׳. און דאָס וואָס מיר האָבן באַמערקט אַז די ספֿרי־הנבֿיאים ווענדן אויך אָן דעם באַגריף פֿון איבערפֿלוס לגבי די טוונגען פֿונעם בורא, געבענטשט זאָל ער זײַן, ווי למשל אין פּסוק ׳זיי האָבן פֿאַרלאָזן מיך, דעם קוואַל פֿון לעבעדיקע וואַסער׳ (ירמיהו ב, יג), ווײַזט אָן אויפֿן איבערפֿלוס פֿון לעבן, דאָס הייסט פֿון עקסיסטענץ, וואָס איז לעבן בלי־ספֿק. אַזוי אויך דער פּסוק ׳וואָרעם בײַ דיר איז דער קוואַל פֿון לעבן׳ (תהילים לו, י), ווײַזט אָן אויפֿן איבערפֿלוס פֿון עקסיסטענץ. און אַזוי אויך דער המשך פֿונעם פּסוק ׳אין דײַן ליכט זעען מיר ליכטיקייט׳ (דאָרטן) האָט דעם זעלביקן באַטײַט, ד״ה אַז דורכן איבערפֿלוס פֿון שׂכל וואָס איז איבערגעפֿלאָסן פֿון דיר, טוען מיר באַנעמען מיט שׂכל, און מיר ווערן אויסגעגליכן, און מיר זײַנען משׂיג דעם שׂכל וכו׳.״

20. אַנטפּלעקונג (דײַטש).

״ומפני זה, כל טובה שתגיעך מאתו יתברך תקרא חסד. ׳חסדי ד׳ אזכיר׳ (ישעיה סג, ז), ובעבור זה המציאות כולו, רצוני לומר, המצאת השי״ת אותו, הוא חסד. אמר: ׳אמרתי עולם חסד יבנה׳ (תהילים פט, ג), ענינו בנין העולם חסד הוא. ואמר בסיפור מדותיו ׳ורב חסד׳ (שמות לד, ו)״[21] [מורה נבוכים חלק ג, פרק נג].

חסד און אמת זײַנען די צוויי יסודות, אויף וועלכע די וועלט איז באַשאַפֿן געוואָרן, און זיי באמת רעפּרעזענטירן די צוויי ערשטע ספֿירות פֿון די זיבן אבֿני הבנין — חסד וגבֿורה, וועלכע ווערן פֿאַראייניקט אין תּפֿארת, וואָס איז אידענטיש מיט מלכּא־קדישא.

מציאות איז אמת, אָבער דער אמת פֿון רבש״ע האָט ניט געדאַרפֿט האָבן קיין קרעאַטור כּדי צו זײַן פֿולקומען און אַבסאָלוט. אדרבה, זײַן אמת נעגירט אַלע אַנדערע רעאַליטעטן, ווײַל ער איז אַ יחיד ומיוחד, און האָט די וועלט גאָר ניט געדאַרפֿט באַשאַפֿן. און דער אמת האָט געקענט בלײַבן פֿאַרבאָרגן און פֿאַרהוילט בסתר עליון ובצל שד־י. אָבער דאָ איז געקומען די מידת החסד, ממידת הטובֿ להטיבֿ, די [...][22] מציאות־אמת ווערט ניט טראַנסצענדענטאַל איזאָלירט, נאָר אַנטפּלעקט זיך און טיילט אַנדערע אמת צו, שענקט אַ ניצוץ פֿון אמת דעם אוניווערסום, און שליסט אים אײַן אין איר עקסיסטענץ. דער גאַנצער קאָסמישער פּראָצעס, די גאַנצע וועלט־דראַמע, זײַנען אַ טייל פֿון געטלעכן אמת, מיט וועלכן ער טיילט זיך מיט דער קרעאַטור. ער לאָזט איר משתּתּף זײַן אין זײַן אומענדלעכער מציאות. דאָס איז אַן אַקט פֿון חסד. ווי אַן אומענדלעכער קוואַל, קוועלט פֿון דער אל־קות אמת צו דער וועלט.

אין דער פֿרי גייט אויף אַ זון, און אירע ליכט־שטראַלן לויפֿן דורכן רוים דרײַ הונדערט טויזנט קילאָמעטער (הונדערט אַכציק טויזנט מײַל) אַ סעקונדע. איז דאָס דער געטלעכער אמת, דער ׳ורבֿ אמת׳, וועלכער ווערט אויסגעגל[...][23] פֿון דעם ׳ורב חסד׳. לויפֿן די קלאַנג־כוועלן אין דער לופֿט מיט אַ קלײנער שנעלקייט פֿון דרײַ און דרײַסיק מעטער אַ סעקונדע, איז עס די מאַניפֿעסטאַציע פֿון דעם אמת דורכן אַקט פֿון חסד. איך דריי אָן דעם ראַדיאָ־אַפּאַראַט און איך טרעף די עלעקטראָ־מאַגנעטישע כוועלן, וועלכע האָבן די שנעלקייט אָן קיין שום שינוי און קאַפּריז, קלינגט דער

21. ״און דערפֿאַר ווערט יעדע גוטסקייט וואָס קומט פֿון אים, געבענטשט זאָל ער זײַן, אָנגערופֿן חסד. ווי עס שטייט אין פּסוק ׳די חסדים פֿון גאָט וועל איך דערמאָנען׳ (ישעיה סג, ז). דעריבער איז די גאַנצע עקסיסטענץ, ד״ה דאָס וואָס השם־יתברך האָט זי געמאַכט עקסיסטירן, אַ חסד. ווי עס שטייט אין פּסוק, ׳די וועלט איז געבויט אויף חסד׳ (תהילים פט, ג), וואָס באַטײַט אַז דאָס אויפֿבויען פֿון דער וועלט איז אַ חסד. און עס שטייט בײַ דער אויסרעכענונג פֿון זײַנע מידות ׳רײַך אין חסד׳ (שמות לד, ו).״

22. וואָרט ניט־לייענעוודיק אין כּתבֿ־יד.

23. אותיות ניט־לייענעוודיק אין כּתבֿ־יד.

ורבֿ חסד ואמת אין מײַנע אויערן. בליט דער טוליפּ אין פֿרילינג, די רויז אין יוני, די מאַגנאָליע, די אַסטור און כריזאַנטעמע אין האַרבסט; מערק איך די שטערן־קאָנסטעלאַציעס מיט זייער רעגולאַריטעט, די שקיעה מיט אירע דמדומי־חמה, ווען די איבעריקע פֿאַרבן פֿון ספּעקטער ווערן אַבסאָרבירט, און נאָר דער רויטער גלאַנץ דערגרייכט מיר; זע איך די רעגולאַריטעט פֿון די חיות אין דזשונגל, וואָס גייען אַלע פֿאַר נאכט צום טײַך זיך אָנטרינקען; לייג איך צו די האַנט צו מײַן פּוס און הער דעם טאַקט פֿון מײַן עקסיסטענץ; זשומעט די זומער־פֿייגעלע און לויפֿט פֿון בלום צו בלום, בוקט זיך די בלום צו דער זון, בלאָזט דער ווינט און טראָגט זריעה אין די ווײַטע סטעפּעס אַרײַן, און אין פֿרילינג וועקן זיך די פֿעלדער — קלינגט אין מײַנע אויערן: 'ורבֿ חסד ואמת'.

דאָס איז די אייביקע געטלעכע עקסיסטענץ, וועלכע איז גוט און פֿול מיט חסד, וועלכע גיסט זיך איבער אין אַ גרויסער וועלט, און לאָזט די גאַנצע נאַטור זיך באַטייליקן אין אַ קאָנסטאַנטער, אייביקער, געזעצמעסיקער רעאַליטעט. גאָט האָט דעם אמת ניט פֿאַרהאַלטן אין זײַן טראַנסצענדענטאַלן מסתּרים, נאָר ער האָט עס אַנדערע אויסגעליִען אָדער געשענקט.

איז דען א וווּנדער, אַז חז"ל האָבן די סידרא דקדושא אין יוצר אור אַרײַנגעפֿירט. "יוצר אור ובורא חושך...המאיר לארץ ולדרים עליה, ובטובו מחדש בכל יום תמיד מעשׂי בראשית." אַ ליכטיקער קאָסמאָס, געזעצמעסיק און רעגולער, לעבט און אָטעמט מיטן אמת און חסד פֿון רבש"ע, עקסיסטירט דורך אים, און געניסט פֿון דער געטלעכער עקסיסטענץ. די וועגעטאַטיווע אָרגאַנישע עקסיסטענץ־פֿאָרם, די ביאָלאָגישע פֿיזיאָלאָגישע רעאַליטעט, די פּסיכיש־גײַסטיקע — אַלץ מאַניפֿעסטירט דעם ורבֿ חסד ואמת.

און דער ייִד פֿאַלט אַרײַן אין התלהבֿות: "קדוש קדוש קדוש ד' צבֿ־אות, מלא כל הארץ כבודו", און "ברוך כבוד ד' ממקומו". ער האָט זיך ניט באַגנוגנט מיט זײַן טראַנסצענדענטאַלן ווײַטן, אייביקן, און אומענדלעכן מקום, נאָר האָט ממלא געווען די וועלט אונדזערע מיט זײַן אמת. אַן אייביקע שפּע פֿון אמת פֿליסט און פֿאַרפֿלייצט אַלץ און שאַפֿט אַלץ. "ואראה את ה' יושב על כסא רם ונשא". ער דאַרף קיינעם ניט, פֿולקומען אין זיך, און טראָץ דעם "ושוליו מלאים את ההיכל.. וקרא זה אל זה ואמר" (ישעיה ו,א, ג).

אָבער 'ורבֿ חסד ואמת' זײַנען ניט נאָר אויסשליסלעכע אַטריבוטן פֿון רבש"ע, נאָר אויך די פּרינציפּן פֿון דער מענטשלעכער עטיק. די גאַנצע דרײַצן מידות זײַנען געגעבן געוואָרן ניט צוליב מעטאַפֿיזיש־טעאָלאָגישע צוועקן, נאָר הויפּטזעכלעך אַלס עטיש־פּראַקטישע פּרינציפּן:

"ואמנם הספיק לו זכרון אלו שלש עשרה מדות וכו', כי אלו הם הפעולות הבאות ממנו ית' בחוק המצאת בני אדם והנהגתם. וזאת היתה אחרית כוונת שאלתו, כי סוף המאמר, 'ואדעך למען אמצא חן בעיניך, וראה כי עמך הגוי הזה', כלומר, אשר אני צריך להנהיגם בפעולות, אלך בהם בדרך פעולותיך בהנהגתם."[24] [מורה נבוכים חלק א, פרק נד]

די גאַנצע מצוה "והלכת בדרכיו" באַציט זיך אויף די י"ג מידות, "מה הוא חנון ורחום אף אתה היה חנון ורחום"[25] [שבת קלג ע"ב א"אַ]. ממילא מוזן מיר אויך זאָגן "מה הוא רב חסד ואמת, אף אתה רב חסד ואמת".

דער מענטש מוז זײַן אַ רבֿ חסד ואמת. האָט דער מענטש אמת? אוודאי האָט ער! וואָלט ער קיין אמת ניט געהאַט, וואָלט ער דאָך ניט געקענט עקסיסטירן. מציאות הייסט באַטייליקן זיך אין רבש"ע'ס אמת, משתתּף זײַן זיך אין דער געטלעכער אמת־רעאַליטעט. בפֿרט אַ מענטש, וועלכער איז באַשאַפֿן געוואָרן בצלם אל־קים, איז נאָך מער אײַנגעשלאָסן אין רבש"ע'ס אמת־מציאות. טאָר דער מענטש פֿאַרשטויסן די גרויסע מתּנה פֿון גאָט, דעם געטלעכן אמת, וועלכן ער האָט געקראָגן פֿון דעם ורבֿ חסד ואמת, באַהאַלטן זײַן אייגענע עקסיסטענץ און פֿאַרשטעקן איר אין אַ פּינת־סתּרים, אין זײַן איזאָלירטן רשות־היחיד, און ניט דערלויבן אַנדערע צו געניסן? חס־ושלום! דער מענטש מוז זײַן ניט נאָר אַ רבֿ אמת, נאָר הויפּטזעכלעך אַ רבֿ חסד ואמת. דער אמת וואָס ער האָט, מוז ווערן דער קנין פֿון דעם רבים, ער מוז אַנדערע אויך צולאָזן צו זײַן אמת, צו זײַן עקסיסטענץ. ער מוז אויסברייטערן דעם איך, זײַן באַוווסטזײַן, און לאָזן אַנדערע אויך זיך באַטייליקן אין זײַן אינדיווידואַליטעט.

חסד ביים מענטשן הייסט איבערפֿלוס, עקספּאַנסיע פֿון דער אינדיווידואַליטעט[26]. ער איז אַ מין עירובֿי־חצרות, ווען פֿאַרשלאָסענע, איזאָלירטע, מיט מחיצות אַרומגערינגלטע רשויות, גיסן זיך צונויף אין איין רשות, ווען איין יחידישע פּערזענלעכקייט *איז אַזוי רייַך אין טובֿה, אַז זי מוז זיך אַריבערגיסן, און אַרייַנגיסן עטוואָס*[27] פֿון איר אמת, וועלכן זי האָט געקראָגן פֿון דעם ורבֿ חסד ואמת,

24. "די תּורה האָט זיך באַנוגנט מיט דערמאָנען די־אַ דרייַצן מידות וכו', ווייַל די דאָזיקע טוונגען קומען פֿון אים, ברוך־הוא, ביים באַשאַפֿן דעם מענטשן און געוועלטיקן איבער אים. און דאָס איז געווען דער ציל פֿון משהס בקשה, וואָס פֿאַרענדיקט זיך מיט די ווערטער 'איך זאָל דיך קענען, כּדי איך זאָל געפֿינען לייַטזעליקייט אין דייַנע אויגן, און זע אַז דאָס דאָזיקע פֿאָלק איז דאָך דייַן פֿאָלק'. דאָס הייסט, זיי זייַנען אַ פֿאָלק איבער וועלכן איך דאַרף געוועלטיקן דורך טוונגען וואָס איך וויל זאָלן נאָכפֿאָלגן דייַנע טוונגען, אין דייַן געוועלטיקן איבער זיי."

25. "פֿונקט ווי ער איז לייַטזעליק און דערבאַרעמדיק, אַזוי זאָלסטו זייַן לייַטזעליק און דערבאַרעמדיק."

26. אונטערגעשטראָכן אין כּתבֿ־יד.

27. אונטערגעשטראָכן אין כּתבֿ־יד.

אין אַן אַנדערער פּערזענלעכקייט, וואָס האָט ניט זוכה געווען מקבל צו זײַן די שפֿע־הבורא אין אַ פֿולער מאָס.

לאָמיר אָבער זען אין וואָס עס דריקט זיך די חסד־רעאַליזרונג אויס. ערשטנס, אין דער מצוה פֿון צדקה.

ווער עס איז נאָר עטוואָס באַקאַנט מיטן פּראַכטפֿולן בילד פֿון צדקה, וועלכן דער רמב״ם האָט געמאָלן אין מתנות עניים, דער באַגרײַפֿט עטוואָס, וואָס חסד מיינט.

דער רמב״ם אַליין, אין מורה נבֿוכים, פֿאַרשטעלנדיק די שפֿע־הבורא וועלכע פֿליסט אומאויפֿהערלעך, באַמערקט, ווי איך האב פֿריִער ציטירט: ״אלו תאמר על דרך משל, שיהיה איש יש לו מן הממון מה שיספיק לצרכיו לבד, ולא יוותר ממנו מה שיועיל בו לזולתו. ואחר יש לו מן הממון, יוותר לו ממנו מה שיעשיר אנשים רבים, עד שיתן לאיש אחד שיעור שיהיה בו האיש ההוא גם כן עשיר״ וכו׳.

דער ערשטער, מקוריותדיקער אַקט פֿון חסד איז בײַ צדקה. פֿאַרמעגן, רײַכטום, איז אַ קאָמפּאָנענט פֿון דער יחידותדיקער עקסיסטענץ. ״׳ואת היקום אשר ברגליהם׳ (דברים יא, ו): זהו ממונו של אדם שמעמידו על רגליו״[28] [סנהדרין קי, ע״א]. ווער עס האָט נאָר אַ קליינע אַנונג אין געשיכטע, ווייסט ווי אײַנפֿלוסרײַך (צום גוטן און צום בייזן) איז דער ווירטשאַפֿטלעכער פֿאַקטאָר. מען דאַרף דערצו ניט גלויבן אין אַ איינזײַטיקן היסטאָרישן מאַטעריאַליזם. ווירטשאַפֿטלעכע עשירות איז אויך אַ טייל פֿון דעם אַנטישן אמת און געטלעכער מציאות. [...][29] פֿון חסד דעם מענטשנס נחלה. ״כי לי הכסף ולי הזהב נאום ה׳ צבֿ־אות״ [חגי ב, ח]. [...][30] אַ שותּף אין זײַן פֿאַרמעגן, ווידער רבֿ חסד ואמת.

אָבער דער מענטש טאָר דעם אמת־קאָמפּאָנענט (און קאַפּיטאַל איז אַ מעכטיקער כּח) ניט איזאָלירן פֿאַר זײַנע קליינלעכע עגאָיסטישע ענינים, נאָר די עשירות דאַרף איבערפֿליסן און גליקלעך מאַכן אַנדערע. דער אַקט פֿון צדקה איז ניט נאָר אַ מעכאַנישע מעשׂה פֿון אַרײַנשטעקן די האַנט אין קעשענע, און געבן דעם אָרעמאַן אַ קאַלטע, האַרטע מטבע. ״נטל הקב״ה מטבע של אש...והראהו למשה״[31] [תנחומא כי תשא, ז, ז א״אַ]. דער קאַלטער עמפּפֿינדלאָזער[32] מעטאַל, ווערט פֿאַרוואַנדלט אין אַ פֿײַערדיקן גײַסטיקן אַקט, חסד שווימט אויף, ווען דער

28. ״און דעם גאַנצן באַשטאַנד וואָס אונטער זײַערע פֿיס׳, דאָס איז דעם מענטשנס פֿאַרמעגן, וואָס שטעלט אים אויף די פֿיס.״

29. האַלבע שורה אָפּגעהאַקט און נישט־לייענעוודיק.

30. שורה אָפּגעהאַקט און נישט־לייענעוודיק.

31. ״הקדוש־ברוך־הוא האָט אַרויסגענומען אַ פֿײַערדיקע מטבע.. און אים געוויזן משהן.״

32. אומפֿיליקער, קאַלט־האַרציקער (דײַטש).

מענטש גיט, ניט צוליב ביליקע רחמנות געפילן, אָדער [....]שע[33] עמאָציעס, פֿאַלשע סימפּאַטיע אָדער איבערפֿלעכלעכע געפֿילן.

דער אמתער אַקט פֿון צדקה באַרוט אויף דער אויסברייטערונג פֿון זײַן אייגענער פּערזענלעכקייט, אויף אײַנשליסן יענעם אין זײַן אייגענער עקסיסטענץ. ממילא שווימט אויף ריכטיקע סימפּאַטיע, אמתע ליבע, מיטלייַד, ריינע רחמים.

רחמים אין העברעיש שטאַמט מערקווערדיקערווײַז פֿון רחם, געבויר־מוטער, און באַצייכנט די אײנהײַט פֿון מוטער און קינד. די ריינסטע און כּשרסטע ליבע איז די פֿון דער מוטער צום קינד, ווײַל זי באַטראַכט דאָס קינד ווי אַ טייל פֿון זיך אַליין. זי איז כּולל די קינד אין איר אייגענער עקסיסטענץ. ווען עס טוט ווײ דער קינד, פֿילט עס די מוטער — ניט ווי די שמערצן פֿון אַ פֿרעמדן, נאָר ווי אירע אייגענע יסורים. אַ מאָל האָט זי עס האָלט מער ווי זיך אַליין, ווײַל אין דעם קינד זעט זי דעם אידעאַל־בילד פֿון זיך אַליין. יעדער מענטש שטעלט זיך אַ מאָל אַליין פֿאָר אין אַ אימאַגינירטן געשטאַלט, און זעט זײַן אייגענעם איך, ניט ווי דיווירקלעכקייט האָט אים געשאַפֿן, נאָר ווי ער וואָלט זיך וועלן זען. די מוטער דערזעט אין קינד איר אייגענע עקסיסטענץ, אָבער אַ פֿיל שענערע און בעסערע, ווי זי איז אין דער רעאַליטעט. אַלע האָפֿענונגען און חלומות ווערן איבערגעטראָגן אויף דעם קינד, און מיט זיי אויך אַ גרויסע ליבע.

דאָס איז חסד, רחמים, ווען אַ מענטש גייט אַרויס פֿון זײַן ענגן רשות־היחיד, און שליסט אַנדערע אײַן אין זײַן אייגענער עקסיסטענץ. צדקה געבן הייסט מיט יענעם אַנטאָלאָגיש זיך צו פֿאַראייניקן, און אים לאָזן זיך באַטייליקן אין דעם אמת וואָס גאָט האָט אים געשענקט. אַזוי האָט מונבז המלך פֿאַרשטאַנען[34], און אַזוי פֿאַרשטייט דער רמב"ם.

אָבער פֿאַרמעגן און ווירטשאַפֿטלעכע גיטער איז נאָר אַ קליינער ברוכטייל פֿון דער געטלעכער אמת־שפֿע, וועלכע איז געגעבן געוואָרן דעם מענטשן. די גײַסטיקע עקסיסטענץ מיט איר עשירות, דער שׂכל, די סענטימענטן, דער ריכטיקער צלם־האל־קים, שטעלן מיט זיך פֿאָר דעם אמת צו וועלכן דער רבש"ע האָט אים צוגעלאָזן. דער אמת טאָר אויך ניט נגנז ווערן אין רשות־היחיד. דער מענטש, וואָס האָט געקראָגן געשענקט אַ ניצוץ פֿון אמת פֿון דעם רבש"ע, מוז עס אַנדערע איבערגעבן. אויב דער חסד איז ניט פֿאַרבונדן מיטן אמת, איז דער אמת פּגום און פֿאַרשוועכט. אמת ווערט אַ מענטש געגעבן, ער זאָל איר אַנדערע איבערגעבן.

און דאָס איז ניט נאָר אַ פֿילאָסאָפֿישער געדאַנק אין יהדות, נאָר אַ הלכה. "נביא הכובש את נבואתו חייב מיתה" [סנהדרין, פרק יא, משנה ה]. דער העכסטער אמת ווערט געגעבן דעם נבֿיא. נבֿואה און יצירה איז היינו־הך, אין דעם זײַנען מסכּים אַלע

33. וואָרט אָפּגעהאַקט און ניט־לייענעוודיק.

34. זען בבא בתרא י"א, ע"א.

ראשונים, ר׳ יהודה הלוי, דער רמב״ם. יצירה און גילוי־שכינה איז היינו־הך, אַ שפּע שופּע, אַן ענין האל־קי. דער רבש״ע לאָזט די גאַנצע קרעאַטור באַטייליקן זיך אין זײַן אַנטישן אמת, און דעם נביא — אין זײַן לאָגיש־מעטאַפֿיזישן אמת. סײַ יצירה און סײַ נבֿואה זײַנען אַקטן פֿון חסד, אָבער דער נבֿיא אַליין דאַרף אַליין ווערן אַ רבֿ חסד ואמת. דער אמת וועלכער האָט זיך אַרויסגעגאָסן פֿון דעם נצח צום נבֿיא, מוז אים אַזוי אָנפֿלאַמען, אַז זײַן גאַנצע פּערזענלעכקייט מוז איבערפֿליסן פֿון אים. דער אמת מוז שטראָמען פֿון אים ווי אַ וואַסערפֿאַל פֿון אַ הויכן באַרג. דער אמת פֿון נבֿיא מוז פֿאַרפֿלייצן זײַן אומגעבונג און מיטמענטשן, מוז מיט אַ סטיכישער קראַפֿט עקספּלאָדירן ווי אַ געוויקס וועלכער שפּאַרט אַרויס פֿון די טיפֿענישן פֿון דער ערד. אויב דער נבֿיא איז אַ כּובֿש נבֿואתו, און די עלעמענטאַרע קראַפֿט פֿון חסד טרײַבט אים ניט צו עפֿענען זײַן פּערזענלעכקייט און פֿאַרטרויען אַנדערע דעם סוד וואָס ער באַזיצט, אַרײַננעמען זיי אין זײַן רעאַליטעטס־קרײַז, און פֿאַראייניקן זיך מיט זיי, איז ער חייבֿ מיתה.

”וטבע זה הענין מחייב למי שהגיע לו זה השיעור הנוסף מן השפע שיקרא בני אדם על כל פנים, יקובל ממנו או לא יקובל, ואפילו יזיק בעצמו. עד שאנחנו נמצא נביאים קראו בני אדם עד שנהרגו, והשפע ההוא האלוהי יניעם ולא יניחם לשקוט ולא לנוח בשום פנים, ואפילו הגיעו לרעות גדולות. על לזה תמצא ירמיה ע״ה כי כשהגיעהו מבזיון המורים והכופרים ההם אשר היו בזמנו, השתדל לסתום נבואתו ולא לקראם אל האמת אשר מאסוהו, ולא היה יכול לסבול זה, אמר ׳כי היה דבר ד׳ לי לחרפה ולקלס כל היום. ואמרתי לא אזכרנו ולא אדבר עוד בשמו, והיה בלבי כאש בוערת עצור בעצמותי, ונלאיתי כלכל ולא אוכל׳ (ירמיה כ, ח–ט), וזה ענין מאמר הנביא האחרון ׳ד׳ דבר מי לא ינבא׳ (עמוס ג, ח), ודע זה.״[35] [מורה נבוכים חלק ב, פרק לז]

35. ״דער טבֿע פֿון דער זאַך איז, אַז דער מענטש וואָס באַקומט אַ צוגאָב־מאָס פֿונעם איבערפֿלוס, איז מחויבֿ אויסצורופֿן צו מענטשן, אַלץ איינס צי זיי וועלן אים פֿאָלגן צי ניט, אַפֿילו אויב ער וועט דורך דעם זיך אָנטאָן שאָדן. מיר ווייסן וועגן נבֿיאים וואָס האָבן אויסגערופֿן צו מענטשן ביז זיי זײַנען דערהרגעט געוואָרן. דער געטלעכער איבערפֿלוס האָט זיי באַוויגן און זיי בשום־אופֿן ניט געלאָזט רוען און שווײַגן, אַפֿילו אויב דאָס האָט זיי פֿאַרשאַפֿן גרויסע אומגליקן. מען קען איבער דעם געפֿינען אַז ירמיה, עליו־השלום, האָט געזאָגט אַז צוליבן בזיון פֿון די ווידערשפּעניקע און לייקענער פֿון זײַן צײַט האָט ער זיך באַמיט אײַנצוהאַלטן זײַן נבֿואה, און ניט אויסצורופֿן צו זיי דעם אמת וואָס זיי האָבן אָפּגעוואָרפֿן. אָבער ער האָט דאָס נישט געקענט איבערטראָגן. ער האָט געזאָגט ׳דאָס וואָרט פֿון גאָט איז מיר געוואָרן צו שאַנד און צו לעסטערונג אַ גאַנצן טאָג. און איך האָב געוועסט געזאָגט: איך וועל אים ניט דערמאָנען, און וועל מער ניט רעדן אין זײַן נאָמען. אָבער עס איז אין מײַן האַרצן ווי אַ ברענענדיק פֿײַער, אײַנגעשלאָסן אין מײַנע ביינער, און איך מאַטער זיך עס אײַנצוהאַלטן, אָבער איך קען ניט׳. און דאָס איז דער זינען פֿונעם זאָג פֿונעם לעצטן נבֿיא ׳גאָט דער האַר האָט גערעדט, ווער קען ניט נבֿיאות זאָגן?׳ פֿאַרנעם דאָס.״

קען די ערד אײַנהאַלטן די לאַווע פֿון דעם ווולקאַן, ווען ער ווערט אַקטיוו? אַזוי קען די מענטשלעכע פּסיכיק אײַנהאַלטן גאָטס וואָרט וועלכער איז אַנטפּלעקט געוואָרן צו איר. "והיה בלבי כאש בוערת עצֻר בעצמותי, ונלאיתי כלכל ולא אוכל", "ד' אלקים דבר מי לא ינבא" (ירמיה כ, ט; עמוס ג, ח).

איז דער נבֿיא אַ כּובֿש נבֿואותו, איז עס אַ סימן, אַז ער האָט זיך מיטן אמת ניט צוזאַמענגעגאָסן, נאָר איז מחוץ דעם געטלעכן אמת, און האָט אין דער מתּנה ניט זוכה געווען. ווען די כּלי האָט נאָר פֿליסיקייט אויפֿן דעק, גיסט זיך דאָס וואַסער ניט איבער. אַ פֿולע גלאָז, בײַ דעם ערשטן טרייסל מוז זיך איבערגיסן. אַז די נשמה איז פֿול מיט גאָטס וואָרט, מוז דער דבֿר־א' איבערפֿליסן די אינדיווידועלע גרענעצן און פֿאַרפֿלייצן אַלעמען. ורבֿ חסד ואמת — חסד איז די קריטעריע פֿון אמת.

אָבער ניט נאָר דער נבֿיא איז דער טרעגער פֿון אמת. די גאַנצע כּנסת־ישׂראל, און יעדער ייִד בכלל, און לומדי־תּורה בפֿרט, זײַנען שותּפֿים מיטן רבש"ע אין אַ גרויסן אידעאַל, וועלכן ער האָט זיי אַנטפּלעקט. "אשר נתן לנו תורת אמת: כלי שעשועיו של הקב"ה." דער אמת, וועלכן אבֿרהם האָט אַנטדעקט, און וועלכער איז געגעבן געוואָרן משהן. און וואָס ערגער די ארומיקע וועלט ווערט, וואָס צינישער די קולטור ווערט, אַלץ הייליקער און טײַערער ווערט דער אמת. מיר טראָגן דעם אמת פֿון "למען אשר יצוה את בניו ואת ביתו אחריו ושמרו דרך ד'" (בראשית יח, יט), דעם אמת פֿון "שמע ישראל ד' א' ד' אחד" (דברים ו, ד), אַן אמת פֿון תּורה־שבכתבֿ מיטן גאַנצן נבֿואישן אחרית־הימים, און אַן אמת פֿון תּורה־שבע"פּ עד־סוף־כּל־הדורות.

יעדערער פֿון אונדז, איינער מער, איינער ווייניקער, איז אַ שותּף אין דעם געטלעכן אמת, און דורך דעם, אין דער געטלעכער עקסיסטענץ. ווער עס ווייסט אַן אלף פֿון ייִדישן אַלפֿאַבעט, ווייסט עטוואָס פֿון אמת; ווער עס קען אַ פּסוק חומש האָט אַ גרעסערן חלק אין דעם אמת; ווער עס ווייסט אַ שטיקל גמרא באַטייליקט זיך אין נאָך אַ גרעסערן מאָס אין דעם אמת; ווער עס קען זיך פֿאַרטיפֿן אין אַ סבֿרא, איז אַ וויכטיקערער שותּף, און אַזוי ווײַטער און ווײַטער.

אָבער די תּורה איז ניט נאָר אַ תּורת־אמת, נאָר אויך אַ תּורת־חסד. דער אמת טאָר ניט בלײַבן פֿאַרבאָרגן אין די טיפֿענישן פֿון אונדזער נשמה. גאָטס אמת איז "כאש עצורה בעצמותי, ונלאיתי כלכל ולא אוכל", מוז עקספּלאָדירן מיט עלעמענטאַלער, סיטיכישער קראַפֿט. עס מוז איבערפֿליסן די פּערזענלעכקייט און אַרײַנגיסן זיך אין אַנדערע נשמות. תּורה איז ניט נאָר אַן אָביעקטיווער, קאַלטער אמת, נאָר אַ סוביעקטיווער לעבעדיקער דינאַמישער אמת, וועלכער פֿילט אויס די פּערזענלעכקייט; אַ שפֿע וועלכע קען ניט געהאַלטן ווערן אַרעסטירט אין רשות־היחיד, נאָר שטראָמט פֿון איינעם צום אַנדערן. דאַרף מען אַ גרעסערן און העכערן אמת, ווי 'שמע ישׂראל' און 'ואהבת'? אָבער גלײַך קומט דער 'ושננת לבניך'. דער

אמת מוז שטראָמען, פֿליסן פֿון טאָטן צום זון [....][36] און באמת די מצוה פֿון לימוד־תּורה.

דער גאַנצער יסוד פֿון תּורה איז חסד. דאָס איז די ייִדישע דערציִונגס־טעאָריע, אין קעגנזאַץ צו דער מערבֿ־אייראָפּעישער פֿילאָסאָפֿיע־פּעדאַגאָגיק פֿון פּלאַטאָ ביז פּעסטאַלאָצי[37] און הערבאַרט.[38] אונטעריכט, דערציִונג, איז ניט אַן אַקט פֿון פֿורעמען יענעמס כאַראַקטער אָדער פּערזענלעכקייט; אַ באַציִונג צווישן צוויי יחידים, לערער און תּלמיד, צווישן וועלכע עס שטייט די מחיצה־של־ברזל פֿון צוויי אינדיווידואַליטעטן. די גריכישע פֿילאָסאָפֿיע האָט שטענדיק דעם מחנך פֿאַרגליכן מיט אַן אַרטיזאַן[39], וועלכער פֿאָרמירט פֿון רויען מאַטעריאַל אַ שיינע כּלי. אָבער צווישן אַרטיזאַן און זײַן אָביעקט איז קיין פֿאַרשמעלצונג ניטאָ. עס דריקט זיך נאָר אויס אַ מאָס אויסאיבונג מצד דעם סוביעקט איבער דעם אָביעקט.

ייִדן האָבן אַנטוויקלט אַ גאַנץ אַנדערע השקפֿה. דערציִונג הייסט משתּתּף זײַן זיך מיט יענעם אין איין אמת, וועלכער איז אַ טייל פֿון דער אייגענער פּערזענלעכקייט. דאָס מיינט, אַז דער לערער אַנטהילט זײַן טיפֿסטן פֿאַרבאָרגענעם און אינטימען אמת צום תּלמיד, און לאַדט אים אײַן, כּבֿיכול ווי דער רבש״ע טוט מיט דער גאַנצער קרעאַטור, צו באַטייליקן זיך אין זײַן אייגענער עקסיסטענץ. דער תּלמיד מיטן רבין גיסן זיך צונויף דורך אַן אַקט פֿון חסד. פּונקט ווי דער רבש״ע איז זיך מתגלה צום מענטשן דורך דער נאַטור, און דורך דער אַפּאָקאַליפּטישער גילוי־שכינה־נבֿואה, אַזוי איז זיך מתגלה דער רבי צום תּלמיד. ער פֿאַרטרויט אים זײַן אינטימען שטילן 'איך', און דורכן פֿאַרטרויען, פֿאַראייניקט ער זיך מיט אים. צוויי נשמות ווערן צוזאַמענגעגאָסן אין איין מיסטישער פּערזענלעכקייט.

חינוך באַציט זיך ניט אויף יענעם, אויפֿן צווייטן, נאָר אויף זיך אַליין, אויף מײַן אייגענעם 'איך', וועלכער איז ברייטער געוואָרן, און וועלכער האָט אײַנגעשלאָסן אַ פֿרעמדן 'איך'. דורך דעם צוזאַמענשלוס ווערט דער פֿרעמדער מיסטעריעזער 'איך' אויס פֿרעמד, נאָר אַ טייל פֿון זײַן אייגענער עקסיסטענץ. חינוך, לימוד, פֿאַרווירקלעכט דעם וווּנדער פֿון אַנטישן חיבור, און פּערזענלעכער פֿאַרשמעלצונג. צוויי עקסיסטענצן ווערן איינס, צוויי יחידים גיסן זיך צונויף.

אויב איינער איז אַ תּלמיד־חכם פֿאַר זיך, איזאָלירט, און גיט עס ניט איבער קיין אַנדערע, באַזיצט ער אמת, אָבער ניט קיין חסד. אָבער עס איז אַ פֿראַגע צי דער אמת איז גאַנץ. דאָ איז איינס פֿון די צוויי: אָדער דער אמת איז אַזוי פֿלאַך בײַ אים, אַז עס

36. האַלבע שורה אָפּגעהאַקט און נישט־לייענעוודיק אין כּתבֿ־יד.

37. יאָהאַן פּעסטאַלאָצי (1746–1827): שווייצאַרישער פּעדאַגאָג און טעאָרעטיקער פֿון דערציִונג.

38. יאָהאַן פֿרידריך הערבאַרט (1776–1841): דײַטשישער דענקער, גרינדער פֿון דער מאָדערנער פּעדאַגאָגיק ווי אַן אַקאַדעמישער שטח.

39. בעל־מלאכה.

קען גאָר ניט זיך איבערגיסן, אָדער דער אמת איז קיין מאָל ניט געוואָרן קיין טייל פֿון זייַן פּערזענלעכקייט, נאָר איז אויף אַ קינסטלעכן אופֿן אַרייַנגעפּרעסט געוואָרן אין אים. דער גייַסט האָט אָבער קיין מאָל דעם אמת ניט פֿאַרדייעט און אַסימילירט. אַ נבֿיא באַצייכנט ניט נאָר איינעם וועלכער האָט געהערט דעם דבֿר־ד׳, נאָר אַזאַ וועלכן דער דבֿר־ד׳ איז געוואָרן פֿאַרשמאָלצן מיט זייַן אינטימען, טיפֿסטן ׳איך׳.

מיך האָט אַ מאָל אַ פֿרעג געטאָן מייַן ייִנגעלע, חיים, פֿאַר וואָס ווערט עפּעס אבֿרהם באַטראַכט אַלס דער ערשטער ייִד. אָדם און נח האָבן דאָך אויך געוווּסט פֿון גאָט, זיי זייַנען אויך געווען נבֿיאים. פֿאַר וואָס איז די אומה־הישׂראלית ניט געשאַפֿן געוואָרן פֿון זיי, פֿאַר וואָס זאָגן מיר עפּעס אל־קי אבֿרהם און ניט אל־קי נח, אל־קי אָדם?

בשעת־מעשׂה האָב איך ניט געוווּסט וואָס צו ענטפֿערן. שפּעטער האָב איך באַמערקט אַז דער רמב״ם האָט באַרירט דעם זעלבן פּראָבלעם. דער תּירוץ וואָס ער גיט איז זייער איינפֿאַך. דעם אמת האָבן סייַ אָדם, סייַ נח, סייַ אבֿרהם געוווּסט, אָבער אָדם מיט נחן זייַנען געווען רבֿ אמת, בשעת אבֿרהם איז געוואָרן אַ רבֿ חסד ואמת. דער אמת האָט אים ניט געלאָזן רוען. אויב ער האָט אַנטדעקט די גרעסטע מיסטעריע אין דער וועלט, דעם א־ל יחיד, מוז ער עס אַלעמען דערציילן. דער אמת האָט אַרויסגעשטראָמט פֿון זייַן גאַנצער פּערזענלעכקייט; ער האָט מזבחות געבויט און דעם אמת אויסגעשריִען; ער האָט אַן אֶשֶל געפֿלאַנצט און ״ויקרא שם בשם ד׳ א׳ עולם״ (בראשית כא, לג) — אין גאָטס נאָמען גערופֿן.

די מעשׂה אין חז״ל, אַז אבֿרהם פֿלעגט פֿריִער דעם אורח געבן עסן און טרינקען, און נאָכער פֿלעגט ער אים הייסן בענטשן, און אויב דער אורח האָט ניט געוואָלט, פֿלעגט אבֿרהם בייַ אים דעם פּרייַז פֿון דער סעודה מאָנען, איז ניט סתּם אַ קלוגער טריק, נאָר אַ טיפֿער עטיש־פֿילאָסאָפֿישער געדאַנק. הכנסת־אורחים, צדקה, איז אַן אויסדרוק פֿון חסד: טיילן מיט יענעם מייַן אייגענע עקסיסטענץ, דעם טייל פֿון געטלעכן אמת וועלכער ווערט אויסגעדרוקט און ווירטשאַפֿטלעכע גיטער. ממילא מוז איך מיך מיט דעם זעלבן אויך טיילן דעם טיפֿן און גרויסן אמת, וואָס איך באַזיץ. אויב יענער וויל ניט ווערן קיין שותּף צו מייַן אינטימער עקסיסטענץ, דאַן איז ער ניט באַרעכטיקט אפֿילו צו עסן פֿון מייַן ברויט. אויב צדקה איז אַ פֿאַראייניקונג פֿון צוויי יחידים, מוז די פֿאַרשמעלצונג זייַן אַ פֿולקומע. ״תתן אמת ליעקב חסד לאברהם״ (מיכה ז, כ): יעקבֿס אמת איז דער רעזולטאַט פֿון אבֿרהמס חסד.

דעריבער זעען מיר אַז חז״ל האָבן גאַנץ אַנדערש אויפֿגעפֿאַסט די ראָלע פֿון אַ רבין. אַ רבי איז ניט סתּם אַ לערער, נאָר ״כל המלמד את בן חברו תורה...כאלו ילדו״ [ילקוט שמעוני, במדבר תרפ״ח], ״מנין שהתלמידים קרוים בנים, שנאמר ׳ויצאו בני הנביאים׳״ [ספרי דברים, לד], ״בכל אדם מתקנא, חוץ מבנו ותלמידו״ [סנהדרין

קה, ע"ב]. אַ גײַסטיקע פֿאַרשמעלצונג צווישן רבין און תּלמיד, נאָר אין אַ גרעסערן מאַשטאַב ווי צווישן אַ פֿאָטער און זון.

אין דער ליכט פֿון חסד דערשײַנט דער שלום ניט אַלס פּשרה און ויתּור, נאָר אַלס אַן אידעע פֿון ניט קיין איזאָלירטן אמת, נאָר אַן אמת וועלכער איז משתּף צוויי רשויות היחיד, און פֿאַראייניקט זיי. שלום [...][40] מיט אמת כּל־זמן דער אמת איז אַ פֿלאַכער, עגאָצענטרישער, רשות־היחידיקער. דער מענטש באַהאַלט אים פֿאַר זיך, זײַן 'איך' בלײַבט פֿון ווײַטנס, ער וויל נאָר אַז מען זאָל אים פֿאָלגן. אָבער ווען די פּערזענלעכקייט ווערט אויך חסד, דער אמת ווערט אַ טייל פֿון איר, זי ווערט אין גאַנצען אויסגעפּילט פֿון אים, און הייבט אָן אַריבערפֿליסן — דאַן ווערט דער צווייטער, וועלכער ווערט מיטגעשלעפּט מיטן שטראָם, אַ טייל פֿון יענעמס פּערזענלעכקייט. דאַמאָלס פֿאַרשווינדט די דיפֿערענצירונג צווישן יחיד און יחיד.

דאַמאָלס ווערט דער ציבור געשאַפֿן ניט דורך פּשרה, דורך דעם וואָס איין יחיד איז מוותּר אויף זײַן אינדיווידואַליטעט, און פֿעלשט די עסענץ פֿון זײַן פּערזענלעכקייט. פֿאַרקערט, דער ציבור ווערט געשאַפֿן דורך דער אַנטוויקלונג, אויסברייטערונג, פֿון דער אינדיווידואַליטעט. דער יחיד נעמט אַנדערע אַרײַן אין זײַן עקסיסטענץ! איך באַזיץ אַ ניצוץ פֿון אמת. מײַן חבֿר האָט זוכה געווען צו אַן אָפּגלאַנץ פֿון געטלעכן אמת. דער דריטער האָט אַנטדעקט אין זיך אַ קערן פֿון אמת. ווי קענען מיר אונדז פֿאַראייניקן אין איין ציבור? ניט דורך אַרויפֿצווינגען אויף יענעם מײַן מיינונג, נאָר דורך לימוד און חינוך, דורך התפּשטות־הנשמה.

חסד, זאָגן די חכמי־הקבלה, סימבאָליזירט התפּשטות, אויסדענונג[41] פֿון דער פּערזענלעכקייט, און אומאַרמונג[42] פֿון אַנדערע. דאַמאָלס גיי איך אַרײַן אין דעם רשות־היחיד פֿון יענעם, און יענער גייט אַרײַן אין רשות־היחיד פֿון מיר, דאַמאָלס ווערט [...][43] די כּנסת־ישׂראל.

"נטל הקב"ה את האמת והשליכו ארצה". דער רבש"ע האָט גענומען דעם אמת און האָט אים געוואָרפֿן ארצה. די מוטער־ערד סימבאָליזירט דעם חסד. מען לייגט אַרײַן זריעה אין באָדן, און די מוטער־ערד עפֿנט אויף איר אַנטישן עקסיסטענץ־קרײַז, און דערלויבט דעם קערנדל צו באַטייליקן זיך אין איר וואַסער, אין איר קאַלציום, פֿאָספֿאָרוס, ניטראָגען, און אַזוי ווײַטער. איז ניט דער בוים, די בלום, די גראָז, אַ התפּשטות פֿון דער מוטער־ערד? זיי וואָרצלען אין איר, אין איר רעאַליטעט און לעבן צוזאַמען. דאָס וואָס גאָט האָט איר געשענקט, טיילט זי זיך מיט אַנדערע. די

40. וואָרט אָפּגעהאַקט און ניט לייענעוודיק.
41. אויסשפּרייטונג, צעציִען זיך (דײַטש).
42. אַרומנעמען זיך (דײַטש).
43. וואָרט אָפּגעהאַקט און ניט לייענעוודיק.

מוטער־ערד ווייסט ניט פֿון איזאָלאַציע, פֿון באַהאַלטן פֿאַר זיך. זי לאָזט די גאַנצע זאָאָלאָגישע וועלט טיילן זיך מיט אירע רײַכטימער.

"אמת מארץ תצמח" (תהילים פה, יב). אויב דער אמת זאָל ניט באַשאַפֿן משוגעים, פֿאַנאַטיקער, בלוט־פֿאַרגיסער, מוז דער אמת ווערן אַן אָרגאַנישע רעאַליטעט. ער מוז אַרויסוואַקסן פֿון מענטשנס נשמה, פֿון דעם טיפֿסטן באָדן פֿון זײַן פּערזענלעכקייט, ווי דער בוים וואַקסט אַרויס פֿון די טיפֿסטע שיכטן פֿון דער מוטער־ערד. "הדא הוא דכתיב 'חסד ואמת נפגשו צדק ואמת נשקו'". ווען דער צדק מיטן אמת, און דער חסד מיטן שלום פֿאַראייניקן זיך, דעמאָלט הערט אויף דער אמת זײַן דער אומאויפֿהערלעכער שונא פֿון שלום. אדרבה, דער חסד באַגעגנט זיך מיטן אמת, ווערט דער אמת ניט מײַן עגאָיסטישער פֿאַרמעגן, נאָר נעמט אַנדערע אויך אַרײַן אין זײַן קרײַז. ממילא, ווערט שלום ניט קיין אינסטרומענט פֿון ביליקער פּשרה, נאָר די רעאַליזאַציע פֿון חסד, פֿון שפֿע שופֿע פֿון איין יחיד צום צווייטן.

און הײַנט בײַ נאַכט, יומא דהילולא פֿון מײַן פֿאָטער זצ"ל, ווען איך שטיי פֿאַר דער געשטאַלט פֿון אַ גרויסן רבין, זע איך דאָס פּראַכטפֿולע בילד פֿון חסד ואמת נפגשו. דער מערקווערדיקסטער צד אין פֿאָטערס פּערזענלעכקייט איז געווען, אַז די תּורה האָט ניט פֿאַרגעשטעלט פֿאַר אים סתּם אַ קאַלטער סך־הכּל פֿון ידיעות, ווי טיף און גרינטלעך זיי זאָלן ניט זײַן. די תּורה איז געוואָרן אַ טייל פֿון זײַן פּערזענלעכקייט, פֿון זײַן אינטימסטן 'איך'־באַוווסטזײַן. זײַן גאַנצע אינדיווידואַליטעט איז געווען אויסגעפֿילט מיט דעם אור־התּורה. די מחיצות פֿון זײַן רשות־היחיד האָבן עס ניט געקענט אײַנהאַלטן, און עס איז שטענדיק איבערגעפֿלאָסן ווי אַ קוואַל. האָט די פּערזענלעכקייט עמאַנירט תּורה און דעת אל־קים. די באַציִונג צווישן זײַנע תּלמידים און אים איז ניט געווען די טעכניש פֿאָרמעלע, די קאַלט־אָביעקטיווע, וואָס איז אַזוי פּאָפּולער הײַנט צו טאָג: אָפּגעזאָגט דעם שיעור און יוצא. ניין, די מיסטעריעזע האַנט פֿון חסד האָט געצויגן אומזעבאַרע פֿעדעם פֿון די טיפֿענישן פֿון זײַן פּערזענלעכקייט צו די מעמקים פֿון דעם תּלמיד. די פּראַכטפֿולע דערשײַנונג פֿון התפּשטות פֿון דער נשמה פֿלעגט זייער דײַטלעך ווערן בשעת מען פֿלעגט לערנען בײַ אים תּורה.

און באמת, דאָס איז אפֿשר דער הויפּט־חסרון בײַ די אַמעריקאַנער תּלמידים פֿון ישיבֿות. די באַציִונג צווישן רבי און תּלמיד איז ניט באַזירט אויף חסד. אַז דער תּלמיד איז אין צימער צוזאַמען מיטן רבין, עקסיסטירט אַ מעכאַנישע פֿאַרהעלטעניש, אָבער מיטן פֿאַרמאַכן די גמרא פֿאַרשווינדט אַלץ. די סענטימענטאַלע חסדיקע באַציִונג פֿעלט. די אורזאַך דערפֿון איז, ווײַל די תּורה ווערט ניט אַסימילירט מיט דער נשמה, עס פֿעלט די אינטעגראַציע פֿון תּורה און [...][44]

44. וואָרט פֿעלט אין כּתבֿ־יד.

[45][...] ״מהיכן נטל משה קרני ההוד? רבנן אמרי מן המערה. כיצד עשה? נתמלאה המערה כולה אורה, ומשם נטל משה קרני הוד״[46] [לויט שמות רבה מז, ו און תנחומא כי תשא, כ]. וואָס זײַנען די קרני ההוד, אויב ניט דער איבערפֿלוס פֿון אמת, ליכט, שכינה, וועלכע האָבן אָנגעפֿילט משהן אַז ער האָט געמוזט איבערפֿליסן. משהס טיפֿער באַוווסטזײַן, די אָפּגרונטן פֿון זײַן גרויסער פּערזענלעכקייט, זײַנען אָנגעפֿילט געוואָרן מיט דעם געטלעכן ליכט וועלכן ער האָט ניט געקענט אויפֿהאַלטן אין זיך, און ממילא האָט אַרויסגעשטראַלט פֿון זײַן גאַנצער פּערזענלעכקייט.

45. וואָרט ניט לייענעוודיק אין כּתבֿ־יד.

46. ״פֿון וואַנעט האָט משה גענומען די שטראַלן פֿון פּראַכט? פֿון דער הייל. וואָס האָט ער געטאָן?...די הייל האָט זיך אָנגעפֿילט מיט ליכט, און פֿון דאָרטן האָט משה גענומען די שטראַלן פֿון פּראַכט״.

II. רעדעס

צדקה [1949][1]

אָבער[2] דער פּרינציפּ אַז צדקה איז אַ יורידישער באַגריף, ניט נאָר אַן עטישער, און ניט סתּם אַן אַבסטראַקטע פֿילאָסאָפֿישע טעאָריע, אָדער סתּם אַ שיינער ווונש. מיר ייִדן האָבן שטענדיק געהאַלטן, אַז שיינע רייד און ווונדערבאַרע פֿראַזן זײַנען ניט ווערט דעם פּאַרמעט אויף וועלכן זיי זײַנען געשריבן, אויב זיי ווערן ניט רעאַליזירט אין פּראַקטישן לעבן. וואָס העלפֿט די ליבע פֿון דעם עוואַנגעליום, אויב די קירכע האָט פֿאַרגאָסן אַזוי פֿיל בלוט? וואָס העלפֿט די דײַטשע פֿילאָסאָפֿיע און מוזיק, אויב אירע געלערנטע האָבן איבערגעשטיגן די חיות אין וואַלד?

דאָס ייִדישע קהלשע לעבן האָט פּראַקטיצירט דעם אידעאַל פֿון צדקה אין דעם אויבן־דערמאָנטן זינען, און דאָס דריקט זיך אויס אין דרײַ אײַנגעשאַפֿטן פֿון ייִדישן צדקה־ווּעזן:

1. קהלשע צדקה. חוץ דעם וואָס צדקה איז געווען אַן אינדיווידועלע אָנגעלעגנהייט, וועלכע איז געווען אָפּהענגיק פֿון דעם יחיד, איז צדקה אויך געווען אָרגאַניזירט דורך דער קהילה און זי האָט קאָנטראָלירט דאָס צדקה־וועזן. יעדע קהילה האָט געמוזט האָבן גבאי־צדקה וועלכע האָבן געקראָגן די געלט און עס פֿאַרטיילט צווישן די אָרעמע. די אינסטיטוציע האָט געהייסן 'קופּה של צדקה'. דער רמב"ם

1. לויטן סטיל און צוגאַנג, קען מען דרינגען אַז דאָס איז דער טעקסט פֿון אַ לעקציע וואָס הרבֿ סאָלאָווייטשיק האָט געהאַלטן פֿאַרן אַרבעטער־רינג אין באָסטאָן. וועגן זײַנע אויפֿטריטן אין אַרבעטער־רינג, זען די הקדמה. דאָס איז אויך ניכּר פֿון הרבֿ סאָלאָווייטשיקס באַמערקונג (צום סוף פֿון דער לעקציע), אַז "אַ סך צווישן אײַך זײַנען ניט רעליגיעז".
2. אָנהייב פֿעלט.

זאָגט: ״מעולם לא ראינו ולא שמענו בקהל מישראל, שאין להן קופה של צדקה״ [רמב״ם, הלכות מתנות עניים ט, ג]. מיר האָבן קיין מאָל ניט געהערט און ניט געזען אַ יידישע קהילה, וועלכע האָט ניט קיין קופּה של צדקה.

2. געבן צדקה איז ניט קיין פּרייַוויליקער אַקט, וועלכער הענגט אָפּ פֿון דער ווייכהאַרציקייט און גוטסקייט פֿון דעם נותן, נאָר אַ מאָל פֿלעגט מען פּשוט צווינגען געבן צדקה, און אויפֿמאָנען ווי מען פֿלעגט מאָנען אַ חובֿ: פֿאַרקויפֿן זייַנע נכסים, הייַזער, פֿעלדער, און צונעמען די געלט אויף צדקה.

3. די סומע פֿון צדקה, וויפֿל יעדער דאַרף געבן, איז ניט געווען אַ געוויסנס־זאַך פֿון דעם נדיבֿ. ער פֿלעגט אָפּגעשאַצט ווערן דורך די גבאים, וויפֿל ער מוז געבן, און די סומע (אַסעסמענט) פֿלעגט ער מוזן באַצאָלן. פּונקט ווי דער שטייַער־אַמט[3] מאָנט אויף שטייַערן פֿון דער באַפֿעלקערונג, אַזוי פֿלעגן די גבאי־צדקה מיט דעם כּח פֿון יידישן בית־דין מאָנען צדקה. ״מי שאינו רוצה ליתן צדקה, או שנתן מעט ממה שראוי לו, בית דין כופין אותו...עד שיתן מה שאמדוהו ליתן, ויורדין לנכסיו בפניו, ולוקחין ממנו מה שראוי לו ליתן, וממשכנין על הצדקה, ואפילו בערבי שבתות״ [רמב״ם, הלכות מתנות עניים ז, י]. ווער עס וויל ניט געבן קיין צדקה, אָדער ער גיט ווייניקער ווי מען האָט אויף אים אַרויפֿגעלייגט, צווינגט אים בית־דין געבן וויפֿל מען האָט אים אָפּגעשאַצט, און מען נעמט איבער זייַנע גיטער, און מען פֿאַרקויפֿט זיי, כּדי אויפֿצומאָנען דעם חובֿ פֿון צדקה, און מען קען אַרייַנגיין אים יענעמס הויז, און אַוועקנעמען זייַנע שענסטע מעבל און צירונג, אַפֿילו ערבֿ שבת. בכלל פֿלעגט בית־דין קיין עקזעקוציעס ניט דורכפֿירן ערבֿ שבת, אָבער בנוגע צדקה, קען מען אַפֿילו ערבֿ שבת, פֿאַר נאַכט, אַוועקנעמען משכּנות פֿון דעם קאַרגן גבֿיר.

אַזאַ מין צדקה איז ניט caritas[4]. מען קען יענעם ניט צווינגען ליב האָבן אָדער רחמנות האָבן. צדקה איז צדק, גערעכטיקייט, פֿליכט און התחייבֿות.

אינטערסאַנט איז אַז, מייסטנס, די צדקה־אַסעסמענטס מוז זייַן ניט ווייניקער ווי צען פּראָצענט פֿון דער הכנסה, און ניט מער ווי צוואַנציק. ווען איך זאָג הכנסה, מיין איך ניט נעט[5] הכנסה. יידן אַ מאָל האָבן ניט געוווּסט דעם אונטערשייד פֿון נעט און גראָס,[6] און קיין דעדוקשאָנס[7] האָבן אויך ניט עקסיסטירט, און קיין דריידלעך מיט פּשטלעך האָט מען אויך ניט געקענט מאָכן. אויפֿמאָנען צדקה פֿלעגט מען אַלע

3. אין כּתבֿ־יד שטייט אויף ענגליש Collector of Internal Revenue.
4. לאַטייַניש וואָרט פֿאַר ליבהאַרציקייט, פֿון וועלכן עס שטאַמט דאָס ענגלישע charity.
5. נעטאָ (ענגליש).
6. ברוטאָ (ענגליש).
7. אַראָפּרעכענונג פֿון דער הכנסה פֿאַר שטייַערן.

וואָך, ווײַל קיין ביכער זײַנען ניט געווען, און קהל האָט ניט געקענט האַלטן יענעמס יערלעכע הכנסה אויפֿן קאָפּ. "מחזירין על העם מערב שבת לערב שבת, ולוקחין מכל אחד ואחד מה שהוא ראוי ליתן ודבר הקצוב עליו". מען באַזוכט די יחידים אַלע פֿרײַטיק, און מען נעמט פֿון יעדן וויפֿל ער דאַרף געבן (ניט וויפֿל ער וויל), און וויפֿל מען האָט אויף אים אַרויפֿגעלייגט.

אין צײַטן פֿון קאַטאַסטראָפֿן און צרות, וועלכע האָבן ניט אויסגעפֿעלט אין דער ייִדישער געשיכטע, פֿלעגט מען פֿאַרגרעסערן דעם בודזשעט און פֿאַרגרעסערן די צדקה־שטײַערן. מיר ווייסן אַ פֿאַקט, אַז אין 1648, נאָכן חורבן־כמעלניצקי, ווען ער האָט חרובֿ געמאַכט די קהילות פֿון אוקראַינע, האָט דער "ועד ארבע ארצות" אין פּוילן, וועלכער האָט מער פּאָליטישע מאַכט געהאַט וויפֿל ייִדן האָבן געהאַט אין זייער אייגענעם לאַנד, אַרויפֿגעצוווּנגען אַ צדקה־שטײַער פֿון צוואַנציק פּראָצענט, ניט פֿון דער הכנסה, נאָר פֿון פֿאַרמעגן, כּדי אויפֿצובויען די חורבֿות פֿון אוקראַינע. און אויב דער "ועד ארבע ארצות" האָט געזאָגט צוואַנציק, איז עס פּשוט געווען אַ פֿינפֿטל פֿון אַלץ וואָס אַ ייִד האָט פֿאַרמאָגט. האָט איינער געהאַט פֿינף הײַזער, האָט ער זיך מיט איינער געמוזט שיידן; פֿינף זילבערנע לײַכטער — האָט ער לײַכטער געמוזט אַוועקגעבן; פֿינף קישנס — האָט ער איינעם געמוזט געבן פֿאַר צדקה, און אַזוי ווײַטער.

צדקה געבן זײַנען אַלע געווען מחויבֿ, ניט געווען קיין אויסנאַמען. פֿון קהילה־שטײַערן זײַנען געווען אַ סך אויסגעשלאָסן, למשל תּלמידי־חכמים. צדקה אָבער האָבן אַלע געמוזט געבן, "אפילו עני המתפרנס מן הצדקה חייב ליתן צדקה" [רמב"ם, הלכות מתנות עניים ז, ה]. דער אָרעמאַן וועלכער קריגט צדקה־געלט, מוז אויך געבן אַ טייל פֿון זײַן תּמיכה צו דער קופּה של צדקה.

די אַסעסמענטס פֿלעגן געוויינטלעך זײַן צוגעפּאַסט צו צוויי פֿאַקטאָרן: די נויט און די מעגלעכקייט. מיר ווייסן פֿון שאלות און תּשובֿות, אַז אין מיטלאַלטער זײַנען געווען קהילות וועלכע האָבן פֿאַרלאַנגט ווייניק פֿון זייערע תּושבֿים, ווײַל עס זײַנען קיין סך קבצנים ניט געווען. דאַקעגן אַנדערע קהילות, וועלכע האָבן געמוזט באַזאָרגן אַ גרויסן קאָנטינגענט פֿון אָרעמעלײַט, האָבן באַשטײַערט זייערע גבֿירים אַ סך מער. באַקאַנט איז אין שאלות און תּשובֿות, ווען גבֿירים פֿלעגן אַריבערפֿאָרן פֿון אַזעלכע קהילות אין אַנדערע, ווו די באַשטײַערונג איז געווען אַ פֿיל נידעריקערע. אין אַ סך פֿאַלן, האָט דער "ועד ארבע ארצות" פֿאַרלאַנגט פֿון די שטעט, אַז מען זאָל אַזעלכע רײַכע ניט אַרײַנלאָזן.

חוץ דעם וועכנטלעכן שטײַער, האָט דער בית־דין באַשטײַערט גאַנצע פֿאַמיליען בײַ פֿאַרשיידענע געלעגנהײַטן. אַ ייִד פֿלעגט מאַכן אַ שׂמחה — פֿלעגט ער מוזן אַ

באַשטימטן פּראָצענט פֿון די הוצאות אָוועקגעבן צו צדקה. אין פּנקס־ליטא[8] געפֿינען מיר גאַנצע תּקנות וועלכע רעגולירן דעם סאָרט צדקה. אַז איינער מאַכט חתונה אַ טאָכטער, און גיט איר אַזאַ מין גאַרדעראָב, און מאַכט אַזאַ מין מאָלצײַט, מוז ער געבן אַזוי פֿיל און אַזוי פֿיל צו צדקה. איז די אויסשטײַער ביליקער און די מאָלצײַט איינפֿאַכער, דאַרף ער געבן ווייניקער. פֿאַרקערט, גיט ער אויס מער געלט, מוז ער באַצאָלן דער קופּה של צדקה מער.

מיט איין וואָרט, בנוגע צדקה האָט עקסיסטירט אַ פּשוטער באַשטײַערונגס־[...][9] וועלכער קען זיך פֿאַרגלײַכן מיט די מאָדערנסטע שטײַער־אָרגאַניזאַציעס.

אָבער דער יורידיש־קהלישער שטאַנדפּונקט האָט אַ פֿילאָסאָפֿישע באַזע. די פֿראַגע דערוועקט זיך, פֿאַר וואָס באַטראַכט יהדות צדקה אַלס חובֿ, און ניט אַלס פֿרײַוויליקער אַקט? פֿאַר וואָס קומט דער רײַכער דעם אָרעמען?

דער ענטפֿער צו דער פֿראַגע קען געפֿונען ווערן אין דער יוריסטיש־פֿילאָסאָפֿישער אויפֿפֿאַסונג פֿון פּריוואַט־אייגנטום אין יהדות. אָנערקענט יהדות פּריוואַט־אייגנטום אָדער ניט? אַ סך היסטאָריקער און דענקער זײַנען גענויגט אָנצונעמען, אַז יהדות האָט באַשטימטע סאָציאַליסטישע טענדענצן. אַוודאי קען מען אַזעלכע אידייען געפֿינען בײַ די נבֿיאים, און אויך אין תּלמוד, אָבער מען דאַרף עס אַ ביסל טיפֿער פֿאַרשטיין.

ווען מען רעדט פֿון סאָציאַליזם און פּריוואַט־אייגנטום, קען מען עס אויפֿפֿאַסן אין צוויי אופֿנים:

1) דער מענטש האָט קיין רעכט ניט אויף זײַנע נכסים. דאָס וואָס ער פֿאַרדינט און שאַפֿט, מוז ער זיך טיילן מיט אַנדערע, און טאָר פֿאַר זיך קיין זאַך ניט איבערלאָזן. אַזאַ מין קאָמוניזם האָט געמיינשאַפֿט פֿון קאָנסומפּציע, פֿון פֿאַרבֿרויך. יעדער פֿאַרדינט באַזונדער און טיילט זיך מיט די איבעריקע. די איסיים אין די צײַטן פֿון בית־שני האָבן געהאַט אַזעלכע קאָמונען און אויך די פּרימיטיוו [....][10] האָבן אַזעלכע סעקטן געהאַט, די אַזוי־גערופֿענע 'עקלעסיעס'. אויך די קבֿוצות אין ארץ־ישׂראל האָבן די זעלבע סיסטעם, פֿון פּשוטן קאָמוניזם, סײַ פֿון פּראָדוקציע און סײַ פֿון פֿאַרברויך.

אָבער דאָס קען נאָר פּראַקטיצירט ווערן פֿון קליינע גרופּן, אידעאַליסטן, בעלי־חלומות, און קען ניט ווערן קיין געזעלשאַפֿטלעכע אָרדענונג פֿאַר מיליאָנען מענטשן. די רעאַליטעט האָט נאָך אַזאַ אָרדענונג ניט געשאַפֿן.

2) דער צווייטער אופֿן פֿון קאָמוניזם איז, און אויף דעם שטאַנדפּונקט שטייט

8. פּנקס פֿון "ועד מדינת ליטע", די דאַך־קערפּערשאַפֿט איבער די ליטווישע קהילות, וואָס האָט עקסיסטירט אין זיבעצנטן און אַכצנטן יאָרהונדערט.

9. וואָרט ניט לייענעוודיק אין כּתבֿ־יד.

10. וואָרט אָפּגעהאַקט און ניט לייענעוודיק אין כּתבֿ־יד.

אויך דער וויסנשאַפֿטלעכער מאַרקסיזם, אַז בנוגע דעם געברויך, דאַרף דער מענטש זיך ניט טיילן מיטן צווייטן. סאָציאַליזירן דאַרף מען נאָר די מיטלען פֿון פּראָדוקציע, אַזוי אַז קיינער זאָל ניט עקאָנאָמיש זיך אויפֿבויען דורך דער אַרבעט פֿון צווייטן, ניט עקספּלואַטירן זײַן חבֿר. דער חלק וועלכן ער פֿאַרדינט, אָבער, געהערט אים, און עס איז זײַן פּריוואַט־אייגנטום, און קען עס געניסן.

באמת אָנערקענט מאַרקסיזם פּריוואַט־אייגנטום, אויב דער אינהאַבער[11] האָט עס דערוואָרבען דורך זײַן אייגענער אַרבעט.

יהדות אונטערשיידט זיך פֿון ביידע טעאָריען. קעגן אַבסאָלוטן געברויכס־קאָמוניזם זאָגט יהדות, אַז אַ מענטש האָט דאָס רעכט צו געניסן די פּרוכט פֿון זײַן מי און זײַן אַרבעט. אָבער אויך קעגן מאַרקסיסטישן שטאַנדפּונקט, אַז די פּראָדוקציע מוז זײַן סאָציאַליזירט, האַלט יהדות אַז אויך די פּראָדוקציע־מיטלען קענען זײַן אין רשות פֿון יחידים. אמת, דער יִדישע אַרבעטסרעכט איז זייער שטרענג, עס איז כּמעט ניטאָ קיין געלעגנהייט צו עקספּלואַטירן, אָבער אַ מענטש קען דינגען אַרבעטער און פֿאַרדינען, אויב ער באַהאַנדלט זיי אָנשטענדיק.

אָבער יהדות האַלט, אַז מאַכן געלט און דערוואָרבן רײַכטימער איז ניט נאָר אַן אויפֿגאַבע פֿון פּקחות און חריצות. ניט אַלץ וואָס פֿרײַע קאָנקורענץ דיקטירט איז כּשר, און ניט דער צוועק איז מטהר די מיטלען. געלט־פֿאַרדינען איז אַן עטישע אויפֿגאַבע, און האָט אַ גאַנצן שולחן ערוך, נאָך וועלכע פֿאַרדינסטן מעג מען זיך יאָגן, און וועלכע מען טאָר ניט כאַפּן. ניט אַלץ וואָס איז פּראָפֿיטאַבל איז כּשר און עטיש.

צווייטנס, אויב מען דערוואַרבט שוין רײַכטום, ווירטשאַפֿלעכע גוטס, איז מען ניט אַ חכם, אַ גיבור און אַ מוצלח, נאָר איינער וועלכער ווערט אָנגעלאָדן מיט חובֿות און נײַע נאָרמען. רײַכטום וואַרפֿט אַרויף חובֿות און נאָרמען, פֿאַראַנטוואָרטונג. אַ ייִד מיט פֿופֿציק דאָלער האָט ווייניקער אחריות ווי אַ ייִד מיט הונדערט. דאָס נאָרמאַטיווע באַוווסטזײַן וואַקסט מיט דער פֿאַרגרעסערונג פֿון מײַן ווירטשאַפֿטלעכן וואוילזײַן.

דער געדאַנק גייט נאָך טיפֿער. באמת האַלט די השקפֿת־היהדות, אַז פּריוואַט־אייגנטום עקזיסטירט גאָרניט. נאָר אַנשטאָט זאָגן, ווי דער מאַרקסיזם, אַז די פּראָדוקציע־מיטלען און די נחלאות געהערן צום שטאַט, זאָגט יהדות אַז זיי געהערן צום רבש״ע. "לד׳ הארץ ומלואה תבל ויושבי בה" (תהילים כד, א), "והארץ לא תמכר לצמיתות כי לי הארץ" (ויקרא כה, כג), "לי הכסף לי הזהב" (חגי ב, ח). דער רבש״ע, אָבער, גיט דעם מענטשן אַ מתנה, ריכטיקער געזאָגט, אַ פּקדון. ער לײַט אים, און בשעת ער לײַט אים, גיט ער אים די הלוואה אויף באַשטימטע באַדינגונגען. דער מענטש קריגט אחריות און חובֿות כּלפּי דעם נותן. אמת, ער גיט אים אַל־דאָס־גוטס

11. אייגנטימער (דײַטש).

כּדי הנאה צו האָבן און געניסן, אָבער אונטער אַ באַשטימטן קאָנטראַקט, וועלכן ער מוז אויספֿירן. אַז ניט איז עס אַ מקח טעות.

און ניט נאָר געלט און אַנדערע מאַטעריעלע גיטער, נאָר אַלץ וואָס אַ מענטש באַזיצט: קינדער, געזונט, דאָס לעבן זעלבסט, די אייגענע עקסיסטענץ, זײַנען ניט זײַנע, און ער איז קיין בעל־הבית ניט איבער זיי. מען האָט עס אים געגעבן כּדי אויסצופֿירן אַ באַשטימטע מיסיע, און פֿאַר דער פֿאַרווירקלעכונג פֿון דער אויפֿגאַבע איז ער פֿאַראַנטוואָרטלעך. די באַקאַנטע תּפֿילה פֿון יעדן פֿרימאָרגן איז "א' נשמה שנתת בי טהורה היא, ואתה עתיד ליטלה ממני ולהחזירה בי לעתיד לבא". [....][12] "הנשמה שלך והגוף שלך", און דער מענטש איז פֿאַראַנטוואָרטלעך פֿאַר אַלץ וואָס ער פֿאַרמאָגט. ער מוז געבן דין־וחשבון. פּריוואַט־אייגנטום איז באַגרענעצט אין דער ייִדישער וועלט־אַנשויונג: עס איז זײַנע אונטער באַשטימטע באַדינגונגען. דער קאָנטראַקט איז זייער אַ שטרענגער, און אַן אויספֿירלעכער. דער מענטש מוז וויסן אַז דער רבש"ע קומט אים קיין זאַך ניט, און וואָס ער קריגט, איז ריינער חסד, און דערפֿאַר דאַרף ער דערפֿילן די תּנאים.

אויף דער פֿילאָסאָפֿיש־עטישער אַנשויונג באַרוט דער באַגריף פֿון צדקה. צדקה איז אַ חובֿ, ווײַל די רײַכטימער וועלכע דער מענטש באַזיצט זײַנען ניט זײַנע, און אָנגעטרויט האָט מען זיי אים נאָר אויף דער באַדינגונג: דעם גרעסערן טייל קענסטו געניסן, אָבער אַ חשובֿן חלק געבן דײַן חבֿר, וועלכער נייטיקט זיך אין הילף און שטיצע. אַ מענטש גיט ניט זײַנע, ער גיט דעם אמתן בעל־הביתס. צדקה געבן הייסט אייגנטלעך, ווען אַן אפּוטרופּוס, אַ טראָסטי, איז ערלעך, און איז ממלא זײַן שליחות באמונה. "ושמחת...אתה ובנך ובתך ועבדך ואמתך והלוי אשר בשעריך והגר והיתום והאלמנה אשר בקרבך" (דברים טז, יא). זאָגט רש"י: "ארבעה שלי כנגד ארבעה שלך, בנך ובתך ועבדך ואמתך. אם אתה משמח את שלי, אני משמח את שלך"[13] (רש"י, דאָרטן). אויב דער אָרעמער לוי, גר, יתום, ואלמנה, האָבן [....][14]

צדקה געבן הייסט מיט מעשׂים דעמאָנסטרירן, אַז איך בין אָפּהענגיק פֿון אַ טראַנסצענדענטאַלער מאַכט, וועלכע באַזיצט אַלץ און רעגירט מיט אַלעמען, און וועלכע האָט מיך פֿאָרגעצויגן, און, שענקענדיק מיר פֿאַרטרויען מיט רײַכטום, מיך באַשטימט אַלס איר רעפּרעזענטאַנט. ניט געבן קיין צדקה הייסט פּשוט גניבֿה, און פֿאַרראַט בנוגע דעם רבש"ע.

אָבער צדקה האָט נאָך אַ העכערע שטופֿע. דאָס איז די שטופֿע פֿון נדיבֿ־לבֿ,

12. שורה אָפּגעהאַקט און נישט־לייענעוודיק.

13. "[הקדוש־ברוך־הוא זאָגט:] איך גיב דיר מײַנע פֿיר [דעם לוי, גר, יתום און אלמנה] אַנטקעגן דײַנע פֿיר — דײַן זון, טאָכטער, דײַן קנעכט און דײַן דינסט. אויב דו וועסט משׂמח זײַן מײַנע, וועל איך משׂמח זײַן דײַנע."

14. שורה אָפּגעהאַקט און ניט לייענעוודיק.

ווען דער מענטש דערהייבט זיך צו דער מדרגה, ניט פֿון געבן צדקה אַ צווייטן, נאָר געבן זיך אַליין.

ביז איצט האָבן מיר נאָר באַטראַכט די יוריסטיש־פֿילאָסאָפֿישע זײַט פֿון צדקה אַלס לעגאַלע פֿאַרפֿליכטונג, וועלכע קען אײַנגעמאָנט ווערן. אָבער עס איז שטענדיק דאָ אַ קלאָרע באַוווסטזײַן, אַז איך גיב עס אַוועק אַן אַנדערן. דער אַקט איז מעכאַניש, טרוקן. עס פֿעלט דער ציטער פֿון עקסטאַז, די רעליגיעזע התלהבֿות, דאָס טיפֿע דערלעבעניש פֿון דעם וואָס איך טו. צדקה דאַרף זײַן אַ הייליקער טאַט, פֿול מיט קדושה און הימלישען פֿײַער. אַ מענטש דאַרף דערהויבן ווערן דורך דעם אַקט פֿון צדקה. "נטל הקב"ה כמין מטבע של אש מתחת כסא הכבוד והראה לו למשה."[15] [תנחותא כי תשא, ז, ז].

אַז אַ ייִד גיט אַ מחצית־השקל, ווערט די קאַלטע מטבע פֿאַרוואַנדלט אין אַ מטבע של אש, וועלכע צינדט אָן די נשמות און וואַרעמט די הערצער. ווי ווערט דער שקל פֿאַרוואַנדלט אין אַ מטבע של אש? ווען דער בעל־צדקה ווערט מגולגל אין אַ נדיבֿ־לבֿ. וואָס איז דער אונטערשיד צווישן אַ בעל־צדקה אין אַ נדיבֿ־לבֿ? די גײַסטיקע אײַנשטעלונג, די פּסיכישע קאָמפּאָנענטן, די עקסטאַטישע שטימונג. אַ בעל־צדקה גיט יענעם, אַ נדיבֿ־לבֿ גיט זיך אַליין. ווי גיט מען זיך אַליין? עס קלינגט אַ ביסל פּאַראַדאָקסאַל! ווי קען מען זיך אַליין געבן צדקה? ווען עס קומט צו דעם מאָמענט פֿון רחמים, סימפּאַטיע, ליבע.

איך זאָג מפֿורש "רחמים" און ניט "רחמנות". אין העברעיש איז דאָ אַ גרויסער אונטערשייד צווישן רחמים און רחמנות. רחמנות איז פֿאַלשע סימפּאַטיע, ביליקע סענטימענטן, אויסערלעכע מיטלײַד.

מייסטנס איז רחמנות אַן אויסברוך פֿון שרעק און עגאָיסטישער נערוועזיטעט. ווען איך גיי נאָך אַ לוויה, און אין אָרון ליגט אַ באַקאַנטער פֿון דעם זעלבן עלטער ווי איך, און ניט ווענלדיק אימפּערזאָניר איך דעם מת, און געדאַנקלעך זע איך מיך אין אָרון, און מײַן פֿרוי און קינדער נאָכגייענדיק און באַוויינענדיק מיך, און מײַן האַרץ ווערט איבערגעפֿילט מיט רחמנות, ניט ח"ו אויפֿן בר־מינן, נאָר אויפֿן אימאַגינירטן מת, אויף זיך אליין, וואָס האָט זיך געקענט געפֿינען אין אָרון. און אויב אין דעם מאָמענט רוקט זיך צו אַ ייִד מיט אַ פּושקע אין האַנט, און שרײַט אויס מיט אַ הייזעריקער שטימע 'צדקה תּציל ממות', קען איך אַרײַנרוקן מײַן האַנט אין קעשענע, און אַרויסנעמען אַ גאַנצן דאָלער און אַרײַנוואַרפֿן. איז דער דאָלער אַ מטבע של אש? ח"ו! איך ווייס אפֿילו ניט פֿאַר וואָס איך האָב געגעבן. [....][16] בין איך געוואָרן, ווײַל מיטן געבן דעם דאָלער האָב איך פֿאַרטריבן אַ קאָשמאַר פֿון מײַנע אויגן, אַ בייזע

15. "הקדוש־ברוך־הוא האָט גענומען אַזאַ פֿײַערדיקע מטבע פֿון אונטערן כּסא־הכּבֿוד און עס געוויזן משהן."
16. ווערטער נישט־לייענעוודיק אין כּתבֿ־יד.

וויזיע. און מיט דעם פּדיון־נפֿש, וויל איך מיך אויסקויפֿן פֿון דעם בייזן שיקזאַל וועלכער האָט פֿאַרצוקט מיין חבֿר.

אַזאַ מין צדקה וואָרצלט אין פֿאַלשן סענטימענט, אין פּסעוודאָ־סימפּאַטיע, און אין גרעניעצלאָזן עגאָיזם — דאָס כּפּרות־עגאָיזם (אַ וווּנדער־שיינער מנהג פֿון צדקה וועלכער איז שפּעטער פֿאַרוואַסערט געוואָרן). אַ ייִד ערבֿ־יום הכּיפּורים האָט אַ גרויסן חשבון מיטן רבש"ע, אַ גרויסן על־חטא, האָט אַ שולדיקן געוויסן. ער דאַרף איבערגעבן דין־וחשבון דעם בעל־הבית וועגן די אַלע פּקדונות וואָס ער האָט אים אָנפֿאַרטרויט: געזונט, קינדער, פֿרייַהייט, אַ היים, רייַכטום, רויִקייט. ער דאַרף דערציילן דעם בורא־עולם וואָס ער האָט געטאָן מיט אַלע [....] [17]. ער נעמט אַן אומשולדיקן האָן, וואָס ווייס פֿון קיין זאַך ניט, און הייבט אָן זאָגן 'זה חליפתי וכו' זה התרנגול ילך למיתה, ואני אלך לחיים טובים ארוכים'. ער איז זיכער אַז ער וועט זיך אויסקויפֿן פֿון זייַנע זינד דורך דעם אָרעמען הענדל, און ער וועט האָבן אַ גוט יאָר. די אידעע פֿון ייִדישער צדקה ווערט פּשוט פֿאַרשוועכט דורך אַזוינע ביליקע נאָוואַציעס און מאַטיוון.

לייַדער אָבער ווערן די מאָטיוון באַנוצט דורך אַ סך אָרגאַניזאַציעס, פֿרומע, פֿרייַע, נאַציאָנאַלע, אַסימילירטע. דער א־ל מלא רחמים נאָך זעקס מיליאָן קדושים, נאָך אַ דריטל פֿון פֿאָלק, נאָך הונדערטער טויזנטער קינדער מיט אומשולדיקע אויגן, גייט פֿאָרויס, און נאָכער קומט דער אַפּיל. מיך עקלט עס שטענדיק. מען גיט צוליב עגאָיסטישער מורא, צוליב אַ בייזן קאָשמאַר, וועלכן מען וויל פֿאַרטרייַבן פֿאַר סאָפּער[18].

דער ייִדישער נדיבֿ־לבֿ, חסד, הייסט העלפֿן יענעם צוליב ליבע, סימפּאַטיע, ריכטיקער מיטלייַד, ריכטיקע ליבע, ניט צוליב עגאָיסטישער מורא. רחמים הייסט אין העברעיש ניט רחמנות, נאָר ליבע, און שטאַמען שטאַמט דאָס וואָרט פֿון 'רחם', די געבויר־מוטער, און באַצייכנט די ליבע פֿון דער מוטער צום קינד. אויב עס איז דאָ אַן אמת־ריינע ליבע, אָן פּניות און אָן נגיעות, איז דאָס די ליבע פֿון דער מוטער צו איר קינד. זי האָט אים האָלט ווייַל עס איז אַ טייל פֿון איר, אַ פֿאַרשמעלצונג פֿון נשמות און פּערזענלעכקייטן. זי האָט דאָס קינד אַ מאָל מער האָלט ווי זיך, ווייַל אין דעם קינד זעט זי זיך אַליין, ניט ווי זי איז אין דערווירקלעכקייט, נאָר ווי זי האָט זיך געוואָלט זען — אַ ווונטש־בילד פֿון זיך אַליין, וועלכן זי טראָגט טיף פֿאַרבאָרגן אין האַרצן, און וועלכער איז לייַדער ניט רעאַליזירט געוואָרן אין לעבן. (מיר אַלע זעען אונדז אַ מאָל ניט ווי מיר זייַנען, נאָר ווי מיר וואָלטן געוואָלט זייַן.) אַלע האָפֿענונגען און חלומות ווערן איבערגעטראָגן אויפֿן קינד, און מיט זיי — אַ פֿלאַמענדיקע ליבע.

17. ווערטער נישט־לייענעוודיק אין כּתבֿ־יד.

18. אָוונטבּרויט (ענגליש).

דאָס איז באמת חסד, ווען אַ מענטש גייט אַרויס פֿון זײַן רשות־היחיד, און שליסט אַנדערע אײַן אין זײַן אייגענער עקסיסטענץ. ווי קען עס געשען? פּשוט! ווען מען פֿילט די פֿאַרקניפּונג, און די פֿאַרבינדונג פֿון שיקזאַל פֿון דעם ייִדישן פֿאָלק. זײַן אַ ייִד הייסט, אין דער ערשטער ליניע, אַ היסטאָרישן כּלל־ישׂראל באַוווסטזײַן האָבן. וואָס הייסט אַ כּלל־ישׂראל באַוווסטזײַן? די קלאָרע איבערצײַגונג, אַז מיר אַלע ייִדן, פֿון צפֿון און פֿון דרום, פֿון מזרח און פֿון מערבֿ, גאַנץ אָפּגעזען אויף וועלכער שפּראַך מען רעדט, אָדער וואָס פֿאַר אַ קליידער מען טראָגט, האָבן איין געמיינזאַמען עבֿר, און אַ בשותּפֿותדיקן עתיד, און דער שיקזאַל פֿון כּלל איז דער שיקזאַל פֿון יחיד.

קיין יחיד, ווי ווײַט ער זאָל וועלן אַנטלויפֿן פֿון דעם ייִדישן גורל, און ווי זייער ער זאָל ניט פּרובירן אויסצושליסן זיך פֿון כּלל, קען עס ניט דערגרייכן. מיט גוטן אָדער מיט בייזן, וועט ער געטריבן ווערן צוריק צו דער מחנה. יונה הנבֿיא איז אַנטלאָפֿן, האָט אים גאָט אויף דעם מיטלענדישן ים דעריאָגט.

אויב אַזאַ באַוווסטזײַן ווערט קלאָר אויסגעקריסטאַליזירט אין מײַן נשמה, דאַמאָלס זײַנען די לײַדן פֿון פֿאָלק מײַנע לײַדן, די יסורים פֿון די ייִדן אין טרעבלינקע — מײַנע יסורים, די אַנגסטן פֿון די פּליטים אין ציפּערן — מײַן מורא, די נערוועזיטעט פֿון שומרים אין ארץ־ישׂראל — מײַן אומרויִקייט. דאַמאָלס בין איך איינס מיטן פֿאָלק, דאַמאָלס באַטייליק איך מיך אין זײַנע לײַדן, ניט צוליב טריפֿהן עגאָיזם, נאָר צוליב חסד, ווײַל דאָס פֿאָלק איז אַ טייל פֿון מיר, און איך בין פֿאַרשמאָלצן מיטן פֿאָלק. דאַמאָלס גיב איך צדקה ניט צוליב ביליקע געפֿילן, אָדער פֿאַרוואַסערטע עמאָציעס, נאָר פּשוט ווײַל עס טוט וויי, ווײַל די יסורים פֿון דער אומה און אירע מיטגלידער זײַנען מײַנע יסורים. אַ מוטער גיט ניט אַ קינד קיין צדקה.

דאַמאָלס, אַז מען דערגרייכט די שטופֿע, קריגט צדקה אַן אַנדער אַספּעקט, אַ גאַנץ אַנדערן גלאַנץ. דאַמאָלס ווערט די קאַלטע מטבע אַ מטבע של אש, און צדקה ווערט דער סימבאָל פֿון אהבֿת־הבריות, פֿון אײַנשליסן דעם גאַנצן כּלל־ישׂראל אין מײַן קליינער עקסיסטענץ.

ניט אַ סך קענען דערגרייכן די מדרגה, אָבער די ייִדישע געשיכטע איז פֿול מיט אַזעלכע נדיבֿי־לבֿ, בעלי־חסד, וועלכע האָבן געגעבן ניט ווײַל מען האָט געצוווּנגען, ניט ווײַל מען האָט געקיצלט די נערוון, נאָר פּשוט, ווײַל מען האָט געהאַט מיטלײַד מיט יענעם, און מען האָט געבלוטיקט אין צווייטנס יסורים. אַזעלכע צדקות נעמען אָן אַ מאָל פּאַראַדאָקסאַלע פֿאָרמען, אָבער זיי זײַנען היסטאָרישע רעאַליטעטן.

"'די מחסרו אשר יחסר לו' (דברים טו, ח): אפילו סוס לרכוב עליו ועבד לרוץ לפניו. אמרו עליו על הלל הזקן, שלקח לעני בן טובים אחד סוס לרכוב עליו ועבד לרוץ לפניו. פעם אחת לא מצא עבד לרוץ לפניו, ורץ לפניו שלשה מילין"[19]

19. "'גענוג פֿאַר זײַן באַדערפֿעניש וואָס ער באַדאַרף', אַפֿילו אַ פֿערד אויף וועלכן צו רײַטן און אַ קנעכט וואָס

[כּתובות סז, ע״ב]. אַ יורד וועלכער איז אַ מאָל געווען רײַך, מוז מען אים געבן אַלע באַקוועמלעכקייטן צו וועלכע ער איז געווען געוווינט, אַפֿילו דינער זאָלן רײַטן פֿאָרויס אויף פֿערד, און אָנזאָגן אַז אַ חשובֿע פּערזענלעכקייט קומט, ווי די אַריסטאָקראַטן פֿלעגן זיך פֿירן. און הלל־הזקן [...][20] האָט ניט געקענט קריגן אַ מאָל אַ רײַטער פֿאַר געלט, איז ער אַליין געריטן פֿאָרויס, און מודיע געווען אַז דער פֿאַראָרעמטער אַריסטאָקראַט קומט. עס איז אומגלויבלעך, אָבער ייִדן פֿלעגן די זאַכן טאָן פֿון צײַט צו צײַט. דער מנהג פֿון צוואָרפֿן געלט שטילערהייט, כּדי דער אָרעמאַן זאָל ניט וויסן פֿון וועמען עס קומט, און זאָל זיך ניט דאַרפֿן זשענירן; אַוועקגעבן מײַן געלט אַ שליח, ער זאָל געבן אַן אָרעמען, כּדי ביידע, ניט דער געבער און ניט דער מקבל, זאָלן ניט וויסן ווער האָט די צדקה־געלט באַקומען, דער מקבל זאָל זיך ניט שעמען, און דער נותן זאָל ניט אַ מאָל מאַכן קיין מינע פֿון גאוה, ווען ער וועט טרעפֿן דעם נעמער.

דער באַגריף פֿון צדקה, אַז אַלץ איז גאָטס, איך בין נאָר אַ שומר, און די טיפֿע אינטימע סימפּאַטיע מיט יענעמס לײַדן, האָט געגעבן דער ייִדישער געשיכטע ליכטיקע געשטאַלטן פֿון נדיבֿי־לבֿ, אַזעלכע וועלכע איבערשטײַגן אין זייער אמתער ליבע און ריינקייט די גרעסטע פֿילאַנטראָפּן פֿון הײַנט. כאַראַקטעריסטיש איז י.ל. פּרצס מעשׂה ״הכנסת כּלה״,[21] אָדער ״נאָסקע דער גבֿיר״. עס האָט אַ סך בײַגעטראָגן צום אָפּווישן די קלאַסן־אונטערשיידן פֿון רײַכן און אָרעמען. איין שיקזאַל, איין געשיכטע, און איין גאָט האָט אַלעמען פֿאַרבונדן. אַ פֿאַקט, אַז דער אָפּגרונט צווישן רײַך און אָרעם איז בײַ ייִדן ניט געווען אַזוי גרויס, ווי בײַ די אומות־העולם. געוויינטלעך האָבן אויך אַנדערע אורזאַכן דערצו בײַגעטראָגן — ייִדן האָבן גאָר קיין מאָל קיין עשירות ניט געהאַט — אָבער דער הויפּט־פֿאַקטאָר איז געווען די פּסיכיש־גײַסטיקע אײַנשטעלונג.

האַנט אין האַנט מיט צדקה וחסד, העלפֿן מיט קלייניקייטן, מנחת האשה, רחל מבֿכּה על בניה, גייט אויך משפּט. מיר ייִדן האָבן קיין מאָל ניט פֿאַרגעסן די לעבעדיקע רעאַליטעט, און האָבן אונדז שטענדיק גערעכנט מיט פֿאַקטן, און ניט געשוועבט אין די וואָלקנס. צדקה איז גערעכטיקייט, און משפּט איז גערעכטיקייט. וואָס איז די נפֿקא־מינה צווישן ביידע באַגריפֿן פֿון גערעכטיקייט? דער אונטערשייד איז אַ פּשוטער: צדקה איז די באַציִונג פֿון גערעכטיקייט וועלכע באַצייכנט אַלץ וואָס איך

זאָל אים פֿאָרויסלויפֿן. מען האָט דערציילט וועגן הלל הזקן, אַז ער האָט געדונגען פֿאַר אַ מיוחסדיקן אָרעמאַן אַ פֿערד אויף וועלכן צו רײַטן און אַ קנעכט וואָס זאָל אים פֿאָרויסלויפֿן. איין מאָל האָט ער ניט געקענט געפֿינען קיין קנעכט וואָס זאָל אים פֿאָרויסלויפֿן, איז ער אַליין פֿאַר אים פֿאָרויסגעלאָפֿן פֿיר מײַל.״

20. ווערטער אָפּגעהאַקט און ניט לייענעוודיק אין כּתבֿ־יד.

21. זען י.ל. פּרץ, *חסידיש און די גאָלדענע קייט*, ניו־יאָרק: אַלוועלטלעכער ייִדישער קולטור־קאָנגרעס, 1986, זז׳ 25–31.

קום אַ צווייטן, מײַן מיטמענטשן, מײַן פֿרײַנד. צדקה שליסט אײַן מײַנע התחייבֿותן צו יענעם, און יענעמס תּבֿיעות צו מיר. משפּט איז פֿאַרקערט. ווען איך קלײַב זיך אײַנצומאָנען יענעמס התחייבֿותן צו מיר (געווייִנטלעך גערעכטע), ווען איך האָב תּבֿיעות און טענות צום צווייטן, דאַן באַנוץ איך מיך מיט דער מידה פֿון משפּט.

די תּורה וועלכע איז געגעבן געוואָרן [...][22], האָט פֿאַרשטאַנען, אַז מען קען ניט פֿאַרלאַנגען פֿון מענטשן שטענדיק ממלא זײַן יענעמס תּביעות, און אַלע מאָל פֿאַרציכטן אויף זײַנע אייגענע. די עוואַנגעליע האָט עס געוואָלט פֿריידיקן, און זעט ווי די קירכע האָט עס אין דער ווירקלעכקייט דורכגעפֿירט. דער מענטש דאַרף ניט נאָר צדקה טאָן, נאָר אויך זײַן פּריוויליגירט צו געניסן פֿון משפּט.

גלייבט מיר, אַז אַ מאָל צײַטנווײַז, ווען איך פֿלעג אַרײַנקוקן אין חומש, און אָנטרעפֿן אַזאַ פּרשה ווי די פּרשת 'עיר הנדחת':

> כי תשמע באחת עריך אשר ד׳ אלקיך נותן לך לשבת שם לאמר: יצאו אנשים בני בליעל מקרבך וידיחו את יושבי עירם לאמר, נלכה ונעבדה אלהים אחרים אשר לא ידעתם. ודרשת וחקרת ושאלת היטב והנה אמת נכון הדבר נעשתה התועבה הזאת בקרבך. הַכֵּה תכה את יושבי העיר ההוא לפי חרב,החרם אותה ואת כל אשר בה ואת בהמתה לפי חרב. ואת כל שללה תקבץ אל תוך רחבה ושרפת באש את העיר ואת כל שללה כליל לד׳ אלקיך, והיתה תל עולם לא תבנה עוד. ולא ידבק בידך מאומה מן החרם למען ישוב ד׳ מחרון אפו ונתן לך רחמים ורחמך והרבך כאשר נשבע לאבתיך וכו׳. (דברים יג, יג–יח)

די רוקזיכטלאָזיקייט[23] מיט וועלכער די תּורה הייסט פֿאַרניכטן אַלץ, אויסהרגענען די מענטשן, און פֿאַרברענען די שטאָט, און דער יישובֿ מוז בלייבן אַ תּל־עולם, קיין מאָל ניט אויפֿגעבויט צו ווערן, און די תּורה, ווײַזט אויס, פּאַסט עס אויף ווי אַן אַקט פֿון רחמים. די זעלבע שטרענגקייט געפֿינען מיר ביי מסית ומדיח: "כי יסיתך אחיך בן אמך או בנך וכו׳, לא תאבה לו ולא תשמע אליו ולא תחוס עינך עליו ולא תחמול ולא תכסה עליו" (דברים יג, ז–ט): אויב אַ מסית הייבט אָן צו העצן אָדער צו פֿאַרשפּרייטן פֿאַלשע אידעען, זאָלסטו אויף אים ניט רחמנות האָבן, נאָר אויסראָטן און אויסוואָרצלען די שלעכטס. די זעלבע שטעלונג געפֿינען מיר בײַ עמלקן: "תמחה את זכר עמלק מתחת השמים, לא תשכח" (דברים כה, יט). און טאָמער האָט שאול רחמנות געהאַט אויפֿן קעניג פֿון עמלק, אגג, האָט ער די מלוכה פֿאַרלוירן.

איז די תּורה אַזוי גרויזאַם, אַזוי אומברחמנותדיק, ניט וועלן גאָר פֿאַרגעבן

22. עטלעכע ווערטער אָפּגעהאַקט אין כּתבֿ־יד און ניט־לייענעוודיק.
23. אומברחמנותדיקייט (דײַטש).

דעם חוטא? די זעלבע תּורה וועלכע האָט דער וועלט געגעבן די ערשטע פּרינציפּן פֿון יושר, רחמנות, און גערעכטיקייט, וועלכע האָט אָוועקגעשטעלט די מאַקסים פֿון "לא יומתו אבות על בנים ובנים לא יומתו על אבות" (דברים גד, טז) האָט פּלוצלינג אונטערדריקט אַלע אירע אידעאַלן, און אָנגעזאָגט דעם ייִדן, אַז רחמנות איז פֿאַרברעכן. זײַנען אפֿשר די גנאָסטיקער, די פּרימיטיווע קריסטן, געווען גערעכט, אַז דער תּנ"ך פּריידיקט אַכזריות, בשעת דער נײַער טעסטאַמענט פּריידיקט ליבע און מיטלייַד?

איך האָב אַ מאָל געלייענט זשיטלאָווסקיס אַ מאמר וועגן פּורים ווו ער אַטאַקירט די מגילת־אסתּר פֿאַר די חיהשע אינסטינקטן וועלכע עס ווערן דאָרט מאַניפֿעסטירט, פֿאַר דער בלוט־דאָרשטיקייט פֿון מרדכין און אסתּרן, וועלכע האָבן זיך אָפּגערעכנט מיט די שׂונאים פֿון די ייִדן, און מיט המנען און מיט זײַנע עשׂרת־בני־המן[24]. אַלס יונגער קינד וועלכער האָט זיך אָנגעזאַפּט דעמאָלט מיט די ראָמאַנען פֿון ראָמען ראָלאַנד[25], וועלכער האָט אידעאַליזירט טאָלסטאָי און געטע און פֿראַנץ פֿון אַסיסי[26], ווען די שטימונג אויף דער וועלט איז געווען אַז שלעכטס דאַרף מען ניט אָפּאָנירן, מיט וואָפֿן אויסוואָרצלען, נאָר פּאַסיוו דולדן, און לאָזן זיך שלאָגן. די אייראָפּעישע ליטעראַטור פֿון אַ פֿראַנץ ווערפֿעל, סטעפֿאַן צווייַג[27], איז געווען באַאיינפֿלוסט פֿון דער פּאַסיוויטעטס־אידעאָלגיע פֿון נייַעם טעסטאַמענט און זייַנע הייליקע, און באמת איז עס געווען אַ נסיון פֿאַר איינעם ניט צו קריטיקירן די שטרענגע שטעלונג פֿון אונדזער ייִדישקייט.

יאָרן זײַנען געלאָפֿן, איך בין עלטער געוואָרן, און די וועלט־געשיכטע מיט מיר. אייראָפּע האָט זיך געשפּילט אין קריסטלעכע אידעאָלאָגיען, און אין צווישן האָבן קריסטן אין דײַטשלאַנד אָרגאַניזירט אַ מין עיר הנדחת, 'וידיחו את יושבי עירם', און די אייראָפּעישע אינטעלעקטואַלן האָבן געשריבן ביכער וועגן דעם הייליקן פֿראַנץ פֿון אַסיסי, און געלאָזט די היטלער־מסיתים פֿאַרסמען אַן אַכציק מיליאָניק פֿאָלק. הײַנט שטייען מיר אין 1949, און זאָגט מיר מײַנע ליבע, אַ סך צווישן אײַך זײַנען ניט רעליגיעז, ווער איז גערעכט: דער תּנ"ך מיט זײַן שטרענגער שטעלונג, אָדער דער

24. זען חיים זשיטלאָווסקי, "די נאַציאָנאַל־פּאָעטישע ווידערגעבורט פֿון דער ייִדישער רעליגיע", *געזאַמלטע שריפֿטן*, באַנד פֿיר, ניו־יאָרק, יובילײ־אויסגאַבע, 1918, זז' 256–258.

25. פֿראַנצייזישער שרייַבער און דראַמאַטורג (1866–1944), לאַורעאַט פֿון דער נאָבעל־פּרעמיע פֿאַר ליטעראַטור אין יאָר 1915. ראָלאַנד איז געווען אַן איבערצייַגטער פּאַציפֿיסט, און אַ קעגנער פֿון דער ערשטער וועלט־מלחמה.

26. קאַטוילישער הייליקער (1186–1226), און גרינדער פֿונעם אָרדן פֿון די פֿראַנציסקאַנער מאָנאַכן. ער האָט זיך אָפּגעגעבן מיט באַהילפֿיק זײַן אָרעמעלײַט, חיות און פֿייגל.

27. פֿראַנץ ווערפֿעל (1890–1946): דײַטש־שפּראַכיקער שרײַבער פֿון ייִדישן אָפּשטאַם, אויסגעשפּראָכענער פּאַציפֿיסט וואָס האָט זיך באַצויגן מיט גרויס אָפּשײַ צום קריסטלעכן גלויבן; סטעפֿאַן צווײַג (1881–1942): דײַטש־שפּראַכיקער שרײַבער פֿון ייִדישן אָפּשטאַם, פּאַציפֿיסט.

ניַיער טעסטאַמענט מיט זיַין סענטימענטאַלער ליבע? די ייִדישע רעליגיע, וועמענס הענט זיַינען ריין, אָדער אַנדערע רעליגיעס, וועלכע האָבן אויף זייער געוויסן אַזוי פּיל ייִדישע קרבנות?

וואָלט די וועלט ניט געפּריידיקט קיין פּאַסיוויטעט, און מען וואָלט ניט קולטיווירט קיין צבֿיעותדיקע סענטימענטאַליטעט, און מען וואָלט זיך נוהג געווען מיט היטלער ווי מיט אַ מסית און מדיח, וואָלטן מיליאָנען מער געלעבט אין דער וועלט, וואָלט היַינט אַ סך גליקלעכער געווען. איז מגילת־אסתּר אַ חיהשער, אָדער אַ טיף־מענטשלעכער דאָקומענט? נקמה איז אַ מאָל אַ הייליקער גיפּט, אויב עס וואָרצלט אויס רשעות און ברוטאַליטעט.

די תּורה האָט געקענט זיַין זייער טאָלעראַנט צו אינדיווידועלע עבֿירות, וואָס דער מאָטיוו איז לעבנס־לוסט, יצר הרע. די תּורה קאָן דעם מענטשן מיט אַלע זיַינע שוואַכקייטן, און האָט מיט אים גרויס איַינזעעניש. "כי לא אחפוץ במות רשע, כי אם בשובו מדרכו וחיה" [מחזור, לויט יחזקאל לג, יא]. אָבער במה דבֿרים אמורים? אויב מיט דעם חטא איז ניט פֿאַרמישט קיין אידעאָלאָגיע. אויב אָבער אַ מענטש הייבט אָן זינדיקן, און שאַפֿט אַ גאַנצע עטיק פֿון זינד, און איז מקדש דעם חטא מיט גאָטס נאָמען, און זינדיקט לשם שמים, דאַמאָלס ווערט ער דער געפֿערלעכסטער פֿאַרברעכער. וויַיל אָן אידעאָלאָגיע קען געפּריידיקט ווערן צו אַנדערע. מענטשן זיַינען זייער רעצעפּטיוו און סענסיבל[28], און קענען באַאיַינפֿלוסט ווערן.

מיר קענען אונדז פֿאָרשטעלן, ווי האָבן הונדערטער טויזנטער דיַיטשן געמאָרדעט. נאָך אַלעם, האָט דאָך היטלער אַליין ניט געפֿירט די ייִדן אין די גאַז־קאַמערן. פֿון דער שענדלעכער אידעאָלאָגיע קענען אָנגעשטעקט ווערן אַנדערע, און דערפֿאַר, ווען עס קומט צו אַ מסית און אַ מדיח, אַ מענטש וועלכער פֿאַרשפּרייט זיַינע גיפֿט־קערנער אומעטום, האָט די תּורה קיין רחמנות, אַזוי ווי דער רמב"ם זאָגט, וויַיל אַזאַ מין רחמנות ברענגט צו אַכזריות. די סענטימענטאַלע ניַי־טעסטאַמענטלעכע ליבע פֿירט צו אינדיפֿערענץ און גלייכגילטיקייט.

מיר זיַינען ניט קיין פּאַציפֿיסטן. יהדות פֿאַרשטייט, אַז עס זיַינען דאָ מאָמענטן ווען אַ מענטש מוז קעמפֿן, כּדי צו פֿאַרטיידיקן זיַינע עלעמענטאַרע רעכט. און אויב מיט גוטס קען ער עס ניט דורכפֿירן, איז אַ בריקע ניט קיין שאַנד. יהדות באַגריַיפֿט, אַז עס זיַינען דאָ באַשטימטע חטאים און חוטאים וועלכע מוזן אומברחמנותדיק אויסגעוואָרצלט ווערן. אַ מאָל איז גאָט אל־קי הרחמים, און אַ מאָל המלך המשפּט. [....][29]

28. אויפֿנעמיק און סענסיטיוו.

29. עס גייען דריַי זיַיטן אין כּתבֿ־יד וואָס דער מחבר האָט אויסגעשטראָכן, ווי אַ סימן מען זאָל זיי אַרויסלאָזן. נאָך זיי גייט דער וויַיטערדיקער אָפּשניט, מיט וועלכן עס פֿאַרענדיקט זיך די לעקציע.

און דאָ שפּילט שוין די גרייס פֿון דער נתינה ניט די איינציקע ראָלע, נאָר ווichטיק איז אויך די קוואַליטעט, דער 'ווי', און די גײַסטיקע באַציִונג צום אָרעמאַן.

"כל הנותן צדקה לעני בסבר פנים רעות, ופניו כבושות בקרקע, אפילו נתן לו אלף זהובים אבד זכותו והפסידה. אלא נותן לו בסבר פנים יפות ובשמחה, ומתאונן עמו על צרתו שנאמר 'אם לא בכיתי לקשה יום עגמה נפשי לאביון' (איוב ל, כה), ומדבר לו דברי תחנונים ונחומים שנאמר 'ולב אלמנה ארנין' (איוב כט, יג)."[30] [רמב"ם, מתנות עניים, פרק י, הלכה ד]

"שאל העני ממך ואין בידך כלום ליתן לו, פייסהו בדברים. ואסור לגעור עני או להגביה קולו עליו בצעקה, מפני שלבו נשבר ונדכא. והרי הוא אומר 'לב נשבר ונדכה א' לא תבזה' (תהילים נא, יט), ואומר 'להחיות רוח שפלים ולהחיות לב נדכאים' (ישיעה נז, טו). ואוי למי שהכלים את העני אוי לו."[31] [מתנות עניים, פרק י, הלכה ה]

די סימפּאַטיע, דאָס מיטלײַד, דאָס באַטייליקן זיך אין יענעמס לײַדן — דאָס איז צדקה. און דער סימן פֿון חסד, צדקה, איז ניט נאָר מיט געלט. אַ וואָרט אַ מאָל, אַ האַנט־דרוק, אַ ליבקאָנענדער בליק, אַ פֿרײַנדלעכער שמייכל (ניט קיין פֿאַלשער), איז ווichטיקער אַ מאָל ווי געלט. ווי גליקלעך קען מען אַ מאָל מאַכן אַן עלנטן און נידער־געשלאָגענעם מיט אַ גוט וואָרט, מיט אַ וואַרעמער האַנט! וויפֿל ליכט קען מען געבן אַ פֿאַרשוואַרצטע נשמה מיט אַ ליכטיקן שמייכל! העלפֿן יענעם גײַסטיק איז אַ מאָל ווichטיקער ווי פֿיזיש.

"קול ברמה נשמע רחל מבכה על בניה, מאנה להנחם על בניה כי איננו. כה אמר ד': מנעי קולך מבכי, ועיניך מדמעה, כי יש שכר לפעולתך." (ירמיה לא, יד–טו)

30. "יעדער וואָס גיט צדקה צום אָרעמאַן מיט אַ קרום פּנים, מיט אויגן אַראָפּגעלאָזטע צו דער ערד, אפֿילו אויב ער זאָל אים האָבן געגעבן טויזנט גילדן, האָט ער געשעדיקט און פֿאַרלוירן זײַן זכות. ער דאַרף געבן מיט אַ פֿרײַנדלעך פּנים, מיט שׂמחה, שמועסן מיט אים וועגן זײַנע צרות, ווי עס שטייט אין פּסוק: 'צי האָב איך ניט געוויינט פֿאַרן שווער געדריקטן? מײַן זעל האָט דאָך געקימערט פֿאַרן אבֿיון.' (איובֿ ל, כה), ער זאָל אים זאָגן תּפֿילות און טרייסט־ווערטער, ווי עס שטייט אין פּסוק: 'און דאָס האַרץ פֿון דער אלמנה פֿלעג איך דערפֿרייען' (איובֿ כט, יג)."

31. "האָט דער אָרעמאַן געבעטן בײַ דיר אַ נדבֿה, און דו ביסט נישט בכּח אים צו געבן, זאָלסטו זיך אַנטשולדיקן. מען טאָר ניט שטראָפֿן דעם אָרעמאַן, רעדן צו אים מיט אַ הויכן קול אָדער שרײַען אויף אים. וואָרעם זײַן האַרץ איז צעבראָכן און אונטערדריקט. ווי עס שטייט אין פּסוק: 'אַ צעבראָכן און דערשלאָגן האַרץ, גאָט, פֿאַראַכטסטו ניט' (תּהילים נא, יט), 'אויפֿצולעבן דאָס געמיט פֿון די געפֿאַלענע, און אויפֿצולעבן דאָס האַרץ פֿון די דערשלאָגענע' (ישעיה נז, טו). ווי איז צו דעם וואָס האָט פֿאַרשעמט דעם אָרעמאַן, וויי איז צו אים."

חינוך עצמאי [1956][1]

מיר דאַכט זיך, אַז מען דאַרף צופּיל ניט רעדן וועגן דער וויכטיקייט פֿון חינוך עצמאי. מיר ייִדן בני־תּורה דאַרפֿן שטענדיק געדענקען דער מאמר־המדרש: ״אמרו להם אילני סרק לאילני פּירות: ׳למה אין קולכם נשמע?׳. אמרו להם: ׳פּירותינו מעידים עלינו׳, ׳ירעש כלבנון פריו׳ (תהילים עב, טז)״[2] [בראשית רבה, טז, ו]. ווו עס איז דאָ פּרוכט, דאַרף מען ניט האָבן קיין רעקלאַמעס און שבֿחים. דאָס פּרוכט, פּריו, רעקלאַמירט זיך אַליין, און דער פּירסום איז אַזוי גרויס ווי דער רעש פֿון לבֿנון.

איין און דרײַסיק טויזנט קינדער אין חדרים און ישיבֿות־קטנות. און איך וועל זיך דאָ ניט אַמפּערן מיט סקעפּטיקער, וועלכע אַרגומענטירן און ווילן באַווײַזן אַז עס זײַנען דאָ ניט איין און דרײַסיק טויזנט, נאָר פֿינף און צוואַנציק טויזנט קינדער. פֿון מײַנעטוועגן, זאָלן די חינוך עצמאי בתּי־ספֿר האָבן נאָר צען טויזנט, אָדער פֿינף טויזנט קינדער, אָדער אפֿילו ווייניקער, איז נאָך אַלץ כּדאַי צו אונטערשטיצן זיי מיט אונדזערע אַלע כּוחות, און ניט לאָזן זיי פֿאַלן. ״וזכרתי את בריתי יעקב״ (ויקרא כו, מב) באַציט זיך דאָך נאָר אויף זיבעציק נפֿשות — ״בשבעים נפש ירדו אבותיך מצרימה״ (דברים י, כב). און דער ״את בריתי יצחק״ איז פֿאַרבונדען נאָר מיט דרײַ — יצחק, רבֿקה און יעקבֿ. און דער ״את בריתי אברהם״ איז געשלאָסן געוואָרן נאָר מיט

1. אַ באַגריס־רעדע פֿון הרבֿ סאָלאָווייטשיק אויפֿן ערשטן באַנקעט פֿון דער חינוך עצמאי אָרגאַניזאַציע, יאַנואַר 1956. די חינוך עצמאי נעץ פֿון חדרים און פּרומע בתּי־ספֿר אין ארץ־ישׂראל איז געגרינדעט געוואָרן דורך ר׳ אהרן קאָטלער און דער מועצת־גדולי־התּורה פֿון אגודת־ישׂראל אין יאָר 1953.

2. ״עס האָבן די ווילדע ביימער געפֿרעגט בײַ די פּרוכטביימער: ׳פֿאַר וואָס הערט מען ניט אײַער קול?׳ האָבן יענע געענטפֿערט: ׳אונדזערע פּירות זאָגן עדות אויף אונדז׳. ׳זאָל רוישן ווי דער לבֿנון זײַן פּרוכט׳ (תהילים עב, טז).״

צוויי פּערזאָנען — אבֿרהם און שׂרה. ווי גליקלעך מיר זייַנען, אַז מיר קענען הײַנט בײַנאַכט צושטעלן צום כּריתת־ברית צום בורא־עולם צענדליקער טויזנטער קינדער. וויפֿל זיי זאָלן ניט זײַן, זײַנען זיי אַלץ מער, וויפֿל ייִדן עס זײַנען געווען אין דעם ברית־בין־הבתרים.

איך בין צוֹעק, און איך האַלט אין איין קעמפֿן, אַז בנוגע חינוך עצמאי זאָלן אַלע פֿרומע ייִדן, און אַלע רבנים, אָן אונטערשייד פֿון פּאַרטיי און אידעאָלאָגיע, זײַן פֿאַראייניקט. איך אַליין געהער ניט צו דער אגודה, און איך פּרוביר צו אונטערשטיצן די הייליקע אַרבעט פֿון חינוך עצמאי מיט אַלע כּוחות. איך בין זייער צופֿרידן אַז צווישן די אָנוועזנדע אין גאַסט געפֿינען זיך פּראָמינענטע מנהיגים פֿון מזרחי. מיט זייער באַטייליקן זיך אין דעם באַנקעט דעמאָנסטרירן זיי די הויכע מדרגה אויף וועלכער זיי שטייען.

אָבער איך וויל מאַכן אַ פּאָר באַמערקונגען, וועלכע די עסקנים פֿון חינוך עצמאי דאַרפֿן וויסן. מיר דאַכט זיך, אַז אייניקע פֿון אונדז האָבן בכלל פֿאַרגעסן דעם פֿאָריקן יאָר, און דערפֿאַר איז די אַרבעט הײַנטיקס יאָר אָנגעקומען אַ ביסל שווערער, און מיר האָבן ניט געלייסטעט אַזוי פֿיל וויפֿל מיר האָבן געדאַרפֿט דערגרייכן. איך האָב פֿאַר־אַ־יאָרן געמיינט, אַז אונדז איז געלונגען אַוועקצושטעלן דעם חינוך עצמאי אויף אַזאַ מין הויך, אַז אַרום דער אַרבעט וועט זיך קאָנצענטרירן משמנה ומסלתה, אָבער מײַן חלום איז ניט מקוים געוואָרן. אמת, איך האָב מיך ניט אָפּגעשראָקן פֿאַר דער אָפּאָזיציע, אָבער אַ מוסר־השׂכל מוזן מיר אונדז אַראָפּנעמען, די כּללים זענען צוויי, דאַכט זיך מיר.

ערשטנס, דאַרפֿן מיר געדענקען דעם זוהר אין בשלח דף ס״א–ס״ב: "תא חזי, כל מזוני דבני עלמא מלעילא קא אתיין. וההוא מזונא דאתי מן שמיא וארעא, דא מזונא דכל עלמא, והוא מזונא דכולא והוא מזונא גס ועב, וההוא מזונא דאתי יתיר מעילא הוא מזונא יתיר דקיק, קאתיא מאתר דדינא אשתכח, ודא הוא מזונא דאכלו ישראל כד נפקו ממצרים"[3]. וואָס גשמיותדיגער די מזונות זײַנען, גס ועבֿ, וואָס נידעריקער דער מענטש וועמען דער רבש״ע איז מפֿרנס שטייט, אַלץ לײַכטער קומט אים אָן די מזונות, די פּרנסה. ער ווערט געשפּײַזט דורך דער מידת־החסד. דעמאָלט איז זײַן זכות אויף מזונות באַזירט אויף דעם "פּרנסני ככלב וכעורב" [בבא בתרא, ח, ע״א], אין דער בחינה פֿון "נותן לחם לכל בשר כי לעולם חסדו" (תהילים קלו, כה), אָדער "פּותח את ידך ומשביע לכל חי רצון" (תהילים קמה, טז). אָבער וואָס העכער די פּערזאָן וועלכע דאַרף געשפּײַזט ווערן שטייט, וואָס הייליקער און רײַנער און איידעלער

3. "קום און זע: דאָס גאַנצע עסנוואַרג פֿון דער מענטשהייט קומט פֿון אויבן. און דאָס עסנוואַרג וואָס קומט פֿון הימל און ערד איז דאָס עסנוואַרג פֿון דער גאַנצער וועלט. עס איז דאָס עסנוואַרג פֿון אַלע, און איז גראָב און דיק. נאָר דאָס עסנוואַרג וואָס קומט פֿון אַ העכערן אָרט איז דאַרער, און קומט פֿונעם אָרט ווו עס געפֿינט זיך דער 'דין'. אָט דאָס איז דאָס עסנוואַרג וואָס בני־ישׂראל האָבן געגעסן ווען זיי זײַנען אַרויס פֿון מצרים."

די מזונות זײַנען, און וואָס דערהויבענער די מטרה וועלכע די מזונות דינען — אַלץ שווערער קומט אָן זיין פּרנסה, אַלץ מער איז מען מדקדק מיט אים, און אַלץ מער שווערער דאַרף מען אַרבעטן פֿאַר דעם ברויט. "ההוא מזונא דאתי יתיר מעילא הוא מזונא יתיר דקיק, דקא אתייא מאתר דדינא אשתכח". ווען דער מענטש מאָנט מזונות ניט אין דער בחינה פֿון "נותן לחם לכל בשר כי לעולם חסדו", נאָר אין דער מדרגה פֿון "רצון יראיו יעשה" (תהילים קמה, יט) — דעמאָלט גיט מען אים מזונותיו מיט דער מידת־הדין.

איז עס דען אַ וווּנדער, פֿאַר וואָס אונדז קומט אַזוי שווער אָן צו שאַפֿן געלט פֿאַרן חינוך עצמאי, פֿאַר ישיבֿות דאָ אין אַמעריקע, בשעת פֿאַר אַנדערע אינסטיטוציעס פֿליסט אַ שטראָם פֿון גאָלד? די מזונות פֿון בני־תּורה און ספּעציעל פֿון תּינוקות־של־בית־רבן, איז מזונא יתיר דקיק, און מזונא דקא אתייא מאתר דדינא אשתּכח. מיר מוזן געדענקען, אַז שאַפֿן פֿאָנדן פֿאַר תּורה ווערט ניט פֿאַרווירקלעכט אין דער בחינה פֿון פּותח את ידיך ומשׂביע, נאָר מיט מידת־הדין והצימצום. די עסקנים פֿאַר תּורה אין חינוך עצמאי וועלן אײַך דערציילן, וויפֿל עלבון און שפֿיכות־דמים מען דאַרף דורכגיין, וויפֿל שבֿירת־הרצון און יסורי־הנפֿש דאַרף מען דורכמאַכן, ווען מען קומט אַריין צו אַן אַמעריקאַנער ייִדן אין אָפֿיס בעטן געלט אויף תּורה. עס איז באמת מאתר דדינא אשתּכח.

ממילא דאַרפֿן מיר געדענקען אַ צווייטן כּלל. לאָמיר אים אילוסטרירן מיט אַ מאמר־חז״ל. "ונשאת את המשל הזה על מלך בבל ואמרת איך שבת נוגש שבתה מדהבה" (ישעיה יד, ד). טײַטשט דער מדרש: "'שבתה מדהבה' — מלכות שהיא אומרת 'מְדוֹד וְהָבֵא'"[4] [ויקרא רבה, טו,ח]. אין אַנדערע ווערטער: עס איז פֿאַרניכטעט געוואָרן דער נוגש, דער אונטערדריקער, און עס איז פֿאַרשווּנדן די מדהבֿה, ד״ה די פֿליכט צוצושטעלן דעם נוגש די אַרבעט יעדן פֿאַרנאַכט, ווי עס איז געווען די מאָדע אין מצרים, ווען די ייִדן האָבן געמוזט ליפֿערן דעם נוגש די מתּכונת־הלבֿנים.

איך וויל דאָ אין מאמר־חז״ל אַרײַנלייגן אַן אַנדער רעיון. גליקלעך איז אַ מענטש וואָס האָט די מעגלעכקייט צו טאָן אַרבעט פֿאַר אַ סך וויכטיקע מטרות, זיך צו פֿאַרנעמען מיט אַ סך פּראָיעקטן. אשרי דורו של משה, וואָס האָט געקענט נעמען תּרומה פֿון ייִדן סײַ אויפֿן מזבח־החיצון, און סײַ אויפֿן מזבח־הפּנימי, סײַ אויפֿן אוהל מועד און סײַ אויפֿן קדשי־קדשים, און סײַ פֿאַרן חצר אהל מועד, סײַ פֿאַר די אבֿנים טובֿות פֿאַרן חושן המשפּט פֿון כּהן־גדול, און סײַ פֿאַר דעם ארון־הברית. אשרי הדור ווען "מרבים העם להביא" למלאכת הקודש (שמות לו, ה). אין אַזאַ תּקופֿה איז ניטאָ די קללה פֿון מדהבֿה, פֿון מְדוֹד וְהָבֵא, פֿון מעסטן וויפֿל מען קען אויפֿטאָן, וויפֿל מען קען לײַסטן, און ווי וויכטיק איז יעדער פּראָיעקט, און וועלכער האָט אַ דין־קדימה.

4. "'שבתה מדהבה' — [עס האָט זיך געענדיקט] דאָס מלכות וואָס זאָגט 'מעסט און ברענגט'."

אָבער לײַדער, מיר זײַנען ניט אין דער לאַגע. אונזערע מזונות קומען ניט פֿון פּתיחת־יד, נאָר בצימצום, מאתרא דדינא אשתּכח, און מיר קענען ניט זײַן צו ברייטהאַרציק און געבן אויף אַלץ, און קלײַבן פֿאָנדן אויפֿן חצר אוהל מועד מיטן קדשי־קדשים, פֿאַרן חושן מיטן ארון־הברית. מיר מוזן נאָך אָנקומען צו דער מעטאָדע פֿון מדהבֿה, פֿון מְדוֹד והָבֵא. מיר מוזן מעסטן און וועגן, אויף וואָס מיר דאַרפֿן קאָנצענטרירן אונדזער קראַפֿט און ענערגיע, און ניט צעוואַרפֿן און מבֿזבז זײַן אונדזערע כּוחות אויף זיבעציק פֿראָנטן. איר ווייסט פֿאַר וואָס? ווײַל אין אונדזער דור רעגירט נאָך דער דור נוגש, דער שׂטן, וואָס פֿריידיקט אַ חולינדיקע יהדות. בשעת הונדערטער מיליאָנען דאָלאַרן פֿליסן דורך צינורות וואָס זײַנען וואָכעדיק, דאַרפֿן מיר אונדז באַגנוגענען מיט פּרוטות, וועלעכע מען וויל אונדז אויך ניט געבן. ממילא זײַנען מיר געצווונגען צו מדקדק זײַן מיט אונדזערע מעשׂים, און אָנווענדן דעם פּרינציפּ פֿון מְדוֹד והָבֵא: מעסט און ברענג רעזולטאַטן. איר ווייסט גאַנץ גוט, אַז בשעת אַ מלחמה, איז עס די גרעסטע געפֿאַר ווען מען דאַרף קעמפֿן אויף עטלעכע פֿראָנטן.

אַרויסגייענדיק פֿון שטאַנדפּונקט פֿון מְדוֹד והָבֵא, מוזן מיר געדענקען אַז די וויכטיקסטע מטרה, פֿאַר וועלכער מיר מוזן אונדז פּשוט מוסר־נפֿש זײַן, איז תּורה. און צווישן תּורה־אַרבעט איז די הייליקסטע מטרה — תּינוקות־של־בית־רבן. סוף־סוף זײַנען אויף דעם ארון־הברית געשטאַנען כּרובֿים, ניט קיין אַלטע ייִדן.

פֿאַר מיר זײַנען תּינוקות־של־בית־רבן אין אַמעריקע וויכטיקער ווי אַלע אַנדערע מינים עסקנות, ווי אויפֿן געביט פֿון שמירת־שבת, טהרת־המשפּחה. ווײַל אַז מיר וועלן האָבן אַ דור פֿון תּורה, וועט אַלץ זײַן כּתּיקונו. וועלן מיר פֿאַרלאָזן די תּינוקות־של־בית־רבן, אַרבעטן מיר אומזיסט. דערפֿאַר ווער איך ניט שטאַרק באַאײַנדרוקט פֿון די פּאָליטישע זיגן פֿון דער אָרטאָדאָקסיע אין כּנסת, ווי דאָס געזעץ קעגן גידול חזירים, אָדער אַפֿילו אַנדערע תּקנות. זיי זײַנען וויכטיק, אָבער ניט צו וויכטיק. מיר האָבן גאָר ניט פֿײַנט אַזוי דעם חזיר, ווי דעם מגדל חזירים, אָדער די אוכלי־בשׂר־החזיר, און דאָס קען קיין געזעץ אין דער כּנסת ניט אָפּשטעלן. דער פּתרון צום דעם פּראָבלעם ליגט ניט אין כּנסת, נאָר אין די חדרים, אין חינוך עצמאי.

אָבער רבותי, עסקנים פֿון חינוך עצמאי! אויך אין אונדזער אַרבעט מוזן מיר געדענקען דעם מְדוֹד והָבֵא. אַ סך זאַכן וואָס איר טוט זײַנען גוט און וויכטיק. אַ סך אידעען (אויפֿן פּאָליטיש־געזעלשאַפֿטלעכן געביט) וואָס איר פּריידיקט, זײַנען אפֿשר וויכטיק. אָבער שטענדיק, ווען איר טוט עפּעס, פֿאַרגעסט ניט דעם מְדוֹד והָבֵא. פֿרעגט זיך: וואָס איז וויכטיקער, די [פֿאַר...][5] פֿון דעם פּראָגראַם, אָדער נאָך צען טויזנט קינדער אין ארץ־ישׂראל אין דער רשת פֿון בתּי־ספֿר פֿון חינוך עצמאי. און ערשט דערנאָך טוט וואָס איר ווילט, אָדער שרײַבט וואָס איר טראַכט. צעטיילט

5. וואָרט נישט לייענעוודיק אין כּתבֿ־יד.

ניט די ביסעלע ייִדן וועלכע שטייען נאָך אין די רייען פֿון תּורה־שבעל־פּה, אַפֿילו ווען איר דענקט, אַז אייניקע פֿון זיי פֿירן זיך שוין ניט אין הסכּם מיט אײַער השקפֿה.

איך וויל יאָ איין הערה צולייגן. איך בין ניט ווייניקער קנאי ווי איר אַלע, און איך פֿריידיק ניט קיין טאָלעראַנץ. זײַט מיר ניט חושד אין דעם, און אפֿשר בין איך ווײַט נישט מחולק מיט אײַך וועגן גוף־הענין. עס איז נאָר אַ פֿראַגע פֿון מעטאָדע און צוגאַנג, פֿון דעם 'ווי', ניט פֿון דעם 'וואָס'. מען דאַרף מקיים זײַן דעם "לעולם יהא אדם ערום ביראת קונו"[6] [ברכות יז, ע"א]. וואָס חז"ל האָבן פֿאַרשטאַנען אונטער ערמומיות, איז דער כּח פֿון נעמען הלכה און פֿאַרווירקלעכן זי אין מעשׂה, הוראה — אין פֿאַקטן, טעאָריע — אין ווירקלעכקייט. דער פּראָבלעם פֿון אָנווענדן צופֿיל התלהבֿות קען אַ סך שאָדן טאָן אונדזער הויפּט־אַרבעט פֿון אויפֿבויען אַ דור פֿון תּורה. איך האָב אַ מאָל געהערט פֿון ר' אלחנן וואַסערמאַן אין נאָמען פֿון חפֿץ־חיים, אַז אין דעם פּסוק "כּל אשר בלבבך לך עשׂה" (שמואל ב, ז, ג) שטייט אַן עשׂה, און אַ לאו הבא מכּלל עשׂה. דער עשׂה איז, אַז וואָס מען איז בכּח צו טאָן, מוז מען פּרובירן צו לײַסטן. דער לאו איז, אַז וואָס מען איז ניט בכּח — טאָר מען ניט טאָן. איך זאָג נאָר אַז באַשטימטע זאַכן קען מען דורכפֿירן, אָבער ניט מיט די מעטאָדן וועלכע מען האָט אָנגעווענדט.

צום סוף, וויל איך זאָגן אַ פּאָר ווערטער וועגן דעם אורח־הכּבֿוד פֿון אונדזער אָוונט, הרבֿ קאָטלער.

איך בין דערצויגן געוואָרן אין אַ הויז, ווו מען האָט געלערנט די קינדער צו באַהאַלטן זייערע רגשות, ניט אַרויסווײַזן געפֿילן, איידעלע, הייליקע און ריינע, אינטימע סענטימענטן, כּלפּי־חוץ, אין רשות־הרבים. איך האָב קיין מאָל פֿון מײַן פֿאָטער ניט באַקומען קיין קוש, און קיין מאָל פֿון מײַן פֿאָטער ניט געהערט קיין ליבע־דערקלערונגען. איך האָב קיין מאָל ניט צוגעזען קיין סענטימענטאַלע סצענע פֿון צופֿיל התרגשות. אַלץ איז געווען פֿאַרדעקט מיט דעם פֿאָרהאַנג פֿון אַ קאַלטער אויסערלעכער פּערזענלעכקייט. מײַן משפּחה האָט געהאַלטן, אַז דאָס געפֿילס־לעבן פֿון מענטשן, זײַנע רגשות פֿון אהבֿה און חיבה, פֿון [....][7], פֿון שׂמחה אָדער ר"ל עצבֿות, זײַנען אַזוי הייליק, אַז דער תּחום דאַרף בלײַבן אין גאַנצן צוגעדעקט און פֿאַרבאָרגן פֿון דעם אויג פֿון צווייטן. נאָר דער בורא־עולם, בוחן כּליות ולבֿ, דאַרף קענען די וועלט. מיר האָבן געלערנט אַז דער עולם־הרגש איז אין דער בחינה פֿון ארון־הברית, וועלכן מען פֿלעגט צודעקן איידער מען פֿלעגט אים אַרויסנעמען פֿון קודש־הקדשים אין די מסעות אין דעם מדבר. "ונתנו עליו כּסוי עור תּחש ופרסו

6. "זאָל דער מענטש תּמיד קלוג זײַן אין זײַן פֿאָרכט פֿון זײַן האַר."
7. וואָרט ניט לייענעוודיק אין כּתבֿ־יד.

בגד כליל תכלת מלמעלה״ (במדבר ד, ו). זרים טאָרן ניט צוזען דעם אָרון. ער איז צו הייליק. אַ פֿרעמד אויג קען נאָך מחלל זײַן די קדושה.

ממילא, זײַענדיק דערצויגן אין דער טראַדיציע פֿון ״ופרשו בגד כליל תכלת מלמעלה״, קומט מיר ניט אָן לײַכט צו ריידן וועגן ר׳ אהרן קאָטלער, דעם ראש־ישיבֿה צווישן ראשי־ישיבֿות. מיר איז שווער אויסצודריקן מײַנע סענטימענטן צו אים, ספּעציעל עפֿנטלעך. איך פֿיל אַז איך בין זיי מחלל.

אָבער לאָמיר זאָגן בקיצור. די גמרא דערציילט אונז אין בבא בתרא [נח, ע״א] אַז ״שופריה דרב כהנא מעין שופריה דרבי אבהו, שופריה דרבי אבהו מעין שופריה דיעקב אבינו״[8]. האָט זי געמיינט אונדז צו דערציילן, אַז די אויסערלעכע געשטאַלט פֿון רב כּהנא, זײַן חיצוניותדיקע פּראַכט, זײַן דמות־דיוקן, האָט אָפּגעשפּיגלט די טראַדיציאָנעלע שיינקייט און הדרת־פּנים פֿון גדולי־ישׂראל ביז יעקבֿ־אָבֿינו. ניט נאָר איז די תּורה איבערגעגעבן געוואָרן מדור לדור, נאָר אויך די געשטאַלט פֿון אַ גדול־בישׂראל איז אַ קייט פֿון דער מסורה.

ווען איך זע ר׳ אהרן, ווען איך קוק מיך צו צו זײַן שנעלן טריט, האַסטיקן ריידן, ווען איך דערפֿיל די וואַרעמקייט וואָס שטראַלט אַרויס פֿון זײַן גאַנצער פּערזענלעכקייט, זײַן איבערגעגעבנקייט פֿאַר תּורה, פֿאַרן כּלל־ישׂראל, זײַן מוותּר זײַן אויף זײַן אייגענעם כּבֿוד, זײַן מאָנען פֿון אַנדערע, זײַן ענערגיע און דינאַמישקייט; ווען איך זע שופֿריה דר׳ אהרן, דערמאָן איך מיר אָן די שופֿריה פֿון זיידן ז״ל, און פֿון אַנדערע גדולי־ישׂראל. עפּעס שפּיגלט זיך אין אים אָפּ דער דמות־דיוקן פֿון די חכמי־המסורה ביז יעקבֿ־אָבֿינו.

אין וואָס איז די פּראַכט באַשטאַנען? אין וואָס האָט זיך אויסגעדריקט די שופֿריה פֿון רבֿ כּהנא, רבי אבֿהו, און אַזוי ווייטער? מיר דאַכט זיך, אַז פֿון דער פּראַכט האָבן אַרויסגעשטראַלט צוויי גרויסע ליכטיקע אידעען: ״שׂר לפֿני המלך״ און ״עבֿד לפֿני המלך״. איר ווייסט אַלע וואָס רבי יוחנן בן זכּאי האָט געזאָגט וועגן זיך און רבי חנינא בן דוסא, אַז ער איז כּשׂר לפֿני המלך, בשעת רבי חנינא איז כּעבֿד לפֿני המלך [ברכות לד, ע״ב]. אַ גדול־בישׂראל איז, ערשטנס, אַ שׂר לפֿני המלך, אַ שׂר־התּורה, אַ מענטש מיט אַ גרויסן אינטעלעקט וואָס טראַכט און פֿאַרטיפֿט זיך אין אַלע עניני־התּורה, אין הלכות־נזיקין, טומאה וטהרה, תּרומות ומעשׂרות, מחיצות און הלכות יום־טובֿ. זײַן זכּרון איז אָנגעפֿילט מיט הונדערטער דפֿים פֿון גמרא, מיט ראשונים און אחרונים. ער איז מחדש, ער איז עוקר הרים וטוחנן בסבֿרא. ער איז אין דער תּורה־וועלט אַ שׂר, אַ בעל־הבית, ער רעגירט מיטן שטרענגן שׂכל, און מיט ריינער הבֿנה — אַ בעל תּריסין במשנה ובגמרא, פּסקנט און לערנט יענעם, עצהט און דרשנט. בקיצור, ער איז אַן

8. ״די שיינקייט פֿון רבֿ כּהנא איז געווען אַן אָפּשפּיגלונג פֿון דער שיינקייט פֿון רבי אבֿהו, און די שיינקייט פֿון רבי אבֿהו איז געווען אַן אָפּשפּיגלונג פֿון דער שיינקייט פֿון יעקבֿ־אָבֿינו״.

איש־השׂכל, דער שׂר לפני המלך, איז אַ יוצא־ונכנס און איז קלאָר אין די אוצרות־המלך, און דער מלך פֿאַרטרויט אים זײַנע סודות.

אָבער דאָס איז אַלץ אין עולם־התורה־והמחשבה. אָבער אין עולם־התּפילה־והמעשׂה ווערט דער זעלבער שׂר לפני המלך, אַן עבד לפני המלך. אַז רבי חנינא בן דוסא פֿלעגט דאַוונען, דערציילן חז״ל, פֿלעגט ער מטיח ראשו בין ברכיו זײַן[9]. פֿאַרוואָס? ער פֿלעגט דערמיט אויסדרוקן, אַז דער גאַנצער ענין פֿון תּפילה איז אַ זאַך וואָס איז אומפֿאַרשטענדלעך, אַ חידה, וואָס דער בורא־עולם האָט געשענקט דעם מענטשן, וועלכן ער פֿאַרשטייט ניט. וואָס פֿאַר אַ חוצפּה האָט אַ בשׂר־ודם, כּחרס הנשבר, כּחציר יבֿש, כּצל עובֿר, צוצוקומען צום מלך־מלכי־המלכים? וואָס פֿאַר אַ רעכט האָט ער צו בעטן עפּעס בײַם בורא־עולם, אים לויבן אָדער דאַנקען? בשעת דער מענטש איז מתפּלל, טאָר ער זיך ניט האַלטן ווי קיין שׂר, אָפּערירן מיט זיין שׂכל ווי אין עולם־התּורה, נאָר פֿאַרקערט, ער דאַרף מטיח זיין ראשו בין ברכיו, ווי אַן אַנדער בעל־חי טוט, ווײַל אויב ער וויל באַנוצן דעם שׂכל צו תּפילה, פֿאַרשטיין פֿאַר וואָס און ווי, דעמאָלט פֿאַרלירט ער די גאַנצע פּריוויליגיע צו דאַוונען. איך דאַוון ווײַל עס איז מיר שלעכט, שרײַ איך צו דיר, בורא־עולם, פּונקט ווי עיני כּל אליך ישׂברו, אפֿילו ווען איך פֿאַרשטיי ניט די באַרעכטיקונג פֿון מײַן תּפֿילה.

דאָס זעלבע פּרינציפּ האָבן די גדולי־ישׂראל אָנגעווענדט אין זייער אַרבעט בנוגע צרכי־הכּלל. דער זעלבער גרויסער שׂר לפני המלך, רבי יוחנן בן זכּאי, ווען ער האָט געבעטן יבֿנה וחכמיה, האָט ער זיך ניט מיישבֿ געווען מיט זײַן שׂכל, צי יבֿנה וועט קענען אויסהאַלטן דעם דרוק פֿון מלכות רומי, און צי ער וועט קענען באמת על־פּי־דרך־הטבֿע ראַטעווען תּורה. ער האָט געטאָן כּעבֿד לפֿני המלך. ווײַל מיר זײַנען מחויבֿ אָנצופֿירן און פֿאַרצוזעצן די מסורה מדור דור, אפֿילו אין צײַטן ווען מיר ווילן פֿאַרשטיין די תּקופֿה און די השגחה, און אויסזיכטן פֿאַרן עתיד, ווי אַ שׂר לפֿני המלך, דערשײַנט אַלץ האָפֿנונגסלאָז און אויסזיכטסלאָז. בשעת רבי עקיבֿא האָט מרביץ־תּורה־ברבים געווען, און פּפּוס האָט אים געפֿרעגט: ״עקיבא, אֵי אתה מתיָרא מפּני מלכות?״ [ברכות סא, ע״ב] — האָט ער איראָניש אַ שטאָך געגעבן רבי עקיבֿאָן. ״דו גרויסער קאָפּ, דו רבן־של־ישׂראל, וואָס ביסט מיטן געניאַלן שׂכל עוקר הרים וטוחנם בסבֿרא, וואָס די גאַנצע תּורה איז ליכטיק פֿאַר דיר. קענסטו מיר מסביר זײַן פּראַקטיש, ווי אַזוי וועסט געווינען דעם קאַמף קעגן רוים, דו מיט דײַנע עטלעכע תּלמידים?״ וואָס איז דער תּירוץ אויף דער פֿראַגע? ווען גדולי־ישׂראל אַרבעטן פֿאַר תּורה, דעמאָלט דערשײַנען זיי כּעבֿד לפֿני המלך, מען פֿרעגט קיין קשיות ניט, מען ווייסט דעם מאמר התּנא אין פּרק: ״לא עליך המלאכה לגמור, ולא אתה בן חורין ליבטל ממנה״ [אָבֿות ב, טז] .

9. ער האָט געשטעלט זײַן קאָפּ צווישן זײַנע קני (לויט ברכות לד, ע״ב).

דער צוגאַנג פֿון כּעבֿד לפֿני המלך האָט פֿאַראייביקט אונדזער תּורה, און מיט דער אמונה כּעבֿד לפֿני המלך וועלן מיר בויען תּורה און יהדות אויך אין עתיד־לבֿא. דערצו דאַרף מען האָבן דאָס גדלות פֿון רבי חנינא בן דוסא, אַ זאָג צו טאָן "מי שאמר לשמן וידלוק יאמר לחומץ וידלוק"[10] [תּענית כּה, ע"א], פֿון "נתן עקבו על פּי החור"[11] [ברכות לג, ע"א] און ניט מורא האָבן פֿאַר קיין ערוד. דערצו דאַרף מען האָבן מוט און גבֿורה.

איך וויל ניט ריידן וועגן ר' אהרן אַלס שׂר לפֿני המלך. ער איז אַ שׂר־התּורה בכל המובֿנים. אַלע ווייסן עס, און ער דאַרף ניט האָבן מײַן הסכּמה. אָבער וואָס איך באַוווּנדער אין אים מער ווי אַלץ, איז זײַן כּח פֿון זײַן כּעבֿד לפֿני המלך, צו טאָן זאַכן צו וועלכע אַנדערע וועלן זיך ניט צוכאַפּן, עוסק זײַן זיך אין ענינים אָן זיך צו דערשרעקן פֿאַר קריטיקער, מבֿטל צו זײַן די פּפּוסן אין אונדזער תּקופֿה, ניט נתפּעל ווערן פֿאַרן לעג השאננים[12]. וויפֿל מי און טירחה לייגט ער אַרײַן אין חינוך עצמאי! ווען ניט ער, וואָלטן מיר קיין זאַך ניט געלײַסטעט פֿאַר דעם חינוך. וויפֿל שאָדן און עלבון האָט ער זיך אַליין פֿאַרשאַפֿט דורך דעם, וויפֿל מאָל שרײַט ער אויס "מי שאמר לשמן וידלוק יאמר לחומץ וידלוק"! אמת, מיר לעבן אין אַ צרכי־השעה עגאָיִסטישן דור, אין אַ תּקופֿה וואָס שאַצט אָפּ ניט קיין תּורה און ניט קיין קדושת־ישׂראל. שמן פֿעלט אויס. דאָס לעבן פֿון בני־תּורה איז ניט קיין סוגה בשושנים[13]. אָבער דער אור־התּורה מוז ברענען, אַפֿילו ווען דאָס קנייטל טונקט זיך אין חומץ. אשרי הדור שהוא שורה בתוכו.

---

10. "איין פֿרײַטיק־צו־נאַכטס האָט ער באַמערקט אַז זײַן טאָכטער איז געווען אומעטיק, האָט ער איר געזאָגט: טאָכטער, וואָס ביסטו אומעטיק? האָט זי געזאָגט: איך האָב פֿאַרמישט די בוימל־כּלי מיט דער עסיק־כּלי, און אָנגעצונדן דערמיט דאָס שבת־ליכט. האָט ער איר געזאָגט: טאָכטער, וואָס אַרט עס דיר? ווער עס האָט געהייסן אַז דאָס בוימל זאָל ברענען, וועט אויך הייסן אַז דער עסיק זאָל ברענען. [מי שאמר לשמן וידלוק הוא יאמר לחומץ וידלוק.] אַ תּנא האָט געלערנט: דאָס ליכט האָט געברענט אַ גאַנצן טאָג, ביז מען האָט דערפֿון גענומען ליכט צו מאַכן הבֿדלה."

11. "תּנו רבנן: אויף אַ געווויסן אָרט איז אַ מאָל געווען אַ וואַסער־שלאַנג וואָס פֿלעג שעדיקן מענטשן. איז מען געקומען און דערציילט דערוועגן צו רבי חנינא בן דוסא. האָט ער זיי געזאָגט: ווײַזט מיר זײַן לאָך (פֿון וואַנעט ער קומט אַרויס). זיי האָבן אים געוויזן דעם לאָך, און ער האָט געשטעלט זײַן פּיאַטע איבער דער עפֿענונג פֿון לאָך. [נתן עקבו על פּי החור.] איז דער וואַסער־שלאַנג אַרויסגעקומען, האָט אים געביסן, און דער וואַסער־שלאַנג איז געשטאָרבן. האָט ער אים גענומען אויף זײַן אַקסל און געבראַכט אין בית־מדרש, און האָט צו זיי געזאָגט: איר זעט, קינדער, ניט דער וואַסער־שלאַנג הרגעט, נײַערט דער חטא הרגעט."

12. לויט תּהילים קכג, ד.

13. לויט שיר־השירים ז, ג.

III. אַרטיקלען

שאלות און תשובֿות פֿון אָרטאָדאָקסישן ייִדנטום אין אַמעריקע[1]

באַמערקונג פֿון דער רעדאַקציע: די רעדאַקציע פֿון "טאָג־מאָרגן־זשורנאַל" האָט זיך געווענדט צו הרבֿ יוסף בער סאָלאָווייטשיק פֿון באָסטאָן, איינער פֿון די גרעסטע רבנים גאונים וואָס מיר האָבן איצט אין אַמעריקע, און אַ וויכטיקער פֿירער פֿון אָרטאָדאָקסישן פֿליגל אין אַמעריקאַנער ייִדנטום, אַז ער זאָל אינעם יובילײ־נומער פֿון "טאָג־מאָרגן־זשורנאַל" אַרויסזאָגן זײַן מיינונג וועגן די וויכטיקסטע פּראָבלעמען וואָס שטייען איצט פֿאַרן אָרטאָדאָקסישן ייִדנטום אין אַמעריקע. מיר דרוקן דאָ די פֿראַגעס וואָס מיר האָבן אים געשטעלט, און די ענטפֿערס וואָס הרבֿ סאָלאָווייטשיק האָט געשריבן ספּעציעל פֿאַרן "טאָג־מאָרגן זשורנאַל".

שאלה: אין אַמעריקע לאָזט זיך איצט באַמערקן אַן אַלגעמיינער רעליגיעזער אויפֿשוווּנג. די מיטגלידערשאַפֿט פֿון רעליגיעזע אָרגאַניזאַציעס איז געוואַקסן, רעליגיעזע מיטינגען ווערן בעסער באַזוכט אאַז״וו. אויך אויף דער ייִדישער גאַס האָט מען לעצטנס באַמערקט אַ מער לעבעדיקן אינטערעס צו רעליגיעזע ענינים. גלייבט איר אַז אַזאַ רעליגיעזע שטימונג איז גינסטיק פֿאַר דער אָרטאָדאָקסיע אין אַמעריקע?

תּשובֿה: אויך איך האָב מיך אָנגעשטויסן אויף אַרטיקלען און בילדער אין פֿאַרשידענע אילוסטרירטע צײַטונגען, אין וועלכע ס׳ווערט פֿאַרגעשטעלט דער רעליגיעזער אויפֿשוווּנג אויף דער אַמעריקאַנער גאַס. ווי עס ווײַזט אויס, איז רעליגיע

1. אָפּגעדרוקט אין *טאָג־מאָרגן זשורנאַל*, דעם 15טן נאָוועמבער 1954, ז׳ 5.

לעצטנס אַרײַן אין מאָדע, און אַ פֿאַרבינדונג מיט אַ רעליגיעזער אינסטיטוציע איז אין אײַנקלאַנג מיט דעם אַלגעמײנעם געזעלשאַפֿטלעכן געשמאַק. געװײנלעך, האָט די שטימונג איר אָפּקלאַנג אויך אויף דער ייִדישער גאַס, ספּעציעל אין די פֿאָרשטעט, װוּ דאָס ייִדישע קלײנבירגערטום האָט זיך לעצטנס אָנגעהויבן צו קאָנצענטרירן. דאָרטן פֿאַרלאַנגט דער "באָן־טאָן" (גוטער געשמאַק) אַז דער ייִד זאָל באַלאַנגען צום טעמפּל, כּדי ער זאָל קענען דערצײלן דעם גויִישן שכן, אַז ער איז אַ מאַכער אין דער "סינאַגאָג", פּונקט װי יענער איז אַ גבאי אין קירך.

איך װיל די דערשײַנונג ניט מבֿטל זײַן. זי האָט אירע גוטע זײַטן. אָבער איך קען זי נישט קלאַסיפֿיצירן אַלס רעליגיעזע דערפֿאַרונג. די טיפֿסטע, מעכטיקסטע, און אויך קאָמפּליצירטסטע איבערלעבונג בײַם יחיד, האָט זײער װײניק צו טאָן מיט מאָדע און עטיקעט. זי [די רעליגיעזע דערפֿאַרונג] שטאַמט פֿון דער טיפֿענש פֿון דער מענטשלעכער פּערזענלעכקײט, פֿון די טיפֿענישן פֿון זײַן פּאַראַדאָקסאַלן באַװוּסטזײַן, װעלכער איז דורכגעדרונגען סײַ מיט טראַגיק פֿון אַן אײנזאַמען און זינלאָזן לעבן, װאָס װערט אויסגעלאָשן מיטן טויט — "ומותר אדם מן הבהמה אין כי הכל הבל" (קהלת ג, יט) — און סײַ מיט דער שׂמחה פֿון אַ גרויסער און געטלעכער עקסיסטענץ װאָס געהערט צו דער אײביקײט — "אתה הבדלת אנוש מראש ותכירהו לעמוד לפניך" [תפילת נעילה]. דער יחיד װעלכער איז זוכה צו דער אמתער רעליגיעזער דערװאַכונג לעבט דורך אַ גײַסטיקע איבערקערעניש, אַ שינוי־ערכים, אַ נײַע אָפּשאַצונג פֿון אַלטע אמתן, אידעאַלן, און שטרעבונגען. עס ענדערט זיך זײַן גאַנצער בליק אויף דער װעלט־נאַטור, מענטש, און אַפֿילו פֿון [זײַן] "איך". זײַן לעבן קריגט אַ גאַנץ אַנדערן קאָליר. נײַע דימענסיעס פֿון געפֿיל, מחשבֿה, און רצון װערן געבוירן.

ממילא, פֿאַרשטײט זיך דאָך אַלײן, אַז אַן אײבערפֿלעכלעכע רעליגיעזע האַנדלונג, װאָס באַשטײט אין באַטײליקן זיך אין אַ גאָטעסדינסט אײן מאָל אַ װאָך, קאָן נישט באַטראַכט װערן אַלס די גרויסע איבערלעבעניש פֿונעם מענטשן װעלכער באַגעגנט זיך מיטן אין־סוף. די גאַנצע מעשׂה טראָגט מער אַ סאָציאַלן כאַראַקטער װי אַ רעליגיעזן, זי פּאַסט זיך אַרײַן אין דעם קאָנסערװאַטיװן פּאָליטישן קלימאַט װעלכער האָט אַרומגעכאַפּט אונדזער עפֿנטלעכקײט אין די לעצטע עטלעכע יאָר.

מײַן אײַנדרוק איז אַז דער אינטערעס אין רעליגיע איז נישט קײן אויסדרוק פֿון בענקשאַפֿט צום בורא־עולם, נאָר פֿון פּראָטעסט קעגן די אַטעיִסטיש־מאַטעריאַליסטישע מלוכה־סיסטעמען, פֿון אײן זײַט, און פֿון לאָיאַליטעט צו דעם דעמאָקראַטישן אידעאַל, פֿון דער אַנדער זײַט. װי װינטשנסװערט אַזאַ אײַנשטעלונג זאָל נישט זײַן, איז זי נאָך װײַט פֿון צו זײַן אמתע רעליגיעזיטעט, װעלכע איז זײער אָפּט לחלוטין נישט פֿאַראינטערעסירט אין צופֿרידנשטעלן דעם דעת־הקהל, אָדער זיך צופּאַסן צו קאָנװענציאָנעלע סטאַנדאַרדן פֿון טובֿ ורע. פֿאַרקערט: אַ סך מאָל איז

די רעליגיעזע פּערזענלעכקייט אין אָפּאָזיציע צו אָנגענומענע מנהגים און אָנשויונגען. זי איז אַן איינזאַמע טרעגערין פֿון אַן אמת וועלכן די געזעלשאַפֿט וויל נישט אָנערקענען. איז אבֿרהם נישט געווען דער גרעסטער בודד? איז משה־רבינו נישט געווען עלנט און איינזאַם אין יענעם טונקעלן פֿרימאָרגן ווען ער איז אַליין געקראָכן אויפֿן באַרג סיני מקבל צו זײַן די תּורה אַ צווייט מאָל? "ואיש לא יעלה עמך וגם איש לא ירא בכל ההר" (שמות לד, ג). ווען רעליגיעזיטעט ווערט מאָדיש, דאַרף מען זי גוט אונטערזוכן אויב זי איז עכט. קורץ, גרויסע ישועות קאָן מען נישט דערוואַרטן פֿון דעם אַזוי־גערופֿענעם רעליגיעזן "רענעסאַנס".

אָבער, אָנגענומען אַפֿילו אַז די אַלגעמיינע שטימונג האָט טיפֿע רעליגיעזע וואָרצלען, האָט זי זייער אַ קליינע באַדײַטונג פֿאַר אונדז ייִדן, וועלכע קעמפֿן פֿאַר אַ טראַדיציאָנעלן לעבנס־שטייגער.

די אויפֿגאַבע פֿון אַרײַנברענגען תּורה אין ייִדישן לעבן אין אַמעריקע איז זייער אייגנאַרטיק. מען דאַרף די שליחות אויפֿפֿאַסן אין אַ גאַנץ אַנדער פּערספּעקטיווע ווי די אין וועלכער, למשל, די קאָנסערוואַטיווע און רעפֿאָרם־באַוועגונגען ווילן זי זען. ייִדישקייט האָט שטענדיק געפּרייִדיקט די אידעע פֿון דער אַבסאָלוטער איינהייט פֿון מענטשלעכן לעבן — אַחדות הרשויות; אַן אידעע צו וועלכער דער מאָדערנער מענטש איז נישט צוגעוווינט.

דער מענטש פֿון הײַנט, אַפֿילו דער טיף־רעליגיעזער גאָטזוכער, צעטיילט זײַן לעבן אין צוויי תּחומים — חול און קודש. אין ערשטן תּחום, חול, אין וועלכן ער לעבט זיך כּמעט אין גאַנצן אויס, לאָזט ער דעם רבונו־של־עולם נישט אַרײַן, און ער אָנערקענט נישט דאָרטן קיין רעליגיעזע נאָרמעס און געזעצן. אין זײַן געשעפֿטלעכן און פּריוואַטן לעבן איז נישטאָ קיין שפּור פֿון געטלעכער אויטאָריטעט. דער מענטש ווערט געטריבן אויף די אַלע געביטן דורך פּראַגמאַטיש־סעקולערע מאָטיוון און שטעלט זיך נישט אָפּ פֿאַר קיין האַנדלונג, אויב ער דערוואַרט אַז זי וועט אים דערנענטערן צו זײַן וואָכעדיק־עגאָיִסטישן ציל. אין דעם תּחום פֿון חול איז דער מענטש חוצפּהדיק, ווולגאַר און אומעמפּפֿינדלעך[2], און קומט קיין מאָל נישט אין קאָנטאַקט מיט גאָט.

ווען ער וויל זיך יאָ אַ מאָל טרעפֿן מיטן בורא־עולם, מוז ער אַרײַנגיין אין אַן אַנדער תּחום, וואָס פֿילט אויס אַ קליינעם ווינקל אין זײַן לעבן, און אין וועלכן ער האָט, כּבֿיכול, פֿאַרשפּאַרט די שכינה פֿון אין־סוף. בשעת דער מענטש פֿון הײַנט טרעט אַריבער די שוועל פֿונעם תּחום פֿון קודש, קומט אין אים פֿאַר אַ מאָדנע גײַסטיקע אומוואַנדלונג. צום רבונו־של־עולם דערנענטערט זיך אַ באַשיידענע, הכנעהדיקע, און פֿאַרגײַסטיקטע פּערזאָן, וועלכע דאַוונט, קלאַפּט זיך על־חטא,

2. אומסענסיטיוו (דײַטש).

זאָגט ווידוי, פֿאַלט אויף די קני, מורמלט שטילערהייט "נישט מייַן ווילן, נאָר דייַנער זאָל געשען", זינגט עקסטאַטיש אַ פּראַכטפֿולן הימען, און לעבט איבער עפּעס שיינס און דערהאַבנס.

אָבער די נייַע פּערזענלעכקייט האָט קיין אַריכות־ימים נישט. מיט דעם מאָמענט ווען דער מתפּלל פֿאַרלאָזט דאָס פֿאַרטונקלטע געבעטהויז און גייט אַרויס אין דער ליכטיקער זון־באַגאָסענער גאַס, פֿאַרשווינדט די מיסטיש־רעליגיעזע שטימונג, די עניוותדיקע פּערזענלעכקייט, און ס'מעלדעט זיך ווידער דער וואָכעדיקער מענטש פֿון דעם תּחום פֿון חול — דער האַרטער, ציניִשער, פּראַקטיש־איַינגעשטעלטער עקזעקוטיוו אָדער פּאָליטיקער.

די פּראָטעסטאַנטישע און אויך די קאַטוילישע קירכע האָבן שלום געמאַכט מיט דער מערקווערדיקער דואַליטעט פֿון מאָדערנעם מענטשן, און ממילא קענען די קאַטאָליקן שטאָלצירן מיט אַ פֿרומען פֿראַנקאָ אין שפּאַניע[3], און די פּראָטעסטאַנטן — מיט אַ פֿרומען מאַלאַן אין דרום־אַפֿריקע.[4] יהדות האָט נישט, וועט נישט, און קען קיין מאָל נישט מסכּים זייַן צו אַן ענלעכער שפּאַלטונג פֿון דער פּערזענלעכקייט. די הלכה האָט פֿאַרבאָטן דעם מענטשן צו לעבן אין שתּי רשויות. "אחדות הרשויות" איז איר לאָזונג. פֿאַר אמתע[ר] ייִדישקייט עקסיסטירט נישט קיין חול און קיין קודש. עס איז אָדער קדושה אומעטום, אָדער אַלץ איז וואָכעדיק. דער אל־קי־ישׂראל לאָזט זיך נישט איַינשליסן אין אַ קרן־זווית. זייַן שכינה שפּרייט זיך אויס איבערן גאַנצן שטח פֿון מענטשלעכן לעבן: פֿון די אינטימסטע פֿאַזן ביז דער געזעלשאַפֿטלעך־עפֿנטלעכער הנהגה. לכתּחילה באַגעגנט מען דעם רבונו־של־עולם ניט אין שול, נאָר אין הויז, אין געשעפֿט, אין פֿאַבריק, אויף דער גאַס און צווישן מיטמענטשן. אויב מען זעט נישט דעם רבונו־של־עולם אין אָט די אַלע מקומות, קאָן מען אים אויך נישט געפֿינען אין בית־המדרש...גזילה איז מעכּבֿ די תּפֿילות. הפֿקרות און איבערגעטריבענער געווס־זוכט פֿאַרוואַנדלט אונדזער געבעט אין אָפּשייַלעכקייט[5]. באַוואולהן אַן אַרבעטער, אַרויסווייַזן אַכזריות צו הילפֿלאָזע און נויטבאַדערפֿטיקע — פֿאַרשליסן שערי־שמים. דאָס קומען אין שול איז וויכטיק, אויב עס איז אַ המשך פֿון אַן אַלגעמיינער רעליגיעז־עטישער אויפֿפֿירונג. אין דעם מאָמענט אָבער ווען איינהייַטלעכקייט פֿעלט, פֿאַרלירט דאָס גיין אין שול זייַן באַדייַטונג. די אידעע האָבן די נבֿיאים געפּריידיקט אַפֿילו בנוגע דעם בית־המקדש.

וויפֿל פּלאַץ האָט די תּורה־שבעל־פּה געווידמעט הלכות־בית־הכּנסת? עטלעכע

3. פֿראַנסיסקאָ פֿראַנקאָ (1892–1975): גענעראַל, מיליטערישער דיקטאַטאָר פֿון שפּאַניע פֿון 1939 ביז זייַן טויט.

4. ד.פֿ. מאַלאַן: פּרעמיער־מיניסטער פֿון דרום־אַפֿריקע פֿון 1948 ביז 1954, גרונטלייגער פֿונעם "אַפּאַרטהייד"־סיסטעם אין דרום־אַפֿריקע.

5. מיאוסקייט, פּאַסקודסטווע (דייַטש).

בלאַט גמרא אין מסכת מגילה! וויפֿל אָרט האָט זי געווידמעט דער פּריוואַטער און געזעלשאַפֿטלעכער הנהגה פֿון מענטשן? איר גאַנצע הלכהשע ליטעראַטור. אַזאַ יהדות, וועלכע האַלט אין זיך זייער ווייניק צערעמאָניאַלס, וואָס פֿאַרלאַנגט פֿון מענטשן דיסציפּלין און זעלבסט־קאָנטראָל, און וויל אַז ער זאָל מקדש זײַן זײַנע פֿיזיאָלאָגישע אינסטינקטן און דראַנגען, און אַרײַנגעבן אין זיי אַ פֿאַרגײַסטיקטן זין און ווערט, לאָזט זיך נישט לײַכט פֿאַרווירקלעכן. אַזאַ מין יהדות קאָן ווייניק געהאָלפֿן ווערן פֿון אַן אַלגעמיינער רעליגיעזער שטימונג וואָס מאַניפֿעסטירט זיך אין צערעמאָניאַליזם און קולט־האַנדלונגען.

אונדזער אויפֿגאַבע איז פֿיל קאָמפּליצירטער. פּונקט ווי עס איז נישטאָ קיין לײַכטער וועג צו געאָמעטריע און אַנדערע מאַטעמאַטישע דיסציפּלינען, ווײַל זיי זענען דעדוקטיוו אָרגאַניזירט, און ממילא קאָן מען נישט אַריבערשפּרינגען אַקסיאָמען און טעאָרעמס, אַזוי איז אויך נישטאָ קיין דרך־המלך צו יהדות. דורך מופֿתים און קפֿיצת־הדרך וועלן מיר נישט אײַנפֿלאַנצן קיין ייִדישקייט אין דער אַמעריקאַנער ייִדישער יוגנט. דער וועג צו יהדות איז לאַנג, פֿול מיט מי און שווער. עס איז באמת אַ שמאָלער שבֿיל, וועלכער שלענגלט זיך באַרג אַרויף און וועלכער פֿירט נישט דורך שול־טעאַטערישקייט, דורך עונג־שבת־פֿאַרזאַמלונגען, דורך דרשות, דורך חנוכּה־פֿײַערונגען און צערעמאָניאַלע סדרים־אײַנריכטונגען, נאָר דורך דער פּראָזאַישער אַרבעט פֿון חינוך און בויען ישיבֿות־קטנות. מען מוז אָנהייבן מיטן אַלף־בית, און ביסלעכווײַז קלעטערן אַלץ העכער און העכער באַרג־אַרויף. "מי יעלה בהר ד׳ ומי יקום במקום קדשו?" (תהילים כד, ג)

שאלה: אין וועלטלעכע קרײַזן הערשט אַ מיינונג, אַז די אָרטאָדאָקסיע לײַדט פֿון אַן איבערגעטריבענעם אָפּטימיזם וועגן איר צוקונפֿט. זיי באַטראַכטן דעם קולטור־סאָציאַלן קלימאַט פֿון אַמעריקע אַלס אומגינסטיק פֿאַר תּורה־ייִדישקייט. גלייבט איר אַז די אָרטאָדאָקסיע איז באַרעכטיקט אין אירע אָפּטימיסטישע האָפֿנונגען?

תּשובֿה: מיר דאַכט זיך אַז אַ האַלבן ענטפֿער אויף דער פֿראַגע האָב איך שוין געגעבן אין דער ערשטער תּשובֿה. אויב די אָרטאָדאָקסיע וועט באַרגן די מעטאָדן פֿון אַנדערע רעליגיעזע ריכטונגען און וועט זיך באַנוצן מיט איבערפֿלעכלעכע לאָזונגען און שאַבלאָנער פּראָפּאַגאַנדע, דעמאָלט, פֿאַרשטייט זיך, וועט זי קיין זאַך נישט דערגרייכן. אָבער אויב זי וועט אויסקלײַבן דעם שווערן וועג פֿון בויען ישיבֿות און דערציִען נישט נאָר אַ פֿרומע, נאָר אויך אַ תּורהדיקע יוגנט — דעמאָלט גלייב איך אויך אַז אירע האָפֿנונגען קאָנען פֿאַרווירקלעכט ווערן.

מײַן גלויבן אין דער צוקונפֿט פֿון הלכה־ייִדישקייט איז באַזירט אויף דרײַ טעמים:

א. מיר גלויבן שטענדיק אין נצח־ישׂראל. "וסופן של ישׂראל לעשות תּשובה".
יעדער ייִד, ווי ווײַט ער זאָל ניט זײַן אַוועקגעגאַנגען פֿון יהדות, איז ניט בכּוח

אין גאַנצן אויסצולעשן אין זיך די אור־אײַנגעוואָרצלטע מיסטעריעזע אַהבֿה צום בורא־עולם. "מים רבים לא יוכלו לכבות את האהבה ונהרות לא ישטפוה" (שיר־השירים ח, ז). ממילא טאָר מען קיין מאָל ניט אויפֿגעבן די האָפֿענונג וועגן אַ ייִדן. ער איז שטענדיק פֿעיִק זיך אומצוקערן.

ב. די אַלגעמיינע שטימונג פֿון מאָדערנעם מענטשן, וועלכער, טראָץ זײַנע דערפֿאָלגן און דערגרייכונגען, מאַכט דורך די טראַגיק פֿון קהלת — "הגדלתי מעשׂי וכו' והנה הכל הבל ורעות רוח" (קהלת ב, יז) — איז מסוגל צו דערוועקן בײַ ייִדן אַ דראַנג נאָך אַ רעליגיעז־הלכהשער אָריענטאַציע. דער מאָדערנער מענטש בכלל, און דער ייִד בפֿרט, איז ניט גליקלעך. ער איז ניט זיכער מיט זיך, ער איז פֿול מיט אומרו און פּחד, ער פֿילט אַ פּוסטקייט אין לעבן, ער איז אָפּגעריסן פֿון דעם נעכטן, ער קוקט נישט אַרויס אויף דעם מאָרגן און ממילא געניסט ער ניט, אין אַ העכערן זין, [פֿון] די קעגנוואַרט. זײַן גײַסטיקער מצבֿ איז אַ רעזולטאַט פֿון דעם וואָס דער מענטש האָט פֿאַרלוירן זײַנע אַבסאָלוטע ווערטן, טראַנסצענדענטאַלע געזעצן, און די וויזיע פֿון קדושה. אַלץ איז רעלאַטיוויזירט און וואָכעדיק געוואָרן. מיר דאַכט זיך אַז דווקא הלכהשע יהדות, מיט אירע פּאָדערונגען און דינים, קען אויספֿילן דעם חלל וואָס איז געשאַפֿן געוואָרן אין אַ דורכויס חולינדיקן לעבן. דווקא ווײַל די הלכה איז אויטאָריטיוו און אינטערוועגירט אין אַלע שטופֿן פֿון דער מענטשלעכער עקסיסטענץ, קען זי, און נאָר זי, שענקען דעם מענטשן אַ געטלעכן חוק, אַ נאָרמע, אַ רעליגיעזע דיסציפּלין, פֿולקאָמע געזעצמעסיקייט, אָרנטלעכקייט, און אַ נאָרמאַטיוון שטיצפּונקט. מיט איין וואָרט — די מתנות אין וועלכע ער נייטיקט זיך אַזוי.

ג. די דערפֿאַרונג לערנט אונדז אַז אַ תּורה־באַוועגונג אין אַמעריקע איז מעגלעך. אין די לעצטע צוואַנציק יאָר זײַנען דאָ אין לאַנד אויפֿגעוואַקסן טויזנטער יונגע־לײַט וועלכע פֿירן זיך על־פּי־תּורה־והמצוה. אָט די בחורים, מיינסטנס חניכי־ישיבֿות, וואַרפֿן זיך ניט צו פֿיל אין די אויגן [פֿון] דעם ניט־רעליגיעזן ייִד, ווײַל ער קומט ניט אין באַרירונג מיט זיי. עס איז אָבער אַ פֿאַקט, אַז די אָרטאָדאָקסיע האָט מחנך געווען אַ רעליגיעזע תּורה־יוגנט וועלכע לײַדט ניט פֿון די שוואַכקייטן פֿון דער אַמעריקאַנער אָרטאָדאָקסיע פֿון פֿאַרגאַנגענעם דור. די יוגנט איז מיליטאַנטיש, שטאָלץ, און מיינסטנס אויסגעהאַלטן. אירע קינדער וועלן אויך גיין אין ישיבֿות און וועלן וואַרשײַנלעך אויסוואַקסן טרײַע ייִדן. אין דער ישיבֿת רבינו יצחק אלחנן אַליין געפֿינען זיך הונדערטער תּלמידים וועמעס עלטערן זײַנען שוין געבוירן און דערצויגן געוואָרן אויף דער זײַט ים. געוויינלעך איז די צאָל פֿון דער רעליגיעזער יוגנט קליין אין פֿאַרגלײַך מיט דער גרויסער מאַסע פֿון יוגנטלעכע, וועלכע וואַקסן אויף אין פֿולשטענדיקער איגנאָראַנץ בנוגע ייִדישקייט. אָבער, ווי דער רמב"ן האָט זיך אויסגעדריקט וועגן אַריכות־ימים פֿון די מענטשן צווישן אָדמען און אַבֿרהמען, אַז אויב מתושלח

אָדער ארפּכשד האָט געקענט לעבן לאַנג, איז אויך מעגלעך אַז אַלע זייערע צײַטגענאָסן האָבן געלעבט אַזוי לאַנג. אַזוי זאָג איך: אויב אַ קליינער טייל פֿון דער ייִדישער יוגנט האָט געקענט דערצויגן ווערן אין אַ תּורה־גײַסט, קענען אַלע אַזוי מחונך ווערן. וואָס איז מעגלעך פֿאַרן מיעוט איז אויך מעגלעך פֿאַרן רבים. די גאַנצע וויסנשאַפֿטלעכע אינדוקטיוו־עקספּערימענטאַלע פֿאָרשונג איז באַזירט אויף דער זעלבער לאָגיק. וואָס [עס] ווײַזט זיך אַרויס פֿאַר אמת אין דער לאַבאָראַטאָריע (אין מיניאַטור), איז אויך גילטיק פֿאַר דער גרויסער ווירקלעכקייט. אַלץ וואָס מיר דאַרפֿן איז אַ פֿעסטע איבערצײַגונג און אַן אונטערנעמונגס־גײַסט. דאָס איבעריקע וועט שוין פֿאַרענדיקן דער בורא־עולם.

"לא עליך המלאכה לגמור ולא אתה בן חורין ליבטל הימנה" (אבות ב, טז).

אָרטאָדאָקסישע, קאָנסערוואַטיווע און רעפאָרם־ייִדן אין אַמעריקע[1]

צווייטער אַרטיקל וועגן שאלות־ותשובות
פון אָרטאָדאָקסישן ייִדנטום אין אַמעריקע

שאלה: אַמעריקאַנער ייִדישע אָרגאַניזאַציעס ווערן וואָס ווײַטער אַלץ מער צענטראַליזירט, און אין אַ סך פאַלן, זאָגאַר אינטעגרירט. וואָס איז די שטעלונג פון דער אָרטאָדאָקסיע צו דער דאָזיקער טענדענץ? איז קאָאָפּעראַציע צווישן אָרטאָדאָקסישע און ניט־אָרטאָדאָקסישע קהילות, צווישן מוסמכים פון ישיבות און אַנדערע גײַסטיקע מנהיגים, מעגלעך אָדער ניט? ספּעציעל וואָלטן מיר וועלן וויסן פאַר וואָס די אָרטאָדאָקסיע באַקעמפט די קאָנסערוואַטיווע באַוועגונג, כאָטש אירע פאָרשטייער באַהויפּטן אַז זיי אָנערקענען די אויטאָריטעט פון דער הלכה.

תשובה: די פראַגע פון קאָאָפּעראַציע צווישן פאַרשיידענע גרופּן איז זייער אַ פאַרוויקלטע. זי איז איצטער איינע פון די ברענענדיקסטע פראַגן וועלכע שטייען אויף דעם סדר־היום פון דער הסתדרות הרבנים. איך וויל דאָ איבערגעבן בקיצור דעם פאָרשלאָג וועלכן איך האָב געמאַכט בײַ דער לעצטער קאָנפערענץ פון דער הסתדרות הרבנים, פאָריקן זומער אין דעטראָיט. דער פאָרשלאָג איז באַגרינדעט אויף אַ הלכיש־אַגדישן געדאַנק.

ערשטנס, אַחדות־ישׂראל איז אַן עיקר אין יהדות. מיר האָבן דעם פּרינציפּ פאָרמולירט אין איין זאַץ מיט אַחדות־הבורא: "אתה אחד ושמך אחד ומי כעמך ישׂראל גוי אחד בארץ".

1. אָפּגעדרוקט אין *טאָג־מאָרגן זשורנאַל*, דעם 19טן נאָוועמבער 1954, ז' 6.

דער פּרינציפּ פֿון אַחדות דריקט זיך אויס אויף אַ טאָפּעלן אופֿן. ערשטנס: די איינהייט פֿון ייִדן אַלס מיטגלידער פֿון אַ גײַסטיקער געמיינשאַפֿט, אַלס אַן עדה וועלכע איז עטאַבלירט געוואָרן דורכן כּריתת־ברית אין סיני. "ואתם תהיו לי ממלכת כהנים וגוי קדוש" (שמות יט, ו). די אַחדות פֿון דער כּנסת־ישׂראל אַלס עדה באַשטייט אין דער אייגנאַרטיקייט פֿון דעם ייִדישן לעבנס־שטייגער, וואָס ווערט פּראַקטיצירט פֿון אונדז, אין דער תּורה־עקסיסטענץ פֿון דער ייִדישער אומה. וואָס פֿאַרבינדט דעם תּימנער טרעגער אין תּל־אָבֿיבֿ מיטן ייִדן אין באָסטאָן? אַן איינהייטלעכער אורח־חיים — דער שמע־ישׂראל, שבת, די כּל־נדרי־נאַכט, דער סדר־אָוונט, כּשרות, תּפֿילין, דאָס געפֿיל פֿון חסד, דאָס האָפֿן און וואַרטן אויף גאולה. דאָס וואָרט עדה איז דאָס זעלבע ווי עֵד (עדות). די גײַסטיק־רעליגיעזע געמיינשאַפֿט איז פֿאַרבונדן דורך איין טראַנסצענדענטאַל־עטישן באַוווסטזײַן, דורך דעם גרויסן פֿאָלקס־זכּרון וועגן אַ געטלעכן חוק, וועגן אַ געמיינזאַמען עבֿר און אַ בשותּפֿותדיקן עתיד. קורץ: איין כּלליתדיקע עדות פֿאַראייניקט אונדז אַלעמען אין אַן עדת־ישׂראל. עס איז זעלבסטפֿאַרשטענדלעך, אַז דער ייִד וועלכער מעקט אויס פֿון זײַן זכּרון די גרויסע עדות, און רײַסט איבער מיט דער אייגנאַרטיקער געמיינשאַפֿטלעכער מסורה, שנײַדט איבער דעם קשר וואָס פֿאַרבינדט אים מיטן כּלל־ישׂראל אַלס אַן עדה, אַלס אַ גײַסטיקע תּורה־געמיינשאַפֿט.

צווייטנס: אַחדות־ישׂראל מאַניפֿעסטירט זיך אויך אין אונדזער משונהדיקן פּאָליטיש־היסטאָרישן גורל אַלס פֿאָלק. מיר זײַנען אייגנאַרטיק ניט נאָר אין אונדזערע לעבנספֿאָרמען, נאָר אויך אין אונדזערע היסטאָרישע גילגולים און אין אונדזער פּאַראַדאָקסאַלער שיקזאַלהאַפֿטיקייט. אונדזער געשיכטע פּאַסט זיך ניט אַרײַן אין קיין אַנדערע היסטאָרישע ראַמען און אונדזער גורל איז כּמעט אומפֿאַרשטענדלעך. הויפּטזעכלעך אַנטפּלעקט זיך די רעטזעלהאַפֿטיקייט[2] פֿון אונדזער עקסיסטענץ אין אונדזער איינזאַמקייט און עלנטקייט אין אַלע צײַטן, די הײַנטיקע אײַנגעשלאָסן. "הן עם לבדד ישכון ובגוים לא יתחשב" (דברים כג, ט). מדינת־ישׂראל האָט די מערקווערדיקע גורלהאַפֿטיקייט ניט באַזײַטיקט; פֿאַרקערט, זי האָט עס אַרויסגעבראַכט אויף אַ מער בולטן אופֿן.

פֿון דער אַחדות וואָס באַשטייט אין שיקזאַלהאַפֿטער בדידות פֿון דעם כּלל־ישׂראל אַלס פֿאָלק, קען זיך קיין ייִד ניט אָפּזאָגן. רעליגיעז אָדער ניט רעליגיעז, מפּא"י, מזרחי, אגודה — זיי אַלע ווערן אײַנגעשלאָסן אין איין עַם, וועלכער שטייט איינזאַם און עלנט קעגן אַ גרויסער און אָפֿט פֿײַנטלעכער וועלט. די פּאָליטיש־היסטאָרישע אַחדות אַלס עַם באַרוט[3] אויפֿן כּריתת־ברית אין מצרים, וועלכער

2. פּלעפּיקייט, עניגמאַטישקייט (דײַטש).
3. איז באַזירט (דײַטש).

איז פֿאָרגעקומען נאָך פֿאַר מתּן־תּורה, "ולקחתּי אתכם לי לעם והייתי לכם לאל־קים" (שמות ו, ז), און וועלכער האָט אַרויפֿגעצוווּנגען אויף אונדז אַלעמען איין היסטאָרישן גורל. דאָס וואָרט "עַם", פֿאָלק, איז אידענטיש מיט "עִם", צוזאַמען. אונדזער גורלהאַפֿטיקע אייניקייט מאַניפֿעסטירט זיך אין היסטאָרישן בעל־כּרחודיקן צוזאַמענזײַן.

די מסקנה פֿון דעם פֿריִער־געזאָגטן איז זייער אַ פּשוטע. ווען עס האַנדלט זיך וועגן רעפּרעזענטירן ייִדן און ייִדישע אינטערעסן כּלפּי־חוץ, וועגן פֿאַרטיידיקן זייערע רעכט בנוגע דער ניט־ייִדישער וועלט, מוזן אַלע גרופּן און אַלע באַוועגונגען זײַן פֿאַראייניקט. אין דעם שטח טאָרן ניט פֿאָרקומען קיין שפּאַלטונגען, ווײַל יעדע צעריסנקייט אין דער ייִדישער מחנה קאָן ווערן געפֿערלעך פֿאַרן כּלל. אויף דעם געביט דאַרפֿן מיר זיך רעכענען מיט דער אידעע פֿון אַחדות־ישׂראל אַלס פּאָליטיש־היסטאָרישער עַם, וואָס נעמט אַרײַן אַלעמען — פֿון מענדעס־פֿראַנס[4] ביז דעם אַלטמאָדישן ייִדן אין מאה־שערים — אָן קיין שום אויסנאַם. אין די קרעמאַטאָריעס האָט זיך דאָס אַש פֿון חסידים ואנשי־מעשׂה אויסגעמישט מיט דעם אַש פֿון ראַדיקאַלן און פֿרײַדענקער, און מיר אַלע מוזן קעמפֿן קעגן דעם שׂונא, וואָס איז ניט מבֿחין בין עובֿד אל־קים ללא עבֿדו (מלאכי ג, יח).

אָבער בנוגע אונדזערע אינער[לעכ]ע אָנגעלעגנהייטן, אונדזערע גײַסטיק־רעליגיעזע אינטערעסן, ווי חינוך, בתּי־כּנסיות, פֿאַראייניגן פֿון רבנים און ראַבײַס, ווו די אַחדות־אידעע דאַרף זיך אויסדריקן אין דער פֿאָרם פֿון אַ גײַסטיק־אידעאָלאָגישער געמיינשאַפֿט אַלס אַ תּורה־עדה, דאַכט זיך מיר אַז די אָרטאָדאָקסיע קאָן ניט און דאַרף זיך ניט צונויפֿבינדן מיט אַזעלכע גרופּן וועלכע לייקענען די יסודות פֿון אונדזער וועלט־אָנשויונג. איך קאָן בשום־אופֿן ניט פֿאַרשטיין, למשל, ווי אָרטאָדאָקסישע רבנים, וועלכע האָבן פֿאַרבראַכט זייערע בעסטע יאָרן אין ישיבֿות און אײַנגעזאַפּט אין זיך דעם גײַסט פֿון תּורה־שבעל־פּה, פֿון מסורה און קבלה, פֿאַר וועמען רבי עקיבֿאַ, דער רמב"ם, דער רמ"אָ, דער ווילנער גאָון, ר' חיים בריסקער, און אַנדערע חכמי־ישׂראל, זײַנען די עמודים אויף וועלכע זייער גײַסטיקע וועלט האַלט זיך, קאָנען זיך מתחבר זײַן מיט אַזעלכע גײַסטיקע מנהיגים, פֿאַר וועמען דאָס אַלץ איז ווערטלאָז. אַ רבנישע אָרגאַניזאַציע איז ניט קיין פּראָפֿעסיאָנעלער פֿאַראיין, וואָס דאַרף פֿאַרטיידיקן די עקאָנאָמישע אינטערעסן פֿון רבֿ. עס איז אַן אידעאָלאָגישע געמיינשאַפֿט, ווו מענטשן אַרבעטן פֿאַר איין צוועק און פֿאַר איין אידעאַל. דער פֿונדאַמענטאַלער אונטערשייד אין מחשבֿה און מעשׂה מאַכט אַזאַ צוזאַמענאַרבעט אוממעגלעך.

4. פּיער מענדעס־פֿראַנס: פֿראַנצייזישער סאָציאַליסטישער פּאָליטיקער פֿון ספֿרדיש־ייִדישן אָפּשטאַם, פּרעמיער־מיניסטער פֿון פֿראַנקרײַך 1954–1955.

פֿון אַ תּורה־שטאַנדפּונקט איז דער מרחק צווישן רעפֿאָרם און אָרטאָדאָקסיע פֿיל גרעסער ווי די דיסטאַנץ וואָס האָט אָפּגעטיילט די פּרושים פֿון די צדוקים אין די צײַטן פֿון בית־שני, און די קראים פֿון די בעלי־המסורה בימי הגאונים. האָט די ייִדישע געשיכטע ווען עס איז רעקאָרדירט אַן עפּיזאָד וועגן אַ געמיינזאַמען "וועד הקהלות" אָדער "דייני ישׂראל" וואָס איז באַשטאַנען פֿון קראים און תּורה־טרײַע ייִדן?

כּלפּי־פּנים, ווו אַחדות־ישׂראל איז באַגרינדעט אויף דעם עדה־באַגריף, איז עס סײַ הלכיש ראַטזאַמער און סײַ פּראַקטיש קליגער ניט צונויפֿגיסן זיך מיט רעפֿאָרם און האַלב־רעפֿאָרם באַוועגונגען. צו פֿיל האַרמאָניע און שלום וועט פֿאַראורזאַכן אַ בילבול־המוחות און וועט אויסערלעך פֿאַרווישן די גרענעץ צווישן דער אָרטאָדאָקסיע און אַנדערע באַוועגונגען.

לאָמיר איצטער באַטראַכטן דעם צווייטן טייל פֿון דער פֿראַגע, וועלכער באַשעפֿטיקט זיך מיט דעם קאַמף וואָס די אָרטאָדאָקסיע פֿירט קעגן דער קאָנסערוואַטיווער באַוועגונג.

איידער איך וועל דערקלערן מײַן שטעלונג צו דעם, וויל איך מאַכן אַ הקדמה. איך באַניץ דאָס וואָרט "קאַמף" שטענדיק אין אידעאָלאָגישן, און קיין מאָל ניט אין פּערזענלעכן, זינען. איך מעג באַקעמפֿן אַ באַשטימטע שיטה, וואָס איך האַלט פֿאַר פֿאַלש, אָבער איך וועל קיין מאָל ניט אָנגרײַפֿן די פּערזאָן וועלכע פּריידיקט איר. איך האָב שטענדיק רעספּעקט פֿאַר יעדן יחיד, וועלכער איז ערלעך און געוויסנהאַפֿט, אַפֿילו ווען איך בין מיט אים ניט מסכּים. אַזאַ באַציִונג איז אין הסכּם מיט דער אידעע פֿון כּבֿוד־הבריות. "חביב אדם שנברא בצלם" [אבות ג, יד].

עס איז פֿאַראַן אַ הנחה אַז די קאָנסערוואַטיווע באַוועגונג אָנערקענט די אויטאָריטעט פֿון דער הלכה. לאָמיר די הנחה אַ ביסל אַנאַליזירן און זען ווי ווײַט ריכטיק זי איז. הלכה איז ליידער אין [דער] מאָדע הײַנט צו טאָג. פּונקט ווי אין די צוואַנציקער און דרײַסיקער יאָרן איז געווען מאָדיש אין מערבֿ־אייראָפּע און אויך אין אַמעריקע צו באַניצן זיך מיט דעם פּסיכאָאַנאַליטישן זשאַרגאָן, און פּונקט ווי אַ סך ראַבײַס האָבן נאָך הײַנט ליב צו אָפּערירן אין זייערע דרשות מיט פֿיזיקאַלישע טערמינען, אַזוי איז איצטער זייער פּאָפּולער אין מאַנכע קרײַזן צו רעדן וועגן הלכה, הלכישער ייִדישקייט און דאָס גלײַכן. אַפֿילו אין דער ראַדיקאַל־ייִדישיסטישער געזעלשאַפֿט שפּילט מען זיך שוין אַרום מיט הלכה.

עס ווילט זיך מיר ניט זײַן קיין אַכזר און צעשטערן אַ שיינע אילוזיע, אָבער איך קאָן מיך דאָך ניט העלפֿן און איך מוז אַנטוישן די הלכה־ענטוזיאַסטן מיט מײַן פֿאָלגנדער דערקלערונג: כּדי צו קענען זיך באַשעפֿטיקן מיט הלכה, מוז מען דערפֿילן דרײַ תּנאים:

ערשטנס, מען מוז זײַן אַ למדן. פּונקט ווי איינער וואָס רעדט וועגן מאַטעמאַטיק אָדער פֿיזיק דאַרף זײַן באַהאַוונט מיט די דיסציפּלינען, אַזוי דאַרף מען פֿריִער קענען

די הלכה כּדי צו זײַן אומשטאַנד צו דיסקוטירן אירע פּראָבלעמען. אָבער לומדות קומט ניט פֿון זיך אַליין, דורך רוח־הקודש. מען דאַרף אָפּגעבן יאָרן צום לערנען פֿון הלכה, כּדי איר צו פֿאַרשטיין.

צווייטנס, מען מוז אומבאַדינגט אָנערקענען די קדושה פֿון הלכה און איר נצחיותדיקן אַבסאָלוטן כּאַראַקטער. מען מוז מודה זײַן, אַז זי פֿאַרפֿליכטעט דעם מענטשן צו פֿאַרווירקלעכן אירע תּביעות אין אַלע צײַטן און אונטער אַלע אומשטענדן, סאָציאַל־פּאָליטישע און קולטורעלע. מען קאָן בנוגע דער הלכה ניט זײַן אויסקלײַבעריש, און זאָגן: דער טייל געפֿעלט מיר און יענער ניט. ליכט־בענטשן וועל איך פּראַקטיצירן, אָבער טהרת־המשפּחה ניט. אָדער מען גלויבט אין תּורה־מן־השמים און מען אַקצעפּטירט די הלכה אין איר טאָטאַליטעט, אָדער מען גלויבט ניט אין דעם עיקר און מען וואַרפֿט איר אין גאַנצן אָפּ. הלכה לחצאין עקסיסטירט ניט.

דריטנס, דאָס אויסטײַטשן פֿון דער הלכה דאַרף אויסגעפֿירט ווערן אין הסכּם מיט די מעטאָדן, פּרינציפּן, און קאַטעגאָרישע פֿאָרמען פֿון דער הלכישער לאָגיק, וואָס איז אויסגעשמידט געוואָרן דורך די חכמי־התּורה, ראשונים און אחרונים — רש״י, די בעלי־התּוספֿות, דער רמב״ן, דער ש״ך, רבי עקיבֿא אייגער, ר׳ חיים בריסקער, און אַזוי ווײַטער. דער מהות פֿון הלכה איז מסורה. אָבער ניט נאָר דער תּוכן און טעקסט, נאָר אויך די פֿאָרמאַלע אינסטרומענטן פֿון הלכישער מחשבֿה זײַנען איבערגעליפֿערט געוואָרן מדור דור.

אויב די קאָנסערוואַטיווע באַוועגונג אָנערקענט באמת ובלבֿ־תּמים די אויטאָריטעט פֿון דער הלכה, מוז זי אויך מקיים זײַן די דרײַ תּנאים וועלכע זײַנען פֿאַרבונדן מיט הלכה־פֿאָרשונג, און זי דאַרף עפֿנטלעך דערקלערן אַז די פֿאַרטרעטער פֿון קאָנסערוואַטיוון ראַבינאַט גיבן אַוועק לילות כּימים אויף לערנען תּורה, און גלויבן אין תּורה־מן־השמים און אין דעם מסורה־כּאַראַקטער פֿון איר אויסטײַטשונג. די דערקלערונג דאַרף געמאַכט ווערן אין אַ פּשוטער שפּראַך, אָן סאָפֿיסטישע פּשטלעך און צווידײַטיקע פֿראַזן. אויב דאָס וווּנדער זאָל געשען, און אַזאַ דערקלערונג זאָל פֿאַרעפֿנטלעכט ווערן, וועט מיר אַרן אַ שאַרפֿע קושיא: ווי קאָן אַ הלכה, וואָס איז באַזירט אויף לומדות, אמונה, אין קדושת־התּורה און אין איר קאָנטינויִטעט, מתּיר זײַן צו פֿאָרן שבת אין טעמפּל, סידור קידושין פֿון אַ גרושה לכהן, ענדערן דעם נוסח־התּפֿילה, אײַנפֿירן געמישטע כאָרן אין די שולן, און נאָך אַזעלכע זאַכן?

זעט איר, אין דעם הינזיכט האַנדלט די רעפֿאָרם־באַוועגונג פֿיל קאָנסעקווענטער. זי טוט הײַנט דאָס זעלבע וואָס דער קריסטלעכער אַפּאָסטאָל שאול פֿון תּרשיש האָט אַמאָל געטאָן. זי וואַרפֿט אָפּ אין גאַנצן די הלכה מיט אירע מצוות־מעשׂיות און נעמט איבער פֿון דער תּורה נאָר די אוניווערסאַל־עטישע פּרינציפּן. וואָס איז שייך דער אידעאָלאָגיע, ווייסן מיר לכל־הפּחות ווו מיר האַלטן, און מיר קענען אידענטיפֿיצירן אונדזער קעגנער. ווען אָבער די קאָנסערוואַטיווע באַוועגונג רעדט וועגן הלכה, הייבן

מיר ניט אָן צו פֿאַרשטיין וואָס זי מיינט אונטער דעם טערמין. און וועגן וועלכער הלכה רעדט זי? וועגן דער הלכה פֿון רבי עקיבֿאן, רבֿ אשין, ר׳ יוסף קארו און דעם רמ״אָ, אָדער וועגן אַ נײַער ״הלכה״ וועלכע איז דערפֿונדן געוואָרן בײַ די קאָנפֿערענצן פֿון דער ראַבֿיניקל אַסעמבלי? וועגן אַ הלכה וואָס איז, אגבֿ־אורחא, זייער באַקוועם און זייער באַשיידן אין אירע פֿאָדערונגען? אָט קעגן דעם טשטוש־הגבֿולים קעמפֿט די אָרטאָדאָקסיע, ווײַל זי זעט אין דעם אַ גרויס געפֿאַר.

אויב די נײַע ״הלכה״ זאָל זיך אָנהייבן עוסק זײַן אין הלכות אישות, וועלכע רירן אָן ניט נאָר יחידים און אונדזער קעגנוואַרט, נאָר דעם הלכישן סטאַטוס פֿון אומצייליקע דורות לעתיד־לבֿא, וועט זיך אַנטוויקלען אַ ביטערער קאַמף מצד דער אָרטאָדאָקסיע קעגן אַזאַ מין פֿאַרזוך. איך האָף אַז די פֿאָרשטייער פֿון קאָנסערוואַטיוון לאַגער וועלן האַנדלען פּונקט אַזוי פֿאָרזיכטיק ווי די פּרײַגעזאָנענע מפּא״י האָט געהאַנדלט אין ארץ־ישׂראל. די מפּא״י האָט פֿאַרשטאַנען, אַז אויב מען וויל פֿאַרמײַדן אַ ריס אין בית־ישׂראל, מוז זי איבערלאָזן די ענינים פֿון אישות אין די הענט פֿון דער רבנות־הראשית. דאָס זעלבע דאַרפֿן תּופֿס זײַן אויך די קאָנסערוואַטיווע פֿירער. ווײַל אײַנגעשפּאַרטקייט אין דעם פּרט וועט שפּאַלטן דאָס אַמעריקאַנער ייִדנטום אויף צוויי לאַגערן.

צוויי זאַכן וואָלט איך זיי געראָטן צו געדענקען: ערשטנס, בנוגע דער פֿראַגע איז ניטאָ קיין מיינונגס־פֿאַרשידנקייט אין דער אָרטאָדאָקסיע. די רייען פֿון מזרחי, אגודה, הפּועל המזרחי, פּועלי אגודת ישׂראל, אגודת הרבנים, הסתּדרות הרבנים, איגוד הרבנים, און אַנדערע אָרגאַניזאַציעס וועלן זײַן געשלאָסן אין דעם קאַמף. צווייטנס, די אָרטאָדאָקסיע האָט נאָך גרויסע כּוחות וועלכע מען טאָר ניט אונטערשעצן. זאָלן זיי ניט באַגיין דעם זעלבן טעות, וועלכן בן־גוריון האָט געמאַכט מיט זײַן עקשנות בנוגע שירות לאומי[5], און מיט זײַן ביטול פֿאַר דעם פֿרומען ייִדן. אַלס יושבֿ־ראש פֿון ועד־ההלכה פֿון דער הסתּדרות הרבנים, קאָן איך מעיד זײַן, אַז מיר וועלן זײַן פֿאַראייניקט מיט דער גאַנצער אָרטאָדאָקסיע כּדי צו פֿאַרטיידיקן די הלכישע עיקרים פֿון קדושת־חיי־המשפּחה.

5. אין 1953 האָט די ישׂראלדיקע רעגירונג פֿאָרגעלייגט אַ געזעץ אַז פֿרומע מיידלעך זאָל מוזן אָפּגעבן אַ תּקופֿה פֿון ״נאַציאָנאַלן דינסט״ (שירות לאומי) אַנשטאָט דינען אין דער אַרמיי. דער פּלאַן האָט אַרויסגערופֿן אַ שטורעמישע קעגנערשאַפֿט מצד אָרטאָדאָקסישע קרייזן אין מדינת־ישׂראל, וואָס האָבן דעמאָלט אָרגאַניזירט גרויסע פּראָטעסט־דעמאָנסטראַציעס אין ירושלים.

מעגן מענער און פֿרויען זיצן צוזאַמען אין שול?[1]

שאלה: לעצטנס איז די צאָל שולן אין וועלכע מענער און פֿרויען זיצן צוזאַמען שטאַרק געוואַקסן. אין אַ סך פֿון זיי דאַוונען ייִדן וועלכע באַצייכענען זיך אַלס אָרטאָדאָקסן. האַלט איר אַז די אָרטאָדאָקסיע דאַרף באַטראַכטן אַזעלכע שולן אַלס אַן אומפֿאַרמײַדלעכע געשעעניש און שלום מאַכן מיט דעם שינוי, אָדער זי מוז אָננעמען אַ מיליטאַנטישע שטעלונג קעגן דעם?

תשובֿה: כּדי קלאָר צו מאַכן מײַן שטעלונג צו דער אָנגעווייטיקטער פֿראַגע וועל איך דערציילן דעם פֿאָלגנדן עפּיזאָד:

אַ יונגערמאַן, וועלכער האָט זיך אַרײַנגעצויגן אין אַ פֿאָרשטאָט לעבן באָסטאָן, ווו אין דער איינציקער שול וואָס האָט דאָרטן עקסיסטירט זײַנען מענער און פֿרויען געזעסן צוזאַמען, האָט מיך אָנגעפֿרעגט וואָס ער זאָל טאָן ראש־השנה און יום־כּיפּור. ביז דעמאָלט איז ער צוליב דעם ענין תּערובֿת אין שול ניט אַרײַן, אָבער ימים־נוראָים האָט זיך אים ניט געגלוסט צו בלײַבן אין דער היים. איך האָב אים געענטפֿערט, אַז ער זאָל בעסער דאַוונען אין הויז סײַ ראש־השנה און סײַ יום־כּיפּור און ניט אַריבערטרעטן די שוועל פֿון שול. אַ פּאָר טעג שפּעטער האָט ער מיר ווידער טעלעפֿאָנירט און דערציילט די פֿאָלגנדע מעשׂה: ער האָט זיך געטראָפֿן מיט דעם בעל־תּקיעה פֿון דער שול, און יענער האָט אים געוואָרנט אַז אויב ער וועט ניט קומען אין שול הערן תּקיעות, וועט ער בלײַבן אָן תּקיעת־שופֿר, ווײַל מען וועט פֿאַר אים פּריוואַט קיין

1. אָפּגעדרוקט אין *טאָג־מאָרגן זשורנאַל*, דעם 22סטן נאָוועמבער 1954.

תּקיעות ניט בלאָזן. דער יונגערמאַן האָט כּמעט מיט תּחנונים זיך געבעטן ביי מיר, אַז איך זאָל אים מתּיר זיין צו גיין אין שול כאָטש אויף איין האַלבער שעה, כּדי צו הערן תּקיעות. איך האָב מיך ניט פֿאַרטראַכט אַפֿילו אויף אַ רגע, און אים געהייסן בלייבן זיצן אין דער היים. בעסער ניט הערן קיין שופֿר איידער אַריינגיין אין אַ בית־הכּנסת וועמעס קדושה איז פֿאַרשוועכט געוואָרן.

מיין שטרענגע האַלטונג בנוגע תּערובֿת־נשים־ואַנשים איז באַזירט אויף עטלעכע טעמים.

ערשטנס, תּערובֿת איז אָסור על־פּי־הלכה. עס איז אין מאַנכע פֿאַלן אַן איסור דאורייתא צו דאַוונען אין אַ שול ווו מענער און פֿרויען זיצן צוזאַמען. אַזאַ שול האָט קיין קדושת־בית־הכּנסת ניט, און די תּפֿילה וואָס מען דאַוונט דאָרטן איז על־פּי־דין ווערטלאָז.

צווייטנס, די אָפּזונדערונג פֿון די געשלעכטער אין שול שטאַמט היסטאָריש נאָך פֿון דעם בית־המקדש, ווו עס איז געווען אַן עזרת־נשים און אַן עזרת־ישׂראל. די כּנסת־ישׂראל האָט אין איר טויזנט־יאָריקער מאַרטירער־געשיכטע ניט פֿאַרשוועכט דעם פּרינציפּ. נאָך מער, בשעת דאָס פּרימיטיווע קריסטנטום איז דערשינען אַלס אַ סעקטע אין ארץ־ישׂראל און האָט אָנגעהויבן ביסלעכווייז איינצופֿירן רעפֿאָרמען, איז איינע פֿון די זאַכן וואָס די סעקטע האָט גלייך מחדש געווען אין דער אויסערלעכקייט פֿון די בתּי־תּפֿילה געווען דאָס זעצן מענער און פֿרויען צוזאַמען. אַ סך מאָל איז תּערובֿת פֿון נשים ואַנשים געווען דער סימן־מובֿהק דורך וועלכן אַ ייִד פֿלעגט וואַרשיינלעך דערקענען, אַז דאָס איז ניט קיין מקום־קדוש ווו ייִדן דאַוונען, נאָר אַ געבעטהויז פֿאַר אַפּטריניקעס, ווייל דעמאָלט האָבן נאָך די קריסטן אויסערלעך זיך ניט אונטערשידן פֿון די טרייע ייִדן. אַלס אַ געהיימע סעקטע האָבן זיי זיך באַמיט צו פֿאַרדעקן זייער אידענטיטעט, און נאָר דורך באַשטימטע סימנים פֿלעגט מען זיי דערקענען. מיר דאַכט זיך, אַז [דער] היסטאָרישער זכּרון אַליין דאַרף אונדז אָפּהאַלטן פֿון נאָכטאָן היינט וואָס די פּרימיטיווע קריסטן האָבן געטאָן מיט קנאַפּע ניינצן הונדערט יאָר צוריק.

דריטנס, די גאַנצע אידעע פֿון "פֿעמילי פּיוס"[2] איז אין ווידערשפּרוך צו דעם ייִדישן גייסט פֿון תּפֿילה. תּפֿילה מיינט זיך מתיחד זיין מיטן רבש"ע, און דאָס צוריקציִען זיך פֿון אַלעמען און אַלץ. דער מענטש דאַרף זיך דעמאָלט פֿילן איינזאַם, פֿאַרלאָרן, און אַליין. אויף דעם בורא־עולם דאַרף ער קוקן דעמאָלט ווי אויף זיין איינציקן פֿריינד, פֿון וועמען ער קאָן דערוואַרטן הילף און טרייסט. "הנה כעיני עבדים אל יד אדוניהם, כעיני שפחה אל יד גברתה, כן עינינו אל ד' א' עד שיחננו" (תהילים קכג, ב).

2. זיך־ערטער פֿאַר דער משפּחה (ענגליש).

עס איז קלאָר, אַז פֿרויען־געזעלשאַפֿט, וועלכע רופֿט אַ סך מאָל אַרויס ביי מענער, און מענער־געזעלשאַפֿט, וואָס רופֿט ביי פֿרויען אַרויס, אַ באַשטימטע פּריוואַליטעט[3] אין געדאַנקען אָדער אין פֿאַרהאַלטונג, קאָן קנאַפּ וואָס ביישטייערן צו דער פֿאַרהייליקונג און פֿאַרטיפֿונג פֿון רעליגיעזן געפֿיל, און אַרויסרופֿן די שטימונג אין וועלכער דער מענטש דאַרף זיך געפֿינען בשעת ער טרעפֿט זיך מיטן רבש״ע. דער ״ממעמקים קראתיך ד׳״ (תהילים קל, א) קאָן ניט רעאַליזירט ווערן אין אַזאַ שול.

לויט מיין מיינונג, דאַרף די אָרטאָדאָקסיע מאָביליזירן אַלע אירע כּוחות און אָנפֿירן אַן אומדערמידלעכן קאַמף קעגן דער פֿאַרקריסטלעכונג (קיין אַנדער נאָמען דערפֿאַר האָב איך ניט) פֿון דער שול, וואָס ווערט אָנגעפֿירט פֿון מענטשן וואָס באַזיצן ניט קיין הלכישן וויסן און אויך ניט קיין היסטאָריש־פֿילאָסאָפֿישע פֿאַרשטענדעניש וועגן דעם מהות פֿון תּפֿילה, און האָבן די חוצפּה צו ברעכן עיקרים און מנהגים וועלכע זיינען נתקדש געוואָרן דורך בלוט און טרערן. איך גלייב ניט אַז דער קאַמף איז אַ פֿאַרלאָרענער. איך זע ניט אין תּערובֿת־נשים־ואַנשים קיין פּראָגרעסיווע אידעע, וואָס זאָל אַפּעלירן צום קולטורעלן מענטשן. דער אַמעריקאַנער ייִד, טראָץ דעם וואָס ער איז איגנאָראַנט אין ייִדישע ענינים, באַזיצט אַ סך שׂכל־הישר און האָט אַ באַשטימטע אינטעלעקטועלע ערלעכקייט. איך בין איבערצייגט אַז ווען די ייִדישע עפֿנטלעכקייט וואָלט מיט אַן אמת אויפֿגעקלערט געוואָרן וועגן דעם ענין, וואָלט זי זיך אַנדערש באַצויגן צו דער אומווירדיקער רעפֿאָרעם.

זי וואָלט פֿאַרשטאַנען אַז דאָס אָפּטיילן מענער און פֿרויען האָט ניט צו טאָן מיט גרינגשעצונג פֿון דער פֿרוי, ווי די פֿאָרשטייער פֿון האַלב־רעפֿאָרמירטן לאַגער ווילן עס אויסטייטשן, נאָר פֿאַרקערט. זי איז באַגרינדעט אויף דעם ייִדישן געפֿיל פֿון צניעות. דאָס געפֿיל איז אידענטיש מיט דער ייִראת־הכּבֿוד־באַציִונג, וואָס [דאָס] יהדות פֿון אבֿרהם און שׂרה האָט אַרויסגעוויזן צו דער פֿרוי אַלס מוטער און בויערין פֿון דער כּנסת־ישׂראל. ״ויאמרו אליו איה שׂרה אשתך ויאמר הנה באהל״ (בראשית יח, ט).

פּראַקטיש דאַרף די אָרטאָדאָקסיע טאָן די פֿאָלגנדע דריי זאַכן:

א. אָנפֿירן אויפֿקלערונגס־אַרבעט אין וואָרט און שריפֿט.

ב. מאָראַליש אונטערשטיצן די יחידים און רבנים וועלכע קעמפֿן, אַ סך מאָל מיט מסירת־נפֿש, פֿאַר קדושת־בית־הכּנסת.

מיינסטנס הייבט זיך אָן די רעפֿאָרעם מיט דער עקשנות פֿון אַ תּקיף אין דער בראָדערהוד אָדער סיסטערהוד[4] . ווען די טראַדיציאָנעלע ייִדן וואָלטן געוווּסט גוט

3. לייכטזיניקייט (ענגליש).

4. מענער־קלוב אָדער פֿרויען־קלוב אין דער שול (ענגליש).

אָרגאַניזירט און געהאַט אַ מער אַגרעסיווע שטעלונג, וואָלט מען אין אַ סך פֿאַלן עס געקענט פֿאַרמײַדן.

ג. אָרטאָדאָקסישע אָרגאַניזאַציעס דאַרפֿן נעמען בויען שולן אין די פֿאָרשטעט און אין נײַע געגנטן, ווו ייִדן באַזעצן זיך.

ווען למשל, דער פֿאַרבאַנד פֿון אָרטאָדאָקסישע קהילות, אָדער די קהילה־ביוראָס פֿון די פֿאַרשידענע ישיבֿות, וואָלטן אויפֿגעהערט זיך שפּילן מיט קינדערײַען און נאַרישקייטן, מיט דער פֿאַרעפֿנטלעכונג פֿון לידלעך לכּבֿוד חנוכּה, אָדער מיט געבן עצות ווי צו באַקן המן־טאַשן אויף פּורים, און זיי וואָלטן זיך אָנשטאָט דעם קאָנצענטרירט אויף אָרגאַניזירן נײַע בתּי־כּנסת און נײַע ייִדישע קהילות אין אַמעריקע, וואָלטן זיי געקענט אַ סך לייסטן.

מיר האָבן נאָך די שלאַכט ניט פֿאַרלאָרן, ווײַל מיר האָבן נאָך ניט אָנגעהויבן צו קעמפֿן. מיר האָבן מפֿקיר געווען די שול, פּונקט ווי די פֿראַנצויזן האָבן מפֿקיר געווען פּאַריז איידער די דײַטשן האָבן געגעבן דעם ערשטן שאָס. מיר קאָנען אָבער נאָך אַפֿילו הײַנט פֿאַרטיידיקן אונדזערע פּאָזיציעס, אויב מיר וועלן האָבן דעם רצון דערצו. דעם רצון צו קעמפֿן מוזן מיר האָבן, ווײַל די שול איז דער צענטער פֿון קהלשן לעבן דאָ אין לאַנד. קיין באַוועגונג און קיין אָרגאַניזאַציע איז ניט אַזוי שטאַרק ווי די שול. ווען מיר פֿאַרלירן אַ שול, גייט פֿאַרלאָרן אַ סטראַטעגישע פּאָזיציע. אַן אָנשטענדיקער קאַמף פֿאַר פּרינציפּן איז אַלע מאָל ווירדיק און בכּבֿודיק.

"חגר חרבך על ירך, צלח רכב על דבר אמת" (תהילים מה, ד–ה).

וואָס דערוואַרטן מיר פֿון ישיבֿהס מעדיקל־קאַלעדזש[1]

שאלה: אין געוויסע אָרטאָדאָקסישע קרײַזן איז מען אומצופֿרידן מיט דער גרינדונג פֿון דער מעדיצינישער סקול דורך דעם ישיבֿה־אוניווערסיטעט. זיי האַלטן אַז די ישיבֿת רבינו יצחק אלחנן האָט געדאַרפֿט דערציִען בלויז רבנים. נאָך וואָס, טענהן זיי, דאַרף מען בויען פּראָפֿעסיאָנעלע שולעס און זיך פֿאַרשפּרייטן אין אַ שפּאָגל־נײַעם תּחום וואָס האָט נישט קיין דירעקטע שײַכות מיט רבנות?

תּשובֿה: די הלכה אונטערשיידט אַ סך מאָל צווישן לכתּחילה און בדיעבֿד, צווישן אַן אידעע איידער זי ווערט פֿאַרווירקלעכט, און אַ פֿאַקט, וועמעס עקסיסטענץ מען קען מער נישט לייקענען, און בכן דאַרף מען אים אָננעמען און אויסניצן צום בעסטן. דער פֿילאָסאָפֿישער צוגאַנג פֿון יהדות צום מענטשן אַליין איז אַ בדיעבֿד־זאַך, אין דער בחינה פֿון "עכשיו שנבֿרא".[2]

1. אָפּגעדרוקט אין *טאָג־מאָרגן זשורנאַל*, דעם 29סטן נאָוועמבער 1954. מעדיקל קאַלעדזש: מעדיצינישער פֿאַקולטעט (ענגליש).

2. "תנו רבנן: שתי שנים ומחצה נחלקו בית שמאי ובית הלל. הללו אומרים: נוח לו לאדם שלא נברא יותר משנברא, והללו אומרים: נוח לו לאדם שנברא יותר משלא נברא. נמנו וגמרו: נוח לו לאדם שלא נברא יותר משנברא, עכשיו שנברא — יפשפש במעשיו. ואמרי לה: ימשמש במעשיו" [עירובין, יג ע"ב]. "תּנו רבנן: צוויי און אַ האַלב יאָר האָבן בית־שמאי און בית־הלל זיך געאַמפּערט. די האָבן געזאָגט: בעסער וואָלט געווען דעם מענטשן ווען ער וואָלט ניט באַשאַפֿן געוואָרן, און יענע האָבן געזאָגט: בעסער וואָלט געווען דעם מענטשן ווען ער וואָלט יאָ באַשאַפֿן געוואָרן. צום סוף האָט מען אָפּגעשטימט און באַשלאָסן, אַז בעסער וואָלט געווען דעם מענטשן ווען ער וואָלט ניט באַשאַפֿן געוואָרן. אָבער היות ווי ער איז שוין באַשאַפֿן געוואָרן ['עכשיו שנברא'] זאָל ער זיך פֿאַרען אין זײַנע מעשים."

איך ווייס נישט וואָס מייַן מיינונג וואָלט געווען, ווען מען וואָלט זיך מיט מיר לכתחילה מיישבֿ געווען וועגן דער צוועקמעסיקייט און פּראַקטישקייט פֿון אַ ישיבֿה־מעדיקל־סקול. אָבער מען האָט מייַן עצה נישט געבעטן אין די אָנפֿאַנג־סטאַדיען פֿון דער אונטערנעמונג. ממילא, איז אויף מיר נישט געפֿאַלן די פֿליכט דורכצוטראַכטן די פֿראַגע פֿון אַ לכתחילה־שטאַנדפּונקט, סײַ בנוגע די הלכישע פּראָבלעמען וואָס זייַנען פֿאַרבונדן מיט דער סקול, און סײַ אין שייַכות מיט די פּראַקטיש־געזעלשאַפֿטלעכע אַספּעקטן. איצטער, אַז די מעדיצינישע שולע איז אַ טאַטזאַך[3] מיט וועלכער מען מוז זיך רעכענען, קענען מיר האָבן נאָר איין צוגאַנג דערצו — אַ צוגאַנג פֿון בדיעבֿד. פֿון דעם שטאַנדפּונקט וועל איך אין מייַן תּשובֿה באַטראַכטן די סאָציאַל־פּראַקטישע זייַט פֿון דער קאָלאָסאַלער אונטערנעמונג.

איך האַלט אַז די מעדיקל־סקול קען לייסטן אַ סך לטובֿת דער אָרטאָדאָקסיע אין אַמעריקע, אויב איר פֿירונג (איך מיין נישט די טעכניש־וויסנשאַפֿטלעכע, נאָר די רעליגיעז־גייַסטיקע) וועט בלייַבן אין די הענט פֿון דער ישיבֿה־אַדמיניסטראַציע מיט ד״ר בעלקין בראש. צוקוקנדיק זיך צו די סאָציאַל־קולטורעלע לעבנס־באַדינגונגען און צו דער ספּעציפֿישער מענטאַליטעט פֿון די אַמעריקאַנער ייִדן, האָב איך געמאַכט די פֿאָלגנדע אָבסערוואַציעס.

ערשטנס: דער מעדיצינישער שטודיום, וואָס איז אינטענסיוו און קאָנצענטרירט, און וועלכער שליסט איין אַרבעט אין האָספּיטעלער, באַניצט זיך אין גאַנצן לאַנד מיט אַ זעקס־טאָגיקער וואָך. עס איז זעלבסט־פֿאַרשטענדלעך, אַז דער אָפֿיציעלער רו־טאָג איז זונטיק און נישט שבת. איינער וואָס וויל שטודירן מעדיצין, איז ממש געצוווּנגען צו מחלל־שבת זייַן. בשעת די אַנדערע פֿאַקולטעטן זייַנען אָפֿט מאָל טאָלעראַנט בנוגע די רעליגיעזע באַדערפֿענישן פֿון דעם סטודענט, ווייַזט דער מעדיצינישער פֿאַקולטעט נישט אַרויס קיין פֿאַרשטענדעניש פֿאַר רעליגיעזע הצטרכותן. די אומטאָלעראַנץ האָט אַ צווייפֿאַכע סיבה.

1) די אַדמיניסטראַציע פֿון מעדיקל־סקול באַטראַכט דאָס צולאָזן אַפֿילו פֿון דעם פֿעיִקסטן סטודענט צו דעם שטודיום פֿון מעדיצין אַלס אַן אויסערגעוויינטלעכן חסד. ממילא, האַלט זי אַז דער סטודענט דאַרף זייַן אַ מכּיר־טובֿה און מקבל זייַן אַלץ וואָס די רוטין פֿון דער סקול פֿאַרלאַנגט. די קלענסטע פֿאָדערונג פֿון סטודענט בנוגע שבת אָדער יום־טובֿ, וועלכע פֿאַראורזאַכט די מינדסטע אַדמיניסטראַטיווע קאָמפּליקאַציע, ווערט באַטראַכט אַלס חוצפּה.

2) די צאָל רעליגיעזע ייִדישע סטודענטן אין מעדיצינישע שולן איז אַזוי קליין, אַז דער דרוק וועלכן זיי זייַנען בכּח אויסצואיבן איז אַ נישטיקער. ווען אַ פֿרומער

3. אַ פֿאַקט (דייַטש).

סטודענט קומט מיט באַשטימטע פֿאָדערונגען, ווערט זײַן בקשה באַטראַכט אַלס אַ קאַפּריז פֿון אַ יחיד, און נישט ווי אַ געדעכטער פֿאַרלאַנג וואָס איז באַזירט אויף אַ רעליגיעזן פּרינציפּ; והא־ראַיה, אַז די איבעריקע ייִדישע סטודענטן מאָנען נישט קיין ענלעכע הנחות.

די נישט־בייגעוודיקע שטעלונג פֿון די מעדיקל־סקולס בנוגע רעליגיעזער אָפּהיטונג איבט אויס פּסיכאָלאָגיש אַ זייער שעדלעכן אײַנפֿלוס אויף אַ סך ייִדישע סטודענטן, וועלכע וואַקלען זיך צווישן שמירת־ און חילול־המצוות. דער געדאַנק, אַז גייענדיק אין מעדיקל־סקול וועלן זיי סײַ־ווי מוזן מחלל־שבת זײַן, פֿירט דערצו, אַז נאָך זײַענדיק אין קאַלעדזש הערן זיי אויף צו קוקן אויף שבת ווי אויף אַ רעליגיעזן פֿונדאַמענטאַלן ווערט. אַזאַ שטאַנדפּונקט באַרעכטיקט אין זייערע אייגענע אויגן זייערע שפּעטערדיקע האַנדלונגען.

מיט דער גרינדונג פֿון דער ישיבֿה מעדיקל־סקול פֿאַלן אַוועק אַלע אויבן־דערמאָנטע פּרטים, וועלכע מאַכן כּמעט אוממעגלעך פֿאַר אַן אָרטאָדאָקסישן ייִדן צו שטודירן מעדיצין. אין דער ישיבֿה מעדיקל־סקול וועלן קיין פֿאָרלעזונגען נישט פֿאָרקומען שבת. די לאַבאָראַטאָריעס וועלן דעם טאָג זײַן פֿאַרמאַכט. שבת וועט זײַן דער אָפֿיציעלער רו־טאָג. זעלבסט־פֿאַרשטענדלעך, אַז די ישיבֿה מעדיקל־סקול וועט האָבן אַ כּשרע קיך און אַ בית־מדרש. מיט איין וואָרט, דאָס שטודירן מעדיצין וועט נישט שטיין אין קיין סתּירה צו שמירת־המצוות.

צווייטנס: זײַט צענדליקער יאָרן האָבן ייִדן פֿאַרקוקט די אַגנאָסטישע אײַנשטעלונג און די אומרעליגיעזע האַנדלונגען (חילול־שבת, טריפֿות) פֿון דאָקטוירים. אַפֿילו אין דעם קליין שטעטל, ווו דער דעת־הקהל האָט נישט טאָלערירט קיין שום אָפּווײַכונגען פֿון דעם טראַדיציאָנעלן לעבנס־שטייגער, האָט מען אויף די עבֿירות פֿון דאָקטער, און אַפֿילו פֿון אַפּטייקער, געקוקט מיט אַנדערע אויגן. דאָס איז פּסיכאָלאָגיש פֿאַרשטענדלעך. צום דאָקטער און צום אַפּטייקער האָט מען זיך געווענדט אין אַן עת־צרה, איז וועמען אינטערעסירן די עבֿירות פֿון מענטשן וועלכע זײַנען בײַהילפֿיק? אָבער, בעת אין שטעטל האָט דער דאָקטער וועלכער איז אַליין נישט געווען קיין שומר־מצוות געוווּסט, אַז שמירת־המצוות בײַ ייִדן איז געווען זייער אַ וויכטיקער ענין, און ממילא, האָט ער געהאַט פֿאַרשטענדעניש בנוגע רעליגיעזע פֿראַגן אין שײַכות מיטן געזונט, איז די לאַגע דאָ אין לאַנד גאַנץ אַנדערש.

די ייִדיש־אַמעריקאַנישע דאָקטוירים האָבן ניט קיין שום דרך־ארץ פֿאַר רעליגיעזע ווערטן. זיי זײַנען טיילווײַז פֿאַראַנטוואָרטלעך פֿאַר דער הפֿקרות וואָס הערשט אין ייִדישע האָספּיטעלער בנוגע כּשרות, און פֿאַר טריפֿה מאַכן אַ סך ייִדישע היימען. מיר זײַנען באַקאַנט פֿאַלן ווען דאָקטוירים האָבן געראָטן מוטערס צו געבן

זייערע קינדער חזיר צום פֿרישטיק ("העם ענד עגס"[4]), אָדער צו קאָרמענען זיי חמץ אום פּסח, בשעת זיי האָבן גאַנץ גוט געוווסט אַז אין ביידע פֿאַלן קען מען אויסקומען אָן די שפּײַזן. עס איז הײַנט כּמעט אוממעגלעך פֿאַר אַ רבֿ זיך צו באַראַטן מיט אַ ייִדישן דאָקטער וועגן פֿאַסטן פֿון אַ חולה אום יום־כּיפּור. דער ענטפֿער איז אָפֿט ציניש און ווולגאַר. זייער צוגאַנג צום מענטשן בכלל איז געבויט אויף אַן אויבערפֿלעכלעכער מעכאַניסטיש־פּאָזיטיוויסטישער אויפֿפֿאַסונג, און זיי נעמען זעלטן אין באַטראַכט די גײַסטיק־מעטאַפֿיזישע פּערזענלעכקייט, וועלכע שפּילט אַזאַ גוואַלדיקע ראָלע אין מענטשלעכן געזונט ווערן. (אַפֿילו די וואָס רעדן פֿון פּסיכאָסאָמאַטישער מעדיצין טוען עס אויך נישט.)

עס איז אינטערעסאַנט צו באַמערקן, אַז טראָץ דעם וואָס אַמעריקאַנער ייִדן אונטערשיידן זיך אַזוי שטאַרק פֿון די ייִדן פֿון אַמאָליקן קליינשטעטל, האָט זיך זייער באַציִונג פֿון דרך־ארץ צום דאָקטער נישט געביטן. דערפֿאַר האָט די נעגאַטיווע באַציִונג פֿון אַ דאָקטער צו רעליגיעזע ווערטן אַזאַ שעדלעכן אײַנפֿלוס אויף אַ סך ייִדישע היימען.

דער אײַנפֿלוס פֿון דעם דאָקטער דאַרף אָבער נישט שטענדיק בלײַבן שעדלעך פֿאַר אונדזערע רעליגיעזע אינטערעסן. ער קען פֿאַרוואַנדלט ווערן אין אַ פּאָזיטיוון כּוח. אַ דאָקטער וועלכער איז אַליין אַ רעליגיעזע פּערזאָן, אָדער לכל־הפּחות [האָט] יראת־הכּבֿוד פֿאַר יענעמס רעליגיעזע געפֿילן, קען אויסאיבן אַ גאַנץ אַנדער השפּעה. אין אַ סך פֿאַלן קען ער מער לײַסטן ווי דער פֿרומסטער רבֿ.

איך בין נישט אַזאַ גרויסער אָפּטימיסט צו האָפֿן, אַז יעדער ייִדישער גראַדויִרטער פֿון דער ישיבֿה מעדיקל־סקול וועט זײַן אַ שומר־מצוות. איין זאַך אָבער קען איך יאָ פֿאָרויסזען. אַ באַשטימטער טייל פֿון די דאָקטוירים וועט באַשטיין פֿון יודעי־ספֿר און שומרי־מצוות, און די איבעריקע וועלן, האָפֿנטלעך, אויך האָבן אַן אַנדער אײַנשטעלונג צו קדשי־ישׂראל. ווי זאָגט פּרץ אין "צווישן צוויי בערג": "זיי האָבן זיך ניט אויסגעגלײַכט. דער בריסקער רבֿ איז געבליבן אַ מתנגד ווי פֿריִער — מיט דעם איז ער אַוועקגעפֿאָרן. דאָך אַ פּעולה האָט עס געהאַט! גערודפֿט האָט ער שוין נישט!"[5]

דריטנס: די ישיבֿה געפֿינט זיך אין ניו־יאָרק און נישט אין כּתרילעווקע. זי איז אַן אַמעריקאַנער אינסטיטוציע. דערמיט מיין איך נישט אַז זי דאַרף אַנדערש לערנען און אינטערפּרעטירן די תּורה אָדער אײַנגיין אויף רעליגיעזע פּשרות. חס־שלום! די תּורה־שבעל־פּה, איר אויסטײַטשונג און איר קאַטעגאָריש־אימפּעראַטיווער כאַראַקטער, בלײַבן די זעלבע אין אַלע ערטער און אין אַלע צײַטן. וואָס איך וויל זאָגן

4. שינקע מיט אייער (ענגליש).

5. זען י.ל. פּרץ, *חסידיש און די גאָלדענע קייט*, ניו־יאָרק, 1986, ז' 129.

איז עפּעס אַנדערש. די ישיבֿה טאָר נישט פֿאַרגעסן, אַז דער אַמעריקאַנער ייִד ווערט וואָס ווײַטער אינטעגרירט אין דער אַלגעמיינער סאָציאַל־עקאָנאָמישער סטרוקטור פֿון אַמעריקע, און אַז די ייִדישע יוגנט מוז אויסגעבילדעט ווערן אין פֿאַרשיידענע פֿאַך־וויסנשאַפֿטן, כּדי צו פֿאַרנעמען אַ געהעריקן פּלאַץ אויף אַלערליי געביטן. נישט אַלע תּלמידים וועלכע קומען אין דער ישיבֿה קענען, ווילן, און דאַרפֿן ווערן רבנים. מיטן געבן אַ מעגלעכקייט בחורים, וועלכע האָבן פֿאַרבראַכט עטלעכע יאָר אין דער ישיבֿה־אַטמאָספֿערע, וועלכע האָבן מער אָדער ווייניקער אײַנגעזאַפּט אין זיך דעם גײַסט פֿון תּורה־שבעל־פּה, זיך אויסצובילדן אין אַן אַקאַדעמיש־ייִדישער פּראָפֿעסיאָנעלער שולע, וועט שטענדיק צוגעצויגן ווערן אַ נײַער מין תּלמיד, וואָס האָט קיין מאָל נישט געחלומט וועגן תּורה־בילדונג. דאָס וועט זײַן אַ געווינס פֿאַר אונדז, ווײַל מיר דאַרפֿן פֿאַרשפּרייטן תּורה אין דעם ווײַטסטן זינען פֿון וואָרט צווישן אַלע שיכטן פֿון דער ייִדישער באַפֿעלקערונג. נישט נאָר גרויסע לומדים און רבנים דאַרף די ישיבֿה אויסבילדן, נאָר אויך בעלי־בתּים און פּראָפֿעסיאָנאַלן, וועלכע זאָלן זײַן פֿײַנע ייִדן און יודעי־ספֿר. מיט דער אַנטוויקלונג פֿון פּראָפֿעסיאָנעלע שולעס בײַ דער ישיבֿה קען אַזאַ ציל דערגרייכט ווערן.

פֿערטנס: די הײַנטיקע אָרטאָדאָקסיע, פּונקט ווי די גאַנצע כּנסת־ישׂראל, נייטיקט זיך נישט אַזוי אין ליבע מצד דער אויסערלעכער וועלט, ווי זיי נייטיקן זיך שטאַרק אין דרך־ארץ מצד זייערע קעגנער, כּדי אויסצואיבן די השפּעה צו וועלכער זיי זײַנען באַרעכטיקט. „ובכן תן כבוד ה' לעמך.“ דאָס געפֿיל פֿון דרך־ארץ, אין קאָנטראַסט צו ליבע, איז נישט געבויט אויפֿן גוטן ווילן און אויף דער סימפּאַטיע פֿון צווייטן, נאָר איז אַ רעזולטאַט פֿון בעל־כּרחודיקער אָנערקענונג פֿון באַשטימטע מעשׂים און שאַפֿונגען. דרך־ארץ קען די אָרטאָדאָקסיע געווינען דורך אָפּהיטן דרײַ זאַכן.

1) דורך אַוועקשטעלן דאָס פּערזענלעכע לעבן אויף אַ הויכער עטיש־רעליגיעזער מדרגה.

2) דורך פֿאַרטיידיקן פּרינציפּן און אידעאַלן אויף אַן אָנשטענדיקן אופֿן.

3) דורך דעמאָנסטרירן פֿאַר דער וועלט, אַז דער תּורה־ייִד דאַרף זיך נישט צוריקציִען אין אַ קרן־זוית און צוקוקן מיט טרויער און רעזיגנאַציע ווי דאָס לעבן לויפֿט פֿאַרבײַ אים, נאָר קען גיין פֿעסט און שטאָלץ מיטן שטראָם פֿון מאָדערנעם לעבן, וועלכער באַוועגט זיך מיט גרויסער שנעלקייט צו נײַע האָריזאָנטן פֿון וויסן און טעכנאָלאָגישער דערגרייכונג. מיר דאַרפֿן באַווײַזן, אַז אין אַלע קולטור[עלע], סאָציאַלע, און וויסנשאַפֿטלעכע סיטואַציעס, קען אַ מענטש לערנען תּורה און זיך טרײַ אויסלעבן ווי אַ תּורה־ייִד, און אַז די הלכה, אַנשטאָט אײַנצושרענקען די אינטעלעקטועל־עמאָציאָנעלע קאַפּאַציטעט און וועלט־קענטעניש פֿון מענטשן, פֿאַרטיפֿט זי זיי און ברייטערט זיי גאָר אויס.

איין מאָל פֿאַר אַלע מאָל מוזן מיר אויפֿווייַזן די פֿאַלשקייט פֿון די טענות פֿון די אַלע אומרעליגיעזע און פּסעוודאָ־רעליגיעזע באַוועגונגען, וועלכע באַהויפּטן אַז די הלכה באַגרענעצט דעם מענטשן און מאַכט אים וועלט־פֿרעמד. אונדזער ענטפֿער דערצו דאַרף אָבער געגעבן ווערן נישט אין טעאָרעטישע אַרגומענטן, נאָר אין פּראַקטישע מעשׂים. ווען דער ישיבֿה וועט זיך באמת איינגעבן אויסצובויען אַן ערשטקלאַסיקע מעדיקל־סקול, און דערמיט דערמעגלעכן סטודענטן צו פֿאַרבינדן אַ תּורה־לעבן מיט דער מעדיציניִשער פּראָפֿעסיע, וועט זי האָבן בייגעטראָגן אַ סך צו כּבֿוד־התּורה און צו דעם פּרעסטיזש פֿון דער אָרטאָדאָקסיע.

איך שרייב דעם אַרטיקל אין דעם געמיטס־צושטאַנד פֿון "ופּחד ורחב לבבך" (ישעיה ס, ה). פֿון איין זייַט, טראַכט איך מיט שׂמחה וועגן דער גרויסער אונטערנעמונג, וועלכע קען דערמעגלעכן דער ישיבֿה אַרייַנצודרינגען אין קרייַזן וואָס זייַנען ביז איצט געשטאַנען ווייַט פֿון איר. פֿון דער אַנדער זייַט אָבער, נעמענדיק אין באַטראַכט, ווי איך האָב דערמאָנט פֿריִער, די אויסטערלישע איינשטעלונג פֿון אַ סך יידישע דאָקטוירים צו רעליגיעזע ווערטן און עיקרים, שרעקט מיר דאָס האַרץ טאָמער וועלן זיי פֿאָרט פֿאַרשוועכן וועלכן עס איז פּרינציפּ. דאָס געפֿיל פֿון פֿרייד איז פֿונדעסטוועגן גובֿר מייַן פּחד, ווייַל איך גלויב, אַז די ישיבֿה וועט האָבן פֿולן קאָנטראָל איבער דער גייַסטיק־רעליגיעזער הנהגה פֿון דער סקול, און וועט שטיין על המשמר, אַז קיין רעליגיעזער פּרינציפּ זאָל נישט פֿאַרשוועכט ווערן. שבת, למשל, דאַרפֿן נישט נאָר אַלע קלאַסן און לאַבאָראַטאָריעס זייַן אָפּיציעל געשלאָסן. נאָר אויך פּאַקטיש טאָר מען דאָרטן נישט מחלל־שבת זייַן. אַפֿילו די לעצטע צוויי יאָר, ווען די סטודענטן מוזן טאָן קלינישע אַרבעט אין די האָספּיטעלער, דאַרפֿן די יידישע סטודענטן באַפֿרייַט ווערן שבת פֿון דער אַרבעט. אויך אַנדערע הלכות מוזן שטרענג אָפּגעהיט ווערן נישט נאָר כּלפּי־חוץ, נאָר אויך בחדרי־חדרים. די וויסנשאַפֿט וועט דערפֿון קיין זאַך נישט לייַדן. די פֿאַרשוועכונג פֿון דער הלכה אין דער מעדיקל־סקול קען פֿאַרוואַנדלען די גאַנצע אונטערנעמונג אין אַ חילול־השם און וועט האָבן אַ קאַטאַסטראָפֿאַלע ווירקונג אויף דער ישיבֿה אַליין.

איך האָף אַז מייַן גלויבן וועט זיך נישט אַרויסווייַזן פֿאַלש, און אַז די ישיבֿה וועט זיך נישט לאָזן פֿאַרפֿירן פֿון יעדן נדבֿן, דירעקטאָר, אָדער מעדיציניִשן אַדמיניסטראַטאָר, וועלכער וועט זיכער, פֿון צייַט צו צייַט, פּרובירן אויסשליסן דעם רעליגיעזן מאָמענט פֿון דער סקול, און אויסמעקן איר אייגנאַרטיקע געשטאַלט — נישט קוקנדיק דערויף, וואָס דווקא אין דער ספּעציפֿישער געשטאַלט וועט ליגן איר שטאַרקייט. מייַן האָפֿענונג איז געבויט אויף דעם פֿאַקט, וואָס די ישיבֿה אַליין איז ביז איצטער געווען די פֿאַרקערפּערונג פֿון אייגנאַרטיקייט און אַנדערשקייט, און האָט עפֿנטלעך דעמאָנסטרירט די אוראַלטע השקפֿה פֿון יהדות, וועלכע האָט שטענדיק

אידענטיפֿיצירט די אידעע פֿון בחירה מיט דער אידעע פֿון הבֿדלה, אויסדערווילט זײַן מיט זײַן אַנדערש און אײגנאַרטיק.

וויִ אַזוי דאַרף אַ ייִד דאַוונען?[1]

שאלה: אין געוויסע ייִדישע קרייַזן ווערט באַהויפּטעט, אַז דער אופֿן פֿון דאַוונען אין די קאָנסערוואַטיווע טעמפּלען, וועלכע באַניצן זיך מיט אָרגל־מוזיק, געמישטע כאָרן און מיט אַ סך דעקאָרום, איז מער פּראָגרעסיוו ווי דער טראַדיציאָנעלער סדר־התּפֿילה. אפֿשר קען דאָס דאַוונען אין אָרטאָדאָקסישע שולן אויך מאָדערניזירט ווערן?

תּשובֿה: כּדי צו ענטפֿערן אויף דער פֿראַגע וועלן מיר מוזן זיך פֿאַרטיפֿן אין דער אידעע פֿון תּפֿילה בכלל, ווי יהדות פֿאַרשטייט איר. ווען דער ענין תּפֿילה וועט אונדז קלאָר ווערן, וועט די שאלה אפֿשר פֿון זיך אַליין פֿאַרענטפֿערט ווערן.

וואָס פֿאַרשטייט די הלכה אונטער תּפֿילה? תּפֿילה איז ניט קיין צערעמאָניאַלער גאָטעסדינסט, ווי זי איז אין דער קאַטוילישער קירכע און אויך אין באַשטימטע פּראָטעסטאַנטישע קירכן.

יעדע צערעמאָניע באַזיצט מינדסטנס דרייַ כאַראַקטעריסטישע שטריכן:

1. דער צערעמאָניאַל לייגט דעם עיקר אַכט אויף די חיצוניות. וויכטיק איז ניט דאָס געפֿיל, נאָר דער אויסדרוק, די באַוועגונג. באַדייַטונג האָט ניט די כּוונה, נאָר די פֿראַזע.[2] ווערטפּול איז ניט דאָס אינערע געוויסן פֿון מענטשן, נאָר זייַן אויסערלעכקייט. קורץ, אַ צערעמאָניאַל באַרוט אויף דעם גרויסן שקר פֿון אחד בפּה ואחד בלבֿ.

1. אָפּגעדרוקט אין *טאָג־מאָרגן זשורנאַל* דעם 13טן דעצעמבער 1954, ז׳ 5.
2. אַזוי אָפּגעדרוקט.

2. צערעמאָניאַל זוכט שטענדיק אָפּצורײַסן דעם מענטשן פֿון דער ווירקלעכקייט, און אַרײַנצופֿירן אים אין אַ וועלט פֿון אילוזיע. אין ווירקלעכן לעבן זײַנען קיין צערעמאָניעס ניטאָ. דאָס לעבן איז פּשוט, גרוי, און מאָנאָטאָן. ווער עס וויל געניסן די שיינקייט פֿון אַ צערעמאָניע מוז זיך אַרײַנקלײַבן אין אַן אַנדער תּחום — אַ תּחום פֿון פּסעוודאָ־ווירקלעכקייט.

3. אַ צערעמאָניע מוז שטענדיק האָבן אַ צערעמאָניאַל־מײַסטער, וועלכער איז געשולט דורכצופֿירן די צערעמאָניע אויף אַן אײַנדרוקספֿולן אופֿן. דער פּשוטער מענטש קען נאָר זײַן אַ צושויער, וועלכער קען זיך ניט אַקטיוו באַטייליקן אין איר.

דער מהות פֿון תּפֿילה שליסט אויס די דרײַ אייגנשאַפֿטן פֿון צערעמאָניאַל.

וואָס איז דער מהות פֿון תּפֿילה לויט דער הלכה? דער רעליגיעזער אַקט פֿון תּפֿילה איז הלכיש זייער אייגנאַרטיק, און אונטערשיידט זיך גרונטזעצלעך פֿון אַ סך מצוות אין דער תּורה. די ספּעציפֿישקייט פֿון תּפֿילה באַשטייט אין דעם, וואָס איר מהות און אינהאַלט ליגן ניט אין דער אויסערלעכער, פֿיזישער האַנדלונג פֿון מתפּלל, אין דעם רעציטירן פֿון אַ באַשטימטן טעקסט און באַשטימטע קערפּער־פּאָזיציעס און באַוועגונגען, ווי שטיין, אָדער זיך פֿאַרנייגן, נאָר אין דער סוביעקטיווער ספֿערע, אין אַ געמיט־צושטאַנד, אין אַ געפֿיל, אין אַ רעליגיעזער איבערלעבעניש. תּפֿילה דאַרף האָבן כּוונה. די כּוונה פֿון תּפֿילה אָבער איז ניט סתּם אַ באַגלייט־דערשײַנונג פֿון דער רעליגיעזער האַנדלונג, ווי בײַ אַנדערע מצוות, נאָר דער צענטראַלער מאָטיוו און תּוכן פֿון דער תּפֿילה גופֿא. זי דריקט אויס ניט נאָר אַ באַשלוס מקיים צו זײַן אַ מצווה, נאָר דעם גאַנצן גײַסטיקן צושטאַנד פֿון אַ מתפּלל. קורץ, תּפֿילה איז, ווי די הלכה האָט איר אָנגערופֿן, אַן עבֿודה שבלבֿ, דאָס דינען דעם רבש"ע מיטן האַרצן.

אמת, די הלכה האָט קיין מאָל ניט געהאַט צו פֿיל פֿאַרטרויען אין די סוביעקטיווע, פֿאָרמלאָזע, און פֿליסנדע געמיט־צושטאַנדן און אינערע איבערלעבענישן. זי האָט שטענדיק געפֿאָדערט אַז דער מעכטיקער שטראָם פֿון געפֿיל און געדאַנקען זאָל זיך אַרײַנגיסן אין אָביעקטיווע כּלים, און זאָל זיך אויסקריסטאַליזירן אין באַשטימטע קאָנקרעטע מעשׂים: דאָס געפֿיל פֿון חסד אין געבן צדקה, דאָס געפֿיל פֿון קדושה אין אַ מאָראַלישער הנהגה, און אַזוי ווײַטער. סוביעקטיוויטעט און אינערלעכקייט אַליין זײַנען ווי אַ נשמה אָן אַ גוף: אומפֿאַסבאַר[3], אומהאַלטבאַר, עפֿעמעראַל, און דקותדיק. דאָס געפֿיל שײַנט אויף פּראַכטפֿול, ווי אַ שיינער זון־אויפֿגאַנג אין אַ קלאָרן זומער־פֿרימאָרגן, אָבער פֿאַרשווינדט אויך זייער שנעל אין דעם נעפּל פֿון אומזיכערקייט. די פֿיזישע האַנדלונג גיט דעם סוביעקטיוון צושטאַנד סטאַביליטעט

3. ניט אָנצוטאַפּן (דײַטש).

און דויערהאַפֿטיקייט. ממילא האָט די הלכה פֿאַרלאַנגט אַז די עבֿודה־שבלבֿ, תּפֿילה, זאָל ניט בלײַבן פֿאַרשלאָסן אין האַרצן, נאָר זאָל זיך אַנטפּלעקן לגבי־חוץ און קריגן איר ממשותדיקן תּיקון אין אַ פֿעסטגעשטעלטן נוסח־התּפֿילה, דרײַ מאָל אַ טאָג דאַוונען, און אַנדערע אָביעקטיווע באַדינגונגען. אָבער די אַלע פֿאָדערונגען רירן נאָר אָן די טעכניק פֿון תּפֿילה (הלכיש גערעדט, די מעשׂה־המצוה), די מיטלען וועלכע מאַניפֿעסטירן די עבֿודה שבלבֿ, אָבער ניט דעם עצם קערנדל פֿון תּפֿילה, וועלכער בלײַבט באַהאַלטן אין די אָפּגרונטן פֿון האַרצן, אין דעם מיסטעריעזן ציטער פֿון אַ גאָט־דאַרשטיקער נשמה. באַניצנדיק זיך מיט אַ הלכישן טערמין וואָלט איך געזאָגט אַז דער קיום־המצוה ווערט רעאַליזירט בלבֿ. "אל תּעשׂ תפלתך קבע אלא רחמים ותחנונים לפני המקום" [אבות ב, יג].

די מסקנה פֿון דער הנחה איז אַ פּשוטע. ניט געקוקט דערויף וואָס דער נוסח פֿון דער תּפֿילה איז אידענטיש פֿאַר אַלעמען, איז די תּפֿילה זעלבסט קיין מאָל ניט סטאַנדאַרדיזירט געוואָרן. אַלע זאָגן די זעלבע ווערטער, אַלע בייגן זיך צו מודים, אַלע דאַוונען מיטן פּנים צו ארץ־ישׂראל, אַלע זאָגן "משיבֿ הרוח" ווינטער און "יעלה ויבֿא" ראש־חודש, אָבער יעדעס האַרץ דינט דעם רבש"ע אויף איר שטייגער, אינדיווידועל און אייגנאַרטיק. שוין בײַם אָנפֿאַנג פֿון דער שמונה־עשׂרה, אָנרופֿנדיק דעם רבש"ע "הא־ל הגדול הגבור והנורא", האָט יעדער יחיד זײַנע באַזונדערע איבערלעבונגען. איינער קען דערבײַ פֿילן די אומענדלעכקייט און אַלמעכטיקייט פֿון גאָט, ווי ער איז זיך מתגלה אין דער גרויסער מאַטעמאַטיש־פֿיזיקאַלישער וועלט, די אַסטראָנאָמישע מרחקים וועלכע שפּרייטן זיך אויס פֿאַרן מענטשן אין אַ קלאָרער אויסגעשטערנטער נאַכט, די דינאַמיק פֿון דער נאַטור, ווי עס ווײַזן זיך אויס די גרענעצן פֿון קאָסמאָס, דערציילן וועגן דעם אין־סוף צו דעם פֿילאָסאָפֿיש אײַנגעשטעלטן יחיד, וועלכער קען דאָס אַלץ דורכלעבן אין דער שמונה־עשׂרה. "כי אראה שמיך מעשׂי אצבעותיך ירח וכוכבים אשר כוננת" (תהילים ח, ד).

אַן אַנדער פּערזאָן, וואָס איז עסטעטיש אײַנגעשטעלט, דערשפּירט דעם אָטעם פֿון אין־סוף, פֿון הא־ל הגדול הגבור והנורא, אין דער פּראַכט און פֿאַרבנרײַכקייט פֿון דער נאַטור, אין דער מאַיעסטעטישקייט פֿון דעם ים, אין שקיעות און זריחות, אין דעם שפּיל פֿון ליכט און שאָטן. "ה' א' גדלת מאד הוד והדר לבשת עוטה אור כשׂלמה..." (תהילים קד, א–ב).

אַן עטיש־מאָראַלישע פּערזענלעכקייט געפֿינט גאָר דעם רבש"ע, דעם הא' הגדול הגבור והנורא, אין דער גײַסטיקער וועלט־אָרדענונג, אין מענטשלעכן שטרעבן נאָך דעם גוטן, אין מאָראַלישן באַוווסטזײַן אַאַז"וו. די מיסטיש־רעליגיעזע נשמה באַגעגנט זיך מיטן הא' הגדול הגבור והנורא אין אירע אייגענע געגועים צו אים, אין דעם דראַנג נאָך אומענדלעכקייט און אייביקייט, אין איר פֿאַרליבט זײַן אין דער

שכינה, און אין איר כסדרדיקן אַרומזוכן פֿון גאָט. "על משכבי בלילות בקשתי את שאהבה נפשי" (שיר השירים ג, א).

דער פּשוטער מענטש שטויסט זיך אָן אויף דעם "הא־ל הגדול הגבור והנורא" אין זײַן קלײנלעכן אַלטעגלעכן לעבן, אין דער דערפֿילונג פֿון זײַנע באַשרענקטע הצטרכותן, ווי פּרנסה, אַ גוטע קאַריערע פֿאַר די קינדער און דאָס גלײַכן.

יע, אַלע דאַוונען, אַלע זאָגן די זעלבע שמונה־עשׂרה. די טעכניש־רעליגיעזע האַנדלונג איז די זעלבע, אָבער ווי פֿאַרשיידן איז די עבֿודה־שבלבֿ! זי איז אַן אינטימע, אינדיווידואַליזירטע אײגנאַרטיקע איבערלעבעניש, וועלכע לאָזט זיך ניט אַרײַנפּרעסן אין דער אַלגעמײנער מאַטריץ פֿון קאָנווענציאָנעלער רעליגיאָזיטעט. זי איז, ווי די גײַסטיק־רעליגיעזע פּערזענלעכקייט זעלבסט, אײנזאַם און אַליין; זי קען ניט מיטלויפֿן מיטן קהל.

אויב דער פֿעסטגעזעצטער נוסח פֿון תּפֿילה איז מער ניט ווי אַ מיטל צו פֿאַרווירקלעכן דאָס אינדיווידועלע, צאַרטע, און געפֿילפֿולע עבֿודה־שבלבֿ, דאַרף מען שטענדיק אַכטונג געבן אַז די כּלי, אין וועלכער דער מערקווערדיקער געפֿילס־צושטאַנד גיסט זיך אַרײַן, זאָל ניט פֿאַרשטעלן אין גאַנצן דאָס אינערע דאַוונען. אַז דער גוף מיט זײַנע לבֿושים זאָל ניט דערשטיקן די נשמה, און די פֿאָרם זאָל ניט דערזעצן דעם לעבעדיקן אינהאַלט. דערפֿאַר האָט יהדות אַזוי שטרענג געהיט דאָס דאַוונען, אַז ער זאָל ניט צוזאַמענברעכן אונטער דער עסטעטישער משׂא וועלכע מענטשן ווילן פֿון צײַט צו צײַט אַרויפֿצווינגען אויף דער תּפֿילה. איבערגעטריבענער געזאַנג, אָרגל־מוזיק, געמישטע כאָרן און אַנדערע דעקאָראַטיווע מאָמענטן אונטערגראָבן די יסודות פֿון עבֿודה־שבלבֿ. אמת, יהדות האָט שטענדיק געוואָלט זען די רעליגיעזע האַנדלונג אײַנגעפֿאַסט אין אַ ראַם פֿון שיינקייט — "זה א־לי ואנוהו" (שמות טו, ב). אָבער יהדות איז אויך שטענדיק געווען פֿאָרזיכטיק בײַ אַלע מצוות, און ספּעציעל בײַ תּפֿילה, אַז דאָס שיינע בײַ דער טעכניק פֿון דער מצוה־דערפֿילונג זאָל אין גאַנצן ניט אָפּטויטן דאָס נשמה־האַפּטיקעס און האַרציקעס, אַז דער פּה זאָל ניט אַרויסשטויסן דעם לבֿ.

לאָמיר ניט פֿאַרגעסן, אַז טראָץ דעם וואָס דאָס רעליגיעזע געפֿיל האָט אַ סך בשותּפֿותדיקס מיטן שיינקייטס־געפֿיל — ביידע זוכן דאָס דערהאַבענע, מיסטעריעזע, און אומדערגרייכבאַרע — איז דאָך דאָ אַ גרונטזעצלעכער אונטערשייד צווישן זיי. די פּערזאָן וואָס זוכט שיינקייט, געפֿינט איר באַפֿרידיקונג אין דער האַרמאָנישער פֿאָרם; אין דעם צוזאַמענגוס פֿון פֿאַרבן, קלאַנגען, ווערטער און פֿראַזן. פֿאָרמאַלע אײנהייטלעכקייט און קאָנטינויִרלעכקייט זענען די הויפּטשטריכן פֿון עסטעטישער פֿאַרווירקלעכונג. ממילא ווערט די צורה אַן עיקר און דער אינהאַלט — אַ טפֿל. די פּראַכט פֿון דער רעליגיעזער דערפֿאַרונג באַשטייט, אין קאָנטראַסט צום פֿריִער־געזאָגטן, דווקא אין דעם איבערפֿלוס פֿון אינהאַלט איבער דער פֿאָרם; אין דער

אומרעגלמעסיקייט פֿון אויסדרוק, אין דעם אינערן שטורעם וועלכער צעשמעטערט אַלע פֿאָרמען און אַלע כּללים פֿון אויסערער שיינקייט.

די גאָט־דאָרשטיקע פּערזענלעכקייט איז זייער ווײַט פֿון זײַן בעל־הבתּיש צופֿרידן מיט זיך אַליין. זי איז צעפֿליקט און צעריסן. זי מאַכט דורך אַ סך גלגולים. זי שפּרינגט פֿון איין געמיט־צושטאַנד צום אַנדערן — פֿון עקסטאַטישער פֿרייד צו גרענעצלאָזן פּחד, פֿון מנוחת־הנפֿש צו ווילדן אומרו. אַ מאָל זינגט זי התלהבֿותדיק "ד׳ רועי לא אחסר, בנאות דשא ירביצני, על מי מנוחות ינהלני" (תהילים כג, א–ב). אַ מאָל שרײַט זי אויס מיט שרעק "אנה אלך מרוחך, ואנה מפּניך אברח" (תהילים קלט, ז). זי איז פֿול מיט עמאָציאָנעלע קאַפּריזן און איר וועג שלענגלט זיך אין אַ זיג־זאַג. בכן קען זי זיך ניט אַרײַנפּאַסן אין דער שטרענגער פֿאָרמאַליסטיק פֿון קינסטלעכן שאַפֿן, און זי רעכנט זיך ניט מיט די כּללים פֿון חיצוניותדיקע עפֿעקטן.

ווען דאַוונען וואָלט באַשטאַנען נאָר אין אַן אויסערער האַנדלונג, וואָלט מען עס אפֿשר געקענט אַרײַנפּאַסן אין אַ מוזיקאַלישער קאָמפּאָזיציע, אין די שטײַפֿע דעקאָרום־מלבושים, אין די קלאַנגען פֿון אָרגל, אין דער רעטאָריק פֿון ראַבײַ, אין דעם זינגען פֿון "עלינו" אין אַ קירכלעך־פֿײַערלעכן טאָן, און אין דעם סינכראָניזירטן בייגן זיך צו "ואנחנו כורעים". אָבער "לײַדער" האָט יהדות אויפֿגעפֿאַסט תּפֿילה ווי עבֿודה־שבלבֿ, אַן עבֿודה פֿון האַרץ, וואָס קלאַפּט שנעל און ניט רעגלמעסיק. אַ האַרץ, וואָס איז איבערפֿילט מיט געטלעכער לײַדנשאַפֿט; אַ האַרץ וואָס זוכט, לעכצט, און נישטערט; אַ האַרץ וואָס איז פֿול מיט דיסאָנאַנצן; אַ האַרץ וואָס איז אַזוי "משוגע", אַזוי "ווילד", און אַזוי "פּרימיטיוו", אַז זי האָט מורא אַריבערצוטרעטן דעם שוועל פֿון טעמפּל, ווײַל דאָרטן איז אַלץ נאָרמאַל, ציוויליזירט און שׂכלדיק. דאָס מערקווערדיקע ייִדישע האַרץ האָט געדאַוונט און געטאָן תּפֿילה זינט אבֿרהם־אָבֿינו אָן.

דערפֿאַר איז דער ייִדישער "סקאַרבאָווער" נוסח (די ליטורגישע ניגונים) זייער ווײַט פֿון צו זײַן פּערפֿעקט פֿון מוזיקאַלישן שטאַנדפּונקט. דער ייִדישער מעלאָדישער נוסח צייכנט זיך אויס אַ סך מאָל מיט זײַן פֿאָרמלאָזיקייט און מיט זײַנע פּלוצלונגע קפֿיצות־הדרך. ווער עס זוכט האַרמאָנישע אַראַנזשירונגען פֿון קלאַנגען אין ייִדישע תּפֿילה־ניגונים וועט זיך פֿילן אַנטוישט. וואָס מען קען יאָ געפֿינען אין זיי איז דער סטיכישער אויסברוך פֿון געפֿילן, למשל האָפֿענונג און וויזיע ווי אין "ובכן תן פּחדך", שטילע פֿרייד און געגועים ווי אין "והכּהנים והעם", רעזיגנאַציע און טרויער ווי אין "אשמנו" אָדער אין "אנא השם חטאו", מעלאַנכאָליע און גלײַכצײַטיק מוטיקייט ווי אין קדיש פֿון נעילה, פֿײַערלעכקייט און שפּאַנונג ווי אין "כּל־נדרי". פֿון די אַלע מעלאָדיעס זינגט אַרויס ניט קיין שפֿע פֿון קלאַנגען, נאָר אַן עשירות פֿון האַרציקייט און נשמהדיקייט, די שטימע פֿון "מן המיצר קראתי", פֿון "ממעמקים קראתיך ד׳", פֿון "תּפֿילה לעני כי יעטף ולפני ד׳ ישפך שיחו". דאָס איז די מעלאָדישקייט פֿון עבֿודה־

שבלבֿ, ווו די פֿאָרם ווערט פֿאַרזונקען אין אינהאַלט, די פֿראַגע — אין געפֿיל, און די אויסערלעכקייט — און אינערלעכקייט. דאָ רעאַגירט דאָס האַרץ, דער אמת.

איך שטעל מיך פֿאָר אַ כּל־נדרי נאַכט אין בית־מדרש פֿון בעל־שם־טובֿ אָדער פֿון תּניא. דאָרטן האָט מען זיכער זיך ניט באַניצט מיט קיין מוזיק, מיט כאָרן און דעקאָרום. מען האָט דאָרטן ניט געהאַט קיין אויסגעפּוצטע בימות מיט טעפּעכער, בלומען, און ראַבײַס געשולט אין דיקציע און מיט פֿײַנע מאַניערן. דאָרטן האָבן געדאַוונט פּראָסטע, פּשוטע ייִדן, וועלכע זײַנען געווען זייער ווײַט פֿון "יפֿיותו של יפֿת". אָבער דערפֿאַר — אורוויקסיק צוזאַמענגעשמאָלצן מיט די דורות, פֿול מיט רעליגיעזן פֿײַער און ציטער. "עזה כמות אהבה קשה כשאול קנאה..." (שיר השירים ח, ו). די פֿאָרעם האָט אין גאַנצן געפֿעלט. אָבער דערפֿאַר האָט זיך דאָרטן געטראָגן אַ שטורעם פֿון אַ פֿלאַמענדיקן גלויבן, פֿון אַ גרויסער ליבע און לײַדנשאַפֿט צום בורא־עולם. אַלע מתפּללים האָבן זיך מסתּמא געשאָקלט ווי די ביימער אין אַ וואַלד, ווען עס צעבושעוועט זיך אַ רוח־סערה, און האָבן זיכער אַרויסגעשאָקלט פֿון זיך די עבֿודה־שבלבֿ.

איך האָב דאָס רעכט זיך פֿאָרצושטעלן אַזאַ בילד. ווײַל אין מײַנע קינדערשע זכרונות, האַלב פֿאַרנעפּלט און האַלב פֿאַראָמאַנטיזירט, זע איך נאָך איצטער ווי אַ חב"ד־קהילה פֿלעגט זיך פֿונאַנדערשאָקלען די ערשטע נאַכט ראש־השנה. "די נאַכט פֿון קאָראָנאַציע" (ווי אַלטע חסידים פֿלעגן איר רופֿן), ווען דער קליינער, נישטיקער, און הילפֿלאָזער מענטש, וואָס שהיום כּאן ולמחר בקבֿר, דערלאַנגט אַ כּתר מלוכה דעם עתּיק־יומין, דעם אין־סוף, דעם חי העולמים און באַטיטלט אים "המלך הקדוש". איך הער נאָך איצטער דעם מורמל פֿון הונדערטער ייִדן, צעהיצטע און פֿאַרגײַסטיקטע, וואָס פֿלעגן דורכלויפֿן דורך דער שול ווען דער בעל־תּפֿילה פֿלעגט ענדיקן דעם קדיש, און קהל פֿלעגט אָנהייבן זאָגן די שמונה־עשׂרה, אַ געוויש פֿון עפּעס גרויס, דערהאָבנס, וואַרעמס און לעבעדיקס, וואָס האָט ניט געדאַרפֿט קיין חזן, קיין כאָר, קיינע טעאַטראַלישע דעקאָראַציעס, כּדי צו דערגיין צו די שערי־שמים.

דאַרף דער קוואַל וואָס שפּרודלט אַרויס פֿון דער ערד מיט אורקראַפֿט וועלכע־עס־איז געקינסטלטע פֿאָרעם כּדי צו זײַן פּרעכטיק און אײַנדרוקספֿול? דאַרף די לאַווע וועלכע ווערט אַרויסגעשפּוגן פֿון דעם פֿײַערדיקן ווולקאַן זיך באַוועגן נאָך די כּללים פֿון פּוסטן, קאַלטן דעקאָרום? דווקא אין זייער נאַטירלעכקייט, אורשפּרינגלעכקייט, און ספּאָנטאַנישקייט, אַנטפּלעקט זיך זייער שיינקייט, דער הוד שבגבֿורה! און איז ניט דער מענטש וואָס דאַוונט אַ שפּרודלדיקער קוואַל אָדער גאָר אַ פֿײַער־שפּײַענדיקער באַרג?

בכן איז עס קלאָר, אַז תּפֿילה איז דער היפּוך פֿון אַ צערעמאָניאַל בנוגע דער פֿאַרהעלטעניש צווישן אינהאַלט און פֿאָרעם, צווישן האַרץ און וואָרט, און דערפֿאַר

וועלן די אַלע עסטעטישע תּיקונים, אַנשטאָט צו פֿאַרטיפֿן די איבערלעבעניש, איר באַרויבן פֿון איר תּוכן און נשמה.

אָבער אויך די איבעריקע צוויי אייגנשאַפֿטן פֿון צערעמאָניאַל ווײַזן זיך אַרויס ווי שעטנז מיט עבֿודה־שבלבֿ. אויב די אמתע תּפֿילה ווערט געטאָן אין האַרצן, דאַרף מען ניט האָבן קיין צערעמאָניאַל־מײַסטער, וועלכער זאָל פֿאַרמיטלען צווישן דעם קהל און דעם בורא־עולם. יעדער יחיד האָט אַ האַרץ וועלכע איז, נאָך השקפֿת־היהדות, אָנגעפֿילט מיט ליבע — באַוווסטזיניק אָדער אומבאַוווסטזיניק — צו גאָט. און דאָס האַרץ איז פּונקט אַזוי נאָענט צו די שערי־שמים ווי דאָס האַרץ פֿון אַ ראַבײַ, און אַ סך מאָל אפֿשר נעענטער. דער ראַבײַ דאַרף ניט שטיין אויף דער בימה, אויסגעפּוצט אין "בגדי כּהונה" און דאַרף ניט רעזשיסירן דאָס דאַוונען. ער און דער פּשוטער ייִד זײַנען גלײַכע יחסנים פֿאַרן רבש"ע, און דאַרפֿן דאַוונען אונטן אין שול אָן קיין שום הבֿדלים. איך וויל ניט אַרײַן אין די הלכישע פּרטים בנוגע דעם איסור פֿון געפֿינען זיך אויף אַ פּלאַטפֿאָרמע בעת מען דאַוונט. אָבער איין זאַך ווייס איך, אַז דאָס שטיין העכער, איבערן ציבור, אין דער צײַט פֿון תּפֿילה, איז אַ סתּירה צו עבֿודה־שבלבֿ, וואָס איז אַן אויסדרוק פֿון דער ממעמקים־געפֿיל. די הײַנטיקע פֿאַלשע ראָלע פֿון דעם ראַבײַ אין דער אָנפֿירונג פֿון דעם דאַוונען איז אַ רעזולטאַט פֿון דעם פֿאַלשן צערעמאָניאַל־באַגריף וואָס האָט זיך אַרײַנגעכאַפּט אין אונדזער אויפֿפֿאַסונג וועגן תּפֿילה.

ועל־כּולם, קען עבֿודה־שבלבֿ ניט אָפּגעטיילט ווערן פֿון לעבן. שטייענדיק פֿאַר גאָט אין תּפֿילה, דאַרף דער מענטש אָפּגעבן דין־וחשבון אויף זײַנע אַלטעגלעכע מעשׂים מחוץ דער שול. תּפֿילה דאַרף זײַן דער שפּיגל פֿון מענטשנס הנהגה, און קיין מאָל ניט ווערן אַ כּוח וואָס זאָל אים דערמעגלעכן צו אַנטלויפֿן פֿון זיך אַליין און פֿון זײַנע מאָראַלישע פֿאַראַנטוואָרטלעכקייטן.

ייִדישע שולן האָבן, אין קאָנטראַסט צו דער קירכע, קיין מאָל ניט אַנטוויקלט קיין אַרכיטעקטאָנישע און דעקאָראַטיווע מיטלען ווי צו פֿאַרצויבערן דעם מענטשן און פֿאַרוויגן אים אין אַ שטימונג פֿון איבערנאַטירלעכקייט. זיי האָבן קיין מאָל ניט געוואָלט שאַפֿן די אילוזיע אַז מען געפֿינט זיך פֿאַר גאָט, בשעת דאָס האַרץ זוכט אים גאָרניט, ווײַל זי איז האַרט ווי אַ שטיין, ברוטאַל און ציניש. בײַ אונדז אין די שולן האָט נישט געהערשט קיין האַלב־טונקלקייט. דאָס ווײַסע ליכט פֿון דער זון איז קיין מאָל ניט פֿאַרשטעלט געוואָרן דורך שמאָלע קאָלירטע פֿענצטער. אין אונדזערע שולן האָט קיין מאָל ניט אָפּגעקלונגען דער עכאָ פֿון די ווייכע רײַכע טענער פֿון אָרגל־מוזיק און פֿון דעם געזאַנג פֿון אַ געמישטן כאָר, באַהאַלטן פֿון די אויגן פֿון די דאַוונער, כּדי צו שאַפֿן אַ ניט־וועלטלעכע מיסטישע שטימונג.

מיר האָבן זיך קיין מאָל ניט באַמיט אַרויסצונעמען דעם ייִדן פֿון דערווירקלעכקייט און אים צונויפֿפֿירן מיט גײַסטער. פֿאַרקערט, מיר האָבן שטענדיק פֿון אים פֿאַרלאַנגט אַז די תּפֿילה זאָל זײַן אַ המשך פֿון זײַן לעבן, און אין איר זאָל ער מודה

זײַן על האמת. דעריבער איז די גאַנצע קריסטלעך־קאַטוילישע דראַמאַטיזאַציע פֿון תּפֿילה אַזוי אומפֿאַרשטענדלעך פֿאַר אונדזער רעליגיעזן באַוווּסטזײַן, און דערפֿאַר איז די הלכה אַזוי קעגנעריש אײַנגעשטעלט צו דער אַזוי־גערופֿענער מאָדערניזירונג פֿון סדר־התּפֿילה, וועלכע ווישט אָפּ דאָס אָריגינעל־אינדיווידועלע אין עבֿודה־שבלבֿ.

אַלטע תּפֿילות און 'נײַע' ייִדן[1]

מעג מען ענדערן דעם נוסח פֿון דאַוונען, ווײַל געוויסע ראַבײַס דענקען אַז אונדזערע אַלטע תּפֿילות זײַנען ניט צוגעפּאַסט פֿאַר מאָדערנע מענטשן?

שאלה: אין אַ גרויסער צאָל טעמפּלען איז דער סדר און דער נוסח פֿון דאַוונען געענדערט געוואָרן, ווײַל זיי דענקען אַז די אַלטע תּפֿילות זײַנען ניט צוגעפּאַסט פֿאַר דעם מאָדערנעם מענטשן. וואָס איז די שטעלונג פֿון ייִדישן דין צו אַזעלכע שינויים און צו דער פֿאַרפֿאַסונג פֿון נײַע תּפֿילות?

תּשובֿה: כּדי צו קענען דערקלערן מײַן שטעלונג צו דעם פּראָבלעם וואָס איז אויפֿגעוואָרפֿן געוואָרן אין דער שאלה, מוז איך ווידער אָנרירן אַ יסוד אין תּפֿילה.

עבֿודה־שבלבֿ, וואָס שטעלט מיט זיך פֿאָר דער הויפּטמאָמענט פֿון תּפֿילה, באַשטייט אין דער גרויסער דערפֿאַרונג וואָס דער מענטש לעבט דורך בשעת ער באַגעגנט זיך מיטן אין־סוף. דאַוונען הייסט זיך טרעפֿן מיטן רבש״ע. נאָך בעסער, עס מיינט אַ געשפּרעך צווישן מענטש און גאָט, פּונקט ווי נבֿואה. דער חילוק צווישן תּפֿילה און נבֿואה דריקט זיך אויס נאָר אין דעם, וואָס בשעת אין נבֿואה רופֿט דער רבש״ע דעם מענטשן צו זיך און יענער ענטפֿערט אים ״הנני״ (״אבֿרהם, אבֿרהם — הנני!״, ״משה, משה — הנני!״, ״שמואל, שמואל — הנני!״[2]), נעמט אין תּפֿילה דער מענטש די איניציאַטיוו און ער רופֿט דעם רבש״ע, און דער אין־סוף ענטפֿערט: ״הנני״. אָבער אויך דאָ רעדט דער מענטש מיט גאָט; ער שטייט אַנטקעגן אים און אַדרעסירט אים אין דער צווייטער פּערזאָן (פֿער ״דו״), ״ברוך אתּה״. דער געדאַנק

1. אָפּגעדרוקט אין *טאָג־מאָרגן זשורנאַל* דעם 20סטן דעצעמבער 1954, ז׳ 5.
2. בראשית כב, יא; שמות ג, ד; שמואל א ג, ד.

איז אַ הלכישער אמת. על־פּי־דין, דאַרף זיך דער מענטש וואָס דאַוונט באַטראַכטן "כעומד לפֿני השכינה".

בכן האָט די הלכה קיין מאָל נישט געקענט באַגרײַפֿן די ראַציאָנאַליטעט און די באַרעכטיקונג פֿון תּפֿילה בכלל. איין פֿראַגע האָט דער הלכה כּסדר געמאַטערט: ווי קען דער מענטש מיט זײַן גאַנצער באַגרענעצטקייט, אָפּהענגיקייט, און קליינקייט, מיט זײַן טומאה און וווּלגאַריטעט, צוטרעטן צום בורא־עולם, צו דער אַבסאָלוטער, אומבאַדינגטער, אומענדלעכער רעאַליטעט? ווי קען בכלל דער מענטש, וואָס איז מער "אַיִן" ווי "יש", זיך באַגעגענען מיטן אין־סוף און דאָך בלײַבן באַשטיין? מיט וואָס פֿאַר אַ חוצפּה קען זיך דער מענטש דערלויבן צו בעטן דעם רבש"ע וועגן זײַנע קליינלעכע נאַרישע הצטרכותן? ווי קען ער בײַ זיך פּועלן צו לויבן דעם בורא־עולם, דעם "ולו דומיה תהלה"[3], און צו זינגען צו אים שיר־ושבֿח? איז עס ניט אַן אַבסורד, אַז די נישטיקייט רימט די אומענדלעכקייט און די אייביקייט? איז ניט תּפֿילה אין גאַנצן פּאַראַדאָקסאַל און אומפֿאַרשטענדלעך און אין סתּירה צום כּלל פֿון "לא יראני האדם וחי" (שמות לג, כ) (אַ מענטש קען צו נאָענט צום אין־סוף ניט צוקומען)?

די הלכה האָט די רעטעניש ניט געלייזט. זי האָט זיך מודה געווען, אַז זי פֿאַרשטייט ניט דעם ענין פֿון דאַוונען, און אַז תּפֿילה בלײַבט פֿאַר איר אַ חידה סתּומה. איין זאַך האָבן די חכמי־ההלכה מחדש געווען. זיי האָבן געזאָגט: אמת, מיר פֿאַרשטייען ניט די מעגלעכקייט און דעם שׂכל פֿון תּפֿילה, אָבער טראָץ אונדזער ניט פֿאַרשטיין, ווייסן מיר יע, אַז די אָבֿות פֿון דער אומה־הישׂראלית מיט אירע נבֿיאים האָבן געדאַוונט; אַז זיי האָבן זיך גענומען דאָס רעכט צו דערנענטערן זיך צום רבש"ע, זיך טרעפֿן און רעדן מיט אים, בעטן, לויבן און רימען אים, און זיך געפֿינען אין זײַן אָנוועזנהייט. די הלכה האָט אונדז אַלעמען אויפֿמערקזאַם געמאַכט אויף דעם היסטאָרישן פֿאַקט, אַז תּפֿילה איז אַזוי אַלט ווי די כּנסת־ישׂראל אַליין. אבֿרהם האָט געדאַוונט, יצחק האָט געדאַוונט, און יעקבֿ האָט געדאַוונט. משה האָט תּפֿילה געטאָן סײַ פֿאַרן פֿאָלק אין "ויחל", סײַ פֿאַר זײַן ברודער אהרן, סײַ פֿאַר זײַן שוועסטער מרים, און שליסלעך אויך פֿאַר זיך אַליין אין דעם טראַגיק־אָנגעפֿילטן "ואתחנן". חנה האָט אויסגעגאָסן איר האַרץ פֿאַרן רבש"ע אין שילה. דודס תּהילים איז אַ ספֿר פֿון תּפֿילה און תּחינה. שלמה האָט מתפּלל געווען בײַ דעם חנוכּת־הבית פֿון ערשטן בית־המקדש. יונה האָט גערופֿן צו גאָט פֿון די אָפּגרונטן פֿון ים. יחזקיהו האָט זיך מתיחד געווען מיט זײַן באַשעפֿער אין אַ שטונדע פֿון אַנגסט און יאוש. דניאל האָט געדאַוונט דרײַ מאָל אַ טאָג מיטן פּנים אויסגעדרייט צו ירושלים. מיט די אָבֿות, מלכים, און נבֿיאים האָט מיטגעדאַוונט די גאַנצע כּנסת־ישׂראל; דורות אומעטום און אין אַלע צײַטן האָבן תּפֿילה געטאָן.

3. תּהילים סה, ב.

מיר, זאָגן די חכמי־ההלכה, קאָנען תּפֿילה "דע יורע" ניט דערקלערן, אָבער מיר קענען דאָך ניט צווייפֿלען אין איר "דע פֿאַקטאָ" עקסיסטענץ און אין דער היסטאָרישער טאַטזאַך, אַז ייִדן האָבן געדאַוונט. ממילא באַווײַזט עס אַז דער מענטש מעג און דאַרף בעטן בײַ גאָט, אַז ער האָט רשות צו אויסגיסן זײַן האַרץ, צו זינגען אים שיר־ושבח און צו טוליען זיך צו אים ווי אַ קינד וואָס באַהאַלט זײַן קאָפּ אין דער מוטערס שויס אָדער אויפֿן פֿאָטערס אַקסל. דער באַקאַנטער מאמר אין דער גמרא "תּפֿילות אבות תקנום" [ברכות כו, ע"ב], דריקט אויס דעם געדאַנק אַז תּפֿילה איז אַ פּרעצעדענט עטאַבלירט אין אונדזער געשיכטע זינט עלות־השחר, און דערפֿאַר נעמען מיר איר אָן. קיין אַנדער דערקלערונג פֿאַר אונדזער דאַוונען האָבן מיר ניט. די אָבֿות און די נבֿיאים האָבן געגעבן אַ בײַשפּיל, וועלכן מיר טוען נאָך.

דעריבער מוז מען אַכטונג געבן אַז אונדזער דאַוונען, סײַ אין שײַכות מיט דער סטרוקטור און פֿאָרם, סײַ בנוגע דער צאָל און די זמנים פֿון תּפֿילה, סײַ וואָס אָנבאַלאַנגט דעם אינהאַלט און די שבֿחים, זאָל שטימען מיט די תּפֿילות פֿון די אָבֿות און נבֿיאים און גדולי־האומה, וועמעס הנהגה מיר אימיטירן. מיר אַליין טאָרן קיין זאַך ניט צולייגן צו דער תּפֿילה אָדער אַראָפּנעמען פֿון איר, ענדערן אָדער צופּוצן איר. וואָלטן מיר תּופֿס געווען דעם מהות פֿון תּפֿילה און פֿאַרשטאַנען דעם "פֿאַרוואָס" פֿון דאַוונען, וואָלטן מיר אפֿשר געקאָנט שרײַבן אייגענע תּפֿילות. אָבער באשר תּפֿילה איז פֿאַרבליבן אַ ניט געלייזטע רעטעניש, ממילא קאָנען מיר זיך ניט אַרײַנלאָזן אין ליטעראַריש־ליטורגישע שאַפֿונגען און מיר מוזן זיך שטרענג האַלטן בײַ דעם סאַנקציאָנירטן, טראַדיציאָנעלן טעקסט. זאָגאַר[4] בנוגע די אַנשי־כּנסת־הגדולה, וועגן וועלכע די מסורה דערציילט אונדז אַז זיי האָבן אײַנגעשטעלט דעם נוסח־התּפֿילות, דריקט זיך די גמרא אויס מיט די פֿאָלגנדע ווערטער: "מאה ועשרים זקנים, ובהם כמה נביאים, תקנו שמונה עשׂרה ברכות על הסדר" [מגילה יז, ע"ב]. צווישן די פֿאַרפֿאַסער פֿון נוסח־התּפֿילה האָבן זיך געפֿונען אַ סך נבֿיאים, ווײַל אָן זייער מיטהילף וואָלטן אפֿילו די אַנשי־כּנסת־הגדולה אַליין ניט געוואַגט אײַנצופֿירן אַ פֿיקסירטן טעקסט, מיט וועלכן דער מענטש זאָל זיך באַנוצן אין זײַן דיאַלאָג מיטן בורא־העולם.

עס איז כּדאַי צו באַמערקן, אַז בשעת מען האָט צוגעלייגט צו דער שמונה־עשׂרה די נײַנצנטע ברכה "ולמלשינים" אין יבֿנה, האָט רבן גמליאל אַליין ניט געוואָלט איר פֿאַרפֿאַסן. ער האָט באַאויפֿטראָגט שמואל הקטן, וועגן וועלכע די ברייתא דערציילט, אַז ער איז געווען ראוי צו זײַן אַ נבֿיא, אַז ער זאָל דאָס טאָן. עס איז אויך אינטערעסאַנט, אַז דער גרעסטער טייל פֿון תּפֿילות איז צוזאַמענגעשטעלט געוואָרן פֿון ווערטער, און אָפֿט מאָל אַפֿילו פֿון גאַנצע אויסדרוקן, פֿון תּנ"ך. די חכמי־ישׂראל האָבן פֿאַרמידן, ווי ווײַט מעגלעך, זיך צו באַניצן מיטן אייגענעם וואָרטשאַץ,

4. אפֿילו (דײַטש).

ווײַל אַ זאַך וועלכע מען פֿאַרשטייט ניט, מוז מען האָבן זייער אַ פֿאָרזיכטיקן און אַן אָפּגעהיטענעם צוגאַנג. ווען משה וואָלט ניט אָנגערופֿן דעם רבש"ע "הא־ל הגדול הגבור והנורא" וואָלטן מיר ניט געהאַט קיין רעכט אַזוי אים צו אַדרעסירן אין שמונה־עשׂרה.

אַרויסגייענדיק פֿון דעם שטאַנדפּונקט, האָט די הלכה אָפּגעפּסקנט אַז ווער עס ענדערט עפּעס פֿון דעם נוסח פֿון ברכות, האַנדלט פֿאַלש. "כל המשנה ממטבע שטבעו חכמים בברכות אינו אלא טועה" [לויט ברכות מ, ע"ב]. באַשטימטע שינויים דיסקוואַליפֿיצירן די תּפֿילה און מען מוז איר איבערדאַוונען. די הלכה זאָגט ווײַטער, אַז מען מוז דאַוונען דרײַ מאָל אַ טאָג און ניט מער. (אַ צוגעלייגטע פֿרײַוויליקע תּפֿילה, תּפֿילת־נדבֿה, איז פֿאַרבונדן מיט אַ סך הלכישע באַדינגונגען און יײדן האָבן עס זייער ווייניק פּראַקטיצירט.)

איידער מען שטעלט זיך שמונה־עשׂרה, לייענט מען צוויי מאָל אַ טאָג קריאת־שמע מיט ברכות, און אין דער פֿרי רעציטירט מען פּסוקים און קאַפּיטלעך תּהילים. אַפֿילו בײַ טאָג צו מנחה, זאָגט מען "אשרי" פֿריִער. ווײַל גלײַך זיך שטעלן שמונה־עשׂרה און זיך דערנענטערן צום רבונו־של־עולם טאָר אַ מענטש ניט. דער אַרײַנפֿיר צו תּפֿילה איז דער תּהילים — דאָס געטלעכע בוך פֿון ווידוי, תּחינה, געפֿיל, הלל און געזאַנג, וווּ יעדע גאָט־פֿאַרבענקטע און אין־גאָט־פֿאַרליבטע און פֿאַרחלומטע נשמה קאָן געפֿינען דעם בת־קול פֿון אירע געדאַנקען, געפֿילן און שטרעבונגען. דורכן פֿאַרטיפֿן זיך אין דעם ווונדערלעכן ספֿר באַפֿעסטיקט זיך דער מענטש אין זײַן החלטה און געטרײַשאַפֿט צו באַגעגענען זיך מיטן אין־סוף און אָנקניפּן אַ געשפּרעך מיט אים. ער האָט כּסדר געטענהט און זיך באַקלאָגט צו גאָט, זיך דורכגערעדט און פֿאַרבראַכט מיט אים, געוויינט און זיך אַליין געטרייסט פֿאַר אים, און געזונגען שבֿח והודאה צו אים — טראַכט זיך דער מתפּלל — און דער געדאַנק גיט אים מוט אָנצוקלאַפּן אין די שערי־שמים.

פֿונדעסטוועגן, ככלות־הכּל, הייבט דאָך אָן דער דאַוונער די שמונה־עשׂרה מיט "ד' שפתי תפתח ופי יגיד תהלתך", מיטן געבעט אַז גאָט זאָל אים העלפֿן עפֿענען די ליפּן, ווײַל ער אַליין האָט ניט דעם כּח און ניט די חוצפּה עס צו טאָן. דאָס געפֿיל פֿון אומווירדיקייט צו מתקרבֿ זײַן זיך צום בורא־עולם ווערט טראָץ אַלע הקדמות ניט עלימינירט. נאָך דער שמונה־עשׂרה פֿאַלט דער זעלבער מתפּלל תּחנון, אין וועלכן ער דריקט נאָך אַ מאָל אויס זײַן ווערטלאָזיקייט און שפֿלות און בעט מחילה און סליחה אַפֿילו אויפֿן דאַוונען אַליין.

די הלכה איז ניט געווען צופֿרידן מיט דער אײַנריכטונג פֿון ספּעציעלע תּפֿילה־פֿאַרזאַמלונגען און מיט דער אויסשטעלונג פֿון אַן אייגענעם סדר־התּפֿילה. אַלע בקשות דאַרפֿן אַרײַנגעפּאַסט ווערן אין דער ראַם פֿון שמונה־עשׂרה, אָדער אין ברכות אמצעיות, אָדער אין שומע תּפֿילה, אָדער גלײַך נאָכן פֿאַרענדיקן פֿון דער

שמונה־עשׂרה. נאָר דעמאָלט קאָן דער יחיד בעטן דעם רבש״ע אויף זײַנע נויטן און זיך וואַרפֿן פֿאַר אים אין תּחינה וויפֿל זײַן האַרץ גלוסט. ווײַל דעמאָלט גיסן זיך צונויף זײַנע ווערטער מיט דער אוראַלטער, טראַדיציאָנעלער שמונה־עשׂרה. אין אַ צײַט פֿון געפֿאַר פֿאַרן כּלל אָדער יחיד, פֿלעגן זיך ייִדן יאָ צונויפֿזאַמלען אין די שולן און שטורעמען דעם כּסא־הכּבֿוד, אָבער זייער שטורמישע בקשה פֿלעגט זיך אויסדריקן אין תּהילים־זאָגן און ניט אין נײַע געבעטן.

די איינציקע עקסטראַ תּפֿילה־פֿאַרזאַמלונג, צו וועלכער די הלכה האָט מסכּים געווען, איז די סליחות־אָפּריכטונג אין די עשׂרת־ימי־תּשובֿה אָדער פֿאַר ראש־השנה. (סליחות אין אַ תּענית זאָגט מען גלײַך נאָך שמונה־עשׂרה, ווי אַנדערע תּחנונים.) אָבער בנוגע דעם אויסנאַם האָבן די חכמי־המסורה זיך סומך געווען אויף אַ ספּעציעלן היתּר, וואָס איז אַנטהאַלטן אין דעם פּסוק ״וירד ד׳ בענן ויתיצב עמו שם ויקרא בשם ד׳״. און נאָך אַלעמען באַשטייען די אורשפּרינגלעכע סליחות פֿון ליקוטים פֿון פּסוקים, י״ג מדות, ווידויים און זייער קורצע תּפֿילות ווי אָבֿינו מלכּנו, עננו, מי שענה, וועלכע זײַנען זייער אַלטע. (אַ צווייטער אַרטיקל וועגן דעם זעלבן ענין וועט זײַן געדרוקט קומענדיקן מאָנטיק).[5]

5. באַמערקונג פֿון דער רעדאַקציע פֿון *טאָג־מאָרגן זשורנאַל*.

ווּהין פֿירן די רעפֿאָרמען אין אונדזער אַלטן סידור?[1]

לעצטער אַרטיקל וועגן די אַלטע תּפֿילות וואָס ווערן געענדערט דורך ״נײַע ייִדן״. זייער שעדלעכקייט פֿאַרן ייִדישן קיום.

די הלכה איז געוווען אַזוי עקסטרעם אין איר ווידערווילן צו דער פֿאַרפֿאַסונג פֿון נײַע תּפֿילות, אַז זי האָט אָפּגעפּסקנט אַ זייער מערקווערדיקן דין. ווער עס איז אונטערוועגנס און געפֿינט זיך אין אַ מקום־סכּנה ווו ער קאָן ניט דאַווענען די גאַנצע שמונה־עשׂרה (אַפֿילו ניט הבֿינו), טאָר כּמעט קיין זאַך ניט בעטן בײַם רבונו־של־עולם, ווײַל זײַן בקשה איז ניט אין הסכּם מיט דער סטרוקטור פֿון תּפֿילה וועלכע איז אײַנגעפֿירט געוואָרן דורך די אַנשי־כּנסת־הגדולה. רבי אליעזר האַלט, אַז אַ ייִדן אונטערוועגנס איז דערלויבט צו זאָגן נאָר דאָס פֿאָלגנדע: ״עשׂה רצונך בשמים ממעל ותן נחת רוח ליראיך מתחת, והטוב בעיניך עשׂה, ברוך אתה ד׳ שומע תפילה״[2] [ברכות כט, ע״ב]. אויב ער לייגט צו אַ וואָרט אָדער אַ ווונטש צו דעם קורצן נוסח, איז ער אַ פּורץ־גדר. ער מוז זיך באַנוגענען מיט דער תּפֿילה קצרה.

אַפֿילו דער פּיוט, וועגן וועלכן עס איז אָנגעגאַנגען צווישן די חכמי־ההלכה אַ גרויסע דעבאַטע, און וועלכער איז אין גרעסטן טייל מער מדרש ווי געבעט, מער לימוד ווי תּפֿילה, איז אויך צוגעלאָזן געוואָרן נאָר אין די ראַמען פֿון שמונה־עשׂרה און פֿון די ברכות פֿון קריאת־שמע. פּיוט אַליין איז קיין מאָל ניט רעציטירט געוואָרן.

1. אָפּגעדרוקט אין *טאָג־מאָרגן זשורנאַל* דעם 27סטן דעצעמבער 1954, ז׳ 5.
2. ״טו דײַן רצון אין הימל פֿון אויבן, און גיב נחת־רוח צו די וואָס פֿאַרכטן דיך פֿון אונטן, און טו דאָס גוטס אין דײַנע אויגן, געבענטשט ביסטו גאָט, וואָס הערט תּפֿילה.״

אויב דאָ און דאָרט איז סטיכיש אויסגעוואַקסן אַ תּחינה, אַ יהי־רצון, איז עס געקומען פֿון די טיפֿענישן פֿון דער פֿאָלקס־נשמה, פֿון דער אינספּיראַציע פֿון הייליקע דורות, פֿון די הערצער פֿון ייִדן וועלכע האָבן זיך מוסר־נפֿש געווען יעדן טאָג פֿאַר יהדות, און וועמעס אמונה איז געווען פֿריש און דערקוויקנד ווי דער טוי פֿון פֿרימאָרגן. טראָץ דעם האָבן גדולי־ישׂראל ניט געזאָגט די אַלע זאַכן. זיי האָבן זיך שטרענג געהאַלטן אָן דעם טעקסט וועלכער איז מתוקן געוואָרן פֿון די חכמי־התּלמוד. ווען מען געפֿינט זיך לפֿני מלך־מלכי־המלכים, פֿלעגן די גדולים באַמערקן, דאַרף מען זײַן פּאַרזיכטיק מיט יעדן וואָרט, יעדן קלאַנג, און יעדער תּנועה.

אין דעם באַוווסטזײַן פֿון דער גרויסער סודותדיקייט און אומפֿאַר־שטענדלעכקייט פֿון דעם ענין תּפֿילה בכלל, פֿון איין זײַט, און פֿון איר אַבסאָלוטער נויטווענדיקייט און אור־אַלטער היסטאָרישער טאַטזאַכלעכקייט[3], פֿון דער אַנדער זײַט, איז די ייִדישע תּפֿילה פֿאַרפֿאַסט און אָפּגעריכט געוואָרן. זי באַשטייט פֿון צווי קאָמפּאָנענטן: פֿון דעם אינערן געפֿיל, וואָס איז אינדיווידועל, אינטים און פּליסנדיק — יעדער יחיד לעבט דורך זײַן ספּעציפֿישע אייגנאַרטיקע עבֿודה־שבלבֿ — און פֿון דער טעכנישער רעאַליזירטונג פֿון תּפֿילה, וועלכע קומט פֿאָר אין די ראַמען פֿון אַ שטרענג־פֿיקסירטן נוסח. פֿון דעם נוסח טאָר מען ניט אָפּווײַכן, ווײַל דאָס גאַנצע דאַוונען איז פֿאַרבליבן אַ מיסטעריע וועלכע מיר זײַנען ניט משׂיג, און איבער וועלכן מען טאָר ניט באַלעבאַטעווען.

אָבער טראָץ דער אומפֿאַרענדערלעכקייט פֿון דעם טעקסט, האָט די כּנסת־ישׂראל באַוויזן עפּעס ווונדערלעכס: זי האָט אַרײַנגעגאָסן אין דעם פֿעסט־געלייגטן, סטאַבילן, סדר־התּפֿילה ימים מיט געפֿיל. מיט אים האָט זי געצונדן פֿלאַמען פֿון געטלעכער לײַדנשאַפֿט און עקסטאַז, געוויינט, אָפּגעווישט די טרערן, זיך געטרייסט, זיך געפֿרייט און טריומפֿירט. יעדער סענטימענט האָט געפֿונען זײַן עכאָ, יעדע שטרעבונג — איר אויסדרוק, און יעדע באַדערפֿעניש — איר וואָרט אין דעם טעקסט. אַזוי האָבן דורות אין אַלע לענדער און אין אַלע תּקופֿות געדאַוונט. און יעדע תּקופֿה, מיט אירע באַזונדערע שטימונגען און ספּעציפֿישע נויטן, האָט זיך אַראָפּגערעדט פֿון האַרצן פֿאַרן בורא־עולם דווקא מיט דעם אַלטן נוסח. קיינער האָט זיך ניט געפֿילט אומבאַקוועם. "ולא אמר אדם לחברו צר לי המקום שאלין בירושלים"[4] [אבות ה, ה]. איז געקומען אונדזער דור, וועלכער איז ציניש, אויבערפֿלעכלעך, און רעליגיעז־אומפֿרוכטבאַר, און האָט אָנגעפֿאַנגען צו זוכן תּיקונים אין אונדזערע נוסחאות, וועמעס גײַסט און אינהאַלט ער הייבט ניט אָן צו פֿאַרשטיין.

עס ווערט אומעטיק אויפֿן האַרצן ווען מען קוקט זיך צו צו דער חוצפּה מיט

3. פֿאַקטישקייט (דײַטש).

4. "ס'איז ניט געשען אַז איינער זאָל זאָגן: מיר איז צו ענג דאָס אָרט, איך זאָל נעכטיקן אין ירושלים."

וועלכער מענטשן, וואָס קענען ניט די הלכה, ניט אונדזער השקפֿת־עולם און ניט אונדזער געשיכטע, בייַטן און צעשטערן אור־אַלטע, מיט קדושה און מאַרטירערטום אָנגעפֿילטע, דינים, מנהגים, און סדרי־תּפֿילה.

עס ברעכט דאָס האַרץ צוצוזען ווי אַ ראַבייַ אין אַ טעמפּל איז מפֿסיק דעם חזן ראש־השנה צו מוסף, בייַ "אל־קינו ואל־קי אבותנו מלוך על כל העולם כולו בכבודך", און שטעלט זיך אַוועק דרשנען, ווייַל דער ציבור האָט ניט דערוואַרט קיין דרשה צווישן שמע־ישׂראל און און דער חתימה פֿון "מלכויות" — און איז דעריבער נישט אַרויסגעגאַנגען פֿון שול. מען ווערט ניט־ווילנדיק אין כּעס אויף דער עם־הארצות און רעליגיעזער הפֿקרות פֿון אַ ראַבייַ וועלכער האָט זיך ראש־השנה צופֿיל צערעדט און פֿאַרנומען אַ סך צייַט, און האָט געהייסן דעם בעל־תּפֿילה אויסלאָזן "זכרונות", ווייַל נאָך זייַן מיינונג אַנטהאַלט עס אַ סך "אומזין" סייַ־ווי־סייַ.

ווי קאָן מען זייַן טאָלעראַנט צו דעם געשמאַקלאָזן, אומווירדיקן, רעפֿאָרם־מנהג פֿון אַוועקשטעלן דעם חזן מיטן פּנים צום קהל און מיט זייַן רוקן צום ארון־קודש, כּדי אַנשטאָט זיך צו מתיחד זייַן, ווי אַ שליח־ציבור דאַרף טאָן, נאָך דער טראַדיציע פֿון "תפילה לעני כי יעטוף ולפני ד' ישפוך שיחו" (תהילים קב, א), מיט זייַן באַשעפֿער, זאָל ער גאָר קאָנען באַאָבאַכטן די גרימאַסן אויף די פּנימער פֿון די בעלי־בתּים מיט זייערע פֿרויען. איז נאָר דער דין קעגנעריש צו אַזאַ מין אויסטערלישקייט? איז זי ניט אין ווידערשפּרוך צו דער גאַנצער פֿילאָסאָפֿישער אידעע פֿון תּפֿילה, און צו די עלעמענטאַרסטע יסודות פֿון רעליגיעזן דרך־ארץ און יראת־הכּבֿוד?

איז עס ניט לעכערלעך, ווען מענטשן וואָס האָבן אַבסאָלוט קיין אַנונג ניט וואָס אַ רעליגיעזע איבערלעבעניש מיינט, פֿאַרפֿאַסן תּפֿילות און שרייַבן דיאַלאָגן מיט בורא־עולם, אַ זאַך וואָס די גדולי־האומה האָבן מורא געהאַט צו טאָן? איז עס ניט טראַגי־קאָמיש צו באַאָבאַכטן ווי אינטעליגענטע מענטשן ווילן זיך אַליין אייַנשמועסן, אַז תּערובֿת אַנשים ונשים, אָדער אָרגל־מוזיק, איז אין הסכּם מיט קדושת־בית־הכּנסת און דעם טראַדיציאָנעלן תּפֿילה־שטייגער, בשעת זיי וויסן אַליין גאַנץ גוט אַז אַזעלכע פֿירונגען באַרויבן סייַ די שול און סייַ די תּפֿילה פֿון זייער הייליקייט?

די אַלע זאַכן שטאַמען פֿון איין מקור: פֿון דעם מינדערווערטיקייטס־געפֿיל וואָס באַהערשט אַ סך אַמעריקאַנער ייִדן מיט זייערע גייַסטיקע מנהיגים. דער דראַנג נאָך נאָכמאַכונג פֿון קירכלעכע צערעמאָניעס און דרכים טרייַבט אַ סך מאָל צו זעלבסט־פֿאַרלייקענונג און צו דער פֿאַרקריסטלעכונג פֿון דער שול. ניט אומזיסט האָט די תּורה געוואָרנט קעגן אַזאַ מין אימיטאַציע פֿון פֿרעמדע קולטישע מעטאָדן און מאָטיוון אין דעם דינסט פֿון רבש"ע. "השמר לך פן תנקש אחריהם...ופן תדרוש...לאמר איכה יעבדו הגוים האלה...ואעשה כן גם אני, לא תעשה כן לד' אל־קיך" (דברים יב, ל–לא). ווייַל זי קאָן פֿאַרניכטן דאָס ספּעציפֿיש־ייִדישע אין אונדזער גאַנצער אינדיווידועלער און אויך קאָלעקטיווער עקסיסטענץ.

צום שלוס וויל איך מיך אָפּשטעלן אויף איין היסטאָרישן עפּיזאָד, מיט וועכן ר׳ אבֿרהם בערלינער ע״ה באַשעפֿטיקט זיך, און מיט וועלכן, נאָך מײַן מיינונג, רבנים און אָרטאָדאָקסישע ייִדן דאַרפֿן זיך באַקענען.[5]

דאָס ערשטע מאָל האָט מען זיך באַנוצט מיט אָרגל־מוזיק בײַם דאַוונען אין דעם שטעטל זעזען (דײַטשלאַנד), און דער איניציאַטאָר דערפֿון און פֿון אַנדערע שינויים אין סדר־התּפֿילה איז געווען ישׂראל יעקבסאָן. די צײַטשריפֿט "שולמית"[6] גיט דעם פֿאָלגנדן באַריכט וועגן דער ערשטער רעפֿאָרמירטער גאָטעסדינסט, וועלכע איז פֿאָרגעקומען אין יענעם שטעטל, דעם זיבעצנטן יולי, יאָר 1810.

"ניין אַזייגער האָט אָנגעזאָגט דאָס קלינגען פֿון גלאָקן אַז מען דאַרף אָנהייבן די צערעמאָניע. בשעת קהל איז אַרײַן אין שול, האָט זיך דערהערט שיינע אָרגל־מוזיק, וואָס האָט באַגלייט דאָס געזאַנג פֿון אַ כאָר פֿון זעכציק־זיבעציק זינגער, און וועלכע האָט געשאַפֿן אַ פֿײַערלעכע שטימונג. דערנאָך האָט זיך אָנגעהויבן דער צערעמאָניאַל נאָכן ייִדישן מנהג, מיט דער באַטייליקונג פֿון[7] הויפּט־גײַסטלעכן און פֿון אַנדערע ראַבינער, וועלכע האָבן אים אַרויסגעהאָלפֿן. צום סוף פֿון דער צערעמאָניע האָט דער פּאָרזיצנדער, ישׂראל יעקבסאָן, געהאַלטן אַ דרשה...דער כאָר, אין דער באַגלייטונג פֿון אָרגל, האָט געזונגען אין העברעיִש און אין דײַטש. נאָך דעם האָט ד״ר היינריט פֿון דער שטאָטישער קירך דיריגירט די קאַנטאַטע[8], וואָס איז געזונגען געוואָרן אין שול.

די פֿײַערונג איז געווען אָריגינעל און אייגנאַרטיק. האָט מען ווען עס איז געהערט אַז קריסטן און ייִדן זאָלן דאַוונען צוזאַמען אין דער אָנוועזנהײַט פֿון פּערציק גײַסטלעכע פֿון ביידע אמונות?"

פֿינף יאָר שפּעטער געפֿינען מיר ישׂראל יעקבסאָן אין בערלין. ער איז שוין דעמאָלט אַ "געהיימראַט"[9]. לאָמיר לאָזן דעם "שולמית" ווידער דערציילן וועגן אַ "סענסאַציאָנעלן גאָטעסדינסט".

"דעם לעצטן שבֿועות, דעם יום־טובֿ פֿון מתּן־תּורה, אין יאָר 1815, האָט

5. אברהם ברלינר, "בעית העוגב בבית הכנסת: סקירה ספרותית־היסטורית", *כתבים נבחרים*, כרך א, ירושלים, מוסד הרב קוק, 1945, זז׳ 171–188.

6. ליבעראַלע ייִדישע צײַטשריפֿט אויף דײַטש, אַרויס 1806–1848.

7. אינעם געדרוקטן אַרטיקל אין *טאָג־צאָרגן זשורנאַל* איז דאָ אַרײַנגעפֿאַלן אַ טעות פֿונעם בחור־הזעצער. עס זײַנען דאָ אַרײַנגעפֿאַלן די ווערטער "יעקבסאָן געהאַלטן אַ דרשה, דער כאָר", וואָס באַווײַזן זיך מיט פֿיר שורות שפּעטער.

8. כאָראַלע געזאַנג־קאָמפּאָזיציע.

9. אַן ערן־טיטל צוגעטיילט פֿון דער מלוכה.

דער געהיימראַט ישׂראל יעקבסאָן פֿון בערלין געפּראַוועט די בר־מצוה צערעמאָניע פֿון זײַן זון, נפֿתּלי, אין זײַן פּריוואַטן בית־מדרש אין אַ זייער פּרײַלעכער פֿאָרם. אַ סך קריסטן זײַנען געווען אָנוועזנד בײַ דער רעליגיעזער פֿײַערונג...יעדן שבת ווערט אָפּגעריכט אין דער פּריוואַטער שול אַ פֿײַערלעכער גאָטעסדינסט, מיט אַ דרשה און געזאַנג באַגלייט דורכן אָרגל."

יאָרן לויפֿן. די צײַט טוט אירס. אין יאָר 1855 איז דערשינען (אין דער דריטער אויפֿלאַגע) אַ מיסיאָנעריש ביכל, וואָס איז באַשטאַנען פֿון זעקס פֿאָרלעזונגען אויף דער טעמע "אמונה דורך דערקענטעניש און ניט דורך רוטין", וועמעס מחבר איז געווען דער אַמאָליקער בר־מצוה־בחור, נפֿתּלי, אַ געשמדטער ייִד און אַ גבאי אין דער דײַטשער קירכן־באַוועגונג. ער הייסט שוין איצטער ד"ר הערמאַן יעקבסאָן, וועלכער האָט זיך געשטעלט פֿאַר אַן אויפֿגאַבע צו גלאָריפֿיצירן קריסטנטום און ברענגען די עקשנותדיקע ייִדן אונטער די פֿליגלען פֿון דער קירך. אינטערעסאַנט איז די צושריפֿט פֿון מחבר, וואָס האָט געהאַט די זכיה צו זײַן דער ערשטער ייִדישער ייִנגל וועמעס בר־מצוה־פֿײַערונג איז פֿאָרגעקומען אונטער דער באַגלייטונג פֿון אָרגל־מוזיק:

"די פֿאָרלעזונגען האָב איך געווידמעט דעם אָנדענק פֿון מײַן טײַערן פֿאָטער. די זאַך וועט אפֿילו דערשײַנען[10] מערקווערדיק און אומפֿאַרשטענדלעך צו די אַלע וועלכע באַטראַכטן דאָס אַוועקוואַרפֿן די אמונה פֿון די אָבֿות אַלס פֿאַרראַט לגבי די אָבֿות אַליין...משה איז געווען בײַם טאַטן דער באַוווּסטזיניקער סימבאָל, און דער נוצרי — דער סימבאָל פֿון זײַן אונטער־באַוווּסטזײַן. איך האָב מיט אים אַ סך מאָל פֿאַרבראַכט וועגן דעם ענין, נאָך אין מײַן יוגנט. איך האָב אים אָפֿן דערקלערט מײַן מיינונג וועגן זײַנע רעפֿאָרמען...איך זעץ פֿאָר דאָס וואָס ער האָט אָנגעהויבן. דעריבער דאַנק איך מײַן טײַערן פֿאָטער און היט זײַן אָנדענקונג מיט טרײַער ליבע." (די ציטאַטן האָב איך אַרויסגענומען פֿון ר' אבֿרהם בערלינערס מאמר.)

געוויינטלעך, אין אַמעריקע באַשטייט ניט די געפֿאַר פֿון שמד, צוליב אַ פּשוטער אורזאַך: ניט די קריסטלעכע געזעלשאַפֿט פֿאַרלאַנגט עס, און ניט עס העלפֿט אין קאַריערע־אויפֿשטײַג. אפֿילו אין פֿאַלן פֿון נשׂואי־תּערובֿת קומט זעלטן פֿאָר שמד. אָבער די סכּנה פֿאַרן ייִדיש־גײַסטיקן קיום ליגט ניט נאָר אין שמד, נאָר אויך אין האַלבער אָדער גאַנצער אַסימילאַציע. די רעפֿאָרמען אין די שולן וואָס פֿאַרקריסטלעכן אַלץ מער און מער דעם דאַוונען, און דאָס אויסשליסן פֿון דער

10. אויסזען (פֿון דײַטש).

אמתער הלכה אַלס אַ פֿאַקטאָר אין ייִדישן לעבן, מוז פֿירן צום פֿאַרשווינדן פֿון ייִדישער אייגנטימלעכקייט און צו גייַסטיק־רעליגיעזער דיסינטעגראַציע.

דאָס איז מייַן ענטפֿער אויף דער פֿראַגע וועגן מייַן שטעלונג צו שינויים אין סדר־התּפֿילה.

די עטיש־מאָראַלישע זײַט פֿון רעליגיעזער ייִדישקייט[1]

די באַציִונג פֿון ייִדישקייט צו דער וועלט און צו דער נאַטור.
ווי הלכה קוקט אויף וויסנשאַפֿט און אויף געטלעכקייט.

שאלה: אין אײַער אַ פֿריִערדיקן אַרטיקל האָט איר באַמערקט אַז תּפֿילה איז איינע פֿון די עלטסטע אינסטיטוציעס אין יהדות. קענט איר אונדז זאָגן אויב תּפֿילה האָט חוץ אַ רעליגיעזע באַדײַטונג אויך אַן עטיש־מאָראַלישע ווערט, וואָס אַפֿילו אַ ניט־פֿרומער זאָל קאָנען אָפּשאַצן?

תּשובֿה: תּפֿילה איז ענג פֿאַרבונדן מיט קריאַת־שמע. שחרית און ערבֿית דאַרף אַ ייִד מסדר זײַן קריאַת־שמע מיט אירע ברכות, און נאָכער גלײַך אָנהייבן שמונה־עשׂרה. דאָס פֿאַראייניקן פֿון קריאַת־שמע מיט שמונה־עשׂרה הייסט אין דער הלכישער טערמינאָלאָגיע "סמיכת גאולה לתּפֿילה". מיר ווייסן אויך אַז דער לייט־מאָטיוו פֿון קריאַת־שמע און אירע ברכות איז יחוד־השם, וועלכער קומט צום אויסדרוק אין דעם ערשטן פּסוק "שמע ישׂראל ד׳ א׳ ד׳ אחד".

די מסקנה פֿון די צוויי הנחות איז זייער אַ פּשוטע. די אידעע פֿון יחוד־השם איז אַ הויפּט־טעמע אויך אין תּפֿילה. שמונה־עשׂרה איז דירעקט אָנגעשלאָסן צו קריאַת־שמע, ווײַל בײדע האָבן עפּעס געמיינזאַמס, יחוד־השם, און ממילא האָט די הלכה פֿאַרלאַנגט אַז זיי זאָלן צונויפֿגעגאָסן ווערן אין איין רעליגיעזער האַנדלונג.

וואָס איז יחוד־השם? וואָס דערציילט אונדז דער פּסוק פֿון שמע־ישׂראל, וועלכער איז פֿאַרוואַנדלט געוואָרן אין דעם מאָטאָ פֿון אונדזער אמונה, אין אַ דעפֿיניציע פֿון

1. אָפּגעדרוקט אין *טאָג־מאָרגן זשורנאַל* דעם 3טן יאַנואַר 1955, ז׳ 5.

דאָס אייגנטימלעכע און מערקווערדיקע אין יהדות? ווען מיר וועלן פֿאַרשטיין דעם שמע־ישׂראל, דעם פּרינציפּ פֿון דעם יחוד־השם, וועלן מיר ערשט דעמאָלט זײַן אין שטאַנד זיך צו דערגרונטעווען צום אינהאַלט און מהות פֿון תּפֿילה.

יחוד־השם באַצייכנט ערשטנס אמונה אין מציאות־השם, ד"ה אין דער עקסיסטענץ פֿון גאָט, ב"ה, אַלס דער איינציקער חי־וקים, באַשאַפֿער און פֿירער פֿון דער וועלט. דער רמב"ם האָט דעם יסוד פֿון יחוד־השם פֿאָרמולירט גלײַך בײַם אָנפֿאַנג פֿון זײַן "משנה תורה": "יסוד היסודות ועמוד החכמות לידע שיש שם מצוי ראשון, והוא ממציא כל הנמצא. וכל הנמצאים משמים וארץ ומה שביניהם לא נבראו אלא מאמתת המצאו וכו'. מצוי זה הוא אל־קי העולם אדון כל הארץ והוא אחד ולא שנים"[2] [רמב"ם הלכות יסודי התורה א, א, ה].

אַ ייִד דאַרף גלייבן, און אויך זיך באַמיִען צו פֿאַרשטיין און צו פֿילן מיט זײַן גאַנצער נשמה, אַז אין אַלע נאַטור־דערשײַנונגען, סײַ אין דעם ניט־אָרגאַנישן און סײַ אין דעם אָרגאַנישן, אין ביאָלאָגישן טייל, ווערט כּסדר רעאַליזירט דער רצון־קדמון פֿון בורא־עולם. זײַן אומענדלעכער, אַלמעכטיקער, און אייביקער אורווילן מאַניפֿעסטירט זיך אין דער מאַטעמאַטישער געזעצמעסיגקייט און נויטווענדיקייט וואָס הערשט אומעטום, און וועלכע מיר רופֿן אָן נאַטור־געזעץ. פֿלייצט דאָס ליכט, בלאָזט דער ווינט, בושעוועט דער ים, פֿליסן די טײַכן, פֿליִען די פֿייגל, זשומען די אינסעקטן, בליִען די ביימער און וועלקן, צירקולירט דאָס בלוט, פֿונקציאָנירט דאָס נערוון־סיסטעם, באַוועגן זיך די פּלאַנעטן, עקספּלאָדירן שטערן אין די ווײַטסטע ווינקלען פֿון קאָסמאָס, און אַזוי ווײַטער און ווײַטער — הילכט אָפּ אין די אַלע וווּנדערלעכע נאַטור־פּראָצעסן דאָס וואָרט פֿון גאָט, וואָס האָט אַמאָל דעם תּהו־ובֹהו געשפּאָלטן און אַ גוט־געאָרדנטע און שטרענג־אָרגאַניזירטע וועלט אַרויסגעבראַכט [מיט] דעם וואָרט "יהי". דער "אחד" רעגירט אין אַלץ, איבער אַלץ, און דורך אַלץ. זײַן רצון האָט זיך אַרײַנגעגאָסן אין דומם, צומח, חי, און זיי אַלע פֿירן אויס בלינד, מעכאַניש, זײַן "יהי" געבאָט.

אָבער דער זעלבער רצון איז אויך אַקטיוו אין דער גײַסטיקער פּערזענלעכקייט פֿון מענטשן, אין זײַן געוויסן און מאָראַלישן באַוווסטזײַן, אין זײַן בענקען נאָך פּראַכט און שיינקייט, אין זײַנע חלומות וועגן קדושה און אַ העכערער און בעסערער וועלט. דער אורווילן, וואָס ווירקט זיך אויס אין אַזאַ אַלטעגלעכער מעכאַנישער דערשײַנונג ווי דאָס צופֿליסן און אָפּפֿליסן פֿון די ים־וואַסערן, איז זיך אויך מתגלה

2. "דער יסוד פֿון אַלע יסודות און דער זײַל פֿון אַלע חכמות איז אַז מען זאָל וויסן אַז עס איז פֿאַראַן אַן ערשטער יש, וואָס באַשאַפֿט אַלץ וואָס איז בנמצא. און אַלץ וואָס איז בנמצא אין הימל, אויף דער ערד, און אין צווישן, איז נאָר באַשאַפֿן געוואָרן פֿון זײַן אמתער בנמצאדיקייט...דער־אָ יש איז דער אייביקער גאָט, דער האַר איבער דער גאַנצער וועלט. ער איז איינער און ניט קיין צוויי."

צו דעם מענטשן אין זײַנע גרויסע מאָמענטן פֿון עטישער עליה, און מאַטערט אים אין שעהען פֿון עטישער ירידה. דער "יהי" פֿון בראשית און דער "אנכי" פֿון סיני זײַנען אַנטפּלעקונגען פֿון דעם זעלבן אומענדלעכן רצון.

ווען אַ ייִד קלאַפּט אין די שערי־שמים אין די האַרבסטיקע סליחות־פֿאַרטאָגן, אָדער אין דער געהיימנעספֿול הייליקער, אין חסד אײַנגעוויקלטער, כּל־נדרי־נאַכט, פּראָקלאַמירט ער צוזערשט זײַן אני מאמין אין יחוד־השם — יחוד־הרצון אין דעם קאָסמיש־נאַטירלעכן און גײַסטיק־עטישן תּחום. האַרציק מורמלט דער עולם, פֿײַערלעך רעציטירט דער חזן: "לך שמים אף לך ארץ ומלואה אתה יסדתם. אתה הצבת כל גבולות ארץ, קיץ וחורף אתה יצרתם. אתה בקעת מעין ונחל...אתה פוררת בעזך ים שברת תנינים על השמים; אתה מושל בגאות הים, בשיא גליו אתה תשבחם...."

קוקט אַרויס דער סליחות־ייִד דורכן פֿענצטער און זעט ווי דער מזרח ווערט ביסלעכווײַז העל־ליכטיק, ווי ער צינדט זיך אָן מיט בלוט־רויטע פֿלאַמען פֿון אַן אויפֿגייענדיקער זון, ווי די גאַנצע לאַנדשאַפֿט ווערט פֿאַרפֿלייצט מיט פּורפּור און גאָלד. קוקט דער יום־כּיפּור ייִד דורכן פֿענצטער אין דער טונקלקייט פֿון אַ הייליקן אָוונט אַרײַן און זעט ווי אַן אָנפֿאַנג־חודשדיקע לבֿנה באַגיסט מיט בלאַסן ליכט די שול־ביימער, וואָס האָבן זיך אַזוי פֿיל יאָרן מיטגעשאָקלט מיט ייִדן בײַם דאַווענען, ווי זי וועבט אַ זילבערנעם געוועב איבער הײַזער און גערטנער וועלכע רוען דעם שבת־שבתון. דער ייִד, פֿאַרטאָג צו סליחות און אין דער כּל־נדרי־נאַכט, טראַכט זיך: אָט די ליכטשטראַלן, די זוניק־גאָלדענע און די לבֿנהדיק־זילבערנע, דערפֿילן דעם זעלבן רצון וועלכן איך און אַלע ייִדן ווילן פֿאַרווירקלעכן — דעם רצון פֿון אין־סוף, וואָס זידט און שטורעמט אין אונדז אַלעמען. און ער הייבט אָן מיט התפּעלות און ברען צו דעקלאַמירן: "לכו נרננה לד' נריעה לצור ישענו...צדק ומשפט מכון כסאך חסד ואמת יקדמו פּנים. אשר יחדיו נמתיק סוד בבית א' נהלך ברגש..."

דער דגש־חזק ווערט געשטעלט אויפֿן "אתה". אויפֿן כ'־הקנין פֿון כסאך, פּניך, לך. דו, רק דו, תּמיד דו, אומעטום דו — אַנטפּלעקסט זיך אין אַלע דערשײַנונגען פֿון דער נאַטור און אין אַלע שטרעבונגען פֿון מענטשן. ערשט נאָך דער דעקלאַראַציע וועגן דער אַחדות פֿון דעם רצון־קדמון אין דער נאַטורוועלט און אין דער מענטשלעכער פּערזענלעכקייט, הייבט אָן דער ייִד זאָגן סליחות, י"ג מידות, ווידוי, און פֿאַנגט אָן צו בעטן און זיך טוליען צום יוצר־הכּל.

די ברכות פֿון קריאת־שמע און די שמונה־עשׂרה האָבן דעם מאָטיוו אַרויסגעבראַכט קלאָר און דײַטלעך. וואָס איז דער תּמצית פֿון דער ברכה פֿון "יוצר אור" אויב ניט די פּראַכטפֿולע שירה פֿון "ברכי נפשי את ד', ד' אל־קי גדלת מאד" (תהילים קד, א), אויב נישט די באַוווּנדערונג פֿון דער געטלעכער התגלות אין דער נאַטור, פֿון איר אומענדלעך־קליינע ביז אירע אומענדלעך־גרויסע דימענסיעס —

"מה רבו מעשׂך ד׳ כולם בחכמה עשית מלאה הארץ קנינך" (דאָרטן כד) — און אין דער עטיש־מאָראַלישער וועלט־אָרדענונג "זורע צדקות, מצמיח ישועות, בורא רפואות"! וואָס מיינט די ברכה פֿון גבֿורות אין שמונה־עשׂרה, אויב נישט די טאַטזאַך וואָס זײַן רצון איז אײַנגעקריצט אין שטיין און אין מעטאַל, אין חיה און אין אינסעקט, אין דעם ליכטשטראַל און אין דער בליִענדער רויז — "אתה גבור לעולם ד׳" — גלײַכצײַטיק אויך אין דעם עטישן געוויסן און געבאָט, "מכלכל חיים בחסד...סומך נופלים ורופא חולים ומתיר אסורים!"

יאָ, קריאת־שמע און תּפֿילה באַרוען אויף דער אוראַלטער יידישער אמונה אַז צו זײַן אָנשטענדיק און צו לעבן אין הסכּם מיט דעם מאָראַלישן חוק איז פּונקט אַזוי נאַטירלעך און פּשוט ווי פֿאַר דעם קאַרשנבוים זיך צו באַדעקן מיט ווײַסע בליטן אין פֿרילינג, און פֿאַר דעם פֿויגל אַרומצושפּרינגען פֿון צווײַג צו צווײַג. איין רצון האָט זיך אויסגעקריסטאַליזירט אין דעם מעכאַניש־בליִענדן נאַטור־דראַנג און אין דעם באַוווסטזיניקן מענטשלעכן זוכן פֿון דאָס גוטע און דערהויבענע.

אָבער יחוד־השם, סײַ אין פּאָזיטיווער פֿאָרעם, אַלס אמונה אין אַחדות־הרצון, און סײַ אין נעגאַטיוון זינען, אַלס אַ פֿאַרבאָט קעגן עבֿודה־זרה, אַנטהאַלט אין זיך מער ווי סתּם אַן עשׂה — "אנכי", אָדער אַ לאו — "לא יהיה", בנוגע אַ סוביעקטיוון גלויבן אין אַ טעאָרעטיש־פֿילאָסאָפֿישער אײַנשטעלונג צו נאַטור און צום מענטשן. יחוד־השם שליסט אײַן אַ פּראַקטישן פּראָגראַם, אַ שולחן ערוך, וועלכער נעמט אַרום אַלע פֿאַזן פֿון אונדזער לעבן, סײַ אויפֿן פּריוואַט־אינטימען און סײַ אויפֿן געזעלשאַפֿטלעך־עפֿנטלעכן געביט. הלוואי וואָלט דער מאָדערנער מענטש, ייִד און ניט־ייִד, תּופֿס געווען די זייער נוצלעכע השקפֿת־עולם, וואָלט ער נישט געדאַרפֿט דורכמאַכן אַלע זײַנע שרעק און שגעונות.

יחוד־השם פֿאַרלאַנגט פֿון מענטשן אַז ער זאָל צוטרעטן צו אַלע דערשײַנונגען, זאַכן, און פּערזאָנען מיט אַ רעלאַטיוון ווערט־מאַשטאַב, און זאָל זיי אָפּשאַצן נאָר אין ראַמען פֿון אַ סאָציאַל־היסטאָרישער פּערספּעקטיווע, אַלס נישט אַבסאָלוט, נישט אייביק, און נישט אין גאַנצן אמת. נאָר איינער איז אַבסאָלוט, אייביק, נישט באַאײַנפֿלוסט דורך קיין קראַפֿט און מאַכט, פֿולער אמת, צדק, און חסד. נאָר איינער איז ראשון־ואחרון, דער מקור און דער תּכלית — און דער איינער איז דער רבש״ע. חוץ אים איז אַלץ צײַטווײַליק, פֿאַרבײַגייענדיק. עס שפּילט דערבײַ קיין ראָלע נישט ווי לאַנג אַ זאַך מעג עקסיסטירן — [עס איז] נישטיק און תּהו. אויב למשל, אַ ייִד פֿאַרשטייט נישט דעם יסוד, און אין זײַן התפּעלות און באַוווּנדערונג איז ער מעריך אַ נבֿרא מער וויפֿל עס איז ווערט, איז ער אַן עובֿד־עבֿודה־זרה. דער ייִד מעג זאָגן די דרײַצן אני מאמינס אַלע טאָג, לערנען זוהר, און זײַן אָפּגעהיט אין אַ מצוה קלה כּבֿחמורה — כּל־זמן ער איז אײַנגעגלייבט אין עפּעס וואָס איז באַשאַפֿן געוואָרן און

שענקט עס טרייַשאַפֿט, וועלכע ער דאַרף געבן נאָר דעם בורא־עולם, זינדיקט ער קעגן דעם "אנכי" און דעם "לא יהי' לך אלהים אחרים על פּני" (שמות כ, ב).

יהדות האָט נישט פֿאַרבאָטן דעם מענטשן אַרויסצוווייַזן ליבע און אַכטונג צו די נבֿראים, כּל־זמן ער איז דורכגעדרונגען מיט איין געדאַנק: אַז אַלץ וואָס ער באַוווּנדערט און האָט ליב איז נישט פּערפֿעקט, און בכן מוז זייַן די אַהבֿה פֿאַר זיי אויך נישט פֿולקומען. ער מוז שטענדיק געדענקען אַז נאָר צום אין־סוף קען ער זיך איבערגעבן מיט זייַן גאַנצן האַרצן, מיט זייַן גאַנצן ברען און ציטער, מיט אַלץ וואָס ער האָט און באַזיצט. "ואהבת את ד׳ א׳ בכל לבבך ובכל נפשך ובכל מאודך" (דברים ו, ה). דעם אין־סוף דאַרף מען ליב האָבן און באַוווּנדערן מיט אַן אומענדלעכער ליבע אין האַרץ וועלכע די הלכה רופֿט אַן עבֿודה־שבלבֿ. די נבֿראים טאָר מען נישט דינען, און ממילא טאָר מען נישט איבערטרייַבן די אינטענסיטעט[3] פֿון די ליבע־געפֿילן בנוגע זיי.

לאָמיר די טעזע אילוסטרירן: יהדות האָט אַלע מאָל געפֿריידיקט אַז דער מענטש זאָל באַנוצן זייַן שׂכל בנוגע דער נאַטור וואָס רינגלט אים אַרום, און פֿון וועלכער ער איז זעלבסט אַ באַשטאַנדטייל, און זיך באַמיִען צו פֿאַרשטיין זי וויסנשאַפֿטלעך. קיין אַנדערע רעליגיע האָט נישט אַזוי געריצמט דעם אינטעלעקט ווי יהדות. דער רובֿ ייִדישע דענקער האָבן אידענטיפֿיצירט די מענטשלעכע אינטעליגענץ מיטן צלם אל־קים. די הלכה, וועלכע איז מקיף דאָס גאַנצע לעבן, אַלע קעגנשטאַנדן און אַלע דערשייַנונגען, וויל שטענדיק אַלץ משׂיג זייַן וויסנשאַפֿטלעך, כּדי צו זייַן בכוח אָנצווּווענדן דעם דין־התּורה. עס איז נישטאָ קיין איין תּחום אין מענטשלעכן וויסן — פֿון דעם מעטאַפֿיזיש־פֿילאָסאָפֿישן ביז דעם טעכנאָלאָגיש־פּראַקטישן — וואָס זאָל נישט אינטערעסירן דער הלכה.

אין דער באַציִונג האָט די הלכה פֿאָרמולירט די פּראָגרעסיווסטע און ליבעראַלסטע השקפֿת־עולם. בשעת אַנדערע אמונות האָבן נאָך געגלייבט אין גייַסטער וועלכע ווינען אין די פֿלאַנצן און פֿאַראורזאַכן זייער וואַקסן, האָט די הלכה אין איר סדר־זרעים באַטראַכט די באָטאַנישע וועלט פֿון אַ שטרענג וויסנשאַפֿטלעכן שטאַנדפּונקט. ווען דער נוצרי מיט זייַנע אַפּאָסטאָלן און זייערע תּלמידים האָבן פּרובירט היילן קראַנקע דורך פּרימיטיווער מאַגיק און דורכן אַוועקטרייַבן פֿון טייַוואָלים, האָט די הלכה זיך באַניצט מיט אַ וויסנשאַפֿטלעכער אַנאַטאָמיע און פֿיזיאָלאָגיע אין שאלות פֿון טריפֿות און נדה, און האָט געהייסן זיך צו באַראָטן מיט דאָקטוירים בנוגע פֿראַגן פֿון פּיקוח־נפֿש.

יהדות האָט געגלייבט אַז דער רבש"ע האָט געשענקט דעם מענטשן אַ וויסנשאַפֿטלעך־טעכנאָלאָגישן פֿאַרשטאַנד, כּדי ער זאָל קענען קאָנטראָלירן באַשטימטע סעקטאָרן פֿון דער נאַטור, און דעריבער האָט זי געהאַלטן אַז די

3. אינטענסיווקייט.

מענטשלעכע אויפֿגאַבע באַשטייט אין דער אויסנוצונג פֿון דעם וווּנדערלעכן כּוח "ורדו בארץ וכבשוה" (בראשית א, כח) — געוועלטיקט איבער דער נאַטור און דעראָבערט זי. אַגרעסיוויטעט דורך וויסנשאַפֿטלעכער אויסבילדונג איז אַ טייל פֿון אונדזער מיסיע, מיט וועלכער דער בורא־עולם האָט אונדז אָנפֿאַרטרויט.

ואף־על־פּי־כן, האַלט יהדות, טאָר אַ מענטש נישט אַבסאָלוטירן די מאַכט און דעם ווערט פֿון וויסנשאַפֿטלעכער פֿאָרשונג, און ער טאָר נישט מיינען אַז זי איז אימשטאַנד פּותר צו זײַן אַלע פּראָבלעמען, און אויסלייזן די וועלט פֿון אַלע אירע צרות און לײַדן. דער מענטש טאָר נישט נכשל ווערן אין אינטעלעקטועלער גאווה און טאָר זיך נישט בוקן צו דער עבֿודה־זרה פֿון שלטון־השׂכל. מיר מוזן גלייבן באמונה־שלמה, אַז טראָץ אַלע דערגרייכונגען און לײַסטונגען פֿון דעם מענטשלעכן אינטעלעקט, וועלן מיר קיין מאָל נישט אַנטדעקן דעם סוף פֿון מעשׂה־בראשית, און מיר וועלן קיין מאָל ניט געפֿינען קיין אמתן גליק אין לעבן אָן דער הילף פֿון בורא־עולם. נאָר ער קען אונדז מגלה זײַן דעם סוד פֿון אונדזער עקסיסטענץ, נאָר דורך אים קענען מיר רעאַליזירן אונדזער תּכלית, און נאָר ער קען אונדז העלפֿן אויסבויען אַ פֿולקומענע עטיש־מאָראַלישע וועלט־אָרדענונג, ווו יעדער יחיד זאָל זיך פֿילן צופֿרידן און גליקלעך.

וויסנשאַפֿט אַליין קען די סודות פֿון דער וועלט ניט אויפֿקלערן[1]

דער יידיש־רעליגיעזער בליק אויף וועלט און מענטש.
פֿאַרוואָס תּפֿילה איז וויכטיק פֿאַרן מאָדערנעם מענטשן.

דער מענטש דאַרף באַגרייַפֿן צוויי זאַכן: 1) ווי קליין זייַן וויסן איז. 2) וואָס מער ער ווייס און וואָס מער ער דערגרייכט, אַלץ גרעסער ווערט דער וווּנדער פֿון יצירה. די רעטענישן פּראָגרעסירן פֿיל שנעלער ווי די פּתרונות. די פּראָבלעם וואַקסט מיטן פֿאָרשריט. וואָס ווייַטער דער טעלעסקאָפּ דרינגט אַרייַן אין די גרויסע מרחקים, וואָס מער שטערן־גאַלאַקסיעס דער מענטש אַנטדעקט, וואָס שנעלער און העכער די ראַקעטן־שיף פֿליט, וואָס פּרעציזער די אינסטרומענטן אין די לאַבאָראַטאָריעס זייַנען, און וואָס שאַרפֿער און אַבסטראַקטער די מאַטעמאַטישע פֿאָרמולע איז, אַלץ מאַכטלאָזער און מער אומוויסנד דאַרף זיך דער מענטש באַטראַכטן, און אַלץ מער און מער מוז ער אויף גאָטס ישועה וואַרטן. ״כי אראה שמיך מעשה אצבעותיך ירח וכוכבים אשר כוננת. מה אנוש כי תזכרנו ובן אדם כי תפקדנו?״ (תהילים ח, ד–ה).

לייַדער איז דער מאָדערנער מענטש אַ בעל־גאוה און פֿול מיט חוצפּה. ער בוקט זיך צו זייַן אינטעלעקט, צו זייַנע לאַבאָראַטאָריען, צו זייַנע וויסנשאַפֿטלעכע לייַסטונגען און אויפֿטוּונגען. ער פֿאַרגעטערט זיי און האָט אין זיי אַבסאָלוטן פֿאַרטרויען. ער גלויבט אַז דער וויסנשאַפֿטלעכער גאָון קען ניט נאָר אויסגעפֿינען אַ נאַטור־געזעץ וואָס זאָל אונדז דערמעגלעכן איינצושפּאַנען נאַטור־כּוחות אין אונדזער דינסט, נאָר אויך עטיש־מאָראַלישע חוקים וועלכע זאָלן דעם מענטשן דערהייבן

1. אָפּגעדרוקט אין *טאָג־מאָרגן זשורנאַל* דעם 10טן יאַנואַר 1955, ז׳ 5.

און אויסאיידלען. ער מיינט אַז סוף־כל־סוף וועט די וויסנשאַפֿט דערגיין דעם סוד פֿון אַלץ; זי וועט ווערן אַלמעכטיק און אַלוויסנד. קורץ, דער חוצפּהדיקער קליינער מענטש נעמט זיך אונטער צו דעטראָניזירן דעם געטלעכן רצון און אויפֿן כסא־הכּבֿוד אַרויפֿצוזעצן דעם ענדלעכן פֿאַרשטאַנד.

"והייתם כאל־קים יודעי טוב ורע" (בראשית ג, ה). טוט עס נישט די קאָמוניסטישע רוסלאַנד? האָט עס נישט געטאָן די נאַצישע דײַטשלאַנד? פּריידיקן עס ניט געוויסע אינטעלעקטואַלן אין די דעמאָקראַטישע מדינות? טענהן ניט אַזוי די אייבערפֿלעכלעכע פּאָזיטיוויסטיש־אַגנאָסטישע, פּסעוודאָ־וויסנשאַפֿטלעכע פֿילאָסאָפֿיעס און עטישע סיסטעמען? ווערט ניט דער יונגער דור דערצויגן אין דעם גײַסט פֿון אַזאַ עקלהאַפֿטער פּראַגמאַטיש־מאַטעריאַליסטישער וועלט־אויפֿפֿאַסונג?

מיר ייִדן, די טרעגער פֿון אבֿרהמס ירושה — "ויקרא שם בשם ד'" (בראשית כא, לג) — זײַנען ניט בלויז ניט בעסער אין דעם הינזיכט, נאָר אין מאַנכע פֿאַלן אַ סך ערגער פֿאַר אַנדערע. זײַענדיק פֿון [דער] נאַטור בעלי־התפּעלות, אַן "עמא פּזיזא", האָבן מיר אין דער באַגײַסטערונג פֿאַר דאָס נײַע און פּראָגרעסיווע אַ ביסל אַריבערגעכאַפּט די מאָס, און פֿאַרגעסן אין גאַנצן וועגן דער נישטיקייט פֿון מענטשן און דער אַלמעכטיקייט פֿון גאָט.

פֿאַר מיר האָט אַ מאָל אויסגעגאָסן דאָס האַרץ איינער פֿון די גרעסטע כירורגן אין באָסטאָן, אַ ייִד וועלכער, זײַענדיק זייער ווײַט פֿון יהדות, האָט דאָך געהאַט אַ רעליגיעזע נשמה. (ער איז געשטאָרבן מיט עטלעכע יאָר צוריק.) "רבי, איך האָב שוין דורכגעפֿירט הונדערטער אָפּעראַציעס, קליינע און גרויסע, פֿון אַפּענדיקס ביז מאַרך־כירורגיע. איך האָב אָפּערירט גוים און ייִדן, איין מערקווערדיקע דערשײַנונג האָב איך אָבסערווירט. ווען אַ ניט־ייִד ווערט אַרײַנגעבראַכט אין אָפּעראַציע־צימער און דער דאָקטער קלײַבט זיך אים צו אַנעסטעזירן, באַמערק איך אַ סך מאָל ווי די ליפּן פֿון פּאַציענט באַוועגן זיך שטיל אין אַ תּפֿילה. ער גיט איבער זײַן נשמה און קערפּער אין גאָטס הענט איידער דאָס באַוווסטזײַן ווערט צײַטווײַליק אויסגעשלאָסן. בײַ ייִדן, לײַדער, האָב איך אַזאַ זאַך קיין מאָל ניט געזען. דער ייִדישער חולה [איז] בלאָס, צעשראָקן, זײַנע ליפּן האַלטן אין איין ציטערן קאָנוווּלסיוו צוליב אַן אומבאַשרײַבלעכן פּחד. אָבער פֿונדעסטוועגן רײַסט זיך קיין תּפֿילה ניט אַרויס פֿון זיי. ער גיט איבער זײַן קערפּער אין מײַנע הענט, די הענט פֿון אַ מענטשן וואָס איז פּונקט אַזוי הילפֿלאָז ווי ער. דער חולה האָט בטחון ניט אין גאָט, נאָר אין מיר, אַ בשר־ודם."

און דער כירורג האָט צוגעגעבן מיט אַ סאַרקאַסטישן שמייכל: "דער שוטה מיינט אַז אַלץ איז אָפּהענגיק פֿון מײַנע עקספּערט־הענט! וויפֿל קאָמפּליקאַציעס קענען אַנטשטיין בײַ אַן אָפּעראַציע, איבער וועלכע דער גרעסטער כירורג האָט קיין קאָנטראָל ניט! ווען איך אָפּעריר, שטייט שטענדיק לעבן מיר אַן אַלטער,

עטוואָס איַינגעבויגענער כירורג, אין אַ מאַסקע און ווייַסן כאַלאַט, זייַן שטערן איז צעאַקערט מיט קנייטשן. יעדער קנייטש טויזנטער יאָרן אַלט: ׳כי אלף שנים בעיניך כיום אתמול כי יעבור׳ (תהילים צ, ד). פֿון צייַט צו צייַט הייב איך אויף מייַנע אויגן און וואַרף אַ בליק אויף דעם זקן אין ווייַסן. כּל־זמן איך זע אים, ווייס איך אַז אַלץ איז כּשורה. אייניקע מאָל איז ער פֿאַרשווּנדן אין מיטן פֿון דער אָפּעראַציע, און דעמאָלט האָט זיך שטענדיק עפּעס בייזס און שרעקלעכס געטראָפֿן״. ״לייַדער״, האָט מייַן פֿרייַנד צוגעגעבן, ״מייַנע קאָלעגן, תּלמידים, און אַסיסטענטן באַמערקן ניט דעם זקן אין ווייַסן. און דערפֿאַר ריידן זיי אַ סך מאָל מיט פֿאַלשער גאווה וועגן זייער פּראָפֿעסיאָנעלער געשיקטקייט, און באַטראַכטן זיך ווי ׳איבערמענטשן׳, צו וועלכע די אָרעמע, שטערבלעכע פּאַציענטן מוזן אָנקומען. ווי שיין און הייליק וואָלט די מעדיצינישע פּראָפֿעסיע געווען, ווען דער דאָקטער וואָלט שטענדיק געווען באַגלייט פֿון יענעם זקן.״

פֿאַך־וויסנשאַפֿטלעכע גאווה איז אַ קללה מיט וועלכער אונדזער דור איז באַלאַסטעט. אַמאָל האָט די געזעלשאַפֿט געליטן פֿון אַ בלוט־אַריסטאָקראַטיע. הייַנט — פֿון אַ פּראָפֿעסיאָנעלער אַריסטאָקראַטיע. דער דאָקטער, דער אינזשעניער, דער פֿיזיקער, דער כעמיקער, דער דערציִער, און אַפֿילו דער מאָדערנער רבֿ, גלייבן אַז זיי שטייען העכער ווי דער דורכשניטלעכער מענטש, און דעריבער באַציִען זיי זיך מאַנכעס מאָל מיט ביטול און פֿאַראַכטונג צו דעם וואָס בעט זייער הילף און ראַט. די מיאוסע גאווה איז אַ רעזולטאַט פֿון דער פֿאַרגעטערונג פֿון מענטשלעכן וויסן. גאווה איז אַלע מאָל געווען אַ פּאַגאַנישע מידה.

דערפֿאַר האָט די הלכה גלייַך בייַם אָנפֿאַנג פֿון די ברכות־אמצעיות (וועלכע ענדיקן זיך מיט ״שומע תּפֿילה״) איַינגעפֿירט אַ ספּעציעלע תּפֿילה אויף שׂכל, דעת, און אינטעליגענץ. גלייַך ווי דער מתפּלל קומט צו צו דעם בקשה־טייל פֿון שמונה־עשׂרה, מוז ער מודה זייַן על האמת, אַז ער איז אומוויסנד און פּרימיטיוו, אַז וויפֿל חכמה ער זאָל ניט באַזיצן, בלייַבט ער דער זעלבער נישטיקער מענטש וועלכער הייבט ניט אָן צו פֿאַרשטיין די מיסטעריע פֿון יצירה.

מיר דאַכט זיך, אַז ווען דער דורכשניטלעכער דאָקטער וואָלט געדאַווענט און פֿאַרשטאַנען דעם ענין פֿון יחוד־השם, ווי ער שפּיגלט זיך אָפּ אין ״אתּה חונן״ און אין ״רפֿאינו״, וואָלט ער אַוועקגעוואָרפֿן זייַן נאַרישע שטאָלץ און קליינלעכן עגאָיִזם. ער וואָלט דעמאָלט אויפֿגעהערט צו באַציִען זיך מיט ביטול צום מענטשלעכן קערפּער און מיט גלייַכגילטיקייט צו די אַנגסטן פֿון דעם חולה, און וואָלט זיך דערהויבן צו דער מדרגה פֿון אַן עטישער פּערזענלעכקייט, פֿרייַנד, און מלאך. דעמאָלט וואָלט דער ״זקן עטוף לבֿנים״ אים שטענדיק באַגלייט.

ווען דער אינזשעניער, דער פֿיזיקער, און דער כעמיקער וואָלטן געדאַווענט און געזאָגט ״אתּה חונן״ מיט כּוונה, וואָלטן זיי ניט אַנטוויקלט אַ זינלאָזע אילוזיע

אַז דער מענטש קען ווערן אַלמעכטיק און אַלוויסנד. זיי וואָלטן דעמאָלט משׂיג געווען, אַז חוץ מאַטעמאַטיש־פֿיזיקאַלישע און כעמישע פֿאָרמולעס, זײַנען אויך דאָ מעטאַפֿיזישע, רעליגיעז־עטישע אידעאַלן און ווערטן, און אַז ניט אַלץ קען רעדוצירט ווערן צו אַ זינלאָזער רוטין. זיי וואָלטן דעמאָלט אײַנגעזען דעם אמת, אַז דער מענטש קען זײַן תּכלית און מטרה ניט געפֿינען אין אַ פּוסטער, וויסטער, מעכאַניש־בלינדער וועלט, וועלכע זיי קאָנסטרויִרן. ווען זיי וואָלטן געדאַוונט, וואָלט מען ניט געדאַרפֿט פּראָדוצירן קיין אַטאָם און הידראָזשען־באָמבעס, און די וועלט וואָלט דעמאָלט ניט מורא געהאַט פֿאַר דער קאַטאַסטראָפֿע פֿון אונטערגאַנג.

ווען דערציִער, פּסיכאָלאָגן, און סאָציאַל־רעפֿאָרמער וואָלטן געדאַוונט, און וואָלטן באַגריפֿן יחוד־השם, וואָלט דאַן אַן אַנדער יוגנט אויסגעוואָקסן; קינדער און דערוואַקסענע וואָלטן דאַך דעמאָלט ניט אַרומגעבלאָנדזשעט אָן אַ ציל און אָן אַן אידעאַל, און וואָלטן ניט געטריבן געוואָרן צו פֿאַרברעכן אָדער סתּם גענוס־הפֿקרות.

ווען מאָדערנע רבנים וואָלטן מיט אַן אמת געדאַוונט און ריכטיק מיחד־השם געווען, וואָלטן זיי דאַן ניט שטאָלצירט מיט זייער וויסן, שיינעם לשון, און פּראַקטפֿולער דיקציע, און וואָלטן דאַן די עבֿודה־שבלבֿ ניט פֿאַרוואַנדלט אין אַ שױשפּיל. דעמאָלט וואָלטן זיי דאָך מגלה געווען, אַנשטאָט אַ פֿאַלשע חיצוניות, אַ וואַרעם האַרץ, פֿול מיט ליבע און מיטלײַד צו די אָרעמע, אומגליקלעכע, און פּשוטע ייִדן. דעמאָלט וואָלט דאָך רבנות פֿאָרגעזעצט די טראַדיציע פֿון די נבֿיאים.

די אידעע פֿון יחוד־השם דאַרף אויך שטרענג אָנגעווענדט ווערן אויף אַ צווייטן געביט, נעמלעך, דעם פּאָליטיש־ווירטשאַפֿטלעכן. יהדות האָט סאַנקציאָנירט אַ מלוכה־לעבן. די הלכה אינטערעסירט זיך סײַ מיטן יחיד און סײַ מיטן ציבור, און ממילא האָט זי זיך באַצויגן פֿרײַנדלעך צו דער אינסטיטוציע פֿון אַ מלוכה, מיט אַלע אינסטרומענטן און אָרגאַנען. די הלכה האָט געהאַסט אַנאַרכיע און סעקטאַנטיזם, און געהאַלטן אַז אַן אָרגאַניזירטע פּאָליטישע מאַכט איז אַ נויטווענדיקייט. גאַנצע פּרשות אין דער תּורה און בערג מיט דינים באַשעפֿטיקן זיך מיט פּאָליטיש־ווירטשאַפֿטלעכע סיטואַציעס און פּראָבלעמען, ווי מלחמה, משפּט — סײַ אין ציווילן, סײַ אין קרימינעלן תּחום — מיט דער פּערזאָן פֿון אַ מלך אָדער אַ פּאָליטישן מנהיג, מיט דער מאָביליזאַציע פֿון אַן אַרמיי, מיט דער צעטיילונג פֿון לאַנד אאַז״וו. די תּורה האָט פֿאַרלאַנגט אַז דער בירגער זאָל אָפּגעבן רעספּעקט די אויטאָריטאַטיווע מלוכה־אָרגאַנען און אויספֿירן זייערע גערעכטע פֿאַרלאַנגען. ״שׂום תּשׂים עליך מלך (דברים יז, טו) — שתהא אימתו עליך״[2] [סנהדרין, פּרק ב, משנה ה].

אונדזער הלכה, זײַענדיק זייער רעאַליסטיש, און קענענדיק אויסגעצייכנט דעם

2. ״׳מאַכן זאָלסטו מאַכן אַ מלך איבער דיר׳ — אַז זײַן ערפֿורכט (זײַן אימה) זאָל זײַן אויף דיר.״

מענטשלעכן כאַראַקטער, האָט געוווּסט, אַז מען קען זיך צו פֿיל אויפֿן יושר פֿון יחיד ניט פֿאַרלאָזן און אַז אַ העכערע מאַכט מוז קאָנטראָלירן, אין אַ געוויסן זינען, זײַנע האַנדלונגען, "שאלמלא מוראה איש את רעהו חיים בלעו"[3] [אבות פרק ג, משנה ב]. און דערפֿאַר האָט זי מחייבֿ געווען יעדן יחיד אונטערצוװאַרפֿן זיך דעם אָביעקטיוון געזעץ. די ייִדישע גלות־טראַדיציע האָט שטענדיק געמאָנט פֿון ייִדן לאָיאַליטעט און איבערגעגעבנקייט צו דער מלוכה, פֿון וועלכער ער איז געווען אַ בירגער. זי האָט געפֿאָדערט אַז ער זאָל אָפּהיטן די מלוכה־געזעצן, זיך באַטייליקן אין פּאָליטישן לעבן, און אויך, ווען מען דאַרף, פֿאַרטיידיקן דאָס לאַנד קעגן אירע שונאים.

אָבער פֿון דער אַנדער זײַט, האָט יהדות ניט טאָלערירט די אַבסאָלוטירונג און פֿאַרגעטערונג פֿון פּאָליטישע טעאָריען. ווען אַ פּאָליטישע אידעאָלאָגיע און אַ פּאָליטישע אינסטיטוציע ווערן גלאָריפֿיצירט צו אַזאַ מדרגה, אַז מען הייבט אָן גלויבן אין זייער אַבסאָלוטער ווערטפֿולקייט, און מען שטעלט זיי העכער פֿאַר אַלץ, העכער אַפֿילו פֿאַר דעם פֿאַרהעלטעניש צווישן גאָט און מענטש, דאַמאָלסט ווערט פּאָליטישע מאַכט פֿאַרוואַנדלט אין אַ שרעקלעכער עבֿודה־זרה. מיר דאַכט זיך, אַז עס איז איבעריק צו באַטאָנען, אַז די טאָטאַליטאַרע אַטעיסטיש־מאַטעריאַליסטישע רעגירונגס־סיסטעמען שטעלן מיט זיך אפֿשר פֿאָר די גרעסטע עבֿודה־זרה, וועגן וועלכער די געשיכטע האָט ווען־עס־איז באַריכטעט. דער מולך מיט זײַנע קינדער־קרבנות איז געווען, אין פֿאַרגלײַך מיט אַ סטאַלין אָדער אַ היטלער, אַ מילדער און גוטמוטיקער געץ.

אָבער ניט בלויז רשעותדיקע, נאָר אַפֿילו גוטע פּאָליטישע סיסטעמען, וועלכע מיר שעצן, און וועלכע זײַנען בעצם נאָענט צו דער טראַדיציאָנעלער ייִדיש־פּאָליטישער אויפֿפֿאַסונג, ווי דעמאָקראַטיע, טאָרן אויך ניט באַטראַכט ווערן ווי אַבסאָלוט־גוט און פּערפֿעקט. אמת, מיר דאַרפֿן זײַן דאַנקבאַר דעם בורא־עולם פֿאַר דעם חסד וואָס ער האָט מיט אונדז געטאָן, געבנדיק אונדז די געלעגנהייט צו לעבן אין די לענדער וואָס זײַנען דעמאָקראַטיש. אָבער פֿונדעסטוועגן מוזן מיר שטענדיק געדענקען אַז אַלע פּאָליטישע רעגירונגס־פֿאָרמען, ווי עטיש זיי זאָלן אין תּוך ניט זײַן, זײַנען געשאַפֿן געוואָרן דורך דעם מענטשן, וועלכער איז אַליין ווײַט פֿון זײַן כּולו־טובֿ, און ממילא קענען זיי אויך ניט געמאָסטן ווערן מיט אַבסאָלוטע ווערט־מאַשטאַבן. ווער עס פּריידיקט, למשל, אַז אין דעמאָקראַטיע ליגט דער ענטפֿער צו אַלע מענטשלעכע פּראָבלעמען און מאַטערנישן, און אַז זי קען און דאַרף פֿאַרוואַנדלט ווערן אין אַן אמונה, איז אַן עובֿד־עבֿודה־זרה. דאָס בעסטע מלוכה־סיסטעם, פּונקט ווי די וויסנשאַפֿט, וועט ניט ברענגען קיין גאולה דעם מענטשן, אויב דער רבש"ע

3. "וואָרום ווען ניט די מורא פֿאַר איר וואָלט איין מענטש דעם צווייטן אַ לעבעדיקן אײַנגעשלונגען."

וועט ניט אַרייַנגענומען ווערן אַלס אַ שותּף צו דער אונטערנעמונג. "אם ד׳ לא יבנה בית שוא עמלו בוניו" (תהילים קכז, א).

מייַנע רייד באַציִען זיך אויף מדינת־ישׂראל. איך האָב אַ סך מאָל אַרויסגעבראַכט דעם געדאַנק עפֿנטלעך, אַז די געבורט פֿון דער ייִדישער מלוכה דאַרף באַטראַכט ווערן אַלס אַ טאָפּלטער נס. 1) אַ נס כּלפּי־פּנים, וועלכער האָט אונדז דערמעגלעכט צו ראַטעווען הונדערטער טויזנטער אומגליקלעכע, געיאָגטע, און פֿאַרפּייַניקטע ברידער פֿון קאָנצענטראַציע־לאַגערן, און אין די אָריענטאַלישע לענדער, פֿאַר ווען די טויערן פֿון אַלע לענדער זייַנען כּמעט געווען געשלאָסן. 2) אַ נס כּלפּי־חוץ, וועלכער האָט באַוויזן בפּרהסיא, אַז מיר זייַנען געווען גערעכט אין דער אויסטייַטשונג פֿון די נבֿיאישע הבֿטחות — און ניט די קריסטלעכע קירכע.

די אַלוועלטלעכע פּראָטעסטאַנטיש־טעאָלאָגישע קאָנפֿערענץ אין עוואַנסטאָן, אילינאָי, האָט דעמאָנסטרירט דעם פּחד וועלכער איז באַפֿאַלן די טעאָלאָגישע וועלט. מיט אַ גרויסער מערהייט, האָבן די טעאָלאָגן אָפּגעשטימט (ווי עס וואָלט געווען אַ פּאָליטישע פֿראַגע!) אַז מדינת־ישׂראל איז ניט דאָס ווערק פֿון דער השגחה, און אַז די נבֿיאים האָבן איר ניט פֿאָרויסגעזען. אָבער יעדער ערנסט־דענקנדער טעאָלאָג ווייס גאַנץ גוט אַז די אָפּשטימונג איז אַ גרויסער ליגן, ווייַל אָן דער געטלעכער הילף וואָלט די געבורט פֿון דער מדינה ניט צושטאַנד געקומען. אויב די החלטה איז אַ שקר, פֿאַלט דעמאָלט אָפּ אַ יסוד פֿון דער קריסטלעכער טעאָלאָגיע וועלכער באַהויפּטעט, אַז מיט דעם דערשייַנען פֿון נוצרי איז די ראָלע פֿון דער היסטאָרישער כּנסת־ישׂראל פֿאַרענדיקט געוואָרן, און ממילא מוזן אַלע הבֿטחות בנוגע ישׂראל, ציון, ירושלים, און בית־המקדש, אויסגעטייַטשט ווערן אַלעגאָריש אין באַציִונג אויף דער קריסטלעכער קירכע.

אָבער ווי טייַער און ליב מדינת־ישׂראל זאָל אונדז ניט זייַן, מוזן מיר דאָך שטענדיק געדענקען, אַז זי איז ניט דער העכסטער ווערט אין אונדזער מערכה פֿון ווערטן. בלויז דער רבש"ע איז דער תּכלית און די מטרה פֿון אַלץ. אויב מדינת־ישׂראל וועט דינען אַלס דער אינסטרומענט דורך וועלכע די כּנסת־ישׂראל וועט זייַן בכּוח צו רעאַליזירן דעם רצון פֿון בורא־עולם, וועלכער איז אויסגעקריסטאַליזירט געוואָרן אין דער הלכה, דאַמאָלסט קען די גרינדונג פֿון דער מדינה ווערן די וויכטיקסטע פּאָליטישע און גייַסטיק־קולטורעלע געשעעניש אין דער מאָדערנער ייִדישער געשיכטע. אויב אָבער אין דער ווילדער נאָכיאָגעניש נאָך סעקולאַריזאַציע, וועט זיך ח"ו די מדינת־ישׂראל אַבסאָלוטירן, וועט שאַפֿן פֿון זיך אַ פּאָליטישן קולט — מדינה לשם מדינה — און וועט פֿאָדערן אַז דער רבש"ע אַליין זאָל זיך אונטערוואַרפֿן איר אויטאָריטעט, דאַמאָלסט, האָב איך מורא, וועלן די טעאָלאָגן פֿון עוואַנסטאָן, אילינאָי, זיך פֿרייען, און די מדינה וועט אָננעמען אַן עבֿודה־זרה כאַראַקטער.

די שווערע זינד פֿון אונדזער דור וואָס גראָבט אונטער ייִדישקייט[1]

די מאָדערנע עבֿודה־זרות וואָס מענטשן פֿון אונדזער דור דינען. ווי אמתע ייִדישקייט באַשיצט אונדז קעגן אַלע איבלען פֿון דער נייַער צייַט.

די גלאָריפֿיקאַציע פֿון מלוכה פֿירט אויך צו דער אַנטוויקלונג פֿון אַ פּערזאָנען־קולט בכלל. ווידער אַ מאָל האָט יהדות געצויגן אַ גרענעץ צווישן ריכטיקן כּבֿוד־הבריות און נאַרישער פֿאַרגעטערונג פֿון מענטשן. יהדות איז געווען די ערשטע צו פּראָקלאַמירן די ווירדע פֿון יחיד, ״חביב אדם שנברא בצלם״ [אבות ג, משנה יד], און האָט געפֿאָדערט פֿון אונדז אַז מיר זאָלן רעספּעקטירן אונדזערע מיטמענטשן. מיר ווייסן אַלע ווי שטרענג די הלכה האָט זיך באַצויגן צו עבֿירות שבין אָדם לחבֿרו, אויף וועלכע נישט תּשובֿה און נישט יום־כּיפּור זייַנען מכפּר, כּל־זמן ער בעט ניט איבער דעם חבֿר. טראָץ דעם האָט זי פֿאַרבאָטן אַרויסצווייַזן אַבסאָלוטן פֿאַרטרויען אין מענטשן. ווער עס פֿאַרלאָזט זיך אויף אַ בשׂר־ודם און האָט אומבאַגרענעצטע באַוווּנדערונג פֿאַר זייַנע עטיש־מאָראַלישע אייגנשאַפֿטן — איז אַ געצנדינער. ״ארור הגבר אשר יבטח באדם ושם רהבים מבטחו״ (ירמיה יז, ה; תהילים מ, ה).

מיר ייִדן האָבן שטאַרק געזינדיקט אין דער לעצטער תּקופֿה קעגן דעם פּרינציפּ פֿון יחוד־השם אויפֿן פּאָליטישן געביט. אונדזער זינד אין דעם הינזיכט איז אַ טאָפּלטע. 1) מיר האָבן גלאָריפֿיצירט אין אַן איבערגעטריבענער מאָס נישט־ייִדישע

1. אָפּגעדרוקט אין *טאָג־מאָרגן זשורנאַל* דעם 17טן יאַנואַר, 1955.

שטאַטסמענער און געשענקט זיי כּמעט אַבסאָלוטן פֿאַרטרויען. 2) מיר האָבן אויך דערלויבט אונדזערע אייגענע פּאָליטישע מנהיגים זיך אַליין צו גלאָריפֿיצירן.

די ציוניסטישע אָרגאַניזאַציע אין די צוואַנציקער און דרײַסיקער יאָרן איז געווען עקשנותדיק אָריענטירט אויף דעם בריטישן קאָלאָניאַל־אַפּיס און האָט בלינד געגלויבט אין ענגלישן יושר. די אָפֿיציעלע ציוניסטישע פּאָליטישע ליניע פֿון יענע יאָרן האָט זיך געשטיצט אויף צוויי הנחות: 1) מיר זײַנען שוואַך. 2) מיר קענען זיך פֿאַרלאָזן אויף דער ענגלישער רעגירונג אַז זי וועט אונדז ניט קריוודען. איך האָב אַליין געהערט נחום סאָקאָלאָוון ווי ער האָט באַוויזן מיט אותות און מופֿתים, און דערבײַ האָט ער אויסגעניצט זײַן וווּנדערבאַרע היסטאָריש־ליטעראַרישע ערודיציע, אַז דער קאָלאָניאַל־אַפּיס שטרעבט צו פֿאַרווירקלעכן אַ נבֿיאישן אידעאַל. מען האָט נישט געדאַרפֿט זײַן קיין רעוויזיאָניסט כּדי צו אָנערקענען אַ פֿאַקט, אַז די אָפֿיציעלע ציוניסטישע פּאָליטיק איז דערגאַנגען אַ סך מאָל צו אַן אַבסורד אין איר איבערגעטריבענער יראת־הכּבֿוד פֿאַר באַשטימטע פּאָליטישע, נישט־ייִדישע, מנהיגים. איז עס דען אַ וווּנדער, אַז טשוירטשיל[2] האַלט זיך נאָך פֿאַר אַ "ציוניסט" און פֿאַר דעם "אַרכיטעקט" פֿון ייִדישן עתיד? דאָס האָבן אים די ציוניסטישע פֿירער אַליין אײַנגעשמועסט! די ציוניסטישע אָרגאַניזאַציע איז געשטרויכלט געוואָרן אין פּאָליטישער עבֿודה־זרה פּונקט ווי די ייִדן אין בית־ראשון זײַנען נכשל געוואָרן אין בעל.

מיר אַמעריקאַנער ייִדן זײַנען אויך דורכגעפֿאַלן מיט אונדזער נאַיִוון גלויבן אין מענטשן, ווי גוט זיי זאָלן נישט האָבן געווען. מיר האָבן, למשל, געשאַפֿן כּמעט אַ רעליגיעזן קולט אַרום דער פּערזאָן פֿון פּרעזידענט רוזוועלט. די באַוווּנדערונג פֿאַר אים איז געווען ממש פּאַראַדאָקסאַל און האָט זיך געגרענעצט מיט עבֿודה־זרה. איך וויל אַז מען זאָל די דערקלערונג נישט אויסטײַטשן פֿאַלש. רוזוועלט האָט זיכער געהאַט אייגנשאַפֿטן פֿון אַ גרויסן פּאָליטישן מנהיג: אַ ליבעראַלע השקפֿה, סימפּאַטיע מיטן אונטערדריקטן, און אויך, אין מאַנכע פֿאַלן, וויזיע. אָבער צווישן רעספּעקטירן אַ גוטן פּרעזידענט און פֿאַרגעטערונג, ליגט אַ ווײַטער מהלך. מיט אַלע זײַנע מעלות, האָט ער די הערָצה וועלכע מיר האָבן אים געגעבן נישט פֿאַרדינט, צוליב צוויי טעמים: 1) קיין מענטש טאָר ניט גלאָריפֿיצירט ווערן. 2) מיט אַלע זײַנע גרויסע מעלות (און געהאַט האָט ער זיי, ווי איך האָב שוין געזאָגט, אַ סך) האָט רוזוועלט געליטן פֿון אַלע שוואַכקייטן פֿון אַ פּאָליטיקער. און ווי אויף צו להכעיס, האָט ער בנוגע ארץ־ישׂראל און דער גרויליקער ייִדישער טראַגעדיע אין די היטלער־

2. ווינסטאָן טשוירטשיל (1874–1965), ענגלענדישער פּאָליטיקער און שטאַטסמאַן; פּרעמיער־מיניסטער אין די יאָרן 1940–1945 און 1951–1955.

לענדער געהאַנדלט דווקא נישט ווי אַ גרויסער פּרעזידענט נאָר ווי אַ געפּיללאָזער, קליינער מענטש.

וואָס דער שׂכר איז געווען, מיט וועלכן מען האָט אונדז באַלוינט פֿאַר אונדזער תּמימותדיקער קינדערשער אמונה אין די מנהיגים, ווייסן מיר אַלע. וויבאַלד אַז ייִדן הייבן אָן דינען עבֿודה־זרה, מוז זיי די עבֿודה־זרה אָפּנאַרן. דער נאַטירלעכער עונש פֿאַר געצנדינערײַ איז אַנטוישונג. "וסרתם ועבדתם אלהים אחרים...ועצר את השמים ולא יהיה מטר והאדמה לא תתן את יבולה" (דברים יא, טז–יז). ווען איר אָנהייבן דינען דער נאַטור, וועט זי אײַך אַנטוישן.

די מחלה פֿון פּערזאָנען־קולט האָט זיך אויך פֿאַרשפּרייט אין אונדזערע אייגענע רייען. ייִדיש־פּאָליטישע מנהיגים — אַפֿילו אַזעלכע מיט גרויסע היסטאָרישע פֿאַרדינסטן — זענען נישט געווען צופֿרידן מיט דער רעלאַטיווער דאַנקבאַרקייט מיט וועלכער דאָס ייִדישע פֿאָלק וואָלט זיי באַצאָלט פֿאַר זייער היסטאָרישער ראָלע, און האָבן דווקא געוואָלט זיך אַרויסשטעלן אַלס די איינציקע גואלים און משיחים, וועמען דער פּשוטער ייִד דאַרף פֿאַרהערלעכן ווײַט מער וויפֿל זייערע לײַסטונגען האָבן באַרעכטיקט. זיי האָבן זיך באַמיט צו מינימיזירן די אויפֿטוען פֿון זייערע פֿאָרגענגער, וועלכע זײַנען געווען די פּיאָנירן פֿון די באַטרעפֿנדע באַוועגונגען. זיי האָבן אויך נישט טאָלערירט קיין אָפּאָזיציע, און ווער עס האָט זיך געשטעלט קעגן זיי איז ריקזיכטלאָז[3] אויסגעשלאָסן געוואָרן פֿון דער באַוועגונג. זיי האָבן אויך געהאַט צו גרויסע תּבֿיעות צום עם־ישׂראל, פֿאַרגעסנדיק דערבײַ, אַז דאָס פֿאָלק קומט זיי קיין זאַך נישט, און אַז זייער גאַנצע גדלות איז נאָר אַן אָפּגלאַנץ פֿון דער ייִדישער היסטאָרישער גרויסקייט.

איך וויל דאָ נישט אַרײַנגיין אין קיין פּרטים, וואָס דאָס וואָלט פֿאַרלענגערט מײַן אַרטיקל. איין זאַך איז אָבער קלאָר: עס האָט נישט פֿאַרווירקלעכט אין לעבן. די "אַלטמאָדישע" חז"ל האָבן זיך אַמאָל אויסגעדריקט: "גאולי מלך המשיח לא נאמר, גאולי אליהו לא נאמר, אלא גאולי ד' נאמר". הײַנטיקע מנהיגים פֿאַרלאַנגען די אַבסאָלוטע דאַנקבאַרקייט פֿון פֿאָלק, צו וועלכער נישט משיח און נישט אליהו־הנבֿיא זענען באַרעכטיקט! די גאוה האָט זיך אויסגעווירקט, און ווירקט זיך נאָך הײַנט צו טאָג אויס, דעסטרוקטיוו אין אַ סך הינזיכטן.

ווען דער מאָדערנער מענטש וואָלט פֿאַרשטאַנען דעם ענין פֿון יחוד־השם אויפֿן פּאָליטישן געביט, וואָלט גערעדאַוונט און געזאָגט מיט פֿאַרשטענדעניש "ומלוך עלינו אתה ד' לבדך בחסד וברחמים" — נאָר דו, גאָט, האָסט די אַבסאָלוטע מאַכט, נאָר דו ביסט דער אַבסאָלוטער קעניג, נאָר דײַן וועלט־אָרדענונג איז אייביק און פּערפֿעקט, ווײַטער איז אַלץ רעלאַטיוו, פֿאַרענדערלעך און פֿול מיט חסרונות — וואָלט דאָך

3. אָן אײַנזעעניש (דײַטש).

קיין סטאַלין־, קיין היטלער־עבֿודות־זרות ניט געבראַכט קיין אומגליק אויף דער מענטשהייט.

ווען מיר, מאָדערנע ייִדן, וואָלטן געדאַוונט און מיחד השם געווען מיטן גאַנצן האַרצן, וואָלטן מיר דאָך פֿאַרשטאַנען די ווערטער פֿון הלל "אני אמרתי בחפזי כל האדם כוזב" (תהילים קטז, יא), און מיר וואָלטן געווען פֿאָרזיכטיק אין שענקען איבערגעטריבענעם בטחון דעם מענטשן.

ווען די מאָדערנע ייִדישע פֿירער וואָלטן געדאַוונט, וואָלטן זיי דאָך געפֿילט זייער קליינקייט און אומבאַדײַטיקייט אין דער ראַם פֿון גרויסער ייִדיש־היסטאָרישער דראַמע. ווען זיי וואָלטן מיט כּוונה דעם "ומביא גואל לבני בניהם למען שמו באהבה" רעציטירט, וואָלט דאָך אַ נײַע ליכט פֿאַר זייערע אויגן אויפֿגעגאַנגען, און זיי וואָלטן דעם אמתן גואל דערזען: דעם אין־סוף אַליין, וועמענס קליינע שלוחים זיי זײַנען.

ווען מיר רבנים וואָלטן באמת געדאַוונט, וואָלטן מיר דאָך ניט מורא געהאַט פֿאַר די שול־פּרעזידענטן און דירעקטאָרן, און מיר וואָלטן אַ סך מאָל ניט אײַנגעגאַנגען אויף קיין פּשרות. ווען מיר וואָלטן מיט קאָפּ רעציטירט דעם מודים, "על חיינו המסורים בידיך ועל נשמותינו הפּקודות לך...הטוב כי לא כלו רחמיך, והמרחם כי לא תמו חסדיך, כי מעולם קוינו לך", וואָלטן מיר דאָך געוווּסט, אַז אויב דער רבש"ע איז מיט אונדז, קען אונדז קיינער קיין שלעכטס נישט טאָן, און אויב ער האָט ח"ו אונדז פֿאַרלאָזן, קענען אונדז די שול־דירעקטאָרן ניט העלפֿן. ווען מיר וואָלטן געדאַוונט, וואָלט דאַן דער כּבֿוד־הרבנות געשטאַנען אַ סך העכער.

קעגן יחוד־השם זינדיקט דער מאָדערנער מענטש דורך דינען אַ נײַע עבֿודה־זרה. די עבֿודה־זרה הייסט דעת־הקהל. מיר בוקן זיך פֿאַר דער עפֿנטלעכער מיינונג. דער מענטש פֿון הײַנט האָט פֿאַרלאָרן זײַנע אייגענע סטאַנדאַרדן פֿון עטישער הנהגה, אַלץ ווערט דיקטירט[4] דורך אַן אויספֿײַנערישער געזעלשאַפֿט, וועלכע פֿאָרמולירט חוקים און משפּטים פֿאַרן יחיד. אַ האַנדלונג ווערט ניט געמאָסטן מיט אָביעקטיווע קריטעריעס, נאָר מיטן "מה יאמרו הבריות". אויב די געזעלשאַפֿט איז מסכּים, קען די ערגסטע האַנדלונג באַטראַכט ווערן אַלס שיין, און אויב די געזעלשאַפֿט וואַרפֿט עס אָפּ, קען די שענסטע האַנדלונג קריטיקירט ווערן. די גלאָריפֿיצירונג פֿון דער עפֿנטלעכער מיינונג שטאַמט באמת פֿון אַ דעמאָקראַטישן פּרינציפּ, וועלכער זאָגט אַז די מערהייט דאַרף שטענדיק אַנטשיידן. יהדות, וועלכע האָט פֿאָרמולירט די אַקסיאָמע פֿון אחרי רבים להטות, האָט אָבער אויך גוט געוווּסט אַז אין באַשטימטע צײַטן און בנוגע באַשטימטע ווערטן טאָר מען דעם רבים ניט פֿאָלגן, און דער יחיד מוז האַנדלען קעגן דעם דעת־הקהל. זײַנען די נבֿיאים נאָכגעגאַנגען נאָך דער מאַסע? מיר אַליין זײַנען שטענדיק געווען אַ נישטיקע מינדערהייט צווישן די פֿעלקער, און

4. אין געדרוקטן אַרטיקל שטייט "דיסקוטירט", משמעות אַ טעות־הדפֿוס.

טראָץ דעם האָבן מיר געקעמפֿט און געליטן פֿאַר אַ תּורה וועלכע די אַרומיקע וועלט האָט אָפּגעוואָרפֿן.

לײַדער, האָבן מיר מאָדערנע ייִדן מיסאינטערפּרעטירט דעם פּרינציפּ פֿון אחרי רבים להטות, און מיר דינען די עבֿודה־זרה פֿון דעת־הקהל. די זינד האָט חרובֿ געמאַכט יהדות, האָט וויסט געמאַכט די ייִדישע היים און דעם בית־מדרש. מיר ווערן געטריבן ביז צו שגעון דורך אַ ווונטש נאָכצומאַכן אַנדערע און אימיטירן לעבנספֿאָרמען וועלכע זײַנען אונדז פֿרעמד.

ווען דער מענטש בכלל וואָלט געדאַוונט און משׂיג געווען ווי צו פֿירן אַ געשפּרעך מיטן בורא־עולם, און פֿאַרשטאַנען ווי אויסצוגיסן זײַן האַרץ אין דער שטימונג פֿון "לא גבה לבי ולא רמו עיני" (תהילים קלא, א), וואָלט ער דאָך תּופֿס געווען אַז יעדער מענטש דאַרף אַרויסברענגען דאָס אינדיווידועלע און כאַראַקטעריסטישע אין אים, און אַז די פּרינציפּן פֿון טובֿ־ורע ווערן דעטערמינירט דורך דעם רבש"ע, און ניט דורך דער געזעלשאַפֿט. דאַמאָלסט וואָלטן שׂנאה, רעכטער און לינקער ראַדיקאַליזם, זיך נישט אַנטוויקלט.

ווען מיר מאָדערנע ייִדן וואָלטן ריכטיק פֿאַרשטאַנען ווי צו דאַוונען, וואָלטן מיר דאַן ניט געפֿרעגט "איכה יעבדו הגוים האלה את אלהיהם ואעשׂה כן גם אני" (דברים יב, ל). דאַמאָלסט וואָלטן מיר דאָך שטאָלץ דאָס אייגנטימלעכע אין אונדזער לעבנס־שטייגער און אין עבֿודה־שבלבֿ מפֿרסם געווען, און מיר וואָלטן אַנדערש געאַכטעט געוואָרן דורך די אומות־העולם. ווען מיר וואָלטן מיחד השם געווען אויף דעם געזעלשאַפֿטלעכן געביט, און די עבֿודה־זרה פֿון דעת־הקהל מבֿטל געווען, וואָלטן מיר דאָך אויף דער פֿראַגע "האם אפשר שכל העולם חייבים והיהודים זכאים"[5] אַ סך מאָל געגעבן די זעלבע תּשובֿה וואָס אחד־העם האָט געגעבן: "אפשר ואפשר!"

צום שלוס, וויל איך קומען צום פּונקט פֿון יחוד־השם אין אינטימען פֿאַמיליען־לעבן. יהדות האָט אַוודאי טײַער געהאַלטן די חיי־המשפּחה. ליבע און רעספּעקט פֿון קינדער צו עלטערן איז פּראָקלאַמירט געוואָרן אויפֿן באַרג סיני אין די עשׂרת־הדברות. אַהבֿה פֿון עלטערן צו קינדער און צווישן מאַן און פֿרוי איז כּמעט איינע פֿון די הויפּטטעמען אין תּנ"ך. אבֿרהם, שׂרה און יצחק, רבֿקה יצחק און יעקבֿ, רחל יעקבֿ און יוסף, און אַזוי ווײַטער, סימבאָליזירן דאָס אידילישע און צאַרטע אין דעם פֿאַרהעלטעניש צווישן מאַן און פֿרוי, פֿאָטער און זון, וואָס איז פֿאַרהייליקט געוואָרן דורך אומצייליקע דורות. די הלכה און די אַגדה זײַנען פֿול מיט דינים און מאמרים וועלכע באַשעפֿטיקן זיך מיט דער פֿאַרהערלעכונג פֿון דער ליבע צווישן די פֿאַרשיידענע פֿאַמיליע־מיטגלידער.

יהדות האָט אָבער אויך אין דער הינזיכט געצויגן אַ גרענעץ־ליניע. די ליבע

5. "צי איז מעגלעך אַז די גאַנצע וועלט איז שולדיק, און ייִדן זײַנען אומשולדיק?"

צווישן עלטערן און קינדער, צווישן מאַן און פֿרוי, ווי הייליק זי זאָל ניט זײַן, טאָר ניט באַטראַכט ווערן אַלס דאָס גרעסטע און העכסטע געפֿיל אין מענטשלעכן לעבן. די ליַידנשאַפֿטלעכע ליבע צו גאָט מוז אַריבערשטײַגן די פֿלאַמענדע אַהבֿה פֿאַרן בן־יחיד אָדער דער אשת־נעורים. די ליבע צו גאָט איז אַבסאָלוט און אומענדלעך; די ליבע צום מענטשן, אַפֿילו צום נאָענטסטן, טראָגט איר פּראַכט און אינטענסיטעט, בלײַבט רעלאַטיוו און באַגרענעצט. די אידעע איז דער לײַטמאָטיוו פֿון דער עקדה־שילדערונג אין חומש. אַוודאי דאַרף מען האָבן פֿאַרטרויען אין פֿאָטער, אין קינד, אין דער פֿרוי; אַוודאי דאַרף מען זײַן שטאָלץ מיט זיי און האַלטן זיי טײַער ווי אַ זעלטענער אוצר. אָבער אַבסאָלוטירן דאָס געפֿיל פֿון בטחון אין די נאָענטסטע, און באַטראַכטן זיי אַלס דאָס העכסטע און בעסטע איז ווידער עבֿודה־זרה.

אַ מענטש טאָר אויף איין מינוט ניט מסיח דעת זײַן פֿון יחוד־השם, און ער דאַרף שטענדיק וויסן, אַז נאָר דער בורא־עולם איז דער טײַערסטער אוצר וועלכן ער באַזיצט, און בלויז ער אַליין פֿאַרדינט די גרעסטע ליבע. נאָר אין גאָט דאַרף אַ מענטש זײַן שטערבלעך פֿאַרליבט, מיט אַן אַהבֿה וואָס גרענעצט זיך מיט שגעון: "סמכוני באשישות, רפדוני בתפוחים כי חולת אהבה אני" (שיר השירים ב, ה). דער רמב"ם האָט אידענטיפֿיצירט "שגיון לדוד" מיט שגעון. בנוגע אַ מענטשן טאָר מען דורך אַזאַ מעכטיקער געפֿילס־כוואַליע ניט פֿאַרשלעפּט ווערן.

ווען מיר, מאָדערנע ייִדן, וואָלטן ריכטיק פֿאַרשטאַנען אַז תּפֿילה באַשטייט אין דער פֿולער קאַפּיטולאַציע פֿון בשר־ודם, וועלכער האָט געהאַט אילוזיעס וועגן מאַכט, ליבע, רום און גרויסקייט, און פּלוצלינג זיך אויפֿגעכאַפּט פֿון חלום און משׂיג געווען, אַז אַלע האָפֿענונגען זײַנען געווען פֿאַלש און פֿאַרפֿירעריש, און די וויזיעס וואָס ער האָט געזען זײַנען ניט מער ווי אַ מיראַזש, וועלכער פֿאַרכישופֿט מיט זײַן פּראַכט דעם וואַנדערער אין דעם מדבר, און שפּאָט אָפּ פֿון אים, נאָך דעם, פֿאַר זײַן נאַיִוון גלויבן, וואָלט דאָך אונדזער עבֿודה־שבלבֿ גאַנץ אַנדערש אויסגעזען. דאַמאָלסט וואָלט דער מתפּלל זיך געפֿילט הילפֿלאָז און אומגליקלעך, עלנט און אַליין. דאַמאָלסט וואָלטן דאָך מאָדערנע ייִדן קיין "פֿאַמיליע פּיוס" ניט פֿאַרלאַנגט, און זיי וואָלטן דאָך ניט באַטראַכט די אָנוועזנהייט פֿון דער פֿרוי בײַם זײַט פֿון מתפּלל ווי אַ נויטווענדיקייט און פּראָגרעסיווע רעפֿאָרעם. ווען מיר וואָלטן ריכטיק געדאַוונט און זיך פֿאַרזעצט אין דער שטימונג פֿון "כי אבי ואמי עזבוני וד' יאספני" (תהילים כז, י), וואָלטן מיר דאָך פֿאַרשטאַנען אַז דער מאַן, בעת ער טוט תּפֿילה, טאָר ניט פֿילן אַז זײַן ליבע פֿרוי, אויף וועלכער ער קען זיך סומך זײַן, געפֿינט זיך בײַ זײַן זײַט, און אַז זי, די פֿרוי, דאַרף ניט טראַכטן אַז זי שטייט לעבן איר מאַן, וועלכער וועט איר באַשיצן און באַשירעמען אין קראַנקייט און אין נויט. דאַמאָלסט וואָלט דאָך יעדערער געזוכט צו זײַן פֿאַר זיך, מיט זיך אַליין און מיטן רבש"ע.

ווען מיר, מאָדערנע ייִדן, וואָלטן געגלויבט באמת אין יחוד־השם, וואָלטן

מיר דאָך ניט צעלאָזן אונדזערע קינדער און מיר וואָלטן דאָך אין זיי אײַנגעפּלאַנצט רעספּעקט פֿאַר געטלעכער אויטאָריטעט. דאַמאָלסט וואָלט דאָך דער אַלטער טאַטע, וואָס לייגט רבנו תּמס תּפֿילין, זיך ניט איבערגענומען מיט די "קלוגע" רייד פֿון זײַן בן־יחיד, וועלכער איז אַ קרקפֿתּא דלא מנח תּפֿילין און אַן עם־הארץ אין ייִדישע זאַכן, און וואָלט אַליין ניט גענומען צווייפֿלען אין דעם ווערט פֿון ייִדישער טראַדיציע. ווען מיר וואָלטן געדאַוונט, וואָלטן דאָך די קינדער מכבד געווען די עלטערן, און ניט די עלטערן — די קינדער. דאַמאָלסט וואָלטן מיר דאָך קיין צוויי דורות ניט פֿאַרלאָרן.

יע, ווען די וועלט (ייִדן און ניט־ייִדן) וואָלט געדאַוונט, און האַרציק די קלײנע תּפֿילה פֿון נעילה געזאָגט: "מה אנו מה חיינו...מה כחנו מה גבורתנו...הלא כל הגבורים כאין לפניך ואנשי השם כלא היו, וחכמים כבלי מדע ונבונים כבלי השׂכל... ומותר האדם מן הבהמה אין, כי הכל הבל", וואָלט זי דאָך שיין, גוט, און הייליק געווען. אָבער לײַדער דאַוונט זי ניט; לײַדער פֿאַרשטייט זי ניט וואָס יחוד־השם מיינט, און דערפֿאַר זוכט זי כסדר איר אייגענעם תּיקון!

וועגן ייִדיש[1]

איך בין ניט קיין ייִדישיסט, וועלכער גלייבט, אַז דאָס לשון אַליין שטעלט מיט זיך פֿאָר אַן אַבסאָלוטן ווערט. אָבער אַ גמרא־ייִד בין איך יאָ, און איך וויס אַז הייליקייט און אַבסאָלוטקייט זייַנען ניט אַלע מאָל אידענטיש."

די הלכה האָט פֿאָרמולירט צוויי אידעען פֿון קדושה: 1) גופֿי־קדושה, 2) תּשמישי־קדושה. זי האָט אָפּגעפּסקנט, אַז מען דאַרף ראַטעווען פֿון אַ שׂריפֿה שבת ניט נאָר די ספֿר־תּורה, נאָר אויך דאָס מענטעלע אין וועלכן זי איז איַינגעוויקלט; ניט בלויז די תּפֿילין, נאָר אויך דאָס זעקל אין וועלכן זיי ליגן. ממילא, ייִדיש ווי אַ שפּראַך, ניט קוקנדיק וואָס זי איז ניט פֿאַררעכנט צווישן גופֿי־קדושה, געהערט זיכער צום קלאַס פֿון תּשמישי־קדושה, וועלכע זייַנען אויך הייליק, און וועלכע מען מוז באַשיצן מיט אַלע כּוחות.

איז דען דאָ אַ שענערער "תּיק", אין וועלכן די הייליקסטע ספֿרי־תּורה זייַנען געוועזן, און זייַנען נאָך אַלץ, אייַנגעוויקלט, ווי ייִדיש? אויף דער שפּראַך האָט דער רמ"אָ, דער מהרש"ל, דער ווילנער גאָון, ר׳ חיים וואָלאָזשינער און אַנדערע גדולי־ישׂראל מיט זייערע תּלמידים תּורה געלערנט. אויף ייִדיש האָט דער בעל־שם־טובֿ, דער מעזריטשער מגיד און דער אַלטער רבי סודות פֿון מעשׂה־בראשית דערקלערט. אויף פּשוטן מאַמע־לשון האָבן די ייִדישע מאַסן זייער אמונה, פּשוטע ליבע און טרייַשאַפֿט אויסגעדריקט. עד־היום זאָגן גרויסע ראשי־ישיבֿות זייערע שיעורים אויף ייִדיש.

1. בריוו אין *טאָג־מאָרגן זשורנאַל*, דעם 24סטן פֿעברואַר, 1961.

אַזאַ ״תיק״ איז זיכער הייליק, כאָטש זײַן קדושה איז ניט קיין אַבסאָלוטע, נאָר אַן אָפּגעלײַטעטע, אין דעם גדר פֿון תשמישי־קדושה.

אויפֿהאַלטן דעם ״תיק״ איז אַ גרויסער זכות![2]

2. בריוו אין *טאָג־מאָרגן זשורנאַל*, דעם 24סטן פֿעברואַר, 1961.

גלאָסאַר פֿון זעלטענערע לשון־קודש אויסדרוקן

דאָ ווערן אָנגעגעבן זעלטענערע אויסדרוקן אויף לשון־קודש וואָס געפֿינען זיך נישט אין געוויינטלעכע העברעישע ווערטערביכער.

א׳: (קיצור) אל־קים אָדער אל־קינו.

אבֿני הבנין: אין דער קבלה, די זיבן נידעריקערע ספֿירות פֿון דער געטלעכער אַנטפּלעקונג.

אורייתא: די תּורה.

א״י: (קיצור) ארץ־ישׂראל

אַין: נישטיקייט, ניט־עקסיסטענץ.

אימרותא דלעילא: אַ וואָרט פֿון אויבן, ד״ה פֿון הימל.

אמתלאות: דערקלערונגען

אנוס רחמנא פּטריה: אַ געצוווּנגענעם באַטראַכט דער רבונו־של־עולם ווי פּטור.

בגדר: אין דער קאַטעגאָריע, אין דער בחינה פֿון.

ב״ה: (קיצור) ברוך הוא.

בה״ג: (קיצור) בעל *הלכות גדולות*, איינער פֿון די פֿריִסטע ספֿרי־פּוסקים נאָך חתימת־התּלמוד.

במסרקות של ברזל: מיט אײַזערנע קעמען.

בעירה: בהמה.

בקביעא דירחא: אין באַשטימען דעם ערשטן טאָג פֿונעם חודש.

גלמוד: פֿאַראײנזאַמט.

דבֿוק: צוגעשמידט, צוגעבונדן.

דגש חזק: (דאָ געמיינט) שטאַרקער טראָפּ.

דקיק: דאַר, איידל.

הבֿערה: אָנצינדן פֿײַער אום שבת.

הוצאה: (דאָ געמיינט) דאָס אַרויסטראָגן חפֿצים פֿון רשות־היחיד אין רשות־הרבים (אָן אַן עירובֿ) אום שבת.

הקדש: (דאָ געמיינט) אַ זאַך (בדרך־כּלל פֿרוכט, אַ פֿעלד, אָדער אַנדערער חפֿץ) וואָס ווערט געהייליקט און געשאָנקען צום בית־המקדש.

הקרבֿה: דאָס ברענגען אַ קרבן.

חולין: אַ זאַך (בדרך־כּלל פֿרוכט, אַ פֿעלד אָדער אַנדערער חפֿץ) וואָס ווערט *ניט* געהייליקט דעם בית־המקדש, און ווערט גענוצט פֿאַר וואָכעדיקע צוועקן.

חופֿשיות: וועלטלעכקייט.

חותם זײַן: פֿאַרענדיקן אָדער שליסן אַ ברכה.

חלוקא דרבנן: לויטן זוהר, דאָס רבנישע לײַבל אין וועלכן צדיקים וועלן זיך קליידן אויף יענער וועלט.

חניך: דערצויגלינג, געוועזענער תּלמיד.

טישטוש־הגבֿולין: פֿאַרווישונג, פֿאַרטונקלונג פֿון גרענעצן.

טיפּוס: אידעאַלער טיפּ, אידעאַלע פּערזענלעכקייט.

ילקוט: "ילקוט שמעוני", אַ זאַמלונג מדרשים צונויפֿגעשטעלט אין 13טן יאָרהונדערט.

יפֿיותו של יפֿת: די אַסטעטישע שיינקייט פֿון יפֿת (אויפֿן סמך פֿונעם פּסוק "יַפְתְּ אֱל־קים ליפת", בראשית ט, כז).

יצר ההון: יצר־הרע נאָך געלט און רײַכטום.

יצר המין: יצר־הרע נאָך סעקסועלער באַפֿרידיקונג.

ישׂראל־סבֿא: "דער זיידע ישׂראל", דער אור־אַלטער, טראַדיציאָנעלער ייִד.

כּבֿבֿת עינו: ווי דאָס שוואַרצאַפּל פֿון אויג.

כּיבוי: אויסלעשן אַ פֿײַער אום שבת (איינע פֿון די פֿאַרבאָטענע ל״ט מלאכות).
כּריתת־ברית: שליסן אַ בונד, אַן אָפּמאַך.
כּתנות אור: העמדער פֿון ליכט.
כּתונת־פּסים: געשטרײַפּט העמדל (פֿון יוסף־הצדיק).

לגבֿוה: פֿאַרן אייבערשטן. דאָ געמיינט: די געטלעכקייט.
להקת נבֿיאים: געזעמל פֿון נבֿיאים.
לחצאין: אויף העלפֿטן.

מבֿויש: פֿאַרשעמט
מבֿעת זײַן: אָנשרעקן, איבערשרעקן.
מגינת־לבֿ: האַרץ־דולעניש, צרה אָדער בהלה (לויט איכה ג, סה).
מדבֿריהם: דרבנן.
מופּקע: פֿאַרלוירן די גילטיקייט פֿון אַ סטאַטוס.
מוצאי לחולין זײַן: בײַטן דעם סטאַטוס פֿון אַ חפֿץ פֿון הקדש אויף חולין.
מטפּחות של ספֿרים: די מענטעלעך פֿון ספֿרי־תּורה.
מסע נוסעי הצלבֿ: די קרײַצפֿאָרער.
מעילה: דאָס פֿאַרשווערכן הייליקטימער דורך ניצן זיי פֿאַר וואָכעדיקע צוועקן.
מעכּבֿ זײַן: פֿאַרמײַדן אַז אַ מצווה זאָל זײַן גילטיק.
מערומיו: זײַן נאַקעטקייט.
מעריך זײַן: (דאָ) אָפּשאַצן, צושרײַבן ווערט.
מערכה: (דאָ געמיינט) סיסטעם.
מפֿקע זײַן: מבֿטל זײַן די גילטיקייט.
מתכּנת הלבֿבֿים: דער פֿורעם פֿון די ציגל.

נוגשים: צווינגערס, אויפֿזעערס (פֿון קנעכט) (לויט שמות ה, ו א״אַ).
נרתּיק: זעקל.
נשחט שלא למנויו: אַ קרבן־פּסח וואָס איז געשאָכטן געוואָרן ניט פֿאַר די וואָס האָבן זיך דערפֿאַר פֿאַרשריבן (אַן איסור אויפֿן סמך פֿון שמות יב, ד).

עז כּנמר: מוטיק ווי אַ לעמפּערט (לויט אבות ה, כ).
עֲזָרָה: הויף פֿונעם בית־המקדש.

עצמות: מהות.

עלי תאנה: פֿײַגנבלעטער.

עמא פּזיזא: אַ האַסטיק פֿאָלק.

ערקתא דמסאנה: (דער אופֿן פֿון) פֿאַרבינדן די שוך־בענדלעך.

עתּיק יומין: ״דער פֿון די אוראַלטע טעג״, דער רבונו־של־עולם (אין זוהר און קבלה).

פּגול: ״אָפּשטויסיק פֿלייש״, אַ פֿלייש־קרבן וואָס ווערט געבראַכט אָדער געגעסן נאָך איר באַשטימטער צײַט.

פּה מפּיק מרגליות: ״אַ מויל וואָס גיט אַרויס בריליאַנטן״, געזאָגט אויף איינעם וואָס איז אַ גרויסער לערער אָדער רעדנער.

פּקע: איז בטל, מער ניט גילטיק.

קדושי נעמיראָוו: די נעמיראָווער קהילה איז געווען די ערשטע צו גיין על־קידוש־השם בעת די גזירות ת״ח־ות״ט (כמעלניצקי־שחיטות).

קדושת דמים: דער געלט־ווערט פֿון אַ חפֿץ וואָס ווערט געהייליקט דעם בית־המקדש.

קול עלה נדף: ״דער שאָרך פֿון אַ געטריבענעם בלאַט״ (לויט בראשית כו, לו).

קולמוס: פֿעדער.

קטלא־קניא: אַ נישטיק אומוויכטיקער מענטש (ווערטערלעך: ״אַ גראָזן־שנײַדער״, לויט סנהדרין לג ע״א).

ר״ל: (קיצור) רחמנא־ליצלן, גאָט זאָל אָפּהיטן.

שאול־איש־תּרשיש: דער קריסטלעכער אַפּאָסטאָל פּאָולוס.

שבת־שבתון: יום־כּיפּור.

שופֿרות: (דאָ געמיינט) די דריטע פֿון די דרײַ הויפּט־ברכות אין ראש־השנהדיקן מוסף: מלכויות, זכרונות און שופֿרות.

שינוי־ערכים: ווערטן־איבערבײַט.

שם־הוויה: גאָטס נאָמען.

שני הפֿכים בנושׂא אחד: צוויי קעגנערישע שטריכן אין איין סובסטאַנץ. (דער אויסדרוק שטאַמט פֿונעם רמב״מס *מורה נבֿוכים*.)

שׂממית: שפּין, יאַשטשערקע.

תּערובֿת: געמיש (בדרך־כּלל פֿון מילכיקס מיט פֿליישיקס, חמץ מיט פּסחדיקס).

תּמורות: די פֿאַרבייַטונג פֿון אַ חיה וואָס איז הקדש אויף אַן אַנדערער וואָס איז חולין.

תּפֿיסת קידושין: די גילטיקייט פֿון דער חתונה־צערעמאָניע.

לעקסיקאָן פֿון גדולי־התּורה און ייִדישע פּערזענלעכקייטן

גדולי־התּורה און אַנדערע ייִדישע פּערזענלעכקייטן פֿון די לעצטע דורות וואָס ווערן דערמאָנט אין דעם באַנד

ר׳ אַבֿרהם בערלינער (1833–1915): פּראָפֿעסאָר אין ר׳ עזריאל הילדעסהײַמערס אָרטאָדאָקסישן ראַבינער־סעמינאַר אין בערלין. מחבר פֿון פֿאַרשיידענע ווערק, צווישן זיי אַ קריטישע אויפֿלאַגע פֿון פּירוש־רש״י על התּורה אויפֿן סמך פֿון כּתבֿ־ידן.

ר׳ אהרן קאָטלער (1891–1962): ראש־ישיבֿה אין סלוצק און קלעצק; אַראָפּגעבראַכט קיין אַמעריקע אין 1943; גרינדער און ראש־ישיבֿה פֿון בית מדרש גבֿוה אין לייקווד, ניו־דזשערזי.

אחד העם: אשר גינזבורג (1856–1927), העברעיִשער עסייִסט און דענקער, גרינדער און רעדאַקטאָר פֿונעם זשורנאַל ״השלח״, פֿאָטער פֿונעם גײַסטיקן ציוניזם. געוווינט אין אַדעס.

ר׳ אײַזיל חריף: ר׳ יהושע יצחק שאַפּיראָ (1801–1872), סלאָנימער רבֿ, גרויסער למדן און שאַרפֿזיניקער.

ר׳ אלחנן וואַסערמאַן (1874–1941): תּלמיד־מובֿהק פֿונעם חפֿץ־חיים, ראש־ישיבֿה אין באַראַנאָוויטש, מחבר פֿון פֿילצאָליקע ספֿרים, אומגעקומען על־קידוש־השם מיט אַנדערע רבנים אין קאָוונע.

ד״ר בעלקין: הרבֿ שמואל בעלקין (1911–1976). פּרעזידענט פֿון ישיבֿה־קאַלעדזש און ישיבֿת רבינו יצחק אלחנן אין ניו־יאָרק. אויף זײַער יסוד האָט ער געשאַפֿן ישיבֿה אוניווערסיטעט אין 1945.

דער גאָון: דער ווילנער גאון (1720–1797), רבינו אליהו פֿון ווילנע.

ר׳ הערש־לייב: ר׳ נפֿתּלי־צבֿי־יהודה בערלין (1893–1817), לאַנג־יעריקער ראש־ישיבֿה אין וואָלאָזשין, מחבר פֿון פֿילצאָליקע ספֿרים.

וואָלפֿסאָן: דוד וואָלפֿסאָן (1914–1856). ציוניסטישער מנהיג, אויסגעקליבן געוואָרן ווי דער פּרעזידענט פֿון דער ציוניסטישער וועלט־אָרגאַניזאַציע נאָך טעאָדאָר הערצלס טויט.

ר׳ וועלוועלע (1867–1789)**:** זון פֿון ר׳ יחזקאל־פֿײַוול דרעטשינער, געווען ווילנער שטאָט־מגיד בעת די יאָרן 1833–1867.

זשיטלאָווסקי: ד״ר חיים זשיטלאָווסקי (1943–1865). ייִדישער סאָציאַליסטישער דענקער; פֿאָטער פֿונעם וועלטלעכן ייִדישיזם.

ר׳ חיים בריסקער: ר׳ חיים סאָלאָווײטשיק (1918–1853), דעם מחברס זיידע, וואָלאָזשינער ראש־ישיבֿה און בריסקער רבֿ, שעפֿער פֿונעם ״בריסקער דרך״ אין לערנען.

ר׳ חיים לייב סטאַוויסקער: ר׳ חיים לייב ראָטינבערג (1898–1836), ליטווישער גאון און צדיק, רבֿ אין שטעטל סטאַוויסק, בן־דור און מקורבֿ פֿונעם חפֿץ־חיים.

דער חפֿץ־חיים: ר׳ ישראל־מאיר הכּהן (1933–1838), רבֿ און ראש־ישיבֿה אין ראַדין, מחבר פֿון ספֿרים *חפֿץ חיים*, *משנה ברורה* א״אַ, פּוסק־הדור און מנהיג פֿון אָרטאָדאָקסישן ייִדנטום.

ר׳ חנוך־הענעך אייגעש (1941–1864)**:** ווילנער רבֿ, מחבר פֿון ספֿר *מרחשת*, אומגעקומען אין ווילנער געטאָ.

טשלענאָוו: ד״ר יחיאל טשלענאָוו (1918–1864). מנהיג פֿון דער ציוניסטישער באַוועגונג אין רוסלאַנד, שטאַרקער קעגנער פֿון הערצלס אוגאַנדע־פּראָיעקט.

ר׳ יאָסעלע סלוצקער: ר׳ יוסף פּיימער (1864–1796), תּלמיד־מובֿהק פֿון ר׳ חיים וואָלאָזשינער, לאַנג־יעריקער סלוצקער רבֿ.

ר׳ יוסף בער סאָלאָווײטשיק (1892–1820)**:** דעם מחברס עלטער־זיידע, ראש־ישיבֿה אין וואָלזשין, רבֿ אין סלוצק און בריסק, מחבר פֿון *בית הלוי*.

ר׳ יצחק אלחנן: ר׳ יצחק אלחנן ספּעקטאָר (1896–1817), קאָוונער רבֿ, פּוסק־הדור און וויכטיקע רבנישע פּערזענלעכקייט אין רוסלאַנד אין דער צווייטער העלפֿט פֿון נײַנצנטן יאָרהונדערט.

ר׳ לייזער טעלזער: ר׳ אליעזר גאָרדאָן (1910–1841), לאַנג־יעריקער ראש־ישיבֿה אין טעלז.

ר׳ מאיר שׂמחה דווינסקער (1926–1843)**:** דווינסקער רבֿ, מחבר פֿון ספֿרים *אור שמח* (אויפֿן רמב״ם) און *משך חכמה* (אויף דער תּורה).

ר׳ מאיר שאַפּיראָ (1887–1933): פּיעטריקאָווער און לובלינער רבֿ, גרינדער און ראש־ישיבֿה פֿון "ישיבֿת חכמי לובלין".

ר׳ מנחם זעמבאָ (1883–1943): רבֿ און פּוסק אין וואַרשע, מנהיג פֿון אגודת־ישׂראל, אומגעקומען אין וואַרשעווער געטאָ.

ר׳ מענדל קאָצקער: מנחם־מענדל מאָרגענשטערן (1787–1859), דער קאָצקער רבי, תּלמיד פֿון ר׳ שׂמחה־בונים פּשיסכער.

נחום סאָקאָלאָוו (1859–1936): ציוניסטישער מנהיג און רעדאַקטאָר פֿון דער העברעישער צײַטונג *הצפֿירה*. געוווינט אין וואַרשע.

פּינסקער: ד״ר לעאָן (יהודה לייב) פּינסקער (1823–1891). דאָקטער פֿון מעדיצין אין אַדעס, מחבר פֿונעם ביכל Autoemancipation (1882), גרינדער און אָנפֿירער פֿון דער חיבת־ציון באַוועגונג.

פּרץ: יצחק־לייבוש פּרץ (1852–1915). פּאָעט פֿון דער מאָדערנער ייִדישער ליטעראַטור, דערציילער און עסייִסט. געוווינט אין וואַרשע.

ר׳ שמשון אָסטראָפּאָלער: מקובל און קדוש אין גזירות־ת״ח.

ר׳ שׂמחה זעליג: ר׳ שׂמחה זעליג ריעגער, לאַנג־יעריקער בריסקער דיין, מקורבֿ צו ר׳ חיים סאָלאָווייטשיק, אומגעקומען אין בריסקער געטאָ.